ammann

BERND STEINHARDT

DIE INSELN AM ENDE DER ZEIT

ROMAN

AMMANN

Homepage: www.ammann.ch
Satz: Gaby Michel, Hamburg
Druck und Bindung: Ebner & Spiegel, Ulm
ISBN 3-250-10443-4

FÜR MEINE ELTERN

ALOHA NUI LOA

PROLOG

MAUNA NOE

DER SCHLAFENDE BERG

Stille lag über dem Chaos. Eine trügerische Stille. Das Wüten der Urgewalten hatte sich nur für einen Atemzug hinter den Horizont des Sichtbaren verzogen. Vertrieben durch das Auge des Sturms, dem magischen Tor, hinter dem das Reich der akua begann. Der Mond wanderte wachend über den Himmel und verwandelte das Meer in einen Ozean aus glitzernden Sternen. Millionen Feuer funkelten aus der Finsternis und zeichneten Pfade aus Licht über das spiegelnde Firmament, um den Argonauten den Weg durch das Labyrinth der unsichtbaren Welt zu weisen.

Keani erwachte aus ihrem Schlaf, um die Aufgabe zu erfüllen, für die sie auserwählt worden war. Sie öffnete ihre Augen und blickte in die Runde der mutigen Seefahrer, die sich um sie versammelt hatten, um Unheil in Heil zu verwandeln und Tod in neues Leben. Sie waren auf dem Weg zu dem Ort, den ihre Ahnen kahiki nannten, dem heiligsten aller Heiligtümer, das jetzt in ihrer Nähe lag, ganz nah, irgendwo im Nirgendwo der Leere zwischen Raum und Zeit. Es war eine weite und gefährliche Reise, auf der nicht die Route darüber entschied, ob sie ihr Ziel erreichten, und auch nicht das Schiff, auf dem sie den Ozean durchquerten. Es war das gemeinsame Ritual, das ihnen von den Ahnen überliefert worden war, für die Passage zu den Inseln am Ende der Zeit.

Keani spuckte zerkaute 'ava-Wurzeln in die dreibeinige, aus edlem koa-Holz geschnitzte Schale, die mitschiffs auf dem Oberdeck zwischen den beiden mächtigen Rümpfen der Tangaroa stand, und schloß für ein kurzes Gebet die Augen. Dann hob sie den Kopf zu den Sternen, den Botschaftern Kanes, die seit mehr als drei Tagen geschwiegen hatten. Zwischen den schwarzen Sturmwolken erwachte die Milchstraße mit ihrem seidigen Glanz, und sie wußte, daß der Zeitpunkt gekommen war, die Trennlinie zwischen den Welten zu überschreiten.

Keani knüpfte einen kleinen Lederbeutel von der Schnur, die das weiße kapa um ihre Hüften band, und streute ein rötliches Pulver aus streng rie-

chenden Blüten in die 'ava – pauka moe uhane, den Staub der Träume. Dann tauchte sie eine Kokosschale in das heilige wai, hob das Trinkgefäß gegen ihre Stirn und reichte die Gabe der Götter in den Kreis der Argonauten.

Atem erfüllte die Arche. Ein staunender Atem, der das Boot auf den Wellen tanzen ließ. Keani leerte die letzte Schale des bitteren Wassers und wählte vier kahunas aus der Mitte der Reisenden. Mit ernsten Gesichtern nahmen sie den lei von ihren Schultern, ergriffen ihre Arme und Beine und legten sie, begleitet von beschwörendem Gebet, auf ein kunstvolles kapa, das die Zeichen der Götter trug. Feuer, Wasser, Luft und Erde.

Keanis Körper erbebte unter den Händen der Priester, die mit geweihtem Blut begannen, magische Zeichen auf ihre Haut zu bannen. Zugleich spürte sie die Grenzen ihres Bewußtseins schwinden, und das mana erwachte in ihrer Seele. Es war ein warmes Licht, das aus der Tiefe des Meeres durch ihren Körper hindurch, den Mastbaum hinauf und hinaus in die Unendlichkeit des Kosmos stieg.

Endlich brachen die Siegel des heiligen kapu. Das Meer begann zu schäumen. Es färbte sich weiß zu sprudelnder Gischt und umschloß schon bald das tanzende Schiff. Keani spürte die Gegenwart der Geister des Meeres und erblickte durch den Spiegel der Wellen das Ziel ihrer Reise. Es war ein uralter Berg. Ein Riese mit Adern aus Stein, der von Fieberschüben geschwächt im Sterben lag. Sie ließ sich zu ihm niedersinken. Immer tiefer und tiefer, und drang in seinen felsigen Leib. Sie spürte seine Qualen und erkannte die Wunde, die mitten in sein Herz gerissen war. Es war eine wuchernde Metastase, ein schwelender Brand, entfacht von einem kalten, todbringenden Feuer.

Keani erschauderte. Sie sah in das grimmige Gesicht des dunkelsten aller Alpträume. Sie sah in das Antlitz des Todes und wußte, was geschehen war. Endlose Trauer legte sich über ihr Herz, und sie rief den Namen des 'aumaku'a, ihres Gefährten von der anderen Seite der Zeit, der allein ihr helfen konnte, das Unheil zu vernichten, das sich in den Leib des Berges fraß.

In diesem Moment drang ein Dämon aus der Tiefe empor und gebar einen Mahlstrom aus gleißender Energie. Zugleich begann die See zu beben, und die Wellen verzogen ihr Gesicht im Zorn. Die Elemente stürzten sich auf das Ungeheuer, das den Berg bedrohte und sein Fieber zu einer Höllenglut entfachte.

Keani schrie vor Entsetzen. Sie sah, wie der Ozean Feuer fing und das Schiff der Argonauten in kaltem Licht verbrannte. Mit letzter Kraft klammerte sie sich an den Weltenbaum und schickte die Botschafter ihrer Träume aus, als Warnung vor dem Dämon, der die Macht besaß, alles Leben zu vernichten. Dann schloß sich das Auge des Zyklons. Sein Fauchen türmte die Wellen zu Monstren auf und zerschmetterte mit Sturm und Flut das magische Tor in der Welt.

I

KANE

I

MALIHINI

DER FREMDE BESUCHER

Einen Monat später wanderte eine Welle über den Ozean und näherte sich einem palmengesäumten Strand. Es war eine Hochseewelle, dunkler und mächtiger als jene anderen, die mit ihren fröhlichen, weißen Kronen wie spielende Kinder über die Riffkante in die seichte Lagune rollten. Mit schwerer Dünung war sie von weit hergekommen und hatte nun zu dem Ort zurückgefunden, von dem sie einst zu ihrer langen Reise aufgebrochen war. Ein letztes Mal sammelte sie ihre Kraft, bäumte sich schäumend auf und trug ihre fließende Gestalt über die Wälder der Korallen, bis sie mit den Wirbeln der Brandung verschmolz und den träumenden Schatten weckte, der viele Tage und Nächte mit ihr durch das Meer gezogen war.

Niemand bemerkte das Geschehen, das sich draußen über den Untiefen des Riffs abspielte. Allein der gelbe Kleidervogel, der aus dem tropischen Garten des *Hilton Hawaiian Village* aufgestiegen war, erkannte das blauglitzernde Wesen, das sich lautlos der Sichel des Strandes näherte. Verwundert drehte er einen Kreis, dann noch einen, stieß einen kehligen Laut aus und setzte schließlich seinen Flug hinauf in die fruchtbaren Regenwälder des Manoa Valley fort.

Der Schatten änderte seine Farbe, wurde türkis wie das Wasser und verwandelte seine Gestalt. Er schäumte tanzend in der Gischt, surfte auf dem Kamm der große Woge, bis sich die Welle donnernd brach. Sie spritzte hoch, ergoß sich rauschend über den Strand und grub sich mit leisem Knistern in den Sand. Ein kleiner Junge begann zu weinen, und sein Blick folgte dem Wasser, das zwischen den Ruinen seiner Sandburg in der Erde verschwand.

Dann sah er das Mädchen, das mit der Welle aus dem Meer gekommen war. Er sah ihre Haut, deren blasser Glanz sich färbte und im Licht der Sonne zu Gold verwandelte. Und er sah ihre Augen, die sich öffneten und wie schwarze Edelsteine funkelten. Sie begann zu lächeln, und er hörte auf zu weinen. Sie streckte sich und trocknete ihre langen Haare in der warmen Luft. Wie aus tiefem Schlaf erwacht, atmete sie den Duft der Orchideen, der sie beglückte und zugleich berauschte, weil es der Duft ihrer Heimat war. Und zum ersten Mal an diesem Morgen wehte die frische Brise des Passats über die Berggipfel von Hawai'i.

Dennis rieb sich die Müdigkeit aus den Augen und gähnte. Er hatte die Welle nicht kommen sehen. Er hatte keine der unzähligen Wellen gesehen, die an diesem Morgen an den Strand von Waikiki gebrandet waren. Er wollte sie nicht sehen. Nein, er konnte es nicht ertragen, sie zu sehen.

»Diese verdammten Wellen!«

Er saß in sicherem Abstand von der Uferpromenade auf einer Bank des Queen Kapiolani Parks und schaute gedankenverloren durch die Kronen der *koa*-Bäume hinauf zu den kahlen Hängen des Diamond Head. Warum war er nur nach Hawai'i zurückgekommen? Auf diese gottverlassenen Inseln, wo er den Wellen geradezu ausgeliefert war. Eingeschlossen vom Ozean, der vor langer Zeit ein dunkles Loch in sein Leben gerissen hatte. War es einmal mehr die verzweifelte Suche nach einem Ausweg aus der Sackgasse, in die er geraten war? Oder war es am Ende ein Aufbäumen gegen die Flucht vor sich selbst, die ihn ziellos um den Globus trieb?

Dennis haßte seine Gedanken, seine Selbstzweifel, die ihn verfolgten, wohin er auch ging. Schließlich gehörte das Reisen zu seiner Arbeit. Es war sein Job. Er wurde dafür bezahlt. Sehr gut bezahlt sogar. Er suchte Menschen, deren Spuren andere verloren hatten. Selbst hier an diesem unheilvollen Ende der Welt. Es war ein Auftrag wie unzählige zuvor. Nichts weiter. Und doch, belog er sich damit nicht selbst? War er nicht all die Jahre letztlich nur auf der Suche nach sich selbst gewesen, nach Dennis Newman, der alleine der Verlorene war?

Stöhnend zog Dennis sein Sakko aus und versuchte die Bilder seiner Erinnerungen zu verdrängen, die seit seiner Ankunft in Honolulu wieder über ihn hereingebrochen waren. Es gelang ihm nicht. Es war ihm nie gelungen. Die Geister der Vergangenheit ließen ihn nicht los, egal wo er gerade war. Anfangs hatte er sich geweigert nach Hawai'i zu fliegen, aber sein Analytiker hatte ihn schließlich überredet, den Auftrag anzunehmen. Vielleicht war dies der einzige Weg, den Alptraum endlich loszuwerden. Das Trauma, das begonnen hatte, als er vor einigen Jahren nur durch ein Wunder dem sicheren Ertrinken im Ozean entkommen und mehr tot als lebendig und ohne Erinnerung an das, was mit ihm geschehen war, an die Küste von Kahoolawe gespült worden war, einer unbewohnten, nur für die US-Navy zugänglichen Insel im Zentrum des Archipels. Vielleicht ergab sich diesmal eine Chance herauszufinden, wer er war. Nur durfte er nicht wieder davonlaufen. Er mußte sich seinen Ängsten stellen, seiner Furcht vor dem Unbeschreiblichen, das seinem Leben jede Wurzel genommen hatte – so verlangte es zumindest Arnold Brillsteins Therapie.

»Verdammter Brillstein!«

Was wußte er schon von seinen Qualen – in seiner protzigen Praxissuite, hoch über dem Central Park? Was wußte er von den Abgründen, die sich unter den Fundamenten seiner Existenz aufgetan hatten und selbst anhand der phantasiereichsten Archetypen aus den Symbolkatalogen der Psychoanalyse nicht annähernd zu beschreiben, geschweige denn zu erklären waren? Genausowenig wie die bruchstückhaften und nichtssagenden Erinnerungsfetzen, die der Seelenklempner seiner verlorenen Vergangenheit in den endlosen Rebirthing-Sitzungen auf seiner Büffelledercouch abgerungen hatte. Am Ende blieb allein die Schocktherapie und die Hoffnung auf die Selbstheilungskräfte seines Geistes. Brillstein nannte es den Sprung ins kalte Wasser, den unausweichlichen Schritt zurück ins Leben, um die Mauer, die ihn von sich selber trennte, zu durchbrechen.

»Danke, Doktor! Und viel Spaß mit dem Scheck.«

Dennis lenkte seinen Blick hinüber zur Uferpromenade, hinter der sich das glitzernde Band des Meeres bis zum Horizont erstreckte, und versuchte vergeblich seine Angst vor den Wellen zu verdrängen.

Es war gerade halb acht. Zu dieser frühen Morgenstunde hatte es erst wenige Sonnenhungrige aus den Hotelbetten an den Strand getrieben. Noch schlief Waikiki hinter den endlosen Beton- und

Glasfassaden, die bis zu den Wolken hinauf in den hawaiianischen Himmel gewachsen waren. Man hörte nur das leise Rauschen der Brandung, das sich mit dem Atem des Windes vermischte und in dem Gesang der tropischen Vögel ein sanftes Echo fand.

Dennis beunruhigte diese Stille, dieses unheimliche Fehlen von künstlichem Lärm. Seit er sich erinnern konnte, hielt er es nur im Zentrum großer Städte aus, mit ihrem pulsierenden Leben, fernab den unberechenbaren Launen der Natur, die einst sein Leben oder zumindest das, was es einmal gewesen war, begraben hatten.

Unentschlossen fingerte er nach einem klebrig süßen Ahornsirup-Donut, nahm einen Schluck aus dem Pappbecher mit schwarzem Konakaffee und begann, um sich abzulenken, in einer lokalen Tageszeitung zu blättern, die er zusammen mit dem vielversprechenden Ausflugsprospekt *One Day in Paradise* von einem Infostand in der Ankunftshalle des Flughafens mitgenommen hatte.

»Schönes Paradies«, murmelte er und überflog fast schadenfroh die lokalen Schlagzeilen, die wie überall in der Welt zumeist von Mord und Totschlag kündeten. Er haßte Hawai'i noch immer. Selbst nach all den Jahren. Wie konnte er auch einen Staat mögen, der nur aus kleinen Inseln bestand? Was für eine frustrierende Vorstellung. Für ihn bedeuteten Palmenstrände keinen Garten Eden, und für die Einheimischen gab es die heile Welt der *aloha*-Klischees mit Sicherheit auch nicht mehr. Schon gar nicht in Waikiki, wo der Dollar mehr galt, als der Charakter derjenigen, die damit bezahlten.

Dennis wischte sich den Sirup von den Fingern und warf den Pappbecher, die Zeitung und die Paradiesbroschüre in einen der Müllcontainer, die im Abstand von wenigen Metern an den blitzsauberen Parkwegen aufgereiht waren wie Knöpfe auf einer weißen Weste. Er hatte noch etwas Zeit bis zu seiner Verabredung mit dem Klienten, der ihm ein First-Class-Ticket nach Honolulu und einen großzügigen Vorschuß geschickt hatte, und folgte seinem inneren Drängen, den strandnahen Park, den er für sein therapeutisches Frühstück ausgesucht hatte, endlich zu verlassen. Für seinen Geschmack hatte er bereits genügend Seeluft geschnuppert, und in den belebten Straßen des Hotelghettos von Waikiki, so zumindest legte er sich seine Begründung zurecht, konnte er sich besser auf das bevorstehende Geschäftstreffen konzentrieren.

Bereits zu dieser frühen Morgenstunde wälzten sich zähe Glutwellen durch die Betonschluchten zwischen den Hochhausquadern der Kalakaua Avenue. Fast schien es, als würden sich die Asphaltbänder, die Waikiki wie steinerne Flüsse durchzogen, in glühende Ströme verwandeln, in brodelnde Lava, geboren aus dem feurigen Atem *Peles,* der hawaiianischen Vulkangöttin, deren Zorn über das lärmende Treiben der Touristen den Belag der Straßen zum Schmelzen brachte – so interpretierte es zumindest ein mahnendes Flugblatt, das von einer offenbar esoterisch angehauchten Umweltschützergruppe an Bäumen und Mauern angebracht worden war, um in untergangsprophetischer Verklärung die unerträgliche Hitzewelle zu erklären, die Honolulu seit Wochen heimsuchte. Allein aus den tiefgekühlten Warenhäusern und Hotellobbys wehte ab und zu ein eisiger Hauch, der den leichtgeschürzten *malihinis* mit der ersehnten Erfrischung oftmals eine kräftige Erkältung brachte.

Inzwischen verfluchte Dennis seinen Tommy-Hilfiger-Anzug, mit dem er sich bei seiner Ankunft in einer arktisch klimatisierten Flughafenboutique eingekleidet hatte. In der tropischen Schwüle erschien er ihm jetzt wie eine überflüssige Haut, die er am liebsten sofort abgestreift hätte. Andererseits hielt er es für wenig angebracht, seinem neuen Auftraggeber in einer Badehose gegenüberzutreten. Außerdem besaß er nicht einmal eine – natürlich besaß er keine! Sein Reisegepäck bestand für gewöhnlich nur aus einer Umhängetasche, in der sich kaum mehr als sein Webboard befand – sein Büro, sein Sekretariat und seine Schnittstelle zum Internet. Eine digitale Videokamera komplettierte diese Kommunikationsplattform, die er als Erweiterung seiner eigenen Sinne für seine Arbeit brauchte. Abgesehen von zwei Hemden, ein paar Boxershorts und Socken, seinen Ausweisen und einigen Kreditkarten war dies sein gesamter materieller Besitz, den er leicht den äußeren Gegebenheiten anpassen konnte. Die Hotels, die seit Jahren sein Zuhause waren, hielten den übrigen Komfort für sein rastloses Leben bereit.

Nach einem schweißtreibenden Spaziergang erreichte Dennis am Fuße des Diamond Head sein neues Domizil, das zugleich der Geschäftssitz seines Klienten war. Erstaunt stand er vor einem ungewöhnlich geformten Strandressort, das offenbar den Anschein erwecken sollte, als sei es von der Brandung des Ozeans an das Ufer gespült worden. Dennis entschied spontan, daß ihm das Gebäude nicht gefiel. Es war eine jener architektonisch phantasievollen Hotelkreationen aus Stahl, Marmor und Glas, die wie überall in der Welt die Strände zubetonierten. In Waikiki konnte man allerdings kaum behaupten, die balkongespickten Schlafburgen verschandelten die Natur. Eine Landschaft in natürlichem Sinne gab es hier schon lange nicht mehr, und die liebliche Bucht des sprudelnden Wassers mit ihren malerischen Palmenhainen, die den *ali'i* – den früheren hawaiianischen Aristokraten – einst Badevergnügen und Entspannung bot, war längst Geschichte.

Das *Moto Kapiulani Beach* fügte sich geradezu kunstvoll in die Kulisse der protzigen Hotelpaläste, die den weltberühmten Traumstrand säumten. Es setzte neben dem pinkfarbenen, im maurischen Stil erbauten *Royal Hawaiian* und dem kolonial-eleganten *Moana Surfrider* einen weiteren exotischen Farbtupfer in die sonst eher eintönige Betonlandschaft. Das Zentralgebäude glich einer Riesenmuschel, um die sich die gläsernen *lanais* der Suiten wie eine Perlenkette schlangen. Der maritime Gebäudekomplex, der einer Rifflandschaft nachempfunden war und in jedem Disneypark einen würdigen Platz gefunden hätte, war von einem verschwenderisch bepflanzten Lagunengarten umgeben, der wie ein öffentlicher Park auch hotelfremden Besuchern zugänglich war. Zwischen Kieselwegen und Wasserfällen, die sich in kleine Teiche ergossen, gab es Palmenhaine und Blumeninseln, auf denen Flamingos und Papageien lebten. Nur die großen Korallenpools, die weit in die Bucht hinausgebaute Tauchlagune und der ebenfalls in Muschelform errichtete Jachtclub waren allein jenen Gästen vorbehalten, die bereit waren, die exklusiven Einrichtungen des Strandhotels zu bezahlen.

Dennis betrachtete mit Unbehagen die maritim verspielten Bauwerke und entdeckte auf dem Dach der Hotelmuschel zwei Arbeiter, die mit Kletterseilen abgesichert versuchten, häßliche, grünschimmernde Schmutzreste von der Fassade zu entfernen. Fast schien es, als wäre über dem Hotel ein schlammiger Regen niedergegangen, ein Schauer aus verfaultem Meerestang. Wie gigantische Schlingpflanzen klebten die meterlangen Ranken an den Wänden und verströmten in der Hitze einen unangenehm strengen Modergeruch.

Dennis versuchte die mühsame Reinigungsaktion dokumentarisch einzufangen. Es war ein Reflex, eine oftmals nützliche Angewohnheit seines Jobs, jegliche Information festzuhalten, selbst wenn sie für den Moment wertlos erschien. Im Grunde haßte er es, mit einer Kamera durch die Gegend zu laufen. Als investigatives Werkzeug leistete sie ihm jedoch unschätzbare Dienste, auf die er nicht verzichten konnte. Ohne es zu merken, näherte sich Dennis bei seiner Suche nach einer geeigneten Aufnahmeposition immer mehr dem Strand. Schritt für Schritt tastete er sich zwischen Bougainvilleabüschen und Rosenbögen hindurch zu den Anlegern des Jachtclubs, bis die Muschel endlich den optimalen Platz in seinem Sucher fand.

In diesem Moment huschte ein Schatten durch das Blickfeld des Monitors. Zugleich spürte Dennis wie jemand an ihm vorüberlief. Es war ein kühler Luftzug, dessen Ursprung in der Hitze rätselhaft war. Er fuhr herum, stolperte und ließ ungeschickt die Kamera los, die über das Geländer des Anlegers hinunter in den Sand fiel und von einer Welle überspült wurde.

»Verflucht!« schimpfte er und blickte ungehalten auf. Er sah eine junge Frau, die mit schnellen Schritten über den Steg lief. Es war eine Hawaiianerin, großgewachsen und schlank. Er sah sie nur von hinten, aber irgend etwas sagte ihm, daß er dieses Mädchen kannte.

»Warte...«, rief er und klammerte sich an eine Fahnenstange, als er erschrocken merkte, wie drohend nahe er dem Wasser gekommen war. Tatsächlich blieb sie stehen und drehte sich zu ihm um. Sie trug nur ein weißes Tuch, das über den Brüsten um ihren Körper geschlungen war. Ihre Haare flossen in Wellen über die goldbronzene Haut und umrahmten ein Gesicht, das wie das eines Kindes war.

Dann sah Dennis ihre Augen. Und darin ein Funkeln wie Feuer. Es war ein endloser Blick, ein suchender Blick, eine ewige Sekunde voller Bedeutung, die er nicht verstand.

»Wer bist du?« fragte er verwirrt und zwang sich, nicht augenblicklich zurück an Land zu laufen, obwohl seine neurotische Furcht vor dem Wasser ihm bereits den Schweiß auf die Stirn trieb. Er konnte seinen Blick nicht von ihr abwenden. Auf nicht zu erklärende Weise war er sich sicher, daß diese Begegnung eine Bedeutung hatte. Weil er ihr schon einmal begegnet war. Früher, viel früher, und – so unheimlich es auch klang – lange bevor er Dennis Newman gewesen war.

Das Mädchen zögerte, einen winzigen Moment, und blickte sich nochmals um.

»Wer bist du?« fragte er erneut.

»Wer bist *du?*« antwortete sie wie ein lautloses Echo. Im gleichen Moment blitzte ein Licht auf, ein Sonnenstrahl in der Träne, die über ihre Wange lief.

Dann wendete sie sich ab und begann wieder zu laufen, schneller und schneller, bis sie das Ende des Steges erreichte und mit einem weiten Sprung kopfüber in den Wellen verschwand. Dennis wurde schwindelig, und alles was er von ihr sah, bevor sich die Welt um ihn herum zu drehen begann, war das weiße Tuch, das hinaus in die Lagune trieb, hinaus zu der feinen Linie, die den Ozean vom Himmel trennte.

2

LA'AU AO

DER WELTENBAUM

Der Raum lag in ein diffuses Licht getaucht. Es gab weder Fenster noch Türen. Nur eine hermetische Schleuse, die verschlossen war. Versiegelt zum Schutz vor dem Unkalkulierbaren, das in jeder neuen Spielart des Unbekannten lauerte. Nichts konnte das Tor passieren. Kein Licht, kein Atemzug, kein Leben. Was diesseits der Schleuse lag, war geschützt vor der Welt auf der anderen Seite. Und die Welt war geschützt vor dem, was jenseits hinter den Toren der Schleuse lag. Und das war das Entscheidende, denn im Jenseits lauerte mitunter der Tod.

In der Mitte des Raumes befand sich ein zweiter Raum, ein zylindrisches Bassin aus rahmenlosem Glas, fünf Meter hoch und drei Meter im Durchmesser, gefüllt mit einer transparenten Flüssigkeit, die gleichmäßig hell erleuchtet war. Das Wasser bewegte sich nicht. Seine Oberfläche hing wie ein runder Spiegel zwischen den gläsernen Wänden. Nur von Zeit zu Zeit perlte ein Luftbläschen in die Höhe, ausgeatmet von einem hölzernen Objekt, das in der Mitte des Bassins aufrecht zu schweben schien.

Vor dem Bassin stand ein mobiles Computerpult, das Gehirn, das die Arme der kleinen Schwimmroboter steuerte, die sich innerhalb des Zylinders befanden. Künstliche Intelligenz für künstliche Hände mit sensorischen Fingern, deren filigrane Motorik den Fähigkeiten der menschlichen Hand bei weitem überlegen war.

Die Szenerie hatte etwas Lebloses, das durch das bläuliche Leuchten des Bassins und die kahlen, mit einer weißen Keramikglasur überzogenen Wände noch verstärkt wurde. Auch wenn die Temperatur mehr als 20° Celsius betrug, hatte der Raum die Atmosphäre einer Leichenhalle. Er war beherrscht von Totenstille und dem fassungslosen Staunen, das den Mann erfüllte, der zwischen den Wänden der Räume das Tor zu einer Welt jenseits der Welt geöffnet hatte.

Marlin Sun fröstelte. Es war ein Gefühl der Verlorenheit. Vielleicht ahnte er bereits, daß seine Arbeit einmal mehr neue und unbequeme Fragen aufwerfen würde. Aber daran hatte er sich längst gewöhnt. Wake Island war nur eine der vielen Stationen seiner ruhelosen Reise durch die Katastrophengebiete menschlichen Größenwahns. Vor Jahren hatte sein Weg auf den Aleuten begonnen, dann kam Bikini, Johnston, Maralinga, Nagasaki, Fanga'taufa und Midway. Er lebte in der sicheren Gewißheit, letztlich überall dort zu landen, wo die Mächtigen etwas verbockt hatten und sich nicht erklären konnten, wie es dazu gekommen war. Die Flips, wie Sun die gesichtslosen Hintermänner auf der dunklen Seite der Macht nannte, dachten sich die verrücktesten Dinge aus. Und er mußte sie ausbaden. Gelangen die Experimente, ernteten sie den Ruhm. Mißlangen sie, wie nur allzuoft, mußte er den Dreck wegkehren. Schadensbegrenzung – oder strategische Analyse, wie sie es bevorzugt nannten.

Sun war von seinen Arbeitgebern in viele streng geheime Projekte einbezogen worden. Zumeist dann, wenn es längst zu spät war und es nur noch die Scherben wegzufegen galt. Zugleich spielte er den kategorischen Fußabstreifer. Das schlechte Gewissen und die Quelle für Entschuldigungen, Vertuschungen und Ausflüchte. Selten war seine Meinung gefragt. Ausreden sollte er sich ausdenken. Lügen für die Ahnungslosen. Er war der Notanker der Technokraten und ihre letzte Hoffnung, wenn etwas schiefgegangen war.

Diesmal war etwas schiefgegangen. Verdammt schief sogar. Was genau wußte Sun noch nicht. Vielleicht würde er es nie erfahren. Jedenfalls nicht in seinem vollen Umfang, wie so oft zuvor. Sein Team war nur ein mobiles Einsatzkommando zur Rettung von Ansehen, Macht und anderer weniger wertvoller Dinge wie Gesundheit, Umwelt und Menschenleben, wobei letzteres für die Flips in den seltensten Fällen von Bedeutung war. Sie agierten ohne Gewissen, und es interessierte sie wenig, wie viele Opfer ihre Strategien kosteten. Relevant war allein die Frage, wie das Unvorhersehbare sich entwickelte und wie dieses Wissen künftig für die Erweiterung ihrer Macht zu nutzen war. Dieser Zweck heiligte jeden Aufwand, jedes Opfer und jedes Mittel.

Sun versiegelte eine gläserne Testkapsel und deaktivierte die sensorischen Greifer mit ihren mattsilbernen Scheren, Sägen und Skalpellen, die eine unzweifelhafte Ähnlichkeit mit Obduktionsinstrumenten besaßen. Im Grunde war die Arbeit, die er verfolgte, auch eine Art Obduktion. Die Obduktion des Unfaßbaren, dem er seit Jahren auf der Spur war und das nun eine neue seiner bizarren Blüten entfaltet hatte. Eine Blüte mit einer, wie er nun wußte, extrem brisanten Bedeutung.

Das Bassin barg ein Stück Holz, einen linealgraden Pfahl, mehr als vier Meter lang und an seiner Basis beinahe einen halben Meter im Durchmesser. Gefertigt war er aus einem Stück *koa*-Holz, kunstvoll verziert mit Schnitzereien und einer Sichel an seinem Kopf, die seine Herkunft und damit auch sein Rätsel bestätigten. Der Pfahl war die Spitze vom Mast eines großen Schiffes, eines ganz besonderen Schiffes. Und die bloße Existenz des Holzpfahls war für die Flips offenbar schwerwiegend genug, Marlin Sun zu konsultieren.

Das Wrackstück war drei Tage zuvor von einem mikronesischen Fischtrawler südlich von Marcus Island auf offener See treibend gefunden worden. Abgesehen von seinem abgerissenen Unterteil war der Mast völlig intakt. Die Oberfläche war glattpoliert und zeigte neben den Verzierungen nur einige eingekerbte Rillen und Spuren dicker Taue, die das Großsegel gehalten hatten. Das Holz war weder von Algen besetzt, noch hatten sich Muscheln auf ihm niedergelassen. Es konnte noch nicht lange im Wasser getrieben sein, und im Grunde gab es keine Zweifel an seiner Herkunft. Die Schnitzereien und die Bemalung des *kapa*-Segels, dessen zerfetzte Reste noch an den Tauen hingen, waren Beweis genug. So war es auch nicht Suns vornehmliche Aufgabe, etwas über die Herkunft des Fundes auszusagen, sondern vielmehr über seine sonderbare, durch nichts zu erklärende Beschaffenheit.

»Warum zum Teufel zerfällt es nicht...?« murmelte er vor sich hin und suchte ratlos den Blickkontakt zu seinem Assistenten, der gerade aus dem biochemischen Labor zurückgekommen war, wo er eine Materialprobe des Mastbaumes einer spektroskopischen Untersuchung unterzogen hatte.

»Ich verstehe es auch nicht.« Kimo Havili betrachtete ungläubig die Computerauswertung, die er zusammen mit einem Teströhrchen einer milchig-braunen Flüssigkeit mitgebracht hatte. »Die

Molekularstruktur ist hochgradig instabil, und wenn ich es nicht besser wüßte, würde ich sagen, wir haben es hier mit einem amorphen Gemisch denaturierter organischer Substanzen zu tun. Außerdem kommt es in immer stärkerem Maße zu einer Ionisation einzelner Molekülgruppen, was bei diesen thermischen Bedingungen physikalisch völlig ausgeschlossen ist, zumindest im Rahmen der zur Zeit geltenden physikalischen Gesetze.«

»Ein kaltes Plasma«, sinnierte Sun kopfschüttelnd und kratzte sich an seinem Kinn, was offensichtlich die Lieblingsbeschäftigung des Chinesen war. »Gibt es Anzeichen von Radioaktivität?«

»In der Oberflächenschicht lassen sich Isotope isolieren, die auf eine künstliche Kontamination hindeuten.«

»Plutonium?«

»Unter anderem. Die Auswertung läuft noch. Interessanter erscheint mir ohnehin eine massive und völlig atypische Strahlungsaktivität im Bereich des infraroten Spektrums. Allein in den letzten zwölf Stunden ist die Temperatur des Materials um mehr als fünfzig Prozent angestiegen.«

»Jetzt scheint sie sich aber stabilisiert zu haben.« Sun deutete auf die Meßscala auf einem der Monitore.

»Das war schon mehrere Male so, aber die Peaks wurden immer höher. Jetzt sind es bereits vierzig Grad über der ursprünglichen Wassertemperatur, und das Holz hat die meisten seiner normalen physikalischen Eigenschaften verloren.«

Kimo aktivierte einen der Roboterarme und stach mit einem Skalpell in den Mast. Dabei leistete das Holz dem Werkzeug kaum mehr Widerstand als das salzige Wasser, das es umgab.

»Es ist wirklich faszinierend. Es reagiert mehr und mehr wie eine Flüssigkeit, nur daß es im Gegensatz zu den Proben, die wir entnommen haben, seine zelluläre organische Struktur behält.«

»Faszinierend findest du es?« entgegnete Sun. »Die meisten Menschen würden es erschreckend finden, weil es allem widerspricht, was wir von der Welt zu wissen glauben.«

»Es erinnert mich an die Mururoa-Steine.« Kimo dachte an die seltsamen Fundstücke auf der atomverseuchten Pazifikinsel, deren Zustand in keinem der Lehrbücher beschrieben war, die der Tahitianer an der Pariser Universität kennengelernt hatte. »Das Zeug war geschmolzen wie Butter in der Sonne und behielt seinen Zustand selbst im Kühlschrank bei.«

»Aber es war auch hochgradig radioaktiv verstrahlt. Hier scheinen wir es mit etwas völlig anderem zu tun zu haben.«

Kimo bemerkte einmal mehr, wie hilflos er sich fühlte, sobald er dem Unbegreiflichen gegenüberstand. Nach seinem Physikstudium war er voller Hoffnung gewesen, etwas für sein Land tun zu können, und als Marlin Sun ihn vor acht Monaten in sein internationales Forschungsteam für die französischen Atomtestgebiete im Tuamotu Archipel geholt hatte, war er seinem Ziel plötzlich sehr nahe gekommen, erschreckend nahe, wie er sehr schnell feststellen mußte, denn der Wissenschaftler hatte ihn auf eine unheimliche Expedition mitgenommen. Auf eine Reise direkt zu den Wurzeln des Wahnsinns.

»Vielleicht ist es eine Art physikalischer Fäulnisprozeß?« schlug Kimo achselzuckend vor.

»Ein interessanter Vergleich. Ein zähflüssiger Brei aus faulenden Atomen.«

»Es war nur so eine Idee. Bemerkenswert ist allerdings, daß die Temperaturerhöhungen schubweise auftreten, wie Hitzewellen bei einem tropischen Fieber.«

»Fieber?« Sun lachte. »Willst du damit andeuten, der Mast hätte Malaria?«

»Es sieht beinahe so aus.« Kimo fuhr mit dem Finger über die geschwungene Temperaturkurve auf dem Monitor. »Es sind zyklische Wellen. Wenn die Temperatur zu schnell steigt, kommt es zu einer ausgleichenden Gegenreaktion. Das Holz verhält sich wie ein organischer Regelkreis. Es ist beinahe, als kämpft es um sein Leben.«

»Sein Leben? Kimo, es ist nur ein abgetrennter Mastbaum.«

»Äußerlich gesehen vielleicht, aber spirituell ist es viel mehr als das.« Kimo sah Sun einen Moment lang in die Augen. Ihm war sein sträflich unwissenschaftlicher Erklärungsversuch peinlich, und er zögerte, die Worte zu gebrauchen, die ihm auf den Lippen lagen. Andererseits waren sie auch nicht verrückter als die seltsamen Theorien, die Sun ihm in den vergangenen Monaten vorgetragen hatte.

»In meiner Heimat wurden früher die Schiffe in heiligen Zeremonien den Göttern geweiht«, begann er vorsichtig und vergaß, fasziniert von seiner Idee, daß seine Gedanken längst begrabenem Aberglauben folgten. »Dabei wurden sie von *mana* durchströmt, der schöpferischen Lebenskraft. Das Schiff galt danach als eine Wesenheit, als ein lebendiges Geschöpf. Und der Mast war sein Zentrum, sein Rückgrat und Weltenbaum. Durch ihn strömte die Energie zwischen Himmel, Erde und *po,* der Unterwelt.«

»Ein lebendiger Energiestrom ...« ergänzte Sun nachdenklich und verwarf seine Ansicht, Kimo würde ihn einmal mehr verulken.

»Aber dann muß eine immens zerstörerische Kraft auf das Schiff eingewirkt haben, die die Molekularstruktur des Holzes auflöste und den Strom des *mana* schwächte, bevor der Mastbaum brach.«

»Und du glaubst, der Geist des Schiffes sitzt noch in diesem Mast und verhindert, daß das Holz sich vollständig zersetzt?«

»Ja, aber er verliert zunehmend an Kraft und beginnt sich von seinem kranken Körperteil zu lösen.«

»Dann fault er nicht, sondern stirbt!« Sun betrachtete fasziniert das Bassin und plötzlich kam ihm ein Gedanke. »Mein Gott, Kimo! Vielleicht hast du recht. Laß es uns versuchen.«

»Was denn?«

»Vielleicht haben wir die einmalige Chance einen Schiffsgeist zu beobachten, bevor er sich ins Jenseits verabschiedet. Und wenn er uns wohlgesonnen ist, wird er uns sogar etwas darüber erzählen, was mit seinem schönen Schiff geschehen ist.«

Sun programmierte den Computer, und wenig später sah man winzige Perlen, die wie an unsichtbaren Schnüren aufgereiht durch das Wasser tanzten.

»Was tust du da?« fragte Kimo neugierig.

»Ich zeige dir ein neues Kapitel auf unserer Reise durch die Alptraumwelt der Quantenphysik.« Sun reichte Kimo eine drahtlos mit dem Computer verbundene Cyberbrille und löschte das Licht im Raum. »Unsere Augen sehen nur einen winzigen Teil des Energiespektrums zwischen dem ultravioletten und dem infraroten Licht. Andere Bereiche können wir nur messen. Und über die Breite des gesamten Spektrums gibt es allenfalls theoretische Spekulationen, falls es nicht ohnehin von gleicher prinzipieller Unendlichkeit ist wie Raum und Zeit. Stell dir vor, Kimo, wie sich uns die Welt präsentieren würde, wenn wir Radiowellen sehen könnten, thermische Strahlungen oder sogar so seltsame Energieformen wie das *mana,* von dem du gesprochen hast. Vielleicht böte sich uns ein undurchdringliches Chaos, vielleicht aber auch eine Welt voll geisterhafter Schönheit.«

Sun deutete auf den riesigen Wassertank, in dem das Wasser durch die elektronischen Brillen betrachtet nun intensiver zu leuchten begann. Besonders um den Mastbaum herum entwickelte sich ein helles Licht, das in orangen und gelben Farben pulsierte. Dazwischen gab es eine Vielzahl blauer Flecken, die sich mehr und mehr über den Mast verteilten wie die Metastasen einer sich rapide ausbreitenden Krebsgeschwulst. Besonders am Fuß des Baumes wuchs ein großflächiger Schatten, der den Fluß der Energie zunehmend unterbrach. Und darunter, dort wo der Mast einst weiterführte, lag wie ein schwach leuchtender Schleier die schemenhafte Aura eines riesigen Objekts, eines Geisterschiffes, das sich mehr und mehr entfernte und schließlich in der Dunkelheit verschwand.

3
MOTO
DER URSPRUNG

Wolkenberge türmten sich über den Gipfeln des Nu'uanu Pali. Riesen aus Wasser und Dampf, die träge über den Himmel wanderten. Schwebend, lautlos und ewig sich verwandelnd. Sie atmeten, sie spielten miteinander und waren auf eine Art lebendig, die sich in der Langsamkeit ihrer Bewegung Motos ruhelosem Blick entzog. Er betrachtete sie gedankenversunken, und vielleicht betrachteten sie ihn auf ähnliche Weise, auch wenn er nie auf eine derart absonderliche Idee gekommen wäre. Das lag wohl daran, daß er die Wolken im Grunde gar nicht sah, daß er durch sie hindurchschaute, weil sie für ihn kein wesentlicher Teil dessen waren, was er als Wirklichkeit betrachtete.

Alexander Moto war ein Spieler, und er spielte mit der Welt Monopoly. Hierin unterschied er sich nicht von den vielen anderen Menschen, die wie er zu der Überzeugung gekommen waren, im Ringen nach Gewinn und Macht den Sinn des Lebens zu suchen. Gemessen an der kurzen Zeit, die seit seinem Einstieg in das Spiel vergangen war, gehörte er sogar zu den erfolgreichsten seiner Art und mit Sicherheit bereits zu jenen, die süchtig nach den Chancen waren, süchtig nach Kontrolle über einen möglichst großen und bedeutenden Teil der Felder und Figuren dieses Spiels.

Dabei überließ er sein Schicksal nicht wie andere dem Zufall. Das Glück stand seiner Meinung nach allein auf der Seite derer, die die Kunst beherrschten, die Regeln des Systems zu ihren Gunsten zu bestimmen. Das hatte für ihn nichts mit Falschspielerei zu tun. Ganz im Gegenteil. Nur die Ohnmächtigen hielten sich an das, was unveränderbar erschien, als natur- oder sogar gottgegeben. Nur sie unterwarfen sich der Gewalt, die sie als größer empfanden als sich selbst.

Moto glaubte nur an das Prinzip der Optimierung, die er in einer sich ständig verändernden Welt als niemals abgeschlossenen Prozeß definierte. Die Existenz war ein System aus Variablen, deren perfektioniertes Zusammenwirken das große Ziel im Spiel des Lebens war. So war er ständig auf der Suche nach Verbesserungen, die das Gute und Bewährte zu Auslaufmodellen der Entwicklung machten. Hier lag für ihn der Motor allen Fortschritts und der Grund für die Überlegenheit des Menschen, der als einzige Spezies auf Erden die Intelligenz errungen hatte, sich über die natürliche Evolution zu stellen und das Leben in die eigenen Hände zu nehmen, die Effektiveres zu bieten hatten als der blinde, oft ins Leere rollende Würfel von Versuch und Irrtum der Natur.

Entspannt saß Moto auf dem gläsernen *lanai* seiner Privatsuite und richtete seinen Blick hinaus auf das Meer. Er liebte dieses Bild. Die spiegelnden Reflexionen des Sonnenlichts auf dem Wasser. Die wechselnden Farben jener unbekannten, abgründigen Welt, deren Geheimnisse dem Menschen bislang weitgehend verborgen geblieben waren. Einmal am Tag gönnte er sich diese Muße. Es war ein morgendliches Ritual, eine Art Meditation, bei der er Kraft für all das schöpfte, was am Tage vor ihm lag. Er thronte im Lotossitz auf einem erhöhten Sockel, von dem er weit über die Bucht von Waikiki bis hinüber nach Pearl Harbour und zu den dunkelgrünen Ketten der Wai'anae und Ko'olau Berge blicken konnte. Hier war sein Logenplatz im Welttheater und zugleich der Kommandostand, von dem aus er die Fäden seines Planspiels zog.

Er spürte den Atem des Meeres auf seiner Haut. Den salzigen Wind, der ihm den Geruch der Brandung hinüberwehte. Er inhalierte diesen Duft und lauschte dem Gesang der Wellen, auch wenn sein Gefühl nichts mit der romantischen Poesie zu tun hatte, die andere Menschen mit dem Meer verbanden. Für Alexander Moto hatte der Ozean eine ganz andere Bedeutung. Eine realistischere, kühnere und vor allem pragmatischere Bedeutung im Hinblick auf die Strategie, die er für sich im Spiel des Lebens ersonnen hatte. Im Ozean lag die größte aller Chancen, die im System des globalen Monopoly zu erreichen waren. Im Ozean lag die Macht über die Zukunft.

Wie ein Echo auf sein stummes Mantra glitten sanfte Hände über seine Muskeln und fuhren entlang der Schultern den Nacken hinauf unter die kurzen Strähnen seiner schwarzen Haare. Es war ein Prikkeln, das wie ein schwacher Strom von den Fingern, die ihn berührten, in die Fasern seiner Nerven floß und seinen Gedanken zu einer Klarheit verhalf, wie er sie sonst nur in Momenten erotischer Ekstase erlangte. Er schloß die Augen und gab sich dem Zauber des Engels hin, der wie an jedem Morgen gekommen war, um seinen Geist über die Grenzen des Horizonts in die Sphären des Himmels zu entführen. Sie war seine Muse, sein Medium zu den tiefsten Schichten seiner Inspiration. Ohne sie war er nur eine kraftlose Hülle, ein Schatten seiner selbst, auch wenn sein Stolz und die klassisch japanische Erziehung, die er genossen hatte, ihm nicht erlaubten, es ihr jemals zu gestehen.

Für einen kurzen Augenblick genoß er die zarten Berührungen. Dann spürte er etwas Fremdes um seinen Hals, etwas Kühles, Öliges, das ein Schaudern durch seinen Körper fahren ließ und ihn unsanft aus dem Mantra riß.

»Akiko...!« brauste er auf und zerriß das kunstvolle Geflecht aus dunkelgrünen Blättern, das sich bedrohlich wie eine Schlange um seine Schultern gelegt hatte. »Was soll das?«

»Domo sumimasen deshita!« entschuldigte sich die Japanerin verwirrt, trat einen Schritt zurück und verneigte sich so tief, wie es ihr eng anliegender *kimono* zuließ. Sie trug einen schlichten *yukata* und eine passende Schleife in ihren streng zu einem Knoten zusammengebundenen Haaren. Ihr Gesicht hatte etwas Puppenhaftes, das durch die Blässe ihrer Haut, die offenbar nie von Sonnenstrahlen berührt worden war, noch verstärkt wurde. Nur der schmale, leuchtend rote Mund unterstrich die Züge ihrer zarten Schönheit, deren Komposition in Japan seit Jahrhunderten als klassisch galt.

Moto warf den Blätterkranz auf den Boden.

»Was ist das?«

»Ein *lei*...«, antwortete Akiko leise und verbeugte sich erneut.

»Himmel, das sehe ich! Wo hast du das her? Wer hat das Teufelsding gebracht?«

»Ein Bote...«

»Ein *kama'aina*...? Motos Augen zuckten nervös.

»Nein, ein kleiner Chinesenjunge. Er sagte, ein Mädchen, das aus den Wellen gekommen sei, hätte ihn geschickt.«

»Ein Mädchen…? Aus den Wellen…?«

Moto starrte auf die grünglänzenden Blätter, die plötzlich einen süßlichen Verwesungsgeruch verbreiteten. Im gleichen Moment begannen sich wie im Zeitraffertempo weiße Blüten zwischen den Blättern zu bilden, die genauso schnell wieder verwelkten. Übrig blieb nur ein klebriger Schleim, in dem sich dicke Maden wanden.

»Verdammte *kahunas!*«, rief er ärgerlich und beförderte den *lei* mit einem Tritt in eine Ecke des *lanai.* »Wirf das Ding weg! Nein, verbrenne es! Vernichte es! Sofort!«

Er spürte wieder die unangenehme Kälte, die von den Füßen hinauf in seinen Leib stieg, die Anwesenheit des unsichtbaren Schattens, der ihn seit Wochen verfolgte, wohin er auch ging.

»Wo ist der Junge?«

»Ich sagte, er soll draußen warten, aber…« Akiko unterbrach ihre Erklärung als ein lautes, klirrendes Geräusch zu hören war.

Moto warf sich seine Morgenjacke über und eilte in den Empfangsraum seiner Suite. Der Junge war fort. Dafür lag das zylindrische Meerwasseraquarium, das neben der Tür auf einem Sockel gestanden hatte, in Scherben und seine ebenso seltenen wie kostbaren Bewohner kämpften auf dem überschwemmten Teppichboden um ihr Überleben.

Moto stieß eine Verwünschung aus und rannte hinaus auf den Arkadengang, der die oberste Etage über dem Atriumgarten des Hotels säumte. Rücksichtslos drängte er zwei Dienstmädchen beiseite, die gerade dabei waren, den Boden des Ganges zu wischen, und kollidierte unsanft mit einem Mann, der aus einem der Fahrstühle kam. Der Mann strauchelte, stürzte und stieß gegen einen der Putzeimer, die mitten im Weg standen.

»Lassen Sie mich durch…« raunzte Moto ohne ein Wort der Entschuldigung und stürmte zum Geländer der Balustrade. Die gläsernen Fahrstühle, die hinunter ins Erdgeschoß des Hotels führten, waren leer, und auf den Kieselwegen des Atriums stand nur eine Gruppe japanischer Touristen, die sich mit wortreichen Gesten gegenseitig fotografierten.

»Akiko, ruf sofort den Sicherheitsdienst«, brüllte er. »Weit kann der Bursche nicht gekommen sein.«

Dann fuhr er gereizt zu dem Mann herum, den er umgerannt hatte. »Haben Sie in der Lobby einen Jungen gesehen?«

»Was...?«

»Einen Chinesenjungen. Er muß Ihnen entgegengekommen sein.«

»Ich habe niemanden gesehen«, erklärte Dennis ungehalten und klopfte sich das Wischwasser von seiner neuen Designerhose. Offenbar war er in Hawai'i nicht einmal in geschlossenen Räumen vor dem Wasser sicher.

»Was suchen Sie überhaupt hier?« Moto kochte vor Wut. »Diese Etage ist privat.«

»Mein Name ist Newman. Mr. Moto erwartet mich.«

»Newman...? Ach, richtig!« Moto versuchte sich wieder zu fassen. Er durfte sich nicht von der Hysterie anstecken lassen, die seine Gegner mit ihren makabren Spielchen unter seinen Angestellten zu verbreiten versuchten. »Verzeihen Sie bitte mein Benehmen!«

»Ich hoffe, ich komme nicht ungelegen...« Dennis wendete seinen Blick hinüber zu Akiko, die mit versteinertem Gesicht und weit ausgestreckten Armen den verfaulten *lei* aus der Suite trug.

»Ungelegen...? Nein, nein, ganz im Gegenteil. Ich bin froh, daß Sie so kurzfristig anreisen konnten.«

»Was war denn los?«

»Es war..., wie soll ich sagen...? Ein kleiner Streich.« Moto instruierte einen herbeigeeilten Wachmann, der sich diskret bemühte, die übelriechenden Überreste des Blätterkranzes in einer Mülltüte verschwinden zu lassen.

»Ein ähnlicher Streich wurde mir bei meiner Ankunft am Flughafen umgehängt, mit dem Kuß einer liebreizenden Inselschönheit.«

»Das hier war wohl kaum als *aloha*-Geste gedacht. Aber bitte, Mr. Newman! Entschuldigen Sie mich für einen Moment.«

Während Akiko Dennis mit zurückhaltender Freundlichkeit in einen geschmackvoll mit japanischen Lackmöbeln eingerichteten Besprechungsraum führte, verschwand Moto hinter einer Tür in den privaten Bereich seiner Suite. Wenige Minuten später kam er in einem maßgeschneiderten, hellgrauen Seidenanzug zurück. Dazu trug er ein kragenloses weißes Hemd ohne Binder und schwarze Yashitomi-Slipper.

»Für die Hawaiianer, Mr. Newman, sind *leis* eine Art Sprache«, erklärte er lächelnd und setzte sich Dennis mit wiedergewonnener Selbstsicherheit gegenüber. »*Leis* drücken vielfältige Stimmungen und Botschaften aus. Sie heißen willkommen, beschwören die Liebe oder verfluchen einen Feind.«

»Und was ist Ihnen für eine Botschaft überbracht worden?« fragte Dennis, obwohl ihn im Augenblick mehr interessierte, warum es ihm nicht gelungen war, sich derart leger, den Temperaturen angemessen und gleichzeitig elegant zu kleiden.

»Das war ein *lei hala*. Er verkündet Mißerfolg in geschäftlichen Angelegenheiten und manchmal auch den Tod.«

»Eine nette Aufmerksamkeit.«

»Selbst im Paradies paart sich Erfolg oft mit Mißgunst und Neid. Und nicht alle Hawaiianer begrüßen den Tourismus auf den Inseln.«

»Verstehe...!« Dennis verzog amüsiert die Mundwinkel.

»Glauben Sie, Mr. Newman? Ich denke, ein *haole* wird Hawai'i nie ganz verstehen.« Moto bat Dennis, einen der eisgekühlten Fruchtdrinks zu nehmen, die Akiko auf einem silbernen Tablett hereingebracht hatte. »*Hawai'i no ka oi,* sagen die Einheimischen. Hawai'i ist wie kein anderes Land. Es birgt viele Seltsamkeiten und Rätsel.«

»Jedes Land hat seine Geheimnisse, aber das wird wohl kaum der Grund für den Vorschuß gewesen sein, den Sie mir geschickt haben.«

»In gewisser Weise schon. Ich möchte, daß Sie jemanden für mich ausfindig machen. Eine überaus rätselhafte Person.«

Moto legte eine Bleistiftskizze auf den Tisch, die bestenfalls die Qualität einer Phantomzeichnung besaß. Das Bild zeigte die Konturen einer jungen Frau mit langen, gewellten Haaren, vollen Lippen und schmalen, fast asiatischen Augen. Offensichtlich war es eine Insulanerin. Die Gesichtszüge waren jedoch undeutlich gezeichnet, wie das Produkt einer schemenhaften Vorstellung.

»Wer ist dieses Mädchen?« fragte Dennis verwundert und zwang seine Phantasie, nicht mehr in das Bild hineinzuprojezieren, als dort tatsächlich zu sehen war.

»Das weiß ich nicht.«

»Und warum interessieren Sie sich dann für sie?«

»Offenbar ist sie es, die sich für mich zu interessieren scheint.«

»Einen Augenblick, Mr. Moto! Sagten Sie nicht, ich soll jemanden suchen, der verschwunden ist?«

»Das Geheimnis dieser *kama'aina* liegt nicht in ihrem Verschwinden, sondern in ihrem Erscheinen.«

»Ich gebe es ungern zu, aber ich fürchte, ich kann Ihnen nicht ganz folgen.«

»Sie taucht auf unerklärliche Weise auf und verschwindet in ebensolcher Weise wieder, ohne daß es irgendwelche Hinweise auf ihre Identität gibt. So hat sie sich bereits mehrere Male Zugang zu den verschlossenen Magazinen im Keller des Halewai-Museums verschafft und dabei wiederholt einen der wissenschaftlichen Angestellten bedroht, die dort für meine kulturhistorische Stiftung arbeiten.«

»Bedroht? Auf welche Weise?«

»Offenbar verursacht ihr bloßes Erscheinen Angst und Schrekken.« Moto nahm zwei kleine Jadekugeln aus einer Lackschatulle und begann sie durch die Hand rollen zu lassen. »Haben Sie schon einmal etwas von *kahuna*-Hexerei gehört, Mr. Newman?«

»Hexerei?« Dennis runzelte zweifelnd die Stirn. Gehört hatte er natürlich davon, und er glaubte daran mit mindestens gleicher Ernsthaftigkeit wie an das Ungeheuer von Loch Ness, das bislang zum Glück noch nicht auf seiner Fahndungsliste gestanden hatte.

»Manche nennen es hawaiianisches Voodoo! Es ist eine subtile Form des psychischen Terrors, der bei labilen Menschen Symptome fortschreitender Paranoia hervorruft. Angeblich löst es bereits Unheil aus, wenn die *kahuna* ihr Opfer nur anschaut. Mit ihren glühenden Augen, die rotes Feuer sprühen wie unsere Vulkane.« Moto räusperte sich verächtlich und schien offensichtlich Dennis Meinung zu teilen. »Wissen Sie, das ist alter Aberglaube, aber viele Leute auf den Inseln sind noch immer sehr empfänglich für solche Praktiken.«

»Gehören zu diesen Praktiken auch die freundlichen Blumengrüße, die Sie gerade erhalten haben?«

»Das war ein harmloser Schabernack. In den letzten Wochen hat es weitaus dramatischere Vorfälle gegeben. Es kursieren bereits Gerüchte, daß es sich dabei um den bösen Zauber einer *kahuna 'ana'ana* handeln soll, einer Meisterin der dunklen Magie, die es aus irgendwelchen Gründen auf mich abgesehen hat. Haben Sie die Sauerei auf dem Dach des Hotels gesehen?«

Dennis nickte.

»Vergangenen Freitag fanden wir den Kadaver eines vier Meter langen Riffhais im Pool der maritimen Ausstellung, die ich vor einigen Wochen in Honolulu eröffnet habe.«

»Ein Hai...?«

»Er war schon halb verwest, und wir haben zwei Tage die Schauräume schließen müssen, bevor der Gestank sich endlich verzogen hatte.«

»Und Sie vermuten, daß diese makabren Inszenierungen das Werk dieser... Hexe sind?«

»Ich beabsichtige nicht, an Zauberei zu glauben, Mr. Newman. Für mich waren das gezielte Anschläge einer Gruppe militanter Aktionisten, zu denen auch diese *kama'aina* zählt.«

»Mit welchem Hintergrund?«

»Wie ich bereits sagte. Der Tourismus hat nicht nur Freunde auf den Inseln. Am wenigsten unter den Einheimischen.«

»Und was wollen diese Leute mit ihren Voodoo-Spielchen erreichen?«

»Das weiß ich noch nicht. Wahrscheinlich bilden diese geschmacklosen Einschüchterungsversuche erst den Anfang ihrer Erpressungstaktik, dem sie später handfestere Drohungen und Forderungen folgen lassen. Sie werden verstehen, daß ich es soweit erst gar nicht kommen lassen möchte.«

»Vielleicht sollten Sie sich unter diesen Umständen an die örtliche Polizei wenden«, riet Dennis mit einem Gedanken an sein Rückflugticket.

»Die Polizei ...?« Moto setzte ein mitleidiges Lächeln auf. »Ich brauche jemanden mit subtileren Fähigkeiten. Verstehen Sie, Mr. Newman? Ich habe nichts gegen die Täter in der Hand. Außer der Aussage meines Mitarbeiters, der diese Frau mehrfach gesehen haben will. Zuletzt in der Nacht, als die Serie der Anschläge begann und er ohnmächtig in seinem verwüsteten und mit Schlick verschmierten Büro aufgefunden wurde. Seltsamerweise war die Tür von innen verriegelt, und er konnte sich später an nichts mehr erinnern. Außer an die glühenden Augen dieser *kahuna,* die ihn seiner Ansicht nach heimgesucht hatte.«

»Ist Ihr Mitarbeiter Hawaiianer? Oder anders gefragt, wäre es denkbar, daß er die ganze Sache selbst inszeniert hat, weil er mit den Aktionisten sympathisiert?«

»Natürlich wurde in diese Richtung ermittelt, aber erstens ist Joshua Hopkins ein angesehener Wissenschaftler, und zweitens haben die Ärzte ihm einen tiefsitzenden Schock attestiert, der nur durch ein traumatisches Erlebnis ausgelöst worden sein kann.«

»Mentale Dislokation ...« murmelte Dennis und dachte an Brillsteins Theoriensammlung, die er ebenso auswendig kannte, wie er sie haßte. »Haben Sie schon einmal daran gedacht, einen Privatdetektiv einzuschalten?«

»Sind Sie das nicht, Mr. Newman?«

»Wie man es nimmt. Zumindest bin ich kein Bodyguard und schon gar kein Geisterjäger. Ich beschränke mich darauf, die Spuren leibhaftiger Personen zu rekonstruieren, die auf unerklärliche Weise verschwunden sind.«

»Wäre es nicht ebenso interessant, die Spuren eines Menschen nachzuzeichnen, der auf mysteriöse Weise zu existieren scheint?«

Dennis spielte nachdenklich mit seinem Drink und ließ seinen Blick über die Zeichnung des Mädchens wandern.

»Sie möchten also, daß ich ein Phantom suche, das möglicherweise nur in der traumatischen Phantasie Ihres Mitarbeiters existiert?«

»Die Anschläge waren keine Phantasie. Nur leider hilft uns das nicht weiter. Das Bild dieser *kama'aina* und eine Wagenladung verendeter Meeresfauna sind bislang die einzigen Spuren, die wir haben.«

»Das sind allerdings sehr dürftige Spuren.«

»Mehr habe ich augenblicklich nicht zu bieten, Mr. Newman. Und in Anbetracht der Situation versteht sich absolute Diskretion von selbst. Solange der Fall nicht geklärt ist, darf niemand etwas über die wahren Hintergründe Ihrer Nachforschungen erfahren. Ich möchte nicht riskieren, daß der tadellose Ruf meiner Einrichtungen in irgendeiner Form beeinträchtigt wird. Ganz zu schweigen von dem drohenden Schaden für den Tourismus auf den Insel.«

»Ich kann nicht gerade behaupten, daß mich Ihr Auftrag begeistert, Mr. Moto«, gab Dennis ehrlich zu und bereute es einmal mehr, auf Brillsteins Rat gehört zu haben.

»Das hatte ich auch nicht erwartet. Genausowenig, wie ich glaube, mich in Ihrer Neugier getäuscht zu haben.«

»Wäre es möglich, mit Ihrem Mitarbeiter zu sprechen?«

»Hopkins ist geschäftlich unterwegs, aber er wird spätestens morgen vormittag wieder in Honolulu sein.«

»Also schön, Mr. Moto, ich werde mir Ihr Angebot bis dahin überlegen.«

»Bitte, wie Sie wollen, und betrachteten Sie sich so lange als mein Gast.« Moto stand auf, öffnete einen kleinen Tresor, der in den Sockel einer eigenartigen, aus gläsernen Prismen geformten Skulptur eingelassen war, und holte eine kleine Chipkarte daraus hervor. »Dies ist der Schlüssel zu Ihrem Apartment und allen anderen Einrichtungen hier im Hotel. Außerdem bietet Ihnen die Karte Zugriff auf ein angemessenes Spesenkonto und öffnet einige wichtige Türen in Honolulu, die ansonsten für Außenstehende verschlossen sind.«

»Das nenne ich paradiesische Arbeitsbedingungen«, witzelte Dennis und steckte den Chip in seine Hemdtasche. »Wie sagten Sie? *Hawai'i no ka oi...*«

»Leider hat das Paradies auch seine Schattenseiten, Mr. Newman.« Moto reichte Dennis die Hand und deutete zur Tür. »Sollten Sie noch etwas benötigen, wenden Sie sich vertrauensvoll an meine Sekretärin, Miss Watanabe. Sie ist angewiesen, alle Ihre Wünsche im Rahmen des Möglichen zu erfüllen, und... ach ja, es gibt heute abend im Hotelgarten ein kleines Fest. Es kommen einige recht interessante Leute, die Sie kennenlernen sollten. Und falls Sie gefragt werden, was Sie hier tun, sagen Sie einfach, Sie arbeiten an einem Pressebericht über mein neues Hotel in der Ma'alaea Bay.«

Moto drückte einen Knopf auf seinem Interkom. Im nächsten Augenblick erschien Akiko mit einem bestimmten Lächeln, das Dennis ohne ein weiteres Wort dazu bewegte, den Raum zu verlassen. Er folgte der Japanerin zurück in das mittlerweile gereinigte Vorzimmer, erwiderte schweigend die höfliche Verbeugung und wendete sich zum Gehen. Dabei fiel sein Blick auf die Glasvitrine, die anstatt des zertrümmerten Aquariums neben der Tür aufgestellt worden war und das Modell eines utopisch anmutenden, katamaranförmigen Bootes zur Schau stellte. In diesem Moment schickte ihm seine Erinnerung ein Bild und webte einen seltsamen Zusammenhang, der ihm bislang nicht aufgefallen war.

Nachdenklich blieb er vor dem Exponat stehen und drehte sich noch einmal um. »Entschuldigen Sie, Miss Watanabe, haben Sie zufällig die Zeitung von heute?«

»Wir haben mehrere Tageszeitungen in Honolulu, Mr. Newman. Den *Advertiser,* den *Star Bulletin,* den *Island Daily*…«

»Ich glaube, es war der *Island Daily*…«

»Alle aktuellen Ausgaben liegen dort.« Akiko deutete auf einen Tisch, der zu einer Sitzgruppe neben der Tür gehörte. »Bitte, bedienen Sie sich.«

Dennis blätterte die Zeitung durch und fand schließlich, was er suchte. Es war eine Art Todesanzeige, eine kurze Gedenkschrift, mit einem Gedicht in hawaiianischer Sprache und einem Foto, das ein altertümliches Seefahrzeug mit seiner Besatzung auf hoher See zeigte. Schon bei seinem Frühstück im Queen Kapiolani Park war ihm das anachronistische Schiff aufgefallen, das offenbar der Nachbau eines alten polynesischen Hochseekatamarans war. Weil er aber Schiffe haßte, hatte er sich nicht weiter darum gekümmert und die Zeitung weggeworfen. Nun fiel es ihm wieder ein. Ein undeutliches Detail, das in seinem Unterbewußtsein zurückgeblieben war.

»Was ist das für eine Geschichte mit diesem Schiff?« fragte er und betrachtete mit wachsender Unruhe das Foto.

»Welches Schiff, Mr. Newman?« Akiko warf einen Blick auf die Zeitung. »Ach, Sie meinen die Sache mit der *Tangaroa*-Expedition. Eine furchtbare Tragödie. Die Zeitungen waren wochenlang voll davon, aber inzwischen ist das Interesse der Medien weitgehend abgeebbt.«

»Was ist denn mit dem Schiff geschehen?«

»Man sagt, es sei auf offenem Meer in einem Sturm gesunken.«

Dennis schluckte. »Und die Besatzung?«

»Das hat niemand überlebt. Wirklich tragisch. Es sollte eine Besuchsfahrt quer durch Ozeanien werden, zur Revitalisierung der polynesischen Seefahrertraditionen. Und dann, nach 20000 Seemeilen, alle tot.«

»Sind Sie sicher, Miss Watanabe? Sind bei dem Unglück wirklich alle Besatzungsmitglieder umgekommen?«

»Das ist, was in den Zeitungen stand, Mr. Newman. Die *Tangaroa* wurde vor einem Monat als vermißt gemeldet, und seither hat es trotz intensiver Suche kein Lebenszeichen mehr von ihr gegeben.«

4

LONO LONO

DER SPRECHENDE STEIN

Joshua Hopkins verließ das *International Dateline* Hotel und lief die Küstenstraße entlang, die vom Zentrum Nuku'alofas hinaus zum Tiefwasserhafen führte. Hin und wieder blieb er zum Verschnaufen im Schatten einer der mächtigen Kokospalmen stehen, die in gleichmäßigen Abständen die Uferfront der Inselhauptstadt des tonganischen Südseekönigreiches säumten. Es war ein heißer und in jeder Beziehung unangenehmer Tag. Noch vor einigen Jahren hätte er alles für das Abenteuer gegeben, das an diesem weltvergessenen Ort seine Fortsetzung finden sollte, aber inzwischen hatte er erfahren, daß manche Wagnisse im Leben teuer zu bezahlen waren – manchmal zu teuer, denn am Ende blieb allein die Angst.

Hopkins tupfte sich die Schweißperlen ab, die von seiner Stirn zwischen den Nasenhaltern seiner Brille herunterliefen, und drehte sich mit unruhigen Blicken um. Die beiden Japaner, die ihre Augen hinter dunklen Sonnenbrillen verbargen, folgten ihm, in gleichbleibend weitem Abstand und so unauffällig, wie es für zwei Kolosse im mittleren Sumo-Ringer-Format möglich war. Für einen kurzen Moment überlegte er, was die beiden wohl tun würden, wenn er jetzt kehrt machen und die Aktion abbrechen würde. Würden Sie ihn zwingen, weiterzugehen? Oder würden sie sein Verhalten ignorieren und versuchen, die Sache ohne ihn zu Ende zu bringen?

Hopkins schüttelte den Kopf über die Sinnlosigkeit seiner Gedanken. Was blieb ihm für eine Wahl? Anfangs hatte er nicht aufhören wollen, und jetzt konnte er nicht mehr. Er war längst ein Gefangener der Mächte, mit denen er sich eingelassen hatte, und die gierigste dieser Mächte war er selbst. Wie oft hatte er mit dem Gedanken gespielt, die Suche nach der vergessenen Welt abzubrechen, deren Spuren er seit langer Zeit verfolgte. Wie oft hatte er sich geschworen, der Geschichte Einhalt zu gebieten. Aber seine fanatische Geltungsgier hatte ihn vorangetrieben und ihn immer tiefer in einen Alptraum gestürzt, aus dem es längst kein Entkommen mehr gab.

Resignierend nahm Hopkins einen kräftigen Schluck Scotch aus dem chromglänzenden Flachmann, den er immer bei sich trug, und spähte die Uferstraße entlang. An den Hafenkais war niemand zu sehen. Das war kein gutes Zeichen. Wieder und wieder fiel sein Blick auf seine klobige Armbanduhr. Der Minutenzeiger schob sich mühsam vor. Es war fünf vor elf. Es war der richtige Ort und die richtige Zeit. Und er hatte sich korrekt an die Vorgaben gehalten. Warum also wurde er nicht erwartet?

Hopkins sah erneut auf seinen Breitling-Chronographen, dessen duffes Glas von ähnlichem Alter zeugte, das auch er auf dem Buckel hatte. Mit seinen 71 Jahren war er nicht mehr gut zu Fuß, und sein Kreislauf wünschte sich eine gemäßigtere Atmosphäre als die tropenschwüle Luft einer Südpazifikinsel. Er haßte Reisen, aber die Umstände ließen ihm keine Wahl. Niemand außer ihm war in der Lage die Situation angemessen zu beurteilen. Und sollte er Recht behalten, stand die Wissenschaft unmittelbar vor einer Sensation von historischem Ausmaß. Einer Sensation, die fortan seinen Namen tragen würde.

Hopkins stöhnte und mußte sich überwinden, den Schatten der Palmen zu verlassen, um den Weg zu dem japanischen Frachter fortzusetzen, der in einiger Entfernung am Queen Salote Wharf vertäut lag. Der Tiefwasserhafen von Nuku'alofa war ein idealer Treffpunkt. Er machte den gleichen weltverlassenen Eindruck wie all die anderen staubigen Straßen der Hauptstadt des kleinen Südseekönigreichs. Die Freundschaftsinseln warben in der Broschüre der nationalen Fluggesellschaft zwar damit, das Land zu sein, wo jeder neue Tag begann, aber in Wirklichkeit schien die tonganische Zeit von den in Polynesien über alles geliebten Göttern des Müßiggangs außer Betrieb gesetzt worden zu sein. Abgesehen von einem hupenden Pick-up, der mit den zahlreichen Mitgliedern einer tonganischen Großfamilie völlig überladen über die Uferstraße zum nahe gelegenen Markt fuhr, störte nichts den vormittäglichen Hitzeschlaf der Palmenidylle.

Hopkins verließ die Küstenstraße und ging in der sengenden

Sonne auf die Hafenanlagen zu, die nur aus einigen wellblechgrauen Lagerschuppen und einem weit in die Lagune hinausgebauten Betonkai bestanden. Die *Toshi Maru,* die am Tag zuvor in Nuku'alofa festgemacht hatte, war das einzige Schiff im Hafen. Die Versorgungsfrachter der *Forum-Line* legten nur einmal im Monat in Tonga an, und die wenigen Luxusliner, die in den tropischen Gewässern der Südsee kreuzten, statteten dem touristisch eher unattraktiven Nuku'alofa noch seltener einen Besuch ab. Nur ein Stück weiter die Küste hinauf spielten einige Kinder in der sumpfigen Mangrovenbucht. Ansonsten war keine Menschenseele zu sehen. Selbst die beiden Sumos mit den dunklen Brillen schienen nun verschwunden. Hopkins wußte nicht, ob er froh darüber sein sollte, und umklammerte unruhig den flachen Aktenkoffer, den er bei sich trug.

Lange Minuten ging er fluchend vor dem rostigen Schiff auf und ab und sah immer wieder auf seine Uhr. Inzwischen war es viertel nach elf. Nichts geschah. Nur die Sonne brannte wie ein Hochofen von dem wolkenlosen Himmel. Kein Dach, keine Palme, nicht einmal der Rumpf des Frachters schenkte ihm hier draußen Schatten, und Hopkins wußte nicht, wie lange er hier noch warten konnte, bevor sein Kreislauf schlapp machte.

»Ay…, Senior Professor…!« Wie eine Katze huschte plötzlich eine Gestalt hinter einer Mauer aus alten Ölfässern hervor und baute sich vor ihm auf.

Hopkins erschrak.

»Was wollen Sie?« rief er und hielt seinen Koffer noch fester.

»Wir sein verabredet.«

»Sie sind Palo Uribe?«

»Höchstpersönlich, Senior.«

Der kleine, dunkelhäutige Asiate, dessen Filipinoblut nur noch Spuren seiner mikronesischen Vorfahren in sich trug, grinste und streckte seine rauhe, von harter Arbeit gezeichnete Hand aus, während sein Blick an Hopkins vorbei zur Uferstraße wanderte.

»Warum haben Sie mich so lange warten lassen?«

»Ich sehen wollen, daß Sie sein allein, wie versprochen, eh… und Vorsicht sein selige Mutter von Porzellankiste.«

»Natürlich…«, brummte Hopkins. »Warum konnte Ihr Bruder nicht kommen?«

»Oh, Piedro…, er krank…!«

»Krank?«

»Si, Senior, krank von Schnaps und bösen Träumen.«

»Träume sagen Sie…?« Hopkins Gesichtsmuskeln zuckten.

»O ja, Piedro träumen viel, und wenn viel träumen, viel trinken. Sein einzige Trost für ihn, seit Haut haben rote Flecken und hübsche Seniorinas nicht mehr wollen gehen mit Piedro.«

»Ich hoffe, Sie haben trotzdem das Material mitgebracht.«

»Mitbringen, si…!« Uribe lachte schräg und zog einen ovalen, milchigblauen Stein aus seiner Jutetasche hervor, der mit grobem Sandpapier zurechtgeschliffen und auf dilettantische Weise mit Schlangenlinien bemalt worden war.

Hopkins nahm den Stein in die Hand und warf Uribe einen schneidenden Blick zu. »Das ist indonesischer Speckstein.«

»Si, Senior Professor! Wertvoller, alter Speckstein.«

»Schnickschnack!« raunzte Hopkins schroff. »Hören Sie zu, Mr. Uribe, versuchen Sie das nicht mit mir. Ich habe nicht den Sinn für solche Spielchen. Das ist nicht der *lono-lono,* von dem Ihr Bruder gesprochen hat.«

»Okay, okay, Sie haben Recht. Palo nur wollen wissen, ob Senior Professor wirklich Senior Professor Doktor Hopkins, Chef von Halewai-Institut in Honolulu. Sie verstehen? Piedro Sie kennen, ich Sie sehen erste Mal.«

»Also schön, Mr. Uribe. Wo ist der echte Stein und die Fotos?«

»Hm…, Sie nicht glauben Palo sein gefallen auf Kopf, Senior. Die Welt sein so schlecht. Erst ich sehen wollen, ob Sie bringen Geld.«

»Sicher…«, brummte Hopkins und stellte seinen kleinen Aktenkoffer auf eines der Ölfässer. Seine Hände zitterten, und die Walther, die im Halfter unter seinem Jackett steckte, beruhigte ihn nur wenig. Noch einmal fiel sein Blick auf Uribe, der zwar einen Kopf kleiner, aber mindestens dreißig Jahre jünger war als er. Dann öffnete er zögerlich das Schloß. »Fünfzigtausend amerikanische Dollars, in alten, unauffälligen Scheinen. Wie vereinbart.«

»Si…!« Uribe strahlte und prüfte sorgfältig die Bündel. Dann nickte er zufrieden. »Okay! *lono-lono* sein in Versteck auf *Toshi Maru.* Wir jetzt gehen holen…«

»Holen …? Was soll das heißen?« Hopkins trat wieder der Schweiß auf die Stirn. »Das war nicht abgemacht.«

»Sie müssen verstehen. Palo haben Frau und Kinder. Nicht dürfen anfassen Geisterstein. Palo nicht wollen haben böse Träume, machen Palo krank in Kopf wie Bruder. Also, Sie jetzt holen Stein aus Versteck in Kabine, Senior. Dann Sie vergessen, wer ist Palo, und ich vergessen, wer ist Senior Professor, si?«

»Also schön!« Hopkins hatte nicht die Absicht, die ohnehin wenig erfreuliche Verhandlung noch weiter in die Länge zu ziehen, und folgte Uribe mit gemischten Gefühlen die steile Gangway hinauf zum Ladedeck des Frachters. Er bemühte sich, einigermaßen gelassen zu wirken. Sein zögerlicher Gang zeigte seine Furcht jedoch mehr, als ihm lieb war.

»Keine Sorge, Senior Professor«, erklärte Uribe und stieg durch ein breites Schott in das Innere des Schiffes. »Niemand uns stören. Mannschaft haben Landgang. Gehen zu schöne Inselmädchen.«

Hopkins wischte sich erneut den Schweiß von der Stirn und versuchte seine Augen an das plötzliche Dämmerlicht der Bordbeleuchtung zu gewöhnen. Jetzt war er völlig auf sich allein gestellt, und sollte Uribe unerwarteterweise auf dumme Gedanken kommen oder sogar einen Komplizen haben, der irgendwo unter Deck lauerte, hatte er trotz seiner Waffe schlechte Karten. Zwar übermittelte das kleine Funkmikrophon, das er am Körper trug, jedes Geräusch und jedes seiner Worte, aber hier drinnen konnten ihm seine schwergewichtigen Bodyguards wohl kaum rechtzeitig zu Hilfe eilen.

Die *Toshi Maru* war ein eigenartiges Schiff. An Deck besaß der umgebaute Stückgutfrachter eine ganze Batterie unterschiedlicher Ladekräne, von denen einer benutzt wurde, um zwei kleine Bathyscaphs über den abgeflachten Bug ins Wasser zu lassen. Die anderen dienten offensichtlich zum Beladen der großen Frachträume, die mit überdimensionierten Kühlaggregaten versehen und durch starke Bleiplatten isolierten waren. Hopkins ahnte, wofür der Frachter verwendet wurde, und obwohl es im Schiff sehr stickig war, fröstelte er, und sein Schritt wurde merklich schneller.

Uribe stieg immer tiefer in den bauchigen Rumpf hinab und erklärte, daß die Kabine, die seit dem Ausbruch der Krankheit seines Bruders nicht mehr benutzt wurde, hinter dem Maschinenraum am

Heckende des Schiffes lag. Angeblich sollte es dort spuken, und niemand von der Mannschaft traute sich mehr in den Raum, in dem jetzt die Geister wohnten, die Piedro Uribe in seinen Alpträumen besucht und schließlich in den Wahnsinn getrieben hatten. Hopkins wäre am liebsten umgekehrt, aber dafür war es zu spät. Längst kannte er die Traumgestalten, die Palo Uribe ihm in den wildesten Farben beschrieb, und es fiel ihm nicht schwer, sich vorzustellen, was mit seinem Bruder geschehen war.

Endlich beendete Uribe seinen Gang durch das stählerne Labyrinth aus Leitern, Rohren und Gängen und zog Hopkins in eine winzige, mit thailändischen Pin-up-Bildern gespickte Kabine, in der außer zwei Etagenkojen und einer Naßzelle nur noch ein kleines Regal mit einer billigen Musik- und Videoanlage Platz gefunden hatte.

»Hier sein Versteck...« Uribe deutete auf den Toilettenkasten, der halb in der Wandverkleidung versenkt war. »Sie einfach öffnen Klappe und greifen hinter Rohr...«

Hopkins zögerte, aber als er merkte, daß Uribe keinerlei Anstalten machte, ihm auch nur irgendwie behilflich zu sein, kniete er sich mißmutig nieder und zog nach kurzem Suchen einen Plastikumschlag aus dem Wandversteck hervor.

»Ich hoffe, daß das Material seinen Preis wert ist«, brummte er und öffnete mißtrauisch das sorgfältig verschnürte Paket. Dann breitete er den Inhalt vorsichtig auf dem Toilettendeckel aus und besah sich die Ware, für die er fünfzigtausend Dollar bezahlen sollte. Es war eine durchsichtige Hülle mit einer ganzen Serie von undeutlichen Schwarzweißphotos, die offensichtlich unter Wasser aufgenommen waren und die glattgeschliffenen Wände eines röhrenförmigen Tunnels zeigten. Neben den Bildern gab es einen scheibenförmigen, etwa handtellergroßen Stein aus einem blau schimmernden, transparenten Material. Der Kristall war sehr leicht und fühlte sich ungewöhnlich kalt an. Noch seltsamer war allerdings, daß es unter seiner leicht gewölbten, glasartigen Oberfläche ein dreidimensionales Wellenmuster gab, das seine Gestalt verwandelte, wenn man den Stein im Licht drehte.

Hopkins Hände begannen zu zittern. Er wußte, was dort vor ihm lag, und trotzdem verschlug es ihm beinahe den Atem. Seit Jahren hatte er auf diesen Moment gewartet, und nun erschreckte ihn die

Existenz dieses Steines derart, daß ihm beinahe schwindelig wurde. Dabei war es nicht das ungewöhnliche Material, das er von einem anderen Fund bereits kannte. Es waren auch nicht die an Holographie erinnernden Muster, die unmöglich natürlichen Ursprungs sein konnten. Am rätselhaftesten schien bei weitem der Ort, an dem Piedro Uribe den Stein nach seinen Angaben gefunden hatte. Wenn sich dieser Fund als authentisch herausstellen sollte, dann war dieser formvollendete Kristall der Beweis für eine historische Sensation, die die Geschichte auf den Kopf stellte und alles, was Hopkins über sein Fachgebiet zu wissen glaubte, ad absurdum führte.

Uribe war einen Schritt zurückgetreten und vermied es ganz offensichtlich, den Stein zu betrachten. Er war sich sicher, daß ein Fluch darauf lastete, und nur das lockende Geld hielt ihn davon ab, schnellstens davonzulaufen.

»Sie zufrieden, Senior Professor?« fragte er ungeduldig.

»Zufrieden...?« wiederholte Hopkins heiser und mußte sich an der Toilettenschüssel festhalten, um nicht umzukippen.

»Ich meinen, Sie jetzt zahlen für Geisterstein?«

»Ja, ja, natürlich. So wie es abgemacht war. Aber vorher müssen Sie mir noch sagen, wo genau Ihr Bruder diesen *lono-lono* gefunden hat.«

»Sie bereits kennen große Berg in Ozean.«

»Ja, aber diese Fotos stammen gewiß nicht von der Stelle, die Ihr Bruder mir bei unserem letzten Treffen beschrieben hat.«

»Palo nicht wissen genau. Nicht fahren damals auf *Toshi Maru*. Piedro nur sagen, er finden Stein an Eingang von großen Höhle.«

»In einer Höhle?« Hopkins fröstelte, »Und wo genau ist diese Höhle?«

»Sehr, sehr tief, mehr als zweitausend Fuß. Schiff suchen damals Manganknollen auf Meeresboden.«

»Mangan?«

»Si, Senior!« Uribe nahm gierig die Dollarbündel aus dem Koffer, steckte sie in die leere Plastikhülle und verstaute sie hinter dem Toilettenrohr.

»Das ist alles, Senior Professor. Mehr ich nicht können sagen. Sie jetzt nehmen Stein und Bilder, und dann Sie gehen. Nie gewesen auf *Toshi Maru*.«

»Moment, Mr. Uribe!« bremste Hopkins und griff den Seemann am Arm. »Warum hat mir Ihr Bruder diesen Kristall nicht gleich bei unserem ersten Treffen vor sechs Wochen gegeben?«

»Er sagen, Sie erst müssen finden Tempel auf Berg, dann sie kennen wahren Wert von Geisterstein.« Palo klopfte zufrieden grinsend gegen das Wasserrohr. »Piedro guter Geschäftsmann. Foto von versunkene Tempel fünftausend Dollar. Foto von geheimer Höhle mit *lono-lono* fünfzigtausend Dollar.«

»Haben Sie etwa noch mehr Überraschungen, dessen Wert ich erst schätzen lernen muß?«

»No, Senior Professor. Piedro nur bringen diesen einen Stein. Kapitän sehr mißtrauisch.«

»Sie meinen, in der Höhle gibt es noch mehr davon?«

»Ich nicht wissen, aber ich Sie warnen von Freund zu Freund. Stein sein verflucht. Ich sehen, was geschehen mit Piedro. Wenn Sie tauchen zu Höhle, Sie auch werden krank und müssen sterben langsamen, qualvollen Tod.«

Hopkins nickte und legte den Umschlag mit den Unterwasserfotos zusammen mit dem Kristall in seinen Koffer. Dann zwängte er sich wieder aus der Kabine und folgte Uribe durch die Gänge der *Toshi Maru* zurück auf das sonnenüberflutete Deck, von dem aus man weit über die Insel mit ihren zahllosen Kirchtürmen blicken konnte. In diesem Augenblick wurde ihm klar, daß sich die Welt verändert hatte, tiefgreifend und unwiderruflich. Er kam sich vor wie ein mythischer Held, der hinab in die Unterwelt gestiegen war, um den Göttern das Feuer zu stehlen. Ein blaues, geradezu magisches Feuer, denn der gläserne *lono-lono* würde einen Brand in den heiligen Hallen der Wissenschaften entzünden, der mit herkömmlichen Mitteln nicht wieder zu löschen war.

5

WAHINE O KA LUA

DIE FRAU AUS DER HÖLLE

Regen lag über der Stadt. Ein heftiger, tropischer Schauer. Er reinigte weder die stickige Luft, noch kühlte er die Schwüle, die sich mit dem Gewitter von den Berghängen herunter an die Küste gewälzt hatte. Normalerweise zauberte die stete Brise des Passats das ganze Jahr über einen strahlend blauen Pazifikhimmel über die Strände, doch jetzt war der Himmel schmutzig grau. Die kirschgroßen Tropfen, die aus den Wolken fielen, zerplatzten wie kleine Bomben auf dem glühenden Asphalt und legten einen schimmernden Film über das in der Vormittagshitze dampfende Pflaster.

Dennis fluchte, weil es ihm an diesem unseligen Ort nicht vergönnt zu sein schien, mit trockener Haut davonzukommen. In einem unverständlichen Anflug von Urlaubsstimmung hatte er statt eines bequemen Taxis ein Waikiki-Trolley bestiegen, einen der seitlich offenen Oldtimer-Busse, die Scharen von Touristen von den Hotels in Waikiki in das nahe gelegene Stadtzentrum von Honolulu verfrachteten. Nur notdürftig waren die antiquierten Shuttles gegen den Platzregen geschützt, und die leichtbekleideten Fahrgäste versuchten sich vergeblich mit Zeitungen und Sonnenhüten gegen den unerwarteten Wolkenbruch zu schützen.

Bei seinem letzten Auftrag in Singapur hatte sich Dennis bereits am Flughafen ein Regencape zugelegt, aber für Hawai'i, dem Sonnenparadies Polynesiens, hatte er eine solche Maßnahme nicht für nötig gehalten. Eine dumme Fehleinschätzung, wie sich nun herausstellte, genauso dumm, wie die Wahl seiner übrigen Kleidung, die gerade erst von der Putzwasserattacke im *Kapiulani Beach* getrocknet war.

Wie es aussah, war dies wieder eine dieser Geschichten, bei denen von Anfang an alles schiefging. Wie im letzten Jahr bei der millionenschweren Fabrikantenwitwe aus Detroit, die ihr spurloses

Verschwinden bei einer Bergwanderung in den Rocky Mountains inszeniert hatte, um das Verhalten ihrer Erben zu testen. Er hatte zwei Monate gebraucht, um dahinterzukommen – mit dem Ergebnis, daß am Ende niemand zufrieden war und er den Sündenbock zu spielen hatte. Und nun dieser seltsame Auftrag. An diesem unheilvollen Ort, an dem es nichts zu geben schien als Strände, Surfer und Segelyachten. Zu allem Überfluß hatte Moto ihm auch noch eines der schönsten Zimmer in seinem Hotel reserviert. Ein Panoramaapartment mit Meerblick!

»Vielen Dank, Mr. Moto, und schöne Grüße an Dr. Brillstein!«

Dennis richtete seinen Blick mit unvermindertem Unbehagen auf die Strandpromenade, die an einigen Stellen in unmittelbarer Nähe zur Straße verlief. Selbst der Regen schien die hartgesottenen Wellenreiter nicht davon abzuhalten, sich in die Brandung zu stürzen, während er verkrampft im Trolley saß und sich wünschte, ein anderer Mensch zu sein. Erst als der Bus die Touristenviertel von Waikiki verließ und sich auf dem Ala Moana Boulevard in Richtung Downtown Honolulu durch den dichten Verkehr arbeitete, atmete er tief durch. Endlich inhalierte er wieder den abgasgeschwängerten Geruch einer Stadt, und endlich übertönten die Motoren und das Hupen der Autos das Schlagen der Wellen, das in Waikiki eine permanente Geräuschkulisse bildete und seinen Nerven einen einem normalen Menschen wohl nur schwer zu vermittelnden Schmerz antat. Er mußte sich eine andere Unterkunft suchen. In der Stadt oder zumindest ein Zimmer an der rückwärtigen Seite des Hotels, denn abreisen – ein Gedanke mit dem er anfangs gespielt hatte – wollte er nun nicht mehr. Er hatte etwas entdeckt, das mehr als nur seine Neugier reizte. Ein seltsames Phänomen, dessen Konsequenz ihn geradezu fesselte – vielleicht, weil in ihm eine Art Spiegelbild zu den Abgründen seiner eigenen Existenz verborgen lag.

Am Aloha Tower verließ Dennis den Bus und besorgte sich an einem Kiosk eiligst einen Schirm. Das lausig verarbeitete Drei-Dollar-Drahtgestell machte allerdings kaum den Eindruck, daß es für mehrmaligen Gebrauch zu benutzen war. Es konnte auch nicht verhindern, daß der Platzregen, der auf die Gehsteige prasselte, seine Hosenbeine vollends durchnäßte. Inmitten ganzer Regimenter schirmtragender Geschäftsleute, die die Mittagspause für einen

Lunch in einer der vielen Snackbars nutzen, eilte er die Bishop-Street hinauf und erreichte unweit des State Memorial das *Lumahai-House,* den Geschäftssitz des *Island Daily.*

Dennis fuhr hinauf in das zwölfte Stockwerk, das die Räumlichkeiten der Redaktion beherbergte, und gelangte in eine Welt, die er sehr gut aus früherer Erfahrung kannte, als er nach seiner Entlassung aus dem Gewahrsam der amerikanischen Einwanderungsbehörden eine Zeitlang versucht hatte, seinen Lebensunterhalt als Fotoreporter bei einem Provinzblatt auf dem Festland zu verdienen, ohne je herausgefunden zu haben, warum er sich gerade für diesen Job geeignet fühlte. Kaum hatte sich die Fahrstuhltür geöffnet, schlug ihm der Geruch von Zigarettenrauch, Kaffee, Schweiß und Pizzakäse entgegen – die typische Duftkomposition für eine rund um die Uhr besetzte Zeitungsredaktion. Noch typischer war das Chaos aus scheinbar planlos durcheinanderlaufenden Menschen, Papierbergen und Büromaschinen, das ihn empfing.

Eine Weile wartete er, und als niemand ihn beachtete, ging er zu einem der vielen Schreibtische, an dem eine mehr als korpulente Insulanerin mit einer Bougainvilleablüte in den Haaren einen verbissenen Kampf gegen den Computer führte.

»Entschuldigen Sie, mein Name ist Newman…«, begann Dennis höflich.

Zu höflich offenbar. Die Redakteurin hob nur flüchtig die Augen, winkte ab und hackte weiter auf der Computertastatur herum.

»Entschuldigen Sie bitte…!« wiederholte er lauter. »Hallo…!«

»Was ist denn?« maulte sie ungehalten. »Die Anzeigenannahme ist einen Stock tiefer.«

»Ich würde gerne mit einem Ihrer Kollegen sprechen. Er verwendet das Kürzel D. P.«

»Wen wollen Sie sprechen?«

»D. P. …« Dennis legte die Morgenausgabe auf den Tisch und deutete auf das Foto der *Tangaroa.*

»Ach, Dave! Ich glaube kaum…, oh, warten Sie. Augenblick.« Sie warf einen Blick auf ihre Uhr und drückte eine Taste des Interkoms.

»Lani, hat Dave sich heute schon blicken lassen?«

»Dave?« fragte Dennis nach.

»David Pu'ukohala, einer unserer Freien, und das nimmt er in der Regel mehr als wörtlich. Sie hätten ihn besser am Strand suchen sollen.«

»Am Strand?« Dennis räusperte sich. »Also ist er nicht da?«

»Würde mich nicht wundern, aber… einen Moment.«

Das Interkom krächzte.

»Hey, Sie haben Glück. Er ist gerade reingerauscht.«

»Dann würde ich gerne mit ihm sprechen. Wäre das möglich?«

»Was weiß ich? Fragen Sie ihn.« Die Redakteurin zuckte mit den Schultern und malte mit den Fingern einen Wegweiser in die Luft. »Gehen Sie zurück bis zum Fahrstuhl, dann links, den zweiten Gang runter. Er ist im Serverraum, die dritte Tür hinten rechts.«

Dennis bedankte sich und kämpfte sich durch die beengten Korridore, die ebenso mit Regalen, Kartons und Gerümpel vollgestopft waren wie die zahllosen Büros, die links und rechts an den fensterlosen, neonbeleuchteten Flur grenzten.

Der Serverraum war ein kleines, muffiges Kabuff, dessen Luftzirkulation offenbar einzig den rasselnden Lüftern der Computer zu verdanken war, die in einem deckenhohen Regal aufeinandergestapelt standen. Davor kauerte eine hünenhafte Gestalt mit einem Schraubendreher in der Hand und fluchte über das Wirrwarr der Kabel, die aus einem halb auseinandergebauten Terminal hingen. Der Mann trug nur eine ausgebleichte Jeansbermuda, ein kitschigbuntes T-Shirt und Tennisschuhe und schien tatsächlich gerade vom Strand zurückgekehrt zu sein.

»Hallo…?« Dennis versuchte auf sich aufmerksam zu machen und bemerkte die großflächigen Tattoos, die auf Armen und Oberschenkeln des Polynesiers zu sehen waren. »Sind Sie David Pu'ukohala?«

»Schon möglich. Wer will'n das wissen?« David stand auf und musterte Dennis mit einem abschätzenden Blick.

»Mein Name ist Newman, Dennis Newman. Ich habe Ihr Memo für die Opfer des *Tangaroa*-Unglücks in der heutigen Ausgabe gesehen.«

»Na und…?«

»Mich interessiert das Foto. Gibt es das Bild vielleicht in einer besseren Qualität?«

»Wozu?«

»In der Zeitung sind die Gesichter der Crewmitglieder leider nur sehr undeutlich zu erkennen und...«

»Kommst'de etwa von 'ner Versicherung oder so?« unterbrach David mißtrauisch.

»Nein, nein, mein Interesse ist rein privat. Ich glaube, ich kenne jemanden auf dem Foto.«

»Kann schon sein. Waren 'ne Menge berühmter Leute an Bord.«

»Wissen Sie vielleicht, wer diese junge Dame ist.« Dennis zog die Zeitung hervor und deutete auf eine schlanke Gestalt mit langen dunklen Haaren, die inmitten der Besatzungsmitglieder mit dem Rücken an den Mast lehnte und von zwei korpulenten Hawaiianerinnen gestützt wurde. Seltsam war, daß ihre Augen geschlossen waren, in einer Art, als würde sie in Trance versunken sein.

»Wieso fragst'de gerade nach der?«

»Äh..., ich bin ihr einmal begegnet.«

»Ach ja?« Davids Stirn legte sich in Falten. »Wo denn?«

»Beim Jachtclub des *Kapiulani Beach* Hotels.«

»In Waikiki? Wann soll'n das gewesen sein?«

Dennis zögerte einen Moment, denn sicher war er sich nicht, natürlich nicht – unter den gegebenen Umständen. Aber mehr als lächerlich machen konnte er sich nicht.

»Heute morgen...«

»Heute ...?« wiederholte David und fing heftig an zu lachen. »Hör zu, ich weiß nicht, was das hier werden soll, und ich weiß auch nicht, wen'de da gesehen hast, aber lesen kannst'de sicher, oder? Die *Tangaroa* ist *pau*. Aus, vorbei...! Sind alle ersoffen.«

»Tatsächlich?«

»Mann, was weiß ich? Vielleicht sind auch'n paar von den Haien gefressen worden.«

»Könnte es nicht sein, daß jemand überlebt hat?«

»Dann hätt's keinen wie dich gebraucht, um das herauszufinden. Was glaubst'de, was alles angestellt wurde, um die Leute zu finden? Die halbe Marine ham'se rausgeschickt.«

»Das mag schon sein, aber ich habe dieses Mädchen heute morgen gesehen.«

»Hey, Mann...!« David räusperte sich mit einer Mitleidsmiene. »Nimm's mir nicht übel, aber für einen *haole* ist es nicht grad leicht, all die hübschen *wahine* zu unterscheiden, die am Strand mit ihren Hintern wackeln.«

»Deshalb möchte ich mich ja vergewissern«, beharrte Dennis. »Es wäre doch eine Sensation, wenn sich herausstellen würde...«

»Sensation, Sensation..., was soll das Gefasel? Warum quatschst' de mir Löcher in den Bauch? Da sind ein paar *kanakas* baden gegangen. Na und? Sieh dich an, wer'de bist. Also, was geht's dich an?«

»Mag sein, daß es mich nichts angeht, aber vielleicht habe ich einen Beweis dafür, daß eines der Crewmitglieder die Expedition überlebt hat.«

»Einen Beweis?«

»Allerdings, und ich kann mir kaum vorstellen, daß Sie als Journalist daran nicht interessiert sind.« Dennis zog entschlossen seine kleine Chipkamera aus der Tasche. »Gibt es hier einen Videoeditor?«

»Klar, wieso?« Davids Augen zogen sich zusammen. »Sag jetzt nicht, du hast Bilder von 'nem Mädchen, das seit Wochen auf'm Grund des Ozeans liegt.«

»Das könnten wir leicht feststellen. Ich habe heute morgen einige Aufnahmen im Garten des Hotels gemacht, und ich bin mir ziemlich sicher, daß sie darauf ist.«

»Na, da wirst'de dich aber schön wundern«, lachte David und schraubte das Terminal wieder zusammen.

»Wieso?«

»Geister lassen sich nicht filmen.«

»Geister?«

»Na ja, wirst 'nen Geist gesehen haben. Immer wenn der Kilauea Feuer spuckt, spielen die Leute verrückt. *Pele* liebt es, Touristen zu erschrecken.«

»Wer ist *Pele* ...?« fragte Dennis und versuchte sich zu erinnern, wo ihm der Name schon einmal begegnet war.

»*ka wahine o ka lua* – Die Göttin des Feuers. Sie kommt direkt aus der Hölle, verwandelt sich in eine schöne Frau, und wenn'se dir in die Augen sieht, schwupp, haste deinen Verstand verloren.«

David packte sein Werkzeug ein und zwängte sich an Dennis vorbei aus dem Raum.

»Wäre das nicht wenigstens einen Blick wert?« rief Dennis hinterher. »Ein Video von einer Göttin?«

David stöhnte und drehte sich wieder um. »Also schön, wenn das der einzige Weg ist, dich wieder loszuwerden. Zeig mal her...!«

»Leider ist mir die Kamera bei der unheimlichen Begegnung in den Sand gefallen und hat etwas Salzwasser geschluckt. Die Elektronik gibt kein Byte mehr von sich.«

»Auch das noch...« David verdrehte genervt die Augen und begutachtete das Gerät. »Hm..., 'ne SX-100. Wir haben hier die 500er Serie, aber die Chips müßten eigentlich kompatibel sein.«

»So etwas in der Art hatte ich gehofft.«

Dennis folgte David in ein Studio, das ein wenig aufgeräumter wirkte als die anderen Räume der Redaktion. Neben einem Pult mit einer Reihe von Fernsehmonitoren stand ein kleines Rack mit Abspielgeräten für verschiedene Audio- und Videoformate. David aktivierte einen Videoplayer und entfernte den digitalen Speicherchip aus Dennis' Minikamera.

»Zwei Gigabyte, nobel, nobel. Wußte gar nicht, daß die Dinger schon auf dem Markt sind.«

»Heiße Ware aus Hongkong.«

David nickte beinahe neidisch, steckte das Speichermodul in einen Slot des Videoplayers und aktivierte den Zugriff auf die komprimierten Daten. Tatsächlich zeigten sich auf einem der Monitore die ersten Bilder, die Hochhausfassaden in den Straßenschluchten von Kowloon wiedergaben.

»Hoppla, das ist stark«, meinte er erstaunt und warf einen Blick auf die ertrunkene Minikamera. »Lupenreine Qualität.«

»Gehen Sie ein Stück weiter«, drängte Dennis. »Die fraglichen Aufnahmen kommen etwas später.«

»Ist dir wirklich ernst, was?« David drehte kopfschüttelnd an dem Shuttleknopf des Videoplayers, bis die Bilder vom Garten des *Kapiulani Beach* erschienen.

»Langsamer ...«, kommandierte Dennis konzentriert. »Jetzt muß es kommen. Der Zoom auf das Muscheldach..., der Diamond Head...«

»Hübsches Motiv.«

»Sehr witzig.«

Dennis starrte gespannt auf den Monitor, als die Kamera zurück auf das Hotel schwenkte. »Stop, da war etwas…, noch mal ein Stück zurück.«

»Wo denn?«

»Da, sehen Sie?«

»Nee!«

»Joggen Sie wieder etwas vor…, halt, da ist es«, triumphierte Dennis. »Offenbar lassen sich Göttinnen doch filmen.«

»Wirklich, 'ne echte Sensation.« David grinste schadenfroh. »Geradezu filmpreisverdächtig.«

Die Bilder waren verzerrt und die Konturen sehr verschwommen, da die Kamera in schneller Bewegung war. Dennoch erkannte man für wenige Sekunden die Gestalt einer jungen Frau, die über die Landungsbrücke des Jachtclubs lief. Sie hatte lange, dunkle Haare und trug ein knielanges, weißes Tuch um den Körper gewickelt.

»Kriegen wir das größer?« drängte Dennis.

»Wenn's sein muß.«

David setzte sich an einen der Editoren, die auf dem Pult standen, und programmierte einen Zoom.

»Glätten Sie die Konturen, und heben Sie den Kontrast.«

»Ja, ja, keine Panik.«

»Da, sehen Sie?«

»Was denn, ich erkenn da bloß 'nen Schatten.« David schien wenig beeindruckt, und seine Stimme wurde zunehmend gereizt.

»Das ist sie, das ist eindeutig das Mädchen aus der Zeitung.«

»Quatsch, das könnte irgend jemand sein.«

»Nein, ich habe dieses Mädchen mit eigenen Augen gesehen. Ich weiß zwar nicht warum, aber ich könnte sie unter Tausenden wiedererkennen.« Dennis überlegte und versuchte seine peinlich unprofessionelle Aufregung zu unterdrücken. »Können Sie mir ein Videoprint von der Vergrößerung machen.«

»Hey, Mann, hier ist doch kein Fotoshop.«

»Ach nein…?« Dennis zog einen Fünfziger aus der Tasche.

»Was willst'de denn damit?«

»Vielleicht jemanden von den Toten auferwecken.«

»Damit würde ich keine Späße machen.«

»Das habe ich auch nicht vor. Ich möchte nur mehr über die Geschichte erfahren.«

»Von mir aus, aber ohne mich.« David nahm den Chip aus dem Player, schaltete genervt die Anlage aus und wendete sich zur Tür.

»Warten Sie!« rief Dennis ihm nach. »Sagen Sie mir wenigstens, wer dieses Mädchen ist.«

»Wozu? Glaubst'de, ich hab' Lust, mich lächerlich zu machen?«

»Nennen Sie mir nur ihren Namen.«

»Hör zu, Mann! Das Mädchen ist tot. Und du verschwindest jetzt besser, bevor ich noch bedauere, diesen Quatsch mitgemacht zu haben.«

»Schade, und ich dachte, Sie würden Ihren Job etwas ernster nehmen.«

David wurde ärgerlich und baute sich beinahe drohend vor Dennis auf.

»Was willst'de damit sagen?«

»Daß ich mich über Ihr Desinteresse wundere.«

»Mann, kapierst'de nicht? Ich habe keinen Sinn für solch makabre Scherze. Bei uns weiß man, daß es besser ist, den Toten ihre Ruhe zu lassen. Klar? Also verzieh dich endlich!«

»Okay, okay. Ich geh' ja schon. Es wird sich sicher jemand finden lassen, der mir weiterhelfen kann.«

Während David in einem der Büros verschwand und die Tür hinter sich zuknallte, setzte Dennis den Speicherchip zurück in seine Kamera und verließ nachdenklich die Redaktion. Er hatte sich nicht getäuscht. Er hatte tatsächlich etwas entdeckt. Und die ganze Sache stank zum Himmel wie der Seetang auf dem Dach vom *Kapiulani Beach*. Das Verhalten des Hawaiianers war typisch für jemanden, der etwas zu verbergen hatte. Geradezu lehrbuchartig verdächtig. Er kannte dieses Mädchen. Mehr als wahrscheinlich wußte er sogar, daß sie noch am Leben war. Konnte die Geschichte von der Havarie der *Tangaroa* eine Lüge sein? Unwahrscheinlich! Und selbst wenn, wozu diente diese Lüge?

Dennis nahm die Zeichnung der Insulanerin heraus, die er von Alexander Moto erhalten hatte. Mit etwas Phantasie bestand tatsächlich eine Ähnlichkeit mit dem Mädchen aus der Zeitung, die wiederum seiner Strandbegegnung vom Morgen wie aus dem Gesicht geschnitten war. War sie das Phantom, das Moto suchte? Eine *kahuna*-Zauberin, die laut offizieller Berichte vor einem Monat bei einem Schiffsunglück ertrunken war?

Dennis glaubte nicht an Hexerei und schon gar nicht an lebende Tote. Vielmehr dachte er an Arnold Brillstein. An einige Fälle aus seiner Praxis, die er ihm erzählt hatte. An filmreife Inszenierungen, mit denen er Patienten von ihren Traumata zu befreien versucht hatte. War Motos Geschichte etwa Teil einer solchen Therapie? War der Auftrag – was durchaus denkbar schien – nur fingiert, um ihn nach Hawai'i zu locken? Ans Meer, an den Ursprung seiner Angst? War es die inszenierte Suche nach einem untoten Geist, so wie er selber einer war? Zuzutrauen war es Brillstein, so exzentrisch wie er war. Und das Honorar, das er verlangte, ließ solche kostspieligen Experimente durchaus zu.

Dennis amüsierte sich über seine Theorie und überlegte, wie er weiter vorgehen sollte, um die Wahrheit zu ergründen. Zuerst brauchte er Informationen. Über Alexander Moto. Über die *Tangaroa*. Und vor allem über die Identität des Mädchens, das der Schlüssel zu der seltsamen Geschichte zu sein schien. Um den *Island Daily* wollte er vorsichtshalber einen Bogen machen, bis er mehr über die Zusammenhänge der Geschichte und die Rollen der Akteure herausgefunden hatte.

Es hatte aufgehört zu regnen, aber noch immer war der Himmel diesig und die Luft erdrückend schwül. Dennis fragte einen Passanten nach der Adresse des *Star Bulletin* und machte sich entschlossen auf den Weg. Langsam begann ihm die Sache Spaß zu machen. Insbesondere der Gedanke Brillstein zu entlarven gefiel ihm derart gut, daß er beinahe vergaß, wie unwahrscheinlich dieser Einfall war. Andererseits hatte er sich schon oft über Brillsteins Eifer gewundert. Brillstein schien fast zwanghaft daran interessiert, die Barriere seiner Amnesie zu lüften, den Zugang zu seiner Vergangenheit. Nichts schien ihm dafür zu aufwendig. Nichts schien zu verrückt. Nicht einmal ein solch fulminanter Schwindel.

Vergnüglich malte sich Dennis aus, was geschehen mochte, wenn er mit seiner Eingebung recht behielt und alleine Brillstein Regisseur des Dramas war. Das Unglück der *Tangaroa* konnte nicht von ihm erfunden sein. Es war nur der perfekte Plot. Genauso perfekt wie die Begegnung mit der Ertrunkenen am Strand. Ein genialer Einstieg, um seine Neugier zu wecken. Wie hatte Moto noch gesagt? Wäre es nicht interessant, die Spuren eines Menschen nachzuzeichnen, der auf mysteriöse Weise zu existieren scheint? War es nicht das, was er all die Jahre tat? Führte die Suche nach dem Phantom nicht schließlich wieder zu sich selbst?

Dennis lachte über seinen Spleen und sponn den Faden weiter. Mit Sicherheit würde er das Mädchen wiedersehen. Die Schauspielerin, die Doppelgängerin der Hawaiianerin auf dem Schiff. Sie war der Lockvogel, um ihn auf die präparierte Spur zu führen. Sie würde ihn langsam an sich heranlassen. Ihn locken. Näher und näher, nur um ihn schließlich mit seinen Ängsten zu konfrontieren. Mit den Wellen, mit dem Ozean, mit dem Tod. Vielleicht würde sie ihn von einer Klippe stoßen oder sich von ihm in Hollywoodmanier aus den Fluten retten lassen. Doch ganz gleich, wie das Drehbuch der Therapie gestaltet war. Letztlich blieb alles nur Theater, ein Possenspiel, das scheitern mußte, weil er nun ahnte, daß Brillsteins Bühnenstück nicht wirklich war.

Dennis beglückwünschte sich zu seiner Phantasie, und während er in Gedanken die Brillstein-Akte schloß und versuchte, zu einer weniger paranoiden Erklärung der Geschichte zurückzukehren, spürte er plötzlich Blicke hinter sich. Da war jemand, der ihm mit vorsichtigen Schritten folgte. Er drehte sich um, konnte aber niemanden sehen. Er beschleunigte seinen Gang, und die Schritte kamen näher. Schnell bog er um eine Häuserecke und fand sich plötzlich in einer Sackgasse wieder, die neben einem chinesischen Krämerladen in einen Hinterhof führte. Er drehte sich um, wollte aus der Falle entfliehen. Im selben Moment packten ihn starke Arme und zogen ihn weiter in den Hof hinein. Er sah nur noch einen Schatten, und dann atmete er einen beißenden Geruch, durch den sich der Himmel über den Dächern von Chinatown in tiefes Schwarz verfärbte.

6

KA'ILI MOKU

DIE LANDRÄUBER

Milton Caan lief mit ausdrucksloser Miene vor den Landungsbrücken von Ford Island auf und ab. Draußen sah man die Pendelboote, die große Gruppen zumeist japanischer Touristen hinaus zum Wrack der *Arizona* brachten, das zwölf Meter unter der Wasseroberfläche sein Grab gefunden hatte. Die schwimmende Gedenkstätte, die über dem Zerstörer verankert war, diente als Mahnmal für die Schrecken des Krieges und als Erinnerung an das Scheitern von Diplomatie und Politik, von dem kaum noch jemand sprach. Heute war das Schiff in erster Linie eine Attraktion für den Tourismus und fand neben der Dole-Ananasfabrik und der Kodak Hula-Show einen festen Platz in den Besichtigungsprogrammen der hawaiianischen Reiseveranstalter.

Caan war dies ein Dorn im Auge. Pearl Harbour entartete mehr und mehr zu einem Erlebnismuseum für Kriegsgeschichte, mit Popcornständen, Souvenirbuden und Führungen wie bei den großen Filmstudios in Hollywood. Kaum war es eine Woche her, als ihn ein Veteran aus Okinawa darum bat, mit ihm zusammen für ein Erinnerungsfoto zu posieren. Er war ein umgänglicher Mensch, aber das ging entschieden zu weit. War er etwa Mickey Mouse? Er war stolz auf die amerikanische Uniform und noch mehr auf die amerikanische Geschichte. Manchmal versuchte er sich sogar in die Zeit der großen Pazifikflotte zurückzuversetzen. Das hatte nichts mit romantischer Verklärung zu tun. Seinerzeit herrschte ein blutiger Krieg, der unzählige Opfer forderte. Aber ein Soldat war damals ein Soldat, und die Ehre eines Mannes hatte noch einen Wert.

Heute war die Lage im Nordpazifik friedlicher, fast zu friedlich, wie Caan fürchtete. Waren nicht seit jeher die unsichtbaren Gegner die gefährlichsten? Jene Gegner, mit denen man nicht rechnete, wie damals die japanischen Torpedobomber, die hinterhältig und ohne jede Vorwarnung am Himmel erschienen? Heute war ein solcher Überraschungsangriff praktisch unmöglich, ganz gleich woher er kommen mochte. Jedes Planquadrat des Pazifischen Ozeans wurde von Satelliten überwacht, die unbestechlich und bislang noch unberührbar auf ihren geostatischen Umlaufbahnen die Erde beobachteten. Aber reichte dies wirklich aus? Hatte man sich damit wirklich gegen feindliche Angreifer abgesichert?

Caan glaubte nicht an martialische Aliens, die aus den Tiefen des Alls die Erde überfallen konnten. Er dachte viel mehr an irdische Feinde, deren Strategie und Taktik im verborgenen lag. An getarnte Killersatelliten und an submarine Waffentechnologien, die für die elektronischen Augen der Ortungssysteme ebenso unsichtbar waren wie die Stealth-Bomber der Air Force für das feindliche Radar. Besonders ängstigte ihn aber die Vorstellung von einem Gegner, den er mit eigenen Augen nicht sehen konnte, selbst wenn er direkt vor ihm stand.

Caan versuchte, seine argwöhnischen Gedanken abzuschütteln, und betrachtete zu seiner Beruhigung die *Independence,* einen der gigantischen Flugzeugträger der Navy, der mit seinen Begleitschiffen in der Tiefwasserrinne im Middle Loch vor Anker lag. Er wußte, daß es bislang keiner Macht der Welt gelungen war, die sogenannte Philadelphia-Technologie auch nur ansatzweise zu beherrschen, und sollte es eines Tages gelingen, die perfekte Tarnung zu entwickeln, dann mit Sicherheit nur durch das überlegene Know-how der USA. Was also fürchtete er? Litt er etwa unter Paranoia oder dem Syndrom des feindlosen Soldaten, der sich unnütz wie ein Footballspieler ohne Gegner sah?

Caan scheute den Vergleich, aber er wußte sein angeborenes Mißtrauen zu schätzen. Es war der Garant für die Erfüllung eines ehrenvollen Auftrags. Allein in Hawai'i waren fünfzigtausend Männer und Frauen ausschließlich damit beschäftigt, den Frieden im Pazifik zu wahren und tagtäglich auf jenen unheilvollen Moment vorbereitet zu sein, falls doch eine gegnerische Mannschaft das Spielfeld betreten sollte. Ein Soldat mußte ständig auf der Hut sein, besonders bei einem Spiel, dessen Ausmaß beinahe unüberschaubar war.

Caans Spielfeld war riesig groß, mehr als ein Drittel der Erdoberfläche. Als Kommunikationsoffizier der strategischen Planungszentrale auf Hawai'i unterstand er direkt dem *CINCPAC,* dem Kommandanten der amerikanischen Pazifikflotte, dessen Machtbereich von Kalifornien bis nach China reichte und von Alaska bis zum Südpol. Es war das größte militärisch zusammengehörende Gebiet der Welt, und sollte es tatsächlich noch einmal jemand wagen, die USA zu einem Spiel um die Macht über die Erde herauszufordern, lag hier mit großer Wahrscheinlichkeit die Arena für das Finale.

Von den Uferanlagen der Hickam Air Force Base näherte sich eine offene Barkasse und legte mit einem perfekten Manöver an der Landungsbrücke von Ford Island an. Caan war am Tag zuvor über die Mission der Besucher unterrichtet worden, die vom militärischen Sperrgelände des internationalen Flughafens von Honolulu herübergefahren kamen. Einen von ihnen kannte er bereits. Es war ein Mann Ende vierzig. Etwa einen halben Kopf kleiner als er, schüttere Haare, dunkler Anzug, Sonnenbrille. Ein harmlos wirkender Zivilist, dessen Ankunft allerdings nichts anderes bedeutete als schlechte Nachrichten und Probleme. Es waren erst wenige Tage vergangen, seit Caan ihn mit einem flauen Gefühl in der Magengegend verabschiedet hatte, und bereits da hatte er geahnt, daß er bald wiederkommen würde, denn der Fall, an dem sie arbeiteten, war keineswegs abgeschlossen. Im Gegenteil. Die unheimliche Geschichte hatte gerade erst begonnen.

»Agent Bates! Ich hatte Sie kaum so schnell zurückerwartet«, log Caan mit einem allzu künstlichen Lächeln.

»Die Wege des Schicksals sind oft verschlungen, Commander.« Jonathan Bates stieg müde aus dem wankenden Boot und half seiner wesentlich jüngeren Begleiterin an Land. Sie sah nicht aus wie eine Hawaiianerin, aber sie hatte einen merklich großen Anteil von polynesischem Blut in ihren Adern. »Darf ich Ihnen Special-Agent Kao vorstellen. Sie ist uns von der Südpazifikabteilung des Central Intelligence in Auckland geschickt worden.«

»CIA? Ist der Fall inzwischen zu einer politischen Angelegenheit geworden?«

»Haben Sie etwas gegen amtsübergreifende Zusammenarbeit, Commander?« Tekina Kao baute sich vor Caan auf und setzte ein einnehmendes Lächeln auf. Sie war mehr als einsachtzig groß, hatte den athletischen Körperbau einer *Maori* und schien einen bedeutenden Teil ihrer Freizeit auf Sportplätzen und in Fitneßstudios zu verbringen.

»Ich erkenne keinen Sinn in Ihren Vorhaben«, erklärte Caan und grüßte förmlich. Ein wenig zu förmlich, wie er im nachhinein fand. Im Grunde war er bekannt dafür, Frauen gegenüber recht galant zu sein – besonders attraktiven Frauen natürlich –, aber heute beherrschte Unmut sein Benehmen. Er haßte es, wenn sich Frauen in militärischen Angelegenheiten in den Vordergrund schoben. Und noch mehr haßte er es, über Wesentliches nicht informiert zu sein. Die Hintergründe des Erscheinens der beiden Regierungsagenten in Pearl Harbour waren mit Sicherheit etwas Wesentliches, und es mißfiel ihm ganz und gar, bei der Angelegenheit kaum mehr als die Rolle eines Statisten einzunehmen.

»Die Suchaktionen sind völlig ergebnislos verlaufen, und die *Dateline*-Akte ist geschlossen.«

»Alle Dinge haben zwei Seiten, Commander«, bemerkte Kao kühl, zumal sie wußte, daß sie sich ihre Worte sparen konnte. »Immerhin vermißt die Regierung ein siebenhundert Millionen Dollar teures U-Boot. Für das Pentagon wird die Untersuchung erst abgeschlossen sein, wenn lückenlos geklärt werden konnte, was mit der *Dateline* geschehen ist.«

»Was haben Sie erwartet, bei den dürftigen Daten, die uns zur Verfügung standen? Die Suche nach einer Nadel im Heuhaufen ist ein Kinderspiel gegen das Auffinden eines Atom-U-Bootes, das allerhöchstens Thermospuren radioaktiver Partikel in seinem Kielwasser hinterläßt.«

»Niemand macht Ihnen einen Vorwurf, Commander. Trotzdem kann ein Schiff dieser Größe nicht spurlos verschwinden.«

»Sicher kann es das. Unter den gegebenen Umständen. Aus achttausend Metern Tiefe dringen keine Hilferufe an die Oberfläche. Alles was wir haben sind Vermutungen. Der Untersuchungsbericht schließt mit dem Ergebnis, daß die *Dateline* bei einem schweren Seebeben havariert und in einer Schlucht des Marianengrabens versunken ist.«

»Sie wissen selbst, Commander, daß das nur eine praktische, vorläufig nicht zu widerlegende Erklärung war«, meinte Kao unbeeindruckt. »Geeignet allenfalls für den Rechnungshof. Leider ist die Angelegenheit in der Realität nicht so einfach.«

»Ach ja, ich vergaß, das *Dateline*-Projekt besitzt höchste Priorität.« Caan verzog ärgerlich den Mund und streifte Bates mit einem wenig freundlichen Blick. »Das Pentagon hat uns drei Wochen lang nach einem Geisterschiff suchen lassen, ohne uns auch nur ansatzweise über die Hintergründe dieses sogenannten Projektes zu informieren.«

»Ihre Aufgabe bestand lediglich darin, ein gesunkenes U-Boot zu orten und zu bergen«, erklärte Bates lakonisch. »Und das ist trotz größtmöglichem Einsatz Ihrer Spezialeinheiten nicht gelungen.«

»Vielleicht wäre die Suchaktion erfolgreicher verlaufen, wenn Sie uns über die Mission der *Dateline* in vollem Umfang in Kenntnis gesetzt hätten, und Sie können sich darauf verlassen, daß ich dies in meinem Bericht an die Admiralität nicht unerwähnt lassen werde.»

»Tun Sie sich keinen Zwang an, Commander, aber bitte vergessen Sie nicht, daß meine Abteilung Ihre Dienststelle in dieser Sache lediglich um Amtshilfe gebeten hat. Das *Dateline*-Projekt gehört zu einem zivilen, wissenschaftlichen Forschungsvorhaben der Regierung und unterliegt nicht der militärischen Autorität der Navy.«

»Also schön, Agent Bates«, maulte Caan und schob sich seine Mütze weiter in die Stirn. »Ich wiederhole mich, wenn ich sage, daß mir Ihre Geheimniskrämerei mißfällt, aber ich habe direkte Order von oben, Sie einmal mehr nach besten Kräften zu unterstützen. Ich hoffe wenigstens, Sie haben diesmal brauchbarere Informationen mitgebracht.«

»Brauchbar vielleicht«, erklärte Kao. »Aber sie werden Ihnen trotzdem nicht gefallen. Ist das Spezialistenteam schon auf Wake Island eingetroffen?«

»Gestern bereits. Ich verstehe nur nicht, was diese Aktion für einen Sinn haben soll.«

»Agent Kao meint, daß wir uns auf einige seltsame Dinge gefaßt machen müssen«, erklärte Bates und fühlte sich bei der Aussicht offenbar selbst nicht wohl.

»Es gibt Hinweise, die die Lage der Fakten in einem neuen Licht erscheinen lassen.«

»Fakten, Agent Kao? Ich wüßte nicht, daß wir je Fakten in dieser Sache besessen hätten.«

»Ihr Unmut ist verständlich, Commander, aber ich verspreche Ihnen, daß Sie diesmal über alles Notwendige informiert werden.«

»Dann lassen Sie uns keine Zeit verlieren. Dr. Sun wartet bereits auf uns.«

»Sun?« wiederholte Bates erstaunt. »Marlin Sun wurde für diesen Fall angefordert?«

»Der Chiefcommander meinte, er wäre der Beste für den Job«, erklärte Kao. »Haben Sie ein Problem damit?«

»Die Zusammenarbeit mit ihm war in der Vergangenheit nicht immer reibungslos. Er hat eine etwas eigenwillige Vorstellung von seinem Job.«

»Ja, das hörte ich bereits. Er benutzt seinen Kopf. Eine für Regierungsbeauftragte wenig übliche und offenbar ungern gesehene Eigenschaft.«

»Manchmal ist es schädlich, mehr zu tun, als von einem verlangt wird.«

»Und manchmal geraten die Dinge erst dadurch in Bewegung. Dies wäre doch sicher auch in Ihrem Interesse, Agent Bates. Habe ich nicht recht?«

Bates schwieg, während Caan einen Navy-Jeep herbeiwinkte und dem Fahrer befahl, sie zur anderen Seite der kleinen Insel zu fahren, die neben den Hafenanlagen eine kurze Startbahn für Übungsflugzeuge und einen Hubschrauberlandeplatz beherbergte.

»Wie lange werden wir brauchen?« erkundigte sich Kao und hielt Ausschau nach der Transportmaschine, die sie weiter zu ihrem Ziel bringen sollte.

»Höchstens zwei Stunden.«

»Nach Wake? Wollen Sie uns mit einer Cruise Missile über den Ozean schießen?«

»Das kommt der Sache durchaus nahe.« Caan deutete auf den riesigen Flugzeugträger, zu dem ein teleskopartig ausfahrbarer Ponton führte.

»Die Navy hat die schönsten Spielzeuge. Und für die CIA scheut das Verteidigungsministerium weder Kosten noch Mühen, nicht wahr, Commander?«

»Sehr witzig, Bates!« Mißmutig reichte Caan den Agenten Marineflieger-Overalls, während der Jeep auf einen großen Lastenaufzug fuhr, über den die schwimmende Stadt mit Material versorgt wurde. »Was glauben Sie, wieviel Schreibkram allein die Sondergenehmigung für diesen Start gekostet hat?«

Das Flugdeck der *USS-Independence* war geräumt, und in der Katapultschiene der Startbahn wartete bereits ein umgebauter Deltaflügeljet, der wie eine Mischung aus Jagdbomber und Raumgleiter wirkte. Das Cockpit bot hinter dem Piloten Platz für drei weitere Passagiere, die allerdings auf jegliche Bequemlichkeit verzichten mußten. Das Flugzeug war bis in den letzten Winkel mit elektronischen Geräten vollgestopft und schien normalerweise für den Test extremer Flugmanöver eingesetzt zu werden.

»Tut mir leid, daß wir auf dieser Linie keine Getränke servieren«, scherzte Caan und schien sich alles andere als auf den Flug zu freuen. »Bei Mach drei haben wir noch Probleme mit den Gläsern.«

»Und ich dachte, nur bei uns sei der Etat gekürzt worden.«

Kao kletterte über eine Leiter in die schmale Einstiegsluke und zwängte sich auf ihren Sitz, dessen Beinfreiheit spielend die der Rücksitzbank eines Sportwagens unterbot. »Gibt es hier wenigstens ein Bordkino?«

»Ein Kino?« wunderte sich Caan und kämpfte sich sichtbar unwillig hinter Bates in das beengte Cockpit.

»Agent Kao fürchtete wohl, daß der Flug etwas langweilig würde, und hat vorsichtshalber ein Video zur Unterhaltung mitgebracht.«

»Wir haben zwei Stunden, und sollten die Zeit sinnvoll nutzen.« Kao zog eine Minidisk aus ihrer Gürteltasche. »Außerdem könnte ich mir vorstellen, daß Sie der Plot interessieren wird.«

»Der Untergang der Titanic!« kommentierte Bates.

»Wohl eher die tropische Variante davon. Es ist eine Simulation vom Kurs der *Dateline,* dem sie auf ihrer Testfahrt von der Marinewerft auf Guam nach Wake Island folgen sollte.«

Kao schob die Disk in das Laufwerk des Bordcomputers und setzte sich ihren Schutzhelm auf, in den neben den Kommunikationseinrichtungen auch ein Videosystem integriert war, das die Bilder aus dem Computer direkt auf einer optischen Folie im Plexiglas des Visiers sichtbar machte.

»Der Kurs führte von Guam nordwärts in Richtung ostjapanisches Meer und drehte dann südlich der Iwo Jima Gruppe ostwärts in Richtung Marcus Island. Dabei kreuzte die *Dateline* am Wendekreis des Krebses, also etwa am 23. nördlichen Breitengrad, das Fleming Deep, wo sie, wie wir bislang angenommen haben, während des schweren Seebebens spurlos verschwand, das die seismographische Station auf Bonin Island während der Nacht registriert hat.«

»Und?« Caan zuckte mit den Schultern und legte den Sicherheitsgurt an. »Das ist hinlänglich bekannt und darüber hinaus so ziemlich alles, was wir wissen.«

»Was wir bislang zu wissen glaubten, Commander.« Kao drückte eine Taste der Fernbedienung, die in die Armlehne des Sitzes integriert war, und zauberte eine zweite Linie auf die virtuelle Seekarte. »Was Sie hier sehen, ist der Kurs eines Segelschiffes, das in der fraglichen Nacht in den gleichen Gewässern nördlich der Marianen unterwegs war.«

»Woher stammt diese Aufzeichnung?« fragte Bates mißtrauisch.

»Es sind Daten von einem Aufklärungssatelliten, die uns vor ein paar Tagen von einem Informanten beim neuseeländischen Geheimdienst zugespielt worden sind.«

»Von den Kiwis?« brummte Caan mit hörbarem Unmut. »Heute spielt anscheinend jeder *Big Brother* im Orbit.«

»Seien Sie froh über die Wachsamkeit unserer Waffenbrüder, Commander«, konterte Kao gelassen. »Vielleicht stellt sich nun heraus, daß Sie die ganze Zeit an der falschen Stelle gesucht haben.«

»Wie kommen Sie darauf?« fragte Caan skeptisch.

»Sehen Sie sich den Kurs genau an, Commander. Der Segler kreuzte einige Tage von Insel zu Insel durch die Hoheitsgewässer der Marianen und nahm dann in der fraglichen Nacht während eines aufziehenden Unwetters einen nördlichen Kurs auf.«

»Wahrscheinlich hat die Crew versucht, dem Unwetter zu entkommen. Auf Asuncion soll es schwere Verwüstungen gegeben haben.«

»Möglich, obwohl es eher so scheint, als ob das Schiff dem Auge des Zyklons folgte. Die letzte Position konnte jedenfalls hundert Seemeilen südlich von Kazan Retto in der Nähe der Bluestone Seamounts ermittelt werden, einer Kette erloschener, submariner Vulkane. Dann wurde das Signal durch starke Interferenzen unterbrochen, wie sie nur von einem magnetischen Sturm verursacht worden sein können, und verschwand schließlich völlig von den Satellitenscannern.«

»Na und? Es war ein sehr schwerer Zyklon. Ganz zu schweigen von dem Beben, das die Wellen möglicherweise zu haushohen Wasserwalzen aufgetürmt hat. In dieser Nacht sind sicher einige Schiffe havariert.«

»Das mag sein, Commander. Dieser Segler verschwand aber fast achtzig Seemeilen südlich vom Fleming Deep. Genau dort, wo auch das Epizentrum des Bebens lag.«

»Das erzwingt noch keinen Zusammenhang«, widersprach Bates energisch und betrachtete mit nachdenklicher Miene die Koordinaten der Havarie. »Die seismischen Aktivitäten erstreckten sich über Hunderte von Seemeilen entlang des Marianengrabens. Es wäre schon ein großer Zufall, wenn beide Schiffe an der gleichen Stelle gesunken sind.«

»Und selbst wenn ...«, brummte Caan ungeduldig. »Wie sollen uns diese Daten weiterhelfen? Wir haben das Gebiet in einem Radius von über zweihundert Seemeilen großflächig mit Spektralscannern abgetastet. Wenn es dort auch nur die geringste Spur von Metall-, Öl- oder Kunststoffresten eines Schiffes gegeben hätte, hätten wir sie gefunden.«

»Ihr Mißerfolg könnte auch daran gelegen haben, daß Sie von falschen Tatsachen ausgegangen sind, Commander«, erklärte Kao unbeeindruckt.

»Was soll das nun wieder heißen?«

»Was wäre, wenn das Seebeben nicht die primäre Ursache für das Verschwinden der Schiffe war.«

»Nun spannen Sie uns nicht auf die Folter, Agent Kao«, maulte Caan ungehalten. »Worauf wollen Sie eigentlich hinaus?«

»Auf die Wahrheit. Und ich hoffe, daß uns das Wrackteil etwas darüber erzählen kann, das vorgestern in der Nähe von Marcus Island aus dem Wasser gefischt wurde.«

»Es ist nur ein vermodertes Stück Holz.« Caan schüttelte den Kopf und gab dem Piloten das Zeichen für seine Bereitschaft zum Start.

»Wenn es vermodert wäre, säßen wir jetzt nicht hier.«

»Trotzdem verstehe ich nicht, was Sie sich von dieser aufwendigen Untersuchung versprechen?«

»Antworten, Commander.« Kao spürte, wie hinter ihrem Rükken das Triebwerk des Jets zündete. »Wie es aussieht, ist das Wrackteil der einzige Überrest des Seglers, dessen Kurs wir hier sehen. Und wenn wir uns in seiner Herkunft nicht täuschen, ist es dringend an der Zeit, die *Dateline*-Akte wieder zu öffnen.«

Ein Zittern ging durch die Maschine, und im selben Moment wurden die Passagiere unter enormem Druck in ihre Sitze gepreßt. Das Flugzeug schoß vom Startkatapult beschleunigt vom Deck der *USS-Independence* und jagte im Steilflug wie eine Rakete fast senkrecht in den strahlend blauen Himmel.

7
HO'AILONA
WARNENDE ZEICHEN

Tong Kwai Long streckte seine Hände in die Höhe und flehte um den Beistand der Götter. Seit mehr als sechzehn Jahren führte der Kanton-Chinese sein florierendes Lebensmittelgeschäft in der Hotelstreet, und nun so etwas. Warum war die Langnase gerade in seinen Hof gelaufen? Warum zu ihm? Was hatte dieses böse Omen zu bedeuten? Sofort nach Ladenschluß mußte er zum Tempel eilen. Er mußte wissen, warum sich das *fung shui* gegen ihn gewendet hatte. Und selbst wenn die Opfergaben teuer waren, er brauchte dringend einen Rat, um die Geister des Unheils noch rechtzeitig aus seinem Haus zu vertreiben.

Tong band sich seine fleckige Schürze enger um den Bauch, hockte sich auf eine Gemüsekiste und starrte hinüber zu dem unglückseligen *malihini,* der in der Einfahrt des Hofes in einer Ambulanz verarztet wurde. Vielleicht hätte er auf seine Frau hören sollen. Vielleicht hätte er ihn einfach hinaus auf die Straße werfen sollen, wo andere ihn gefunden hätten. Das war noch immer der beste Weg, Problemen aus dem Weg zu gehen. Aber nein, wieder einmal hatte er es nicht übers Herz gebracht. Wieder einmal war er viel zu gutmütig gewesen. Jetzt hatte er den fremden Teufel am Hals und konnte sehen, wie er die Unordnung zwischen Himmel und Erde wieder in Einklang bringen konnte.

»Sie haben also niemanden gesehen?« wiederholte Frank Hawea seine Frage und malte gelangweilt ein Strichmännchen auf seinen Notizblock.

»Niemand gesehen, nein, nein...« Tong hatte längst aufgehört den Fragen des Inspektors zuzuhören. Er hoffte nur, daß die Cops so schnell wie möglich wieder verschwinden würden. Fast fünfzig Gramm weißes Gold hatte er in dem Fach unter dem Ananaskonservenregal versteckt. Und wenn die Beamten auch noch anfangen würden, seine Wohnung zu durchsuchen, war er in ernsthaften Schwierigkeiten, aus denen ihn selbst die Götter nicht mehr befreien konnten.

Der Hof wimmelte inzwischen von Uniformierten. Wie eine Herde aufgeschreckter Schimpansen wühlten sie zwischen Obstkisten und Müllsäcken und zertrampelten die Haufen fauliger Mangos und Papayas, die sich über die Woche angesammelt hatten. Tong war längst klar, daß die Täter keine Spuren zurückgelassen hatten, und selbst wenn, waren sie spätestens jetzt unter den schweren Stiefeln der Polizisten verschwunden, die weniger gewissenhaft als übertrieben energisch den Müll durchkämmten. Wieso also sollte er ein schlechtes Gewissen haben? Warum sollte er verraten, daß er die beiden Insulaner gesehen hatte. Er war vom Schicksal schon genug gestraft. Außerdem gehörten die *kama'aina* zu seinen besten Kunden, und das Schweigen war manchmal die beste Investition in die Zukunft.

Auch Frank Hawea stöhnte. Dreißig Jahre beim Central P.D. von Honolulu hatten die Gefühle des Hawaiianers abgestumpft, aber ein Raubüberfall auf einen Touristen am hellichten Tag im Stadtzentrum von Honolulu war ein Ärgernis, das jede Menge dienstlicher Unannehmlichkeiten mit sich brachte. Für die Presse bot der Überfall natürlich ein gefundenes Fressen. Für die Tourismusindustrie, die Hawai'i als ein friedliches, von Gewaltverbrechen freies Ferienparadies verkaufte, stellte der Raub jedoch eine mittlere Katastrophe dar, und Hawea mußte sehen, wie er den Karren wieder aus dem Dreck ziehen konnte. Mißmutig entließ er den Chinesen aus dem Verhör und ging hinüber zu seinem *haole*-Kollegen, der die Aktionen der Spurensicherung koordinierte.

»Und, Rob, habt ihr was?«

»Fehlanzeige.« Robert Doyle schüttelte seinen kahlrasierten Kopf, der wie eine Glühbirne auf seinem muskelbepackten Körper thronte, und zeigte seinem dienstälteren Partner seine spärlichen Aufzeichnungen. »Bestenfalls ein paar Abdrücke von Sportschuhen. Nike-Beachcomber, Größe 45.«

»Fein, damit schränkt sich der Täterkreis auf knapp einhunderttausend ein.«

»Den Gips für die Abdrücke können wir uns sparen.«

»Typischer Fall von Beschaffungskriminalität«, tippte Hawea und wischte sich den Schweiß aus dem Nacken. »Wahrscheinlich hat der Chinese den Gangstern die Beute gleich abgekauft.«

»Ich weiß nicht, Frank. Das Opfer hat Bargeld, einige Kreditkarten und eine ziemlich wertvolle Uhr bei sich. Aber alles, was gestohlen wurde, ist seine Videokamera mit Aufnahmen, die er nach seinen Angaben heute morgen im Garten des *Kapiulani Beach* gemacht hat.«

»Sicher hatten die Täter keine Zeit mehr, seine Taschen zu durchsuchen. Und eine Kamera stellt für Junkies keine schlechte Beute dar.«

»Ich wette einen Zwanziger, daß es sich nicht um einen gewöhnlichen Raubüberfall gehandelt hat«, beharrte Doyle auf seiner Ansicht, die er in detektivischem Spieltrieb gern in Opposition zu Haweas Meinung wählte. »Die Täter wußten genau, was sie wollten. Außerdem hätte kein Junkie die teure Uhr übersehen.«

»Das kann Zufall gewesen sein.«

»Im Zufall steckt zumeist die Wurzel der Wahrheit.«

»Alte chinesische Weisheit, was?« Hawea winkte resignierend ab. In dieser Woche hatte er bereits sechzig Dollar an Doyle verloren und fragte sich, ob er nicht zu alt für den Job geworden war. »Im Ernst, Rob, erklär mir mal, warum jemand Aufnahmen von einem Hotelgarten stehlen sollte?«

»Vielleicht, weil jemand auf den Bildern ist, der nicht erkannt werden will.«

»Etwa ein heimliches Liebespaar, das seine Kompromittierung fürchtet?«

»Warum nicht?« Doyle zuckte mit den Achseln. »Immerhin hat unser Freund angegeben, daß er Reporter sei.«

»Wahrscheinlich einer von diesen Paparazzi, die in den Hotels Prominenten nachstellen.« Hawea verdrehte die Augen und ging hinüber zu dem Mann, der immer noch benommen auf einer Liege saß und einer Beamtin seine Personalien diktierte.

»Mr. Newman, entschuldigen Sie, aber wir können Ihnen diese Formalitäten leider nicht ersparen.«

»Schon gut«, stöhnte Dennis und steckte seinen Ausweis zurück in die Brieftasche. »Haben Sie etwas herausgefunden?«

»Nichts, das uns weiterbringen könnte. Vielleicht versuchen Sie sich noch einmal genau daran zu erinnern, was geschehen ist.«

»Wie gesagt, da gibt es nicht viel zu erzählen. Ich lief die Straße entlang. Dann hörte ich plötzlich Schritte hinter mir, und im gleichen Moment zerrte mich jemand in diesen Hof. Für eine Sekunde sah ich die Schatten von zwei Gestalten. Von da an kann ich mich an nichts mehr erinnern, außer an diesen beißenden Geruch, der mir in die Nase schoß.«

»Ein Narkotikum?«

Doyle verneinte. »Chloroform hätte sich auf der Haut nachweisen lassen müssen.«

»Hm ...«, Hawea überlegte. »Wahrscheinlich ein *kahuna*-Gift. Das kriegt man für ein paar Dollars unter der Hand in jeder Kräuterapotheke.«

»Merkwürdig bleibt, warum nicht mehr gestohlen wurde«, wiederholte Doyle und wendete sich wieder Dennis zu. »Könnten Sie sich vorstellen, daß der Überfall gezielt Ihrer Kamera gegolten hat? Ich meine, vielleicht haben Sie zufällig etwas gefilmt, auf das die Täter so scharf waren, daß sie dafür einen Überfall auf offener Straße riskiert haben.«

Dennis schüttelte den Kopf. Er war zu dem Schluß gekommen, daß es besser war, seine Gedanken für sich zu behalten. Die Polizisten schienen ohnehin bereits an seiner Glaubwürdigkeit zu zweifeln, und die Geschichte von der Begegnung mit einem Mädchen, das seit Wochen auf dem Grund des Meeres liegen mußte, konnte die Angelegenheit nur unnötig verkomplizieren. Ganz zu schweigen von der Brillstein-Variante, die durch den Überfall nicht gerade wahrscheinlicher geworden war.

So oder so. Die Täter hatten ganze Arbeit geleistet. Er hatte keinerlei Beweise mehr, und solange er dies nicht ändern konnte, war ihm die Polizei – wie bei den meisten seiner Fälle – keine große Hilfe. Jetzt suchte er wirklich ein Phantom. Ein Wesen, das nicht gefunden werden wollte oder sollte, weil seine Existenz der Schlüssel zu einem weitaus größeren Geheimnis war.

»Wollen Sie Anzeige erstatten?« fragte Hawea förmlich und war in Gedanken bereits bei dem Bericht, den er der Presse vorlegen mußte.

»Gegen wen?«

»Zum Beispiel gegen alle Festlandsmanager, die heimlich mit ihren Sekretärinnen ein Arbeitswochenende in Waikiki verbringen?«

»Bitte...?«

»Verstehen Sie mich nicht falsch, Mr. Newman. Es gibt keine Zeugen, Sie sind nicht verletzt und außer Ihrer Aussage gibt es keinerlei Hinweise darauf, daß dieser Überfall überhaupt stattgefunden hat.«

»Wirklich perfekt!« dachte Dennis und bewunderte beinahe den Drahtzieher der Geschichte.

»Damit wir den Fall weiter verfolgen können, brauchen wir zumindest eine Anzeige gegen Unbekannt.«

Dennis nickte.

»Ach ..., äh, Mr. Newman?« Doyle fiel noch etwas ein. »Wer konnte eigentlich etwas von dem Film gewußt haben? Ich meine, sollte die Kamera aus irgendeinem Grund gezielt gestohlen worden sein, müssen sich die Täter über den Wert ihrer Beute, also über den Inhalt des Videos, im klaren gewesen sein.«

»Im Prinzip hätte mich jeder im Hotelgarten beim Filmen beobachten können, allerdings...«

»Ja...?«

»Es gibt tatsächlich jemanden, der die Aufnahmen gesehen hat. David Pu'ukohala, ein Reporter vom *Island Daily*. Ich suchte ihn vor etwa einer Stunde auf und bat ihn, mir ein Videoprint von einer Aufnahme des Hotels zu machen, die ich... äh, für einen Artikel verwenden wollte.«

»David Pu'ukohala.« Doyle schien überrascht. »Das wäre immerhin ein Anhaltspunkt.«

»Wieso?« Dennis wurde hellhörig.

»Es kursieren Gerüchte über seine Verbindung zu den *Boys for Pele,* einer Aktionistengruppe, die mit nicht immer friedfertigen Mitteln gegen die touristische Ausbeutung der hawaiianischen Kultur und die Zerstörung der Umwelt auf den Inseln kämpft. Außerdem gehört Pu'ukohala zu den Verdächtigen, die vorgestern nacht dabei beobachtet wurden, als sie versuchten, die Fassade des *Kapiulani Beach* mit Schlamm und Seetang zu beschmieren. Die Täter konnten zwar entkommen, aber ein Wachmann, der bei der Aktion verletzt wurde, hat eine Beschreibung von einem der Aktionisten abgegeben, die auf Pu'ukohala passen könnte. Vielleicht haben Sie zufällig etwas gefilmt, das den Verdacht bestärken könnte, daß die *Boys for Pele* wieder aktiv gewesen sind.«

»Zwei Arbeiter waren gerade dabei, die Hotelfassade zu säubern, aber ich weiß nicht...«

»Sehen Sie, Mr. Newman. Schon haben wir einen Verdächtigen, der nicht nur von dem Video wußte, sondern sogar ein Motiv hatte.«

»Nicht so hastig, Rob«, bremste Hawea und zog Doyle beiseite. »Eins und eins sind noch immer zwei. Die Aussage des Wachmanns war alles andere als glaubwürdig. Wir haben nichts gegen David Pu'ukohala in der Hand, und die Geschichte mit den *Boys for Pele* ist nichts weiter als ein Gerücht, das vielleicht nur von denjenigen in die Welt gesetzt wurde, die Profit daraus schlagen, wenn die einheimischen Umweltorganisationen in eine militante Ecke geschoben werden.«

»Für mich steht außer Frage, daß es jemand auf Moto abgesehen hat«, beharrte Doyle auf seinem Verdacht.

»Bislang hat niemand erklären können, wie der Dreck auf das Dach des Hotels gekommen ist. Genauso wenig wie die Feuerquallen letzte Woche in das Bootshaus des Jachtclubs.«

»Irgend jemand hat es getan.«

»Irgend jemand, nicht mehr und nicht weniger.«

»Die Aktionisten stehen ganz oben auf der Liste.«

»Die üblichen Verdächtigen, nicht wahr?«

»Ich setze fünfzig Mäuse, daß Pu'ukohala da mitgemischt hat.«

»Diesmal liegst du schief, Rob.« Hawea war es leid. Zwar mochte er Doyle, aber allzu leichtfertig schob seine *haole*-Mentalität den *kama'aina* den schwarzen Peter zu, nur weil sie auf ihren eigenen Inseln zu Außenseitern geworden waren. »Wahrscheinlich hat Moto das Ganze selbst inszeniert. Oder die illustre Schar seiner Konkurrenten. Die *Boys for Pele* sind nichts weiter als ein nützliches Phantom...«

»... ein Phantom, das uns schon eine Menge Ärger bereitet hat.« Doyle war sich seiner Sache sicher und betrachtete die Wette mit Hawea als beschlossen. »Ich schlage vor, wir fahren zum *Island Daily* und hören uns an, was Pu'ukohala zu dem Überfall zu sagen hat.«

Während Tong erleichtert seinen Müll zusammenfegte, stieg Dennis zu Doyle und Hawea in eines der Polizeifahrzeuge, die inmitten einer Gruppe von Schaulustigen vor dem chinesischen Laden gehalten hatten. Hawea informierte die Zentrale vom Stand der Ermittlungen, und nach kurzer Fahrt durch die überfüllten Straßen von Downtown hielten sie vor dem Zeitungsgebäude. Umrahmt wie von zwei Bodyguards stieg Dennis aus und fuhr mit den Polizisten hinauf in den zwölften Stock zur Redaktion des *Island Daily*.

Die korpulente Redakteurin erkannte ihn sofort wieder.

»Mr. Newman...!«

»Central P. D.« Doyle schob sich vor Dennis, hielt wichtigtuerisch seine Dienstmarke hoch und steckte sich, seinem großen Vorbild Theo Kojak nacheifernd, einen roten Lolly in den Mund. »Wir würden gern mit Mr. Pu'ukohala sprechen.«

»Sorry, diesmal haben Sie kein Glück. Dave ist gerade raus.«

»Was heißt gerade?« hakte Hawea nach.

»Ungefähr vor fünfzehn Minuten.«

»Und er war die ganze Zeit hier?«

»Ja...! Wissen Sie, er hat ein goldenes Händchen für die Computer und...«

»Sie können das also bezeugen?«

»Sicher. Worum geht es denn?«

»Reine Routineüberprüfung...« Doyle bedankte sich mit enttäuschter Miene und legte eine Karte mit seiner Handynummer auf den Tisch. »Sagen Sie Mr. Pu'ukohala, er möchte sich bei uns melden, sobald er zurückkommt.«

»Damit wären wir genauso schlau wie vorher«, meinte Dennis, als hätte er nichts anderes erwartet.

»Tut mir leid, Mr. Newman!« Hawea zuckte mit den Schultern, obwohl er wußte, daß das Alibi kaum von Bedeutung war. »Wir bleiben natürlich an der Sache dran, aber im Augenblick können wir nicht mehr viel für Sie tun. Möglicherweise bekommen wir noch Aussagen von den Anwohnern. Aber in Chinatown ist es so wie mit den drei Affen. Nix sehen..., nix hören..., nix sagen...!«

Dennis verabschiedete sich von Doyle und Hawea und ging mit langsamen Schritten die Bishop Street hinunter, bis der Wagen der Polizisten um die nächste Ecke gebogen war. Dann lief er zurück zum Zeitungsgebäude und fuhr wieder hinauf zum *Island Daily*. Die Geschichte hatte ihn gepackt, und es gab viele Möglichkeiten fortzufahren. Eine der erfolgversprechendsten Methoden seiner Arbeit war die Provokation. Er mußte seine Gegner herausfordern, und David Pu'ukohala war dafür der beste Kandidat. Sein Verhalten hatte sein falsches Spiel bereits verraten. Und wenn der Überfall tatsächlich auf sein Konto ging, lagen seine Nerven bereits blank. Der Raub war ein Fehler, denn das Video hatte keinen großen Wert. Erst der Diebstahl verlieh ihm die Bedeutung, die Dennis Theorie am Leben hielt.

»Sir...?« Die Redakteurin wirkte sehr verwundert.

»Es tut mir leid, daß ich Sie dauernd störe.«

»Was wollen Sie denn noch? Ich sagte doch, Dave ist nicht mehr da.«

»Nennen wir es Amtshilfe.« Dennis legte einen seiner gefälschten Presseausweise auf den Tisch und setzte ein einnehmendes Lächeln auf. »Ich recherchiere für das *Time Magazine*.«

»Und warum tauchen Sie dann mit der Polizei hier auf?«

»Ich war leider gerade das Opfer eines Überfalls, bei dem mir wichtiges Material gestohlen wurde.«

»Material?«

»Es handelte sich dabei um ein Dossier über die Crewmitglieder der *Tangaroa*. Wir wollen in unserer nächsten Ausgabe ein Portrait bringen.«

»Und was hat Dave damit zu tun?«

»Er ist Experte für dieses Thema, und ich habe ihm vorhin eine Kopie des Materials zur Beurteilung überlassen.«

»Ja, aber...«

»Verstehen Sie, es ist wirklich dringend. Können Sie mir sagen, wo ich David erreichen kann?«

»Wahrscheinlich wieder am Strand.«

»Ah ja...? Na, phantastisch.« Dennis lief ein kalter Schauer über den Rücken, und er verfluchte insgeheim die Instanz, die nichtssagende Namen wie Zufall oder Schicksal trug. »Und an welchem Strand?«

»Wahrscheinlich oben an der Nordküste. Versuchen Sie's da, wo die Pipes am größten sind.«

»Können Sie mir nicht seine Adresse geben? Das wäre…, äh… einfacher.«

»Adresse?« Die Redakteurin lachte. »Jemand wie Dave hat keine Adresse.«

»Aber es muß doch eine Möglichkeit geben, ihn zu erreichen?«

»Das ist sein oder besser unser Problem. Er weigert sich, ein Diensthandy mitzunehmen, und ein eigenes Telefon hat er nicht, geschweige denn eine permanente Adresse. Ich glaube auch nicht, daß er sich hier vorläufig wieder blicken läßt. Es gab mal wieder Ärger.«

»Ärger?«

»Na ja, wegen seiner eigenwilligen Dienstauffassung. Tut mir leid, aber, hm…, warten Sie…, Sie könnten es im Halewai-Center am Hafen versuchen. Dave hat früher für die Stiftung gearbeitet. Ich glaube, er hilft noch manchmal bei der Bootsausstellung aus, besonders wenn er wieder einmal pleite ist.«

»Alles besser als der Strand«, dachte Dennis und steckte den Zettel mit der Adresse dankbar ein.

»Viel Glück, Mr. Newman. Dave ist ein netter Kerl, aber leider völlig unzuverlässig. Manchmal scheint es, als habe er nur sein Surfbrett im Kopf.«

8
KUMULIPO
DAS LICHT AUS DER DUNKELHEIT

Der Raum war zu einer einzigen Dimension zusammengeschmolzen. Zu einer Unendlichkeit aus blauem Licht, in der das Oben und Unten nur durch die Schwere des Körpers empfunden wurde. Die Trennung von Himmel und Erde war hier über den Weiten des Ozeans bedeutungslos. Die Linie des Horizont nur eine Täuschung der Sinne.

Jonathan Bates veränderte die Tönung seines Visiers zum Schutz vor der gleißenden Sonne und betrachtete mit ehrfürchtiger Bewunderung die stille, beinahe übernatürliche, wie zu Eis erstarrte Welt. Er flog für sein Leben gern. Bereits als Sechzehnjähriger hatte er seinen Segelflugschein gemacht und jede freie Minute in der Welt der Wolken verbracht, die hoch über dem lärmenden Alltag nie ihre Faszination für ihn verloren hatte. Er beneidete den Piloten. Am liebsten hätte er den ultraschnellen Jet geflogen, aber ein Augenleiden hatte seiner Air-Force-Karriere ein frühes Ende bereitet.

Bates war ein Einzelgänger, und die Militärpsychologen, die seine Eignungstests für den Geheimdienst ausgewertet hatten, deuteten seine Liebe für das Fliegen als eine Flucht vor der Realität. Richtiger war, daß er vor den Menschen floh und ihrer seiner Ansicht nach verdorbenen Welt, die erst 30 000 Fuß über den Molochs der Städte, den Highways und den Industrieanlagen ihren schmutzigen Schleier verlor. Vielleicht haßte er die Menschen für ihre Unvollkommenheit und die Unordnung, die sie verbreiteten. Und sicher lag hier auch der Grund für die Liebe zu seinem Beruf, über dessen Inhalte allerdings kaum jemand etwas wußte, denn die Spezialabteilung des Pentagon, für die Bates tätig war, befaßte sich ausschließlich mit streng geheimen Projekten, deren Szenarien oftmals fernab des gesunden Menschenverstandes lagen – selbst dem von CIA-Psychologen.

»Phantastisch diese Weite, nicht wahr, Commander?« Bates deutete hinaus auf das Wolkenmeer. »Ich könnte ewig so weiterfliegen.«

»Ihren Humor möchte ich haben«, brummte Caan und klappte hastig das Sonnenvisier hoch, als der Stratojet seinen Steigflug beendet hatte. Am liebsten hätte er sich gleich den ganzen Helm vom Kopf gerissen. Er haßte den muffigen Latexgeruch der Sauerstoffmaske. Sie verstärkte sein Gefühl, in dem beengten Flugzeug gefangen zu sein und hilflos der anfälligen Technik ausgeliefert. »Ich glaube, Sie machen sich keine Gedanken, welche Kosten Sie mit dieser neuerlichen Untersuchung verursachen.«

»Die Rechnung geht an Agent Kao.«

»Ich verstehe nicht, warum die CIA für eine solche Bagatelle die halbe Navy in Aufregung versetzt und die teuerste Spezialausrüstung anfordert. Ich hoffe, Sie haben dafür einen gewichtigeren Grund als das Wrackteil dieses primitiven Segelkanus, das zufälligerweise in den gleichen Gewässern kreuzte wie die *Dateline.*«

»Der Zufall ist nie eine befriedigende Erklärung, Commander«, verteidigte sich Kao ernst. »Schon gar nicht in einer derart brisanten Angelegenheit.«

»Hören Sie, Agent«, stöhnte Caan, während sich Schweißperlen auf seiner Stirn bildeten und eine juckende Spur auf seiner Haut hinterließen. »Es ist noch nicht einmal zweifelsfrei geklärt, ob es sich tatsächlich um ein Stück vom Mast der *Tangaroa* handelt. Und selbst wenn, was wollen Sie damit beweisen, das wir nicht schon längst wüßten? Das Seebeben entlang des Marianengrabens erreichte nach den Messungen der Seismologen eine Stärke von acht auf der Richterscala. Und Zyklon Harry war einer der stärksten tropischen Wirbelstürme, die in den letzten fünfzig Jahren in dieser Region gewütet haben. Können Sie sich vorstellen, was dort draußen los gewesen ist?«

»Starke Strömungen und schwere See, Commander. Aber das erklärt gar nichts. Zumindest nicht das Verschwinden der *Dateline.*«

»Und wieso nicht, Agent Kao? Schiffe tendieren in Unwettern nun einmal dazu, zu sinken.«

»Gewöhnliche Schiffe vielleicht. Aber die *Dateline* war ganz gewiß kein gewöhnliches Schiff. Hat Bates Ihnen das nicht gesagt?«

»Er hat mir nicht einmal seinen Dienstgrad verraten.« Caan lachte gereizt.

»Unser Baby war der Prototyp einer modifizierten Klasse von U-Booten, die aufgrund ihrer innovativen Konstruktion als praktisch unsinkbar gelten«, erklärte Bates lakonisch.

»Das hat man von der *Titanic* auch behauptet, und trotzdem liegt ihr Wrack auf dem Grund des Nordatlantiks. Es gibt viele Gründe, aus denen ein Schiff sinken kann. Früher waren es Eisberge und nicht kartographierte Riffs. Heute sind es eher technische Ursachen, gepaart mit menschlichem Versagen. Allein im letzten Jahr sind zwei unserer modernsten Kreuzer in Seenot geraten, weil ihre Bordcomputer verrückt gespielt haben. Es wäre durchaus denkbar, daß dieser Magnetsturm, der das Seebeben begleitet hat, die Systeme der *Dateline* blockiert und das Schiff zum Sinken gebracht hat.«

»Das ist äußerst unwahrscheinlich, Commander«, zweifelte Kao. »Außerdem hätte die Mannschaft in einem solchen Fall noch genügend Zeit gehabt, die Rettungskapseln klarzumachen und die Notsender zu aktivieren. Nichts davon ist geschehen, und was immer auch der *Dateline* zugestoßen ist, es muß völlig überraschend und plötzlich eingetreten sein, jeglichen Hilferuf verhindert und sämtliche Spuren des Schiffes vollständig ausgelöscht haben.«

»Und woran denken Sie dabei, Agent Kao? Vielleicht an ein Loch in Raum und Zeit?«

»Das Maß an Phantasie unterscheidet den Agenten vom Soldaten«, fügte Bates spöttisch ein und richtete seinen Blick wieder hinaus in die Weite.

»Die Fehler beginnen zumeist dort, wo man versucht, das Unwahrscheinliche auszuschließen«, führte Kao ihren Gedanken fort. »Nehmen wir einmal an, dieser Magnetsturm war nicht das, wofür wir ihn halten.«

»Haben Sie es nicht etwas konkreter?« nörgelte Caan und haderte mit der Statistenrolle, in die er sich gedrängt fühlte und die, wie er fand, seinem Dienstgrad keinesfalls angemessen war.

»Sehen Sie sich die Aufzeichnung noch einmal genau an, Commander.« Kao fuhr die Animation ein Stück zurück und vergrößerte den Ausschnitt der Darstellung. »Zeitgleich mit einer der stärksten seismischen Wellen bildete sich um die *Tangaroa* ein chaotisches Feld von elektromagnetischen Interferenzen. Kurz bevor das Schiff von den Satellitenscannern verschwand, verdichtete sich dieser magnetische Wirbel auf extreme Weise, und in seinem Störfeld tauchte plötzlich, wenn auch nur für wenige Sekunden, eine zweite, sehr viel stärkere Energiesignatur auf und näherte sich der *Tangaroa.* Unter Wasser, mit großer Geschwindigkeit und auf direktem Kollisionskurs.«

»Ein Torpedo...?«

»Der Winkel spricht zwar dafür, daß es aus tieferen Wasserschichten aufgetaucht ist, aber für einen Torpedo war das Objekt viel zu groß...«

»... und für ein U-Boot viel zu schnell.« Caan runzelte verwirrt die Stirn.

»Was immer es auch gewesen ist, es muß eine ungewöhnliche Energieabstrahlung gehabt haben, um eine derart deutliche Spur zu hinterlassen.«

»Vielleicht eine Methangasexplosion, als Folge der Eruption eines unterseeischen Vulkans.«

»Für eine Explosion ist die Struktur des Feldes zu stabil«, zweifelte Kao und ließ die Animation noch einmal in extremer Zeitlupe ablaufen. »Es scheint sich eher um eine Art hochfrequentes Energiefeld gehandelt zu haben.«

»Sie meinen, so etwas wie Röntgen- oder Gammastrahlung?«

»Über die Art der Strahlung konnte bislang keine schlüssige Aussage getroffen werden, Commander, aber wie es aussieht, hat dieses Phänomen die *Tangaroa* buchstäblich verschluckt.«

»Vielleicht war es einfach nur eine Satellitenstörung, die durch die Magnetanomalien oder den Zyklon hervorgerufen wurde.« Caan betrachtete mit hilflosem Unbehagen den unscheinbaren Lichtfleck.

»Das dachten wir zuerst auch. Unsere Experten sind nach eingehender Analyse jedoch zu dem Schluß gekommen, daß es sich dabei weder um einen Datenfehler noch um ein natürlich entstandenes Phänomen gehandelt haben kann.«

»Wollen Sie damit andeuten, daß die Havarie der *Tangaroa* kein Unglück war, sondern ein bewußt geplanter, aggressiver Akt?«

»Ich will gar nichts andeuten, Commander, aber manchmal bekommen die Dinge erst in einem größeren Zusammenhang einen Sinn.«

»Liegt in diesem größeren Zusammenhang auch der Grund, aus dem der neuseeländische Geheimdienst einen Peilsender an Bord der *Tangaroa* installiert hat?« meldete sich Bates mißtrauisch.

»Sie können sich sicher vorstellen, wieviel politischen Sprengstoff die Expedition geborgen hat, nachdem sich die polynesische Crew von den touristischen Zielen der Halewai-Stiftung losgesagt hatte und einige Leute an Bord gebracht wurden, die zu den Führern der Nuklear Free Pacific Szene in Polynesien zählten.«

»Soviel mir bekannt ist, hatte die Reise rein kulturelle Motive wie seinerzeit die Fahrt der *Hokule'a*«, bemerkte Caan skeptisch.

»Offiziell schon, Commander. Aber wissen Sie, was sich tatsächlich dahinter verborgen hat? Seit die Forderung einiger Inselstaaten nach einem atomtechnikfreien Pazifik in letzter Zeit wieder lauter geworden sind und sich mit dem Ruf nach Selbstbestimmung und Unabhängigkeit von den Großmächten gepaart haben, wollte man in Wellington auf einen möglichen Zwischenfall vorbereitet sein. Immerhin hatte der französische Geheimdienst im Falle einer Eskalation der Proteste gegen die jüngsten Fusionsreaktortests in ihren Pazifikterritorien eine Intervention gegen die Mission der *Tangaroa* vorgesehen, und diesmal wären sie sicher geschickter vorgegangen als bei der *Rainbow Warrior* in den achtziger Jahren.«

»Die Kiwis hatten doch nicht ernsthaft befürchtet, die Franzosen würden die *Tangaroa* versenken?«

»Nun, vielleicht dachten sie auch, wir würden es tun, Commander«, bemerkte Kao spitz.

»Wir...?« brauste Caan auf, als fühlte er sich persönlich beleidigt.

»Wieso nicht? Vielleicht sah das Pentagon in der *Tangaroa*-Expedition ein Risiko für die Geheimhaltung verdeckter militärischer Operationen, für deren Konsequenzen man nicht die Verantwortung übernehmen wollte.«

»Es gibt keine verdeckten Operationen im Pazifik.«

»Ach nein? Nehmen wir zum Beispiel das *Dateline*-Projekt, Commander. Agent Bates hat bis heute nicht offengelegt, was sich dahinter verbirgt.«

»Ihr Mißtrauen ist unangebracht, Agent Kao«, beschwerte sich Bates. »Sie wissen, daß das Projekt allein der zivilen ozeanographischen Forschung diente.«

»Das hoffe ich, denn das werden wir anhand von Fakten in überzeugender Weise beweisen müssen.«

»Wir müssen gar nichts beweisen. Außerdem gibt es keine Fakten. Alles, was wir haben, sind zwei unter ungeklärten Umständen verschwundene Schiffe...«

»...und eine äußerst heikle politische Situation, die sich sicher nicht entspannen dürfte, wenn publik würde, daß sich kurz vor dem Verschwinden der *Tangaroa* ein amerikanisches Atom-U-Boot in der Nähe, wenn nicht sogar auf Abfangkurs befand.«

»Auf Abfangkurs?«

»Agent Kao hat Recht«, überlegte Caan erschrocken. »Der Vorfall könnte in der Tat so gedeutet werden.«

»Zumindest in reaktionären Kreisen«, ergänzte Kao.

»Insbesondere dann, wenn man vermutet, daß die *Tangaroa* irgendeiner nuklearen Sauerei auf der Spur war.«

»Sehr richtig, Commander! Die Vereinigten Staaten haben im Pazifik nicht weniger radioaktiv verseuchte Leichen im Keller als Frankreich oder Japan, die den Ozean seit langem als Müllhalde für ihren Atomschrott verstehen. Schon der geringste Verdacht auf einen Vertuschungsskandal könnte eine neue Welle von Spekulationen in den Medien auslösen, die eine wahre Flut von Wasser auf die Mühlen der Atomgegner spülen wird. Was halten Sie zum Beispiel von folgender Schlagzeile, Agent Bates? US-Geheimdienst versenkt Schiff von hawaiianischen Ökoaktivisten?«

Bates zog es vor zu schweigen und starrte von seiner Fliegerfreude verlassen aus dem Cockpit.

»Wenn es um Umweltskandale geht, reagieren die Kiwis mitunter äußerst sensibel, und sollten die neuseeländischen Behörden die Daten auf dieser Disc für die Öffentlichkeit freigeben, wäre das nicht nur für die Presse ein gefundenes Fressen. Die Satellitenaufzeichnung läßt sich ohne weiteres im Sinne eines aggressiven Angriffs eines U-Boots auf die *Tangaroa* deuten.«

»Die *Dateline* war ein unbewaffnetes Forschungsschiff«, erinnerte Bates nachdrücklich.

»Was sich im nachhinein schwerlich beweisen läßt.«

»Außerdem ist sie selbst verschwunden.«

»Auch das vereinfacht die Sache nicht, Agent Bates. Oder glauben Sie, ein Attentäter bleibt am Tatort zurück?«

»In der Tat könnte man vermuten, daß die *Dateline* nicht gesunken ist, sondern als Geheimwaffe des Pentagon irgendwo versteckt gehalten wird«, meinte Caan beunruhigt.

»Das ist absurd.«

»Das hoffe ich«, betonte Kao ernst. »Für Sie und für uns alle. Denn solange wir nicht definitiv erklären können, was mit den Schiffen geschehen ist, sind wir in der unangenehmen Lage, solche Theorien nicht entkräften zu können.«

Kao wünschte sich in diesem Augenblick, die Gedanken des Mannes lesen zu können, der neben ihr im Cockpit des Stratojets saß. Und zugleich wünschte sie sich, ihre Uniform mitsamt ihrem Job abstreifen zu können, der sich zusehends zu einer Agentenjagd in den eigenen Reihen entwickelte und das simple Räuber- und Gendarmspiel, das sie von Kindheit an fasziniert hatte, zu einem unüberschaubaren Puzzle unkalkulierbarer Fronten machte.

9
HALE WAI

DAS HAUS DES WASSERS

Das gläserne Tor gewährte Zugang in das Reich des Windes und der Wellen und führte weit zurück in eine längst vergangene Zeit, von der niemand genau wußte, ob sie Geschichte oder Mythos war. Es war die Welt der Argonauten des Pazifiks, die – glaubte man der Datierung der ältesten archäologischen Funde – schon vor mehr als dreitausend Jahren einen Ozean befuhren, gegen den das Mittelmeer der antiken Griechen und Phönizier nur eine lächerliche Badewanne darstellte. Vielleicht kreuzten ihre stolzen Schiffe auch schon viel früher durch das große Meer, nur daran erinnerte sich niemand mehr. Von einer Kultur, die weder Schlauchboote noch Plastikeinkaufstüten erfunden hatte, und deren kunstvolle Artefakte allein aus dem hergestellt waren, was die Natur den Menschen bot, war nach wenigen Jahrhunderten kaum mehr übrig als der Staub der Erde. Und von den großen Navigatoren, die ihre Schiffe von Fidji nach Samoa, von Tahiti nach Hawai'i und von den Tuamotus nach Aotearoa lenkten, kündeten nur noch die Genealogien, die in märchenhaften Gesängen von Generation zu Generation überliefert wurden, aber heute fast vergessen sind.

Wie ein klarer Sternenhimmel breitete sich eine tiefblaue Plexiglaskuppel über einen künstlich angelegten Strand und hüllte den Raum in ein nächtlich magisches Licht. Mehr als dreißig Modelle pazifischer Hochseekanus mit ihren kunstvoll geschnitzten Masten und den großen, schwingenartigen Segeln lagen darunter wie in einer Momentaufnahme der Geschichte gefangen an dem Ufer der Lagune. Es waren Zeugnisse einer hochentwickelten Schiffsbaukunst, die mit dem Wiedererwachen des Interesses der Polynesier an ihrer beinahe ausgestorbenen Kultur eine neue, zarte Blüte entfaltet hatte.

Dennis stand mit einem flauen Gefühl in der Magengegend vor

den bogenförmigen Bootskörpern der Exponate und schauderte bei dem Gedanken, wie diese primitiv anmutenden Schiffe, die ohne einen Nagel und ohne ein Stück Metall nur von Kokosfaserriemen zusammengehalten wurden, von den haushohen Wellen des Ozeans hin und her geschleudert wurden. Er begann zu ahnen, was mit der *Tangaroa* im Sturm auf hoher See geschehen war, und fragte sich, aus welchem Grund sich Menschen im Zeitalter der Düsenjets auf ein solches anachronistisches Abenteuer einlassen konnten – falls nicht alles letztlich nur ein ausgemachter Schwindel war.

»Hallo…, Sir…!« Eine großgewachsene Frau in Jeansshorts und einem weißem Männerhemd, das sie über ihrem Bauchnabel zusammengeknotet hatte, trat hinter einem Auslegerkanu hervor und kam mit energischen Schritten auf Dennis zu. »Kann ich Ihnen helfen, Sir?«

»Entschuldigen Sie, ist das die *Tangaroa*-Ausstellung?«

»Ja, aber es tut mir leid. Wir schließen gerade.«

Sie war Mitte dreißig, trug eine schmale Lesebrille und feuerrote, streng zu einem Knoten zusammengebundene Haare, und ihr Gesichtsausdruck verriet, daß sie nicht gerade erfreut über den späten Besuch zu sein schien.

»Kommen Sie morgen früh wieder. Ab neun Uhr haben wir wieder geöffnet.«

»Ich komme nicht wegen der Ausstellung«, erklärte Dennis höflich. »Ich suche Mr. Pu'ukohala.«

»David?« Sie verdrehte die Augen. »Wieviel schuldet er Ihnen?«

»Nein, es geht nicht um Geld. Ich traf ihn heute morgen beim *Island Daily*…«

»Sind Sie etwa Reporter?«

»Ja…, äh…, gewissermaßen. Mein Name ist Dennis Newman.«

Sie zögerte einen Moment, streckte dann aber freundlicher lächelnd ihre Hand aus. »Cherry Jones. Ich arbeite als wissenschaftliche Assistentin für die Halewai-Stiftung.«

»Freut mich, Miss Jones. Wissen Sie, ob David heute noch reinkommt?«

»Kann ich mir kaum vorstellen. Er war schon seit einiger Zeit nicht mehr hier.«

»Wissen Sie vielleicht, wo ich ihn erreichen kann?«

»Schwer zu sagen. Er arbeitet seit kurzem nicht mehr hier, aber Freitag morgen wird er sicher noch mal auf der Matte stehen. Dann ist letzter Zahltag. Wenn Sie wollen, können Sie eine Nachricht für ihn hinterlassen.«

»Nein, ich würde lieber persönlich mit ihm sprechen.«

»Worum geht es denn, wenn ich fragen darf?«

»Wir sprachen über die *Tangaroa*-Expedition, und mir ist dazu noch eine Frage eingefallen.«

»Die *Tangaroa*?« Jones schien überrascht. »David hat mit Ihnen über die *Tangaroa* gesprochen?«

»Was ist daran so verwunderlich?«

»Sie sind ein *haole,* und normalerweise redet er nicht mit *haoles,* schon gar nicht über die *Tangaroa.*«

»Ich las seinen Nachruf in der heutigen Ausgabe und sprach ihn daraufhin an. Wirklich eine tragische Geschichte.«

»Tragisch, in der Tat. Ursprünglich sollte die Rückkehr der *Tangaroa* den festlichen Höhepunkt der Ausstellung bilden, doch jetzt komme ich mir manchmal vor wie auf einem Friedhof.«

Dennis ließ seinen Blick durch die künstliche Lagunenlandschaft wandern und befand, daß die Ausstellung ein optimaler Ort für den Beginn seiner Nachforschungen war.

»Sind das alles polynesische Hochseekanus?« fragte er und versuchte seinen bösen Geist davon zu überzeugen, daß er sicher und auf festem Boden stand.

»Nicht alle«, erklärte Jones in routiniertem Tonfall. »Einige kommen aus Mikronesien oder Melanesien. Dort drüben ist beispielsweise eine fidjianische *ndrua.* Wie die anderen Kanus wurde sie extra für die Ausstellung angefertigt. Erhaltene Originale gibt es schon längst nicht mehr.«

»Ich habe mir diese Boote nicht so groß vorgestellt.«

»Die *Tangaroa* war sogar noch beeindruckender. Sie war der Nachbau einer tonganischen *kalia,* die ähnlich der *ndrua* zu den größten damals in Ozeanien gebauten Doppelrumpfkanus gehörte. Die Halewai-Stiftung hat die Baupläne aus mündlichen Überlieferungen und historischen Berichten europäischer Seefahrer rekonstruieren lassen. Sie war über dreißig Meter lang und hätte theoretisch bis zu zweihundert Mann Besatzung tragen können.«

»Zweihundert...?« Dennis war erstaunt.

»Die Polynesier waren Meister der Schiffsbaukunst. Ihre Hochseekanus waren nicht nur schneller und wendiger als vergleichbare europäische Schiffe jener Zeit, sie waren auch praktisch unsinkbar.«

»Außer in einem schweren Sturm. Wie bei der *Tangaroa.*«

»Niemand weiß, was mit der *Tangaroa* geschehen ist.«

»Das hört sich nicht so an, als glaubten Sie an die Geschichte von der Havarie?«

Jones zögerte einen Moment. »Ich möchte Sie etwas fragen, Mr. Newman. Wieso interessieren Sie sich eigentlich für die Expedition? Ich hoffe, Sie haben nicht vor, einen Artikel darüber zu schreiben.«

»Nein, das ist es nicht...«

»Sie wären damit auch etwas spät. Das Thema ist bereits erschöpfend und bis in die Niederungen der Klatschspalten ausgeschlachtet worden.«

»Ist es das wirklich, wenn bislang niemand weiß, was geschehen ist?«

»Manchmal gibt es Dinge, die sich nicht bis ins letzte Detail ergründen lassen.«

»Es sei denn, es gäbe jemanden, der es uns aus erster Hand erzählen könnte.«

»Wie das?«

»Zum Beispiel, wenn ein Mitglied der Crew das Unglück überlebt hätte.«

»Überlebt...?« Jones musterte Dennis mit einem mißtrauischen Blick. »Hören Sie, Mr. Newman. Ich weiß nicht, wer Sie sind, und ich weiß auch nicht, was Sie mit Ihren Andeutungen bezwecken wollen, aber wenn Sie auf der Jagd nach Schlagzeilen sind, ist es besser, wenn wir unsere Unterhaltung jetzt beenden. Wenn Sie sich über die *Tangaroa* informieren wollen, können Sie sich gerne morgen in aller Ruhe die Ausstellung anschauen. Hier finden Sie neben den Dokumentationen der Stiftung so ziemlich alles, was in den letzten Wochen über die *Tangaroa*-Expedition berichtet wurde, viel mehr jedenfalls, als ich Ihnen erzählen könnte.«

»Ich komme gerne darauf zurück...«

»Dann entschuldigen Sie mich bitte jetzt.« Jones drückte Dennis eine Ausstellungsbroschüre in die Hand und deutete energisch zur Tür. »Ab neun Uhr morgen früh haben wir wieder geöffnet.«

»Vielen Dank, aber könnten Sie mir vielleicht noch eine letzte Frage beantworten, bevor Sie mich rausschmeißen.«

»Sie sind anscheinend einer von der ganz hartnäckigen Sorte, was?«

»Es geht um eine Teilnehmerin der Expedition.« Dennis nahm den Zeitungsartikel aus seiner Tasche und deutete auf das Foto. »Kennen Sie vielleicht dieses Mädchen?«

»Keani?« Jones war sichtlich überrascht. »Wieso fragen Sie gerade nach ihr?«

»Ach, das ist eine private Angelegenheit.«

»Privat? Wie meinen Sie das?«

»Wir sind uns zufällig begegnet, als ich...« Dennis beschloß, vorsichtiger zu sein. Ein falschgewählter Vorstoß konnte seine Ermittlungen leicht zunichte machen. »...als ich das letzte Mal auf den Inseln war.«

»Ach, Sie sind ihr begegnet?« Eine Falte legte sich auf Jones Stirn. »Und wann war das?«

»Das ist schon einige Monate her. Ich traf Keani in Waikiki am Strand...«

»In Waikiki...?« Die Falte wurde tiefer.

»Ja, ich hatte gehofft, sie wiederzusehen, aber dann las ich heute morgen im *Island Daily* von dem Unglück. Vielleicht verstehen Sie jetzt...«

»Sicher..., tut mir leid, daß ich etwas mißtrauisch war«, entschuldigte sich Jones. Ihr Tonfall bekam dabei etwas Künstliches, und ihr Lächeln verlor den Glanz der Ehrlichkeit. »In den letzten Wochen haben uns die Yellow-Press-Reporter geradezu die Tür eingerannt.«

»Das kann ich mir vorstellen.«

»Standen Sie Keani nahe, wenn ich fragen darf?«

»Na ja, nicht direkt. Im Grunde war es nur eine flüchtige Bekanntschaft. Wir sind uns nur einmal über den Weg gelaufen, aber ich werde diese Begegnung sicher nicht vergessen.«

»Das glaube ich. Sie soll eine außergewöhnliche Person gewesen sein.«

»Wissen Sie, ob Keani Angehörige auf den Inseln hatte?«

»Angehörige?« Jones lachte. »Fragen Sie David. Wenn Ihnen jemand etwas über dieses Mädchen sagen kann, dann er. Er war damals dabei, als man sie nach der großen Flut auf Kaua'i mehr tot als lebendig aus dem Wasser gezogen hat.«

»Sie meinen, Keani wäre schon einmal fast ertrunken?« Dennis spürte einen Stich in seiner Brust. Einen blitzartigen Schmerz, gefolgt von einer drückenden Schwere, die bereits zu einem chronischen Leiden bei ihm geworden war. Es war eine regelrechte Krankheit, die er in Analogie zum rückwärtig gelegenen Hexenschuß selbstmitleidsvoll den Brillsteinstich getauft hatte.

»Tja seltsam, nicht?« meinte Jones mit einem Blick, der sein Unbehagen noch verstärkte. »Offenbar ziehen manche Menschen solche Dinge an.«

»Wissen Sie, wann das war?«

»Etwa vor fünf Jahren im Manalei-Valley. Eine Tsunamiwelle hat damals das Tal verwüstet.«

»Eine Flutwelle...« Dennis fröstelte und baute den neuen Puzzlestein in die verwirrende Geschichte ein.

»Was halten Sie davon, wenn ich Sie zu einem Kaffee einlade? Sie schließen hier ab und erzählen mir...«

»Tut mir leid, Mr. Newman. Ich verstehe Ihre Neugierde, aber ich bin bereits verabredet, und mehr kann ich Ihnen dazu ohnehin nicht sagen. Ich muß Sie jetzt wirklich bitten, mich zu entschuldigen.«

»Dann verraten Sie mir wenigstens noch, wo ich David finden kann.«

»Es scheint Ihnen wirklich wichtig zu sein, was?« Jones taxierte Dennis mit einem langen, abschätzenden Blick, zog einen Stift aus ihrer Hemdtasche hervor und schrieb einen Namen auf die Ausstellungsbroschüre. »Es wird allerdings nicht so leicht sein, ihn zu finden. Er hat keine feste Adresse. Sie können es nur bei seinen Surffreunden versuchen, bei denen er wohnt, wenn er auf O'ahu ist. Ich kenne die Leute kaum, aber ich erinnere mich, daß sie eine kleine Hütte oben an der Nordküste haben, wo sie manchmal übernachten und ihre Boards aufbewahren.«

»Wahrscheinlich direkt am Strand?« vermutete Dennis im Sinne der Brillstein-Logik.

»Ja, es ist eine versteckte Bucht in der Nähe von Waimea.«

»Das hatte ich befürchtet. Glauben Sie, er ist jetzt dort?«

»Versuchen Sie es lieber morgen früh, kurz nach Sonnenaufgang, wenn die Wellen dort am höchsten sind.«

»Ich werde meinen Wecker stellen.«

»Einen Rat möchte ich Ihnen noch geben, Mr. Newman. Was immer Sie auch vorhaben, die Hawaiianer schätzen es gar nicht, wenn ein *haole* seine Nase in ihre Angelegenheiten steckt.«

»Vielen Dank, ich werde es mir merken«, meinte Dennis und bemerkte, daß der Fall der *Tangaroa* längst zu seiner ganz persönlichen Angelegenheit geworden war.

10

ALANUI 'OLE

SPUREN INS NICHTS

Es waren türkisgrüne Punkte im unendlichen Blau des Ozeans. Einsam treibende Blüten auf den Wellen des Meeres, die nur aus wenigen Quadratkilometern weißem Korallensand und sattgrünen Palmenhainen bestanden. Aus der Luft wirkten die winzigen Inseln wie Oasen des Friedens. Wenig erinnerte äußerlich an den Schrekken, den die Geschichte an diesem Ort verbreitet und die paradiesische Idylle zu einem Schauplatz blutigster Kriegshandlungen gemacht hatte. Nur die gigantischen Rollbahnen, die für Langstreckenbomber ausgelegt waren und wie ein steinernes Kreuz fast die gesamte Landfläche überspannten, gaben eine Ahnung von dem Waffenarsenal, das sich in den unterirdischen Hangars versteckte.

Wake Island war eines der kleinsten und abgelegensten Atolle im Pazifischen Ozean. Es lag strategisch günstig auf halber Strecke zwischen Hawai'i und Japan und war nach dem Zweiten Weltkrieg von den amerikanischen Streitkräften zu einer waffenstarrenden Hightech-Festung ausgebaut worden. Der ausgebaggerte Tiefseehafen im Zentrum der Lagune bot Platz für einen größeren Flottenverband, und das Inselareal wies eine größere Dichte an raketengestützten Vernichtungssystemen auf als jeder andere Punkt auf dem Globus. Die größte militärische Bedeutung der Basis lag aber in den unterseeischen U-Boot-Bunkern, die einige Meilen von dem Atoll entfernt in gewaltigen Höhlen unter dem Saumriff lagen und deren atomares Waffenarsenal durch ein ausgeklügeltes Störsystem aus der Luft nicht zu orten war.

Milton Caan war weiß wie eine Wand. Er hatte sich beim Landeanflug beinahe übergeben und verließ in großer Eile noch vor Kao und Bates den Stratojet, der mangels größerer Landeklappen nur durch zwei Bremsfallschirme zum Stehen gebracht worden war. Caan war heilfroh, wieder festen Boden unter den Füßen zu haben, und es gelang ihm nur mit Mühe, seinen kläglichen Zustand vor den Agenten zu verbergen. Der kaum zweistündige Flug durch die obersten Schichten der Atmosphäre hatte ihn zu sehr an den Ritt auf einer Kanonenkugel erinnert und ihn an die Grenze seiner physischen und psychischen Belastbarkeit geführt. Als Teenager hatte es eine Phase gegeben, in der er unbedingt Astronaut werden wollte. Heute dagegen mußte er beim Besteigen eines Flugzeugs beinahe zwanghaft an die gähnende Tiefe unter der dünnen, von anfälligen Motoren angetriebenen Blechhülle denken, der man sich voller naiver Zuversicht immer wieder anvertraute. Bei der Marine hatte er wenigstens noch die Chance nach Hause zu schwimmen, wenn die Technik einmal versagte. Beim Fliegen lieferte er sich völlig dem Schicksal aus.

Im Grunde war Caan ein Angsthase, und es wunderte ihn zuweilen, daß es anscheinend noch niemand bemerkt hatte. Wahrscheinlich lag es an der uniformen Maske des militärischen Drills, die er in seinen langen Dienstjahren perfektioniert hatte und die durch seine makellose äußere Erscheinung ihren letzten Schliff bekam. Mit seinen einsachtundachtzig, seinen präzise nach Vorschrift geschnittenen Haaren und seinem breiten, weit nach vorn ausladenden Brustkorb war er eine respekteinflößende Erscheinung. Zumindest fühlte er sich entsprechend vorbildhaft, und das stützte seine souveräne Haltung. Mit routinierter Selbstverständlichkeit und einem autoritären Tonfall, der seinem Rang angemessen war, händigte er den Wachoffizieren der Flughafenkontrolle die Legitimationspapiere der Pentagonagenten aus und codierte durch die Eingabe eines biometrischen Schlüssels die Zugangschips für die Hochsicherheitsbereiche der Marinebasis.

»Die Isolationsabteilung auf Peale Island ist die größte im gesamten pazifischen Raum«, erklärte Caan stolz, als wolle er Kao und Bates die Küche seines neuen Eigenheims präsentieren, und führte die Agenten zu der schnellen Magnetschwebebahn, mit der die drei *motus* des Ringatolls über- und unterirdisch miteinander verbunden waren. Nach kurzer Fahrt entlang eines feinsandigen Palmenstrandes, der auf makabre Weise eine Zierde für jeden Reiseveranstalterprospekt dargestellt hätte, mündete die Bahn in einen steil abfallenden Tunnel und endete wenige hundert Meter weiter in einem mehrstöckigen Schutzbunker, der wie alle Gebäude der Marinebasis tief in das Herz des Korallenriffs eingegraben war. Nur der Tower des Flughafens ragte mit seinen Antennen und Radarschüsseln über die Kronen der Kokospalmen hinaus und zeugte von der Anwesenheit der bis an die Zähne bewaffneten Besatzer der tropischen Inseln.

Caan stoppte den Wagen vor einem stählernen Tor, das von Wachleuten gesichert war und in den Hochsicherheitstrakt der Forschungsabteilung führte. Dazu gehörte ein Komplex von Speziallabors, die zur Erforschung chemischer, biologischer und atomarer Kampfstoffe ebenso ausgerüstet waren, wie für die Quarantäne von unbekannten Organismen jeglicher Art – im Falle eines Falles sogar für Wesen außerirdischer Herkunft. Neben den Hangars der Air Force Basis 51 in der Nähe von Roswell in Nevada war das Wake-Atoll daher eines der ergiebigsten Phantasieobjekte der Ufologen und nahm als *E. T.'s Hideaway* einen Stammplatz in der Sensationspresse ein. Kaum jemand ahnte dabei, daß die Wahrheit wie so oft dramatischer war als die kühnsten Vorstellungen, denn seit mehr als fünfzig Jahren waren die hermetischen Bunker von Wake das Endlager für die Produkte der wahnwitzigsten Experimente, die der menschliche Geist je ersonnen hatte, und zugleich die Grabkammer seiner hochtrabendsten Hoffnungen in der Nuklear- und Gentechnologie – eine Vorstellung, die Caan einen kalten Schauer über den Rücken laufen ließ. Er fürchtete Dinge, die sich ihm nicht offenbarten und die er nicht erklären konnte, denn sie durchbrachen seinen Panzer, der ihn vor der Außenwelt schützte.

Je weiter Caan in die Bunker hinabstieg, desto schweigsamer wurde er, und seine Laune sank auf den Tiefpunkt, als er mit Kao und Bates eine halbe Stunde in der biologischen Dekontaminationskammer des Quarantänetraktes zubringen mußte, einem beengten Raum, der seiner beginnenden Klaustrophobie reichlich Nahrung gab. Er haßte Sonderaufträge, die ihn aus der Sicherheit seiner gewohnten Umgebung und dem minutiös geplanten Ablauf seiner täglichen Routine warfen. Darüber hinaus fühlte er sich in dem weitgeschnittenen, weißen Schutzoverall, den er beim Betreten der inneren Sektion gegen seine Uniform hatte eintauschen müssen, mehr als unwohl. Das Fehlen jeglicher Rangabzeichen nahm ihm die Quelle seiner Autorität. Er sah sich geradezu entblößt, wie ein Kleinkind in einem Strampelanzug, das an die Hand genommen werden mußte, um sich nicht zu verirren. Wenn er ehrlich war, entbehrte dieses Gefühl auch nicht einer gewissen Realität. Die Welt der Isolationsabteilung von Wake Island war für ihn Niemandsland. Eine Alptraumwelt, die er nicht verstand und die ihm eine kaum definierbare Angst einflößte.

»Doktor, was ist?« stieß Caan mürrisch und ohne Begrüßung heraus, als Marlin Sun ihn endlich aus der wortkargen Zwangshaft mit den beiden Regierungsagenten befreite. »Haben Sie etwas Brauchbares.«

»Nein, Sir!« antwortete Sun übertrieben steif und nahm in seinem weißen Overall Haltung an. Er machte sich mit Vorliebe über die militärischen Umgangsformen lustig und noch mehr über diejenigen, die diesen autoritären Kommunikationsstil wie ein religiöses Zeremoniell pflegten. »Leider muß die Operation Mastbaum als ein Schlag ins Wasser bezeichnet werden.«

»Also war der ganze Aufwand wieder einmal vergebens«, resümierte Caan, als hätte er von Anfang an gewußt, daß bei der Aktion einmal mehr das hart erarbeitete Geld des amerikanischen Steuerzahlers verschwendet worden war. »Können wir das kostspielige Wrackstück wenigstens einmal sehen?«

»Natürlich, Commander! Wenn Sie mir bitte folgen würden.«

Sun führte die Besucher durch ein Labyrinth von Korridoren in einen spartanisch eingerichteten Konferenzraum und blieb vor einer schräggestellten, großflächigen Glaswand stehen, die den Raum von dem tiefer gelegenen biochemischen Laboratorium trennte.

»Nun, wo ist Ihr Patient?«

»Sie haben ihn direkt vor Augen.« Sun deutete auf den mächtigen Glaszylinder inmitten des Laboratoriums, dessen wässeriger Inhalt milchig eingetrübt war.

»Was soll das, Doktor?« raunzte Caan und fühlte sich in seiner Autorität erneut beleidigt. »Ich bin nicht in der Stimmung, um mit Ihnen Verstecken zu spielen.«

»Wir spielen nicht, Commander! Der Mast befindet sich dort in diesem Bassin.«

»Wollen Sie mir erzählen, er wäre unsichtbar geworden?«

»Nicht direkt. Allein seine Gestalt hat sich in radikaler Weise verändert…«

»Wie bitte?«

»… die molekulare Morphologie der Materie.«

»Können Sie uns nicht wie ein normaler Mensch erklären, was hier geschehen ist?« maulte Caan und fühlte sich auf unangenehme Weise an seine mißratenen Chemieprüfungen an der Marineakademie erinnert, obwohl dieser peinliche Tiefpunkt in seiner Karriere schon Jahrzehnte zurücklag.

»Sicher, Commander!« Sun nahm ein Glas von einem Tablett und stellte es mitten auf den Konferenztisch. Dann füllte er es zur Hälfte mit heißem Teewasser und warf ein Stück Würfelzucker hinein.

»Und?« Caan wurde ungeduldig und suchte den Blickkontakt zu Bates und Kao, um seine Hilflosigkeit zu verbergen. »Wir warten auf eine Erklärung.«

»Ich glaube, die spielt sich gerade vor Ihren Augen ab, Commander«, meinte Kao schmunzelnd und deutete auf das Glas, in dem sich der Würfelzucker zunehmend auflöste.

»Wollen Sie uns auf den Arm nehmen, Doktor?«

»Zucker löst sich in Wasser«, kommentierte Sun und erwiderte Kaos Lächeln.

»Massives *koa*-Holz kann sich unmöglich binnen weniger Stunden vollständig zersetzen«, meldete sich nun auch Bates zu Wort, der sich Caans Unmut anschloß.

»Das ist nicht richtig. Möglich ist es, denn es ist geschehen.« Sun löschte das Licht, aktivierte einen Plasmabildschirm, der in die Glastrennwand integriert war, und startete eine Videoaufzeichnung, die den plötzlichen Zerfall des Mastbaumes dokumentierte. Dabei kam es in dem Bassin zu einem grellen Lichtblitz, der innerhalb eines Augenblicks das Wasser zum Sieden brachte und das Holz zu einer Wolke feinster Partikel zerriß.

»Das ist ja unglaublich!« murmelte Caan erschrocken und setzte sich kraftlos auf einen der Alustühle an den kreisrunden Tisch. »Das Ganze hat ja kaum zehn Sekunden gedauert.«

»Zumindest der sichtbare Teil der Reaktion.« Sun dachte an die geisterhaften Energiefelder, die er durch seine Cyberbrille beobachtet hatte, und entschied, die Phänomene, die er entdeckt hatte, den Flips nicht leichtfertig preiszugeben. Nicht ohne Gegenleistung und nicht ohne Chance, die Sauerei, die sich aller Wahrscheinlichkeit nach hinter dem Rätsel verbarg, aus den dunklen Kellern des Pentagon ans Tageslicht zu befördern. Lange genug hatte er sich für die Planspiele der Mächtigen benutzen lassen. Lange genug, um damit zu beginnen, sich zu wehren.

»Bereits bei meiner Ankunft gestern nacht hatte der Mastbaum die wesentlichen seiner normalen physikalischen Eigenschaften verloren«, erklärte Sun vorsichtig, um die Rollen in dem bevorstehenden Frage- und Antwortspiel nach Möglichkeit auf unverdächtige Weise zu seinen Gunsten umzudrehen. »So war es mir leider nicht mehr möglich, tiefergehende Untersuchungen über die Ursache dieses Phänomens anzustellen.«

»Das ist bedauerlich«, meinte Bates und fragte sich, ob er auf die Sachlage mit Erleichterung oder Beunruhigung reagieren sollte. »Damit hat sich die Untersuchung wohl mangels Indizien erledigt.«

»Nicht so voreilig, Bates!« Kao sah sich die Aufzeichnung nochmals in Zeitlupe an. »Nach allem, was ich über Dr. Suns Fähigkeiten gehört habe, hat er sicher eine Erklärung für dieses Phänomen parat. Immerhin gilt er in Fachkreisen als der Spezialist für das Unerklärliche.«

»Sie fragen mich nach einer Erklärung, Agent Kao?« konterte Sun und fragte sich, welche Rolle die CIA-Agentin in der Hierarchie der Flips einnahm. »Üblicherweise genügen dem Pentagon doch praktikable Ausreden.«

»Ich bevorzuge das Aufdecken der Wahrheit, Doktor, und im Augenblick wäre mir mit Ihrer Meinung schon geholfen.«

»Das ist neu und überrascht mich ein wenig. Trotzdem muß ich Sie enttäuschen. Sicher wäre mir der Nobelpreis gewiß, wenn ich eine Antwort hätte. Was hier geschehen ist, widersetzt sich allem, was Ihnen die versammelte Akademie der Wissenschaften erklären könnte.«

»Aber Sie haben sicher eine Theorie, nicht wahr?«

»Theorien sind leicht gefunden, Agent Kao. Nur mit ihrer Beweiskraft mangelt es oft sehr.« Sun kratzte sich am Kinn und feilte in Gedanken an seiner Strategie, die offensichtlich unterschiedlichen Interessen der Regierungsagenten zu seinem Vorteil auszunutzen. Noch war er es, von dem Informationen erwartet wurden, und wollte er den Spieß umdrehen, mußte er sich etwas einfallen lassen. Eine Provokation, die seine Gegner aus der Reserve lockte.

»Haben Sie schon einmal etwas von dem Maralinga-Effekt gehört, Agent Kao?« fragte er lauernd und startete nach kurzem Suchen in den Datenarchiven eine zweite Videoaufzeichnung, die die Entfaltung eines Atompilzes über einer Wüstenebene zeigte.

»Maralinga? Der Name ist mir selbstverständlich geläufig.«

»Von 1954–1962 haben die Briten in der Zentralaustralischen Wüste an einem Ort namens Maralinga zahlreiche Atombombentests durchgeführt. Sie verwendeten damals eine ähnliche Technologie wie unsere Leute in Bikini und die Franzosen in Mururoa. Es waren sehr schmutzige Bomben, die hochgradig radioaktive und in der Natur bis dahin nicht existente Zerfallsprodukte erzeugten. Es waren eher zufällig und unplanmäßig von den Zauberlehrlingen der Atomwissenschaft erschaffene Anomalien der Materie, die vormals harmlose Stoffe in unberechenbare und oftmals tödliche Substanzen verwandelten. All diese Gebiete sind noch heute, Jahrzehnte nach der Einstellung der Tests, extrem kontaminiert, unbewohnbar und eine Bedrohung für alles Leben im Umkreis von Hunderten von Meilen.«

»Das ist Geschichte, Doktor Sun«, beschwerte sich Caan, als fühlte er sich als Soldat persönlich beschuldigt. »Worauf wollen Sie hinaus?«

»Interessant ist wie so oft das, was die Geschichte verschweigt, Commander. Der radioaktive Zerfall der Materie war nur einer der vielen Nebeneffekte dieser Versuche. Wie sich erst später herausstellte, haben die Tests noch andere, ganz erstaunliche Wirkungen auf die der Strahlung ausgesetzten Substanzen gezeigt. Es wurden seltsame Veränderungen in den quantenphysikalischen Eigenschaften entdeckt, die nicht in den Rahmen der geltenden physikalischen Paradigmen einzuordnen waren. Noch heute lagern in den Bunkern von Wake Island Proben von zähflüssigen Gesteinen bei Zimmertemperatur, von hochkontaminiertem Wasser, das selbst bei zweihundert Grad Celsius nicht verdampft, und von Metallrückständen eines Versuchsflugzeugs, die sich unter Abgabe von infrarotem

Licht seit Jahrzehnten langsam aber stetig auflösen. Diese Materieanomalien, deren Dokumentation sich in strengster Sicherheitsverwahrung befindet und nur einer handverlesenen Elite von Wissenschaftlern und Spezialagenten zugänglich ist, sind unter dem Namen Maralinga-Effekt bis heute eine Erklärung schuldig geblieben, obwohl inzwischen zahllose Beispiele ähnlicher Materieanomalien in Zusammenhang mit nuklearen Tests in aller Welt bekannt geworden sind.«

»Wollen Sie damit andeuten, daß die Zerstörung der *Tangaroa* ein Nebeneffekt eines atomaren Experiments gewesen sein könnte?« folgerte Kao mit einem mißtrauischen Blick zu Bates.

»Ich habe lediglich versucht eine Parallele aufzuzeigen«, meinte Sun gelassen. Er wußte, daß seine Provokation auf fruchtbaren Boden gefallen war und mit ein wenig Unterstützung in den Köpfen der Beteiligten reifen konnte. »Immerhin hat es seit damals vielfältige Versuche gegeben, Phänomene dieser Art zu erforschen, und es würde mich nicht überraschen, wenn Wissenschaftler und Militärs noch heute auf der Suche nach Erklärungen für den Maralinga-Effekt und letztendlich nach Möglichkeiten für seine gezielte Nutzung wären.«

»Seine Nutzung?« stieß Caan unsicher hervor und kämpfte mit den vorgefertigten Modellen seiner Feindbilder. »Was meinen Sie mit Nutzung?«

»Ich meine die kontrollierbare Veränderung und Transformation von materiellen Strukturen, Commander.«

»Oder deren vollständige Zerstörung.«

»Wäre denn eine Technologie denkbar, die so etwas vollbringen könnte?« hakte Kao mit besorgter Miene nach und dachte an das Energiefeld, das auf den Aufzeichnungen der Satellitenscanner festgehalten worden war.

»Denkbar ist vieles, wobei es mir wie gesagt im Augenblick an einer vernünftigen Erklärung mangelt.« Sun wendete seinen Blick gleich einer Frage zu Bates. »Der Mast der *Tangaroa* war zwar in geringem Maße radioaktiv kontaminiert, der eigentliche Effekt, der dort draußen zur Wirkung gekommen ist, liegt allerdings jenseits von allem, was die Wissenschaft bislang für möglich gehalten hat. Wir bauen Neutronenbomben und experimentieren mit Fusionsreaktoren. Das dort draußen hatte dagegen einen radikalen Einfluß auf das strukturelle Gefüge der Materie. Es verursachte die Auflösung jeglicher subatomarer Bindung, wie sie unter Voraussetzung der geltenden Naturgesetze nur bei extremen Temperaturen innerhalb massiver elektromagnetischer Felder möglich erscheint.«

»Ein Plasma?« folgerte Bates wortkarg und mit kaum zu übersehender Unruhe.

»In diesem Fall sprechen wir von einem kalten Plasma. Und das, Agent Bates, betrachtet die Wissenschaft momentan als Science-fiction.«

»Leider haben wir zwei verschwundene Schiffe, Dr. Sun, und das ist nicht Science-fiction«, erinnerte Caan ungeduldig.

»Immerhin dürfte das Phänomen einen ersten konkreten Hinweis auf das Verschwinden der *Tangaroa* darstellen.« Kao blickte nachdenklich hinunter auf die Wassersäule im Labor. »Das Energiefeld auf den Scannern war vielleicht der große Bruder von dem Knalleffekt, den Dr. Sun hier aufgezeichnet hat.«

»Sie meinen, die *Dateline* könnte auf gleiche Weise Opfer dieser Materieanomalie geworden sein?«

»Vielleicht hat sie die Anomalie auch ausgelöst, Commander.«

»Das ist ein Gedanke, der mir auch schon gekommen ist, Agent Kao«, meinte Sun zustimmend und beschloß, Tekina Kao mit sofortiger Wirkung ein wenig sympathischer zu finden. »Nur solange Agent Bates nicht gewillt ist, seine Informationspolitik in bezug auf die Hintergründe des *Dateline*-Projekts zu ändern, ist es müßig Spekulationen darüber anzustellen.«

»Was wollen Sie von mir hören?« beschwerte sich Bates. »Glauben Sie etwa, wir haben eine neue Superwaffe an unschuldigen Südseeinsulanern getestet?«

»Wäre es das erste Mal?«

»Ich bitte Sie, Sun! Ihre übliche Paranoia hilft uns jetzt nicht weiter.«

»Genauso wenig wie Ihre übliche Geheimniskrämerei.« Sun wußte, daß er bei Bates in eine tiefe Wunde gestoßen hatte.

»Ich bitte Sie, meine Herren«, insistierte Caan und besann sich auf seine vermittelnde Rolle als Kommunikationsoffizier, ohne zu bemerken, daß niemand auf diese Funktion Wert zu legen schien.

»Wie uns Agent Kao eindringlich erklärt hat, liegt es in unser aller Interesse, das Verschwinden der Schiffe in glaubwürdiger Weise aufzuklären.«

»Bislang wurde ich zumeist gerufen, weil Leute wie Agent Bates etwas zu verbergen hatten.«

»Der einzige, der etwas vor uns verbirgt, ist der Ozean, Dr. Sun.«

»Der Ozean verschlingt keine Materie.«

»Glauben Sie, Doktor?« Bates stand vom Konferenztisch auf und stützte sich mit einem provokanten Grinsen auf die Rückenlehne seines Stuhls. »Haben Sie noch nie etwas von *ma no umi* gehört?«

»Mano..., was?«

»Das Drachenmeer, Commander! Es gibt eine alte japanische Legende von einem Drachen, der in den Gewässern südöstlich von Japan hausen soll und mit dem Feuer seines Atems Schiffe in Staub verwandelt und Mann und Maus in die Tiefe zieht.«

II

KAONA

STILLE BOTSCHAFTEN

Rollender Donner hallte durch die Nacht. Es war ein treibender Rhythmus. Ein Wesen aus pulsierendem Klang, dessen Herz im Zentrum der *pahu* schlug. Es durchströmte das Blut der Trommler, verschmolz mit der Seele der Tänzer und erweckte ihr *mana* mit seiner alles verbindenden schöpferischen Kraft. Der Körper der Männer glänzte, schillerte in tausend Tönen. Nackte, mit Kokosöl gesalbte Haut, unter der die Fasern der Muskeln bebten. Sie bewegten sich in Ekstase, wie besessen von den Geistern der Nacht, und ihre Gesichter brannten rot im Schein des Feuers, in *Lakas* Atem, dessen Flammen bis unter die Kronen der Palmen loderten.

Der Garten des Hotels sah aus, als würde er brennen. Ein Meer von Fackeln erhellte das tropische Ambiente des *Kapiulani Beach,* das an diesem Abend für ein traditionelles polynesisches *lu'au* geschmückt worden war. An langen Tischreihen saßen festlich gekleidete Menschen, die nichts von der Spannung spürten, die die Luft vibrieren ließ. Sie lachten und sie tranken. Sie aßen von den köstlichen Speisen, die am Rande des Gartens in großen Erdöfen zubereitet worden waren, und ahnten nicht, daß es ein Totenmahl war.

Dennis war von zwei an Samurai-Krieger erinnernde Wachen durchsucht und erst eingelassen worden, als er durch Motos Chip-Karte seine Zugangsberechtigung zu der Veranstaltung nachgewiesen hatte. Wahrscheinlich hatte sein heller Anzug das Mißtrauen der Türsteher erregt, die Order hatten, jede verdächtige Person diskret aber kompromißlos abzufangen. Wenigstens war er nicht der einzige unter den Gästen, der unpassend gekleidet war. Man hielt ihn sicherlich für einen der zahlreichen, in Zivil gekleideten Polizeibeamten, die sich vergebens bemühten, sich unauffällig unter die High-Society zu mischen, die in festlicher Abendgarderobe auf den Wegen des Gartens flanierten.

An der Bar des Korallenpools saß eine Gruppe auffallend junger Japaner, die die spektakuläre Performance der Tanzgruppen verfolgten. Besonders ein Quartett nur mit Baströckchen und *leis* bekleideter Hawaiianerinnen, die die schwankenden Bretter eines prächtig mit Orchideen geschmückten Floßes zu ihrer Bühne gemacht hatten, schien es den Asiaten angetan zu haben. Offensichtlich hielten sie die Aufführung für die einheimische Variante eines Tabledance und feuerten die Tänzerinnen lautstark an, in ihrem vermeintlichen Striptease fortzufahren und die Blicke versperrenden Blumengirlanden endlich abzulegen.

Dennis setzte sich auf einen der freien Plätze an den Tresen und bestellte sich einen Maitai. Normalerweise war eine Cocktailparty eine gute Gelegenheit für unauffällige Recherchen, aber an diesem Abend stand ihm nicht der Sinn danach. Brillstein hatte angerufen und nach seiner Befindlichkeit gefragt. Das war ungewöhnlich, und der freundliche Klang seiner Stimme hatte wieder Dennis' Mißtrauen geschürt. Wenigstens eines schien nun klar. Brillstein führte etwas im Schilde. Das tat er immer, wenn er liebenswürdig war. Und die ganze Sache trug in verdächtigem Maße die Handschrift seiner Therapie. Vielleicht hätte er ihn direkt darauf ansprechen sollen, aber er hätte ihm nie die Wahrheit gesagt, sondern ihm bestenfalls Symptome einer schleichenden Paranoia attestiert oder eines der unzähligen anderen psychologischen Modelle, die dazu dienen sollten, Bewußtseinszustände zu beschreiben, die dem Prädikat normal per Definition nicht entsprachen.

»Faszinierend, nicht wahr?«

Dennis schreckte aus seinen Gedanken hoch. »Miss Jones...!«

Nur die instinktive Reaktion seines Fußes verhinderte, daß er von seinem Barhocker herunterrutschte. »Ich hätte nicht erwartet, Sie so schnell wiederzusehen. Was machen Sie hier?«

»Die Frage liegt wohl eher bei mir. Dies ist ein privates *lu'au* der Halewai-Stiftung.«

»Ach, das habe ich nicht gewußt.« Dennis ärgerte sich, versäumt zu haben, rechtzeitig seine Hausaufgaben zu machen. Andererseits freute er sich Cherry Jones wiederzusehen, die ihm nicht nur als Informantin sympathisch war.

»Ich dachte, dies sei Mr. Motos Party.«

»Das ist richtig. Alexander Moto ist der Gründer der Halewai-Stiftung, aber deswegen haben Sie hier trotzdem nichts zu suchen.«

»Wollen Sie mich jetzt verraten?«

»Das kommt ganz darauf an.« Jones verzog ihren Mund zu einem versöhnlichen Lächeln. Ohnehin hatte sich ihr Äußeres sehr gewandelt. Ihre feuerrote Haarpracht fiel nun mit weichen Locken über ihr dezent geschminktes Gesicht, und sie trug ein verführerisches schwarzes Abendkleid, das ihre weiblichen Rundungen weitaus deutlicher zur Schau stellte als das weiße Hemd, das sie am Nachmittag getragen hatte. »Auf jeden Fall scheinen Sie eine Vorliebe dafür zu haben, überall ungebeten und zur falschen Zeit zu erscheinen.«

»Bislang hat es mir nicht geschadet.«

»Jetzt mal im Ernst, was machen Sie hier?«

»Auch wenn es unwahrscheinlich klingt. Ich habe eine offizielle Einladung.« Dennis zog seine Chipkarte hervor, die offenbar besser als jede Erklärung war.

»Sie arbeiten für Moto?« wunderte sich Jones und fand Dennis zumindest in beruflicher Hinsicht augenblicklich attraktiver.

»Sehen so die hawaiianischen Lohnsteuerkarten aus?«

»Wäre Ihnen ein Brandzeichen lieber gewesen? Nun sagen Sie schon, wofür bezahlt er Sie?«

»Ich schieße Fotos für sein neues Hotelprojekt.«

»Das Ma'alaea Ressort?«

»Wenn Sie es sagen.«

»Sie scheinen sich nicht sehr gut auf Ihre Jobs vorzubereiten, Mr. Newman.«

»Um ehrlich zu sein, überlege ich gerade, ob ich den Auftrag ablehne. Mir liegen eher…, wie soll ich sagen, hintergründige Themen.«

»Verschollene Schiffe zum Beispiel?«

»Warum nicht? Mit Ihrer fachkundigen Unterstützung als Expertin für Südseeschiffahrt gäben wir geradezu ein Dreamteam.«

»Da muß ich Sie enttäuschen, Mr. Newman. Ich habe wenig Ahnung von Seefahrt. Mein Fachgebiet ist die nonverbale Kommunikation.«

»Jetzt bringen Sie mich in Verlegenheit.«

»Sehen Sie die Tänzerinnen dort?« Jones deutete auf die fackelerleuchtete Bühne auf der die einheimischen Mädchen zum Leidwesen der Japaner den Höhepunkt ihrer Darbietung erreicht hatten, ohne den spärlichen Rest ihrer Kleidung abzulegen. »Der Tanz ist eine Sprache. Jede Bewegung des *hula* ist ein symbolischer Ausdruck. Wie Worte, die eine Geschichte erzählen.«

»Ich dachte, Hula-Hula sei ein Strandvergnügen für hübsche Bikinigirls.«

»Das ist ein Touristenmythos, Mr. Newman. Der authentische *hula kahiko* unterscheidet sich grundsätzlich von den Darbietungen, die Sie üblicherweise auf den Showbühnen in Waikiki zu sehen bekommen. Der traditionelle *hula* ist den Hawaiianern heilig. Er ist eine Art Brücke aus Klang und Bewegung, über die *mana* fließen kann, die göttliche, alles Leben spendende Kraft.«

»Sie meinen, der Tanz ist ein religiöser Akt?«

»Für die *kama'aina* ist er eine Art Gottesdienst, eine Kommunikation mit den *akua*. Jeder Tanz ist einer der vielen polynesischen Gottheiten gewidmet, und jede Handbewegung, jede Geste hat eine eigene, oft versteckte Bedeutung.«

»Und was bedeutet dieser Tanz? Er wirkt sehr fröhlich.« Dennis deutete hinüber auf die Floßbühne, auf der nun eine Gruppe älterer Frauen Platz genommen hatte. Sie waren mit bunten *mu'umu'us* und weißen *leis* bekleidet und sangen eine schwebende Melodie, die sich wie ein Echo in den Figuren spiegelte, die wie Wellen aus Klang von ihren Händen in den Nachthimmel aufstiegen.

»Dieser *hula* erzählt eine Geschichte über Trauer, Abschied und Tod.«

»Eine seltsame Art der Trauer.«

»Nun ja, während die Christen Gott in Andacht und Ehrfurcht um Erlösung von ihren Sünden bitten, zelebrieren die Hawaiianer selbst in der Trauer ihre Lebensfreude, die ein wesentliches Element ihres Glaubens ist.«

»Ist das nicht sehr widersprüchlich?«

»Nicht wenn man das Leben als unendlich und unerschöpflich begreift.«

»Und was geschieht mit Menschen, die gestorben sind?« Dennis merkte, wie ein ganz persönlicher Teil seiner Neugier erwachte.

»Die Polynesier glauben an das *mana,* das alle Seelen durchströmt und sie durch das Tor von *po,* der Unterwelt, von einer Seinsform in eine andere führt.«

»Sie sprechen von Wiedergeburt?«

»Der Tod ist kein Ort, an dem man verweilt, Mr. Newman. Zumindest nicht in der Vorstellungswelt der Hawaiianer. Tod bedeutet nicht Ende sondern Verwandlung, denn die Seele ist unsterblich.«

»Und worin verwandelt sich die Seele nach dem Tod?«

»Für die Polynesier ist die gesamte Natur Ausdruck der Schöpfung. Alle natürlichen Dinge sind beseelt und in ständiger Verwandlung begriffen. Pflanzen, Tiere, Menschen. Selbst Steine, Wolken oder Ozeanwellen sind Träger von *mana,* in dem das Leben seine Einheit findet.«

»Beseelte Wellen? Das klingt…« Dennis suchte vergebens nach einem Wort, das seiner Verwunderung entsprach. »… faszinierend. Gibt es denn heute abend einen speziellen Anlaß für diese mystische Reinkarnationszeremonie?«

»Sollte das etwa Ihrer journalistischen Neugier entgangen sein, Mr. Newman?« Jones lächelte provokant. »Heute ist der erste Frühlingsvollmond. In dieser Nacht sollte die *Tangaroa* von ihrer Reise zurückkehren.«

»Dann ist die Party eine Gedenkfeier für die Opfer der Expedition?«

»Na ja, wie man's nimmt.«

»Wie meinen Sie das?«

»Das ist eine Frage der Seite, auf der man steht.«

»Ich glaube, Sie haben einen höllischen Spaß daran, mich auf die Folter zu spannen, nicht wahr?«

»Sehen Sie sich doch einmal um.« Jones deutete in die Runde, in der fast ausschließlich Japaner und Weiße zu sehen waren. »Die Sprache der Tänzerinnen und die Botschaft dieses *hula* dürften von den hier Anwesenden nur die wenigsten verstehen, und diejenigen, die wirklich um die Crew der *Tangaroa* trauern und sie mit ihren Gebeten auf ihrer Reise durch das Geisterreich begleiten, werden Sie unter diesen Gästen wohl kaum finden.«

»Das verstehe ich nicht«, gab Dennis zu. »Die Expedition war doch ein Projekt der Halewai-Stiftung.«

»Ursprünglich ja.«

»Aber...?«

»Es gab gewisse Meinungsverschiedenheiten unter den Interessensgruppen, und schließlich hat sich ein reaktionärer Teil der *Tangaroa*-Crew von der Halewai-Stiftung distanziert und das Boot in einer Nacht- und Nebelaktion gekapert.«

»Und worum ging es bei diesen Meinungsverschiedenheiten?« Dennis bestellte zwei weitere Maitai, die der leicht bekleidete Barkeeper mit bühnenreifer Virtuosität mixte.

»Es gab Gruppierungen unter den Hawaiianern, die die Expedition für politische Ziele mißbrauchen wollten.«

»War es nicht eher umgekehrt?« Frank Hawea schob sich hinter Dennis an die Bar. »Hat nicht die Crew der *Tangaroa* die Unterstützung der Halewai-Stiftung aufgekündigt, als sie erfuhr, daß die polynesische Tradition der Besuchsfahrten für kommerzielle Zwecke herhalten sollte?«

»Die Expedition war in erster Linie als Freundschaftsmission für die Wiederbelebung der polynesischen Seefahrtskultur geplant.«

»Sie rezitieren Motos Hochglanzprospekte, Miss Jones. Wie lange sind Sie schon auf den Inseln, um sich darüber eine Meinung bilden zu können?«

»Lange genug, um erfahren zu haben, daß sich die Expedition mehr und mehr zu einer Plattform für politische Extremisten entwickelt hat.«

»Extremisten legen Bomben und bauen nicht in monatelanger Handarbeit ein dreißig Meter langes Segelboot.«

»Immerhin wurde vermutet, daß sich Mitglieder der *Boys for Pele* eingeschleust und die Crew überredet hätten, sich ihrer zweifelhaften Sache anzuschließen.«

»Die *Boys for Pele*?« wunderte sich Dennis. »Sie meinen diese Ökoaktivistengruppe?«

»Sagen wir lieber, es sind militante Fanatiker.«

»Fanatiker...« wiederholte Hawea spöttisch.

»Wie würden Sie Leute nennen, die keine besseren Argumente für ihre Ideologien finden als geschmacklos makabre Voodoo-Inszenierungen?« Jones Blick wurde härter. »Mr. Newman, darf ich Ihnen Inspektor Hawea vom Central P.D. vorstellen?«

Dennis nickte. »Wir hatten bereits die Ehre.«

»Die *Boys for Pele* waren in den achtziger Jahren aktiv«, erklärte Hawea unbeirrt. »Seither konnte keine einzige Aktion mehr mit ihnen in Zusammenhang gebracht werden. Ich halte es für wahrscheinlich, daß diese Gruppe längst nicht mehr existiert und nichts anderes ist, als das Produkt einer propagandistischen Wiederbelebungsaktion seitens Alexander Motos, um die Kritiker seiner ozeanischen Visionen zu diskreditieren und von seinen eigentlichen Zielen abzulenken, nämlich der rücksichtslosen nur auf Profit zielenden Ausbeutung der pazifischen Inseln und des Meeres.«

»Was wissen Sie über Motos Visionen?« konterte Jones schroff. »Er ist ein Vorkämpfer für ein modernes Polynesien.«

»Das mag sein, aber unter welchen Vorzeichen? Moto ist ein Apologet des westlichen Technologie- und Fortschrittglaubens, der mit dem Ideal des polynesischen Naturalismus wohl nur sehr schwer in Einklang zu bringen ist. Nachdem sich die *Tangaroa*-Crew nicht mehr für seinen Propagandafeldzug einspannen ließ, waren die *kama'aina* für seine Projekte kaum noch nützlich. Ganz im Gegenteil…«

»Worauf wollen Sie hinaus, Inspektor?«

»In manchen Kreisen kursiert die Meinung, daß die *Tangaroa* nicht in einem Sturm havariert ist, sondern gezielt versenkt wurde, weil sie als Symbol eines neuen ökologischen Nationalismus in Polynesien Wirtschaftstycoonen wie Moto ein Dorn im Auge war. Es gibt sogar Gerüchte, daß die Crew einem handfesten Umweltskandal auf der Spur war, und wenn man diesen Gerüchten nachgeht…«

»Gerüchte, Inspektor?« Moto stand plötzlich neben Hawea, und sein Gesichtsausdruck verriet, daß er nicht gerade begeistert über das Thema der Gesprächsrunde war. »Ich glaube nicht, daß es Ihr Job ist, Gerüchte zu verbreiten. Sorgen Sie lieber mit Ihren Leuten für die Sicherheit meiner Gäste. Oder muß ich erneut eine Beschwerde gegen Sie bei Ihrem Vorgesetzten einreichen?«

»Tun Sie sich keinen Zwang an«, erklärte Hawea mit einem kalten Blick. Er nahm das Wasser, das er sich bestellt hatte, und mischte sich, ohne ein weiteres Wort zu verlieren, wieder unter die Gäste.

»Miss Jones, Mr. Newman. Wie ich sehe, fällt es Ihnen nicht

schwer, Bekanntschaft zu schließen.« Moto küßte Cherry Jones galant die Hand.

»Vielen Dank für die Einladung.«

»Ich bitte Sie, Miss Jones. Als neue Mitarbeiterin der Halewai-Stiftung sind unsere traditionellen *lu'aus* eine Pflichtveranstaltung für Sie. Auch wenn der heutige Abend von traurigen Erinnerungen überschattet wird.«

»Inspektor Hawea scheint Ihnen nicht gerade wohlgesonnen«, bemerkte Dennis und hoffte, in dem unterbrochenen Streitgespräch auf eine lohnende Informationsquelle gestoßen zu sein.

Moto lachte. »Nach den Anschlägen der letzten Zeit fürchtet der Inspektor um die Ehre seines hawaiianischen Blutes. Nationalstolz am falschen Platz, und das weiß er auch. Im Grunde ist er ein feiner Kerl, und wir ziehen alle am gleichen Strang.«

»Und welcher Strang ist das?«

»Fortschritt, Mr. Newman. Wirtschaftlicher und sozialer Fortschritt. Die *kama'aina* sind manchmal etwas impulsiv, aber die meisten von ihnen wissen sehr gut, daß nur der Anschluß an die moderne Welt die pazifischen Inselstaaten vor ihrem ökonomischen Untergang bewahren kann.«

»Die Crew der *Tangaroa* schien da offenbar anderer Meinung gewesen zu sein. Und wie ich gelesen habe, sollen dazu auch prominente Vertreter zahlreicher pazifischer Staaten gezählt haben.«

»Prominenz?« Moto schüttelte mit verächtlicher Miene den Kopf. »Am Ende war die Expedition ein Tummelplatz für einen Haufen weltfremder Ökorevolutionäre, die hinter ihren vorgeschobenen Protesten für einen atomfreien Pazifik das zarte Pflänzchen des wirtschaftlichen Aufschwungs in Ozeanien zunichte machen wollten.«

»Warum glauben Sie, daß diese Proteste vorgeschoben sind?«

»Die Kernspaltung ist Geschichte, Mr. Newman. Die Wissenschaft wird in Zukunft alternative Energietechnologien entwickeln, die den Fortschritt der Zivilisation vorantreiben werden. Das wissen selbst naive Zeitgenossen wie die *Boys for Pele* und andere Vertreter dieser sogenannten Ökogruppen. Zugleich verschweigen sie dabei, worum es ihnen wirklich geht.«

»Und das wäre?«

»Am liebsten würden sie alle Ausländer von den Inseln vertreiben. Was allerdings die Frage aufwirft, ob dann überhaupt noch jemand bleiben könnte?«

»Wie meinen Sie das?«

»Die letzte demographische Umfrage auf den Inseln hat einen Anteil an reinrassigen Hawaiianern von unter sieben Prozent ergeben, und selbst die sind noch fraglich. Wir leben heute in einer multikulturellen und ökologisch zunehmend verantwortungsvollen Welt, Mr. Newman, und die Leute, die sich hinter ihren Zurück-zur-Natur-Fahnen verstecken und sich als Anwälte ethnischer Minderheiten ausweisen, sind zumeist weltfremde Träumer und sentimentale Looser, die in ihren Köpfen den Anschluß an die moderne Gesellschaft verpaßt haben.«

»Dann halten Sie die *Boys for Pele* für harmlose Spinner?«

»Früher haben sie Whalewatch-Boote am Auslaufen gehindert und die Zufahrtsstraßen zum Kilauea besetzt, weil sie die Touristen des Hausfriedensbruchs am Lieblingskrater ihrer Vulkangöttin *Pele* bezichtigten. Heute weisen ihre Aktionen bereits psychopathische Züge auf. Aber lassen wir uns davon nicht den Abend verderben. Genießen Sie die Musik und das Essen.« Moto deutete auf zwei freie Plätze an den langen Tafeln, auf denen ständig neue Speisen angerichtet wurden. »Und…, Mr. Newman, melden Sie sich morgen früh gegen zehn bei meiner Sekretärin. Ich möchte Sie gerne nach Maui entführen, damit Sie sich ein erstes Bild von meinem neuen Projekt machen können. Ich bin mir sicher, Sie werden mich dann besser verstehen. Bitte entschuldigen Sie mich jetzt. Ich muß mich um meine Gäste kümmern.«

Dennis schaute Moto hinterher, der zu einer Gruppe unübersehbar nach Geld stinkender Taiwan-Chinesen ging, und fragte sich erneut, welche Gestalt die Rolle besaß, die Moto ihm in seinem schwer durchschaubaren Spiel zugedacht hatte. Nach allem, was er nun wußte, ging es dabei um weit mehr als die Suche nach einem einheimischen Mädchen, dessen Identität Moto sicher längst bekannt war. Bei jedem normalen Auftrag hätte Dennis die einzige vernünftige Konsequenz gezogen und wäre abgereist. Hier ging es jedoch um mehr. Nun war er es, der Keani finden wollte, weil er hoffte, daß in ihrem Geheimnis auch ein Stück von ihm verborgen lag. Letztendlich waren sich zwei Menschen begegnet, die beide längst gestorben waren, und allein das war es wert, der Sache weiter nachzugehen.

»Sie sprachen vorhin von Motos Visionen«, tastete sich Dennis vorsichtig voran und begann, die attraktive Gesellschaft von Cherry Jones zu genießen. »Was genau haben Sie damit gemeint?«

»Sie haben mich gefragt, was wir heute zu feiern haben?«

»Ja, und?«

»Moto hat seine eigene Vorstellung von einer Gedenkfeier. Er gibt nie etwas auf und schaut immer nach vorne. Als das *Tangaroa*-Projekt am Widerstand der polynesischen Crew zu scheitern drohte, hat er in Gedanken bereits ein neues Projekt aus der Wiege gehoben. Wären Sie nicht erneut zu spät gekommen, hätten Sie die feierliche Taufe der *Tangaroa II* miterlebt.«

»Dann hat er ein neues Boot bauen lassen?«

»Nun ja, vielleicht ist es etwas mehr als ein Boot.«

Mit unterdrücktem Widerwillen folgte Dennis Cherry Jones zu den Anlegern des Jachtclubs an dem ein eigentümliches Schiff festgemacht hatte. Es war ein perlweiß glänzendes, geradezu futuristisch anmutendes Fahrzeug, teils Katamaran, teils Spaceshuttle. Es wirkte beinahe wie ein Meereslebewesen, ein überdimensionaler Manta, dessen deltaförmiger Körper zugleich Flügel als auch Flossen war.

»Was ist das?« fragte Dennis erstaunt und erinnerte sich an das Modell in Motos Vorzimmer.

»Ich habe mir erklären lassen, daß dieses Schiff amphibische Fähigkeiten besitzt. Es kann sich sowohl im Wasser wie auch in der Luft fortbewegen. Wobei man bei der Geschwindigkeit, die es erreichen kann, wohl besser vom Fliegen sprechen sollte. Es ist fast so schnell wie ein Flugzeug.«

»Ein Stauflügler? Ich dachte, diese Technologie hätte sich als spritfressender Flop herausgestellt.«

»Moto hat einen revolutionären bionischen Ansatz verwirklicht, der nur einen Bruchteil der Energie älterer Konzepte benötigt.«

»Ich wußte gar nicht, daß Moto auch moderne Schiffe baut«, wunderte sich Dennis.

»Menschen mit Visionen bleiben niemals stehen, Mr. Newman.

Mit Schiffen wie diesem, die selbst abgelegenste Atolle in Jetgeschwindigkeit erreichen und in jeder Lagune landen können, soll eine neue Ära des interinsularen Verkehrs eingeläutet werden. Beinahe so etwas wie eine Renaissance der polynesischen Seefahrerkultur. Die Expedition der *Tangaroa* sollte als traditionelles Symbol dafür stehen. Und nun wird dieser Prototyp die zukunftsweisende Rolle übernehmen. Moto will das Beste aus dem Alten mit dem Besten aus dem Neuen verbinden. Er glaubt, das ist der Weg den Polynesien gehen muß, wenn es überleben und wieder zu einer eigenständigen und hochentwickelten Seefahrerkultur werden will, einer ozeanischen Kultur, für die das Meer nicht Trennung sondern Gemeinsamkeit bedeutet. Lebensraum für eine maritime Gesellschaft, die ihren Reichtum aus den unerschöpflichen Quellen des Ozeans nähren wird.«

»Eine ozeanische Kultur...« Dennis gefiel das Wort nicht, und noch weniger behagte ihm die huldigende Art und Weise, in der Cherry Jones über Moto sprach. Wie hatte Hawea gesagt? Sie zitiere Hochglanzprospekte. Tatsächlich hatte Dennis das Gefühl, daß ihre Worte auswendig gelernt, ja geradezu künstlich klangen und diese Fassade eine ganz und gar unehrliche war.

Plötzlich waren am anderen Ende des Gartens laute Stimmen zu hören. Dennis drehte sich um und erkannte einen kleinen, älteren Mann, der sich lautstark gestikulierend gegen die Griffe der Wachleute wehrte und nach Alexander Moto verlangte. Auch Moto hatte den Mann bemerkt, unterbrach sein Gespräch mit den taiwanesischen Investoren und ging hinüber.

»Joshua, da sind Sie ja endlich«, rief er und legte dem Mann beschwichtigend die Hand auf die Schulter.

»Sagen Sie Ihren Bodyguards, sie sollen ihre Finger wegnehmen.« Hopkins war außer sich. Die lange Reise hatte seine letzte Kraft gekostet, und jetzt wurde er auch noch wie ein Taschendieb behandelt.

»Sie kennen doch die Vorschriften. Warum haben Sie nicht Ihre ID-Card gezeigt.«

»Schnickschnack. Ihre Wachhunde sollten wissen, wer ich bin.«

Moto gab den Türstehern ein Zeichen und schob den alten Mann vor sich in das Gerätehaus des Poolmeisters.

»Also, Joshua. Was ist? Ist der Stein authentisch?«

»Fragen Sie doch Ihre fettleibigen Hilfssheriffs. Die wollten mir das Ding noch in Nuku'alofa abnehmen. Aber so läuft die Sache nicht.«

»Ich war nur besorgt um Ihre Sicherheit.«

»Sicherheit, pah!« Hopkins knallte seinen Alukoffer auf einen Stapel mit Schaumstoffkissen und befreite Uribes Stein aus seinem Versteck im doppelten Boden. »Ich habe langsam das Gefühl, nur noch Ihren Laufburschen zu spielen. Aber vergessen Sie nicht, wer wen ins Boot geholt hat.«

»Beruhigen Sie sich, Joshua!« Mit sichtbarer Erregung betrachtete Moto den scheibenförmigen Kristall, dessen aquamarine Färbung im Schein der Gartenfackeln intensiver wirkte, und verfolgte fasziniert das Spiel der wellenförmigen Reflexionen in seinem Inneren.

»Überlegen Sie, was wir jetzt in den Händen halten. Wenn wir nachweisen können, daß der Stein echt ist...« Eine Falte legte sich auf Motos Stirn. »Er ist doch echt, nicht wahr?«

»Hören Sie, Alex. Lassen Sie uns unser weiteres Vorgehen noch einmal in Ruhe überdenken.«

»Joshua, ich frage Sie, ob er echt ist?«

»Es gibt nichts, was daran Zweifel aufkommen ließe.«

»Und was glauben Sie, wie alt er ist?«

»Das wird sich schwer bestimmen lassen. Er ist schwach radioaktiv kontaminiert...«

»Radioaktiv?« Motos Hände zuckten und legten den Stein zurück in den Koffer. »Wie kommt das?«

»Das will ich lieber gar nicht wissen, zumal die Strahlungsquelle nicht natürlichen Ursprungs zu sein scheint.«

»Nicht natürlich? Das ist ja phantastisch.«

»Ihren Humor möchte ich haben, Alex. Aber ich warne Sie. Wir müssen sehr vorsichtig sein. Vielleicht sollten wir die ganze Aktion erst einmal aufschieben, bis wir mehr Informationen...«

»Aufschieben?« Moto wurde ärgerlich. »Jetzt? Haben Sie den Verstand verloren? Wir fangen doch gerade erst an.«

»Es gibt keinen Grund, die Sache zu überstürzen. Lassen Sie uns in Ruhe darüber reden, bevor wir etwas Unüberlegtes tun, dessen

Konsequenzen wir weder abschätzen noch kontrollieren können. Denken Sie daran, was in Manalei geschehen ist.«

»Manalei? Joshua, Sie machen sich lächerlich.«

»Das ist allemal besser, als aus Übereifer einen gewaltigen Fehler zu begehen. Wir wissen überhaupt nicht, was uns dort draußen erwartet.«

»Ich glaube, es gibt niemanden, der das besser weiß als Sie.«

»Es haben schon zu viele Menschen ihr Leben lassen müssen.«

»Die Havarie war ein Unglück.«

»Sind Sie sich da so sicher, Alex?«

»Kommen Sie mir nicht schon wieder mit Ihren Geistergeschichten.«

»Dann erklären Sie es mir! Verdammt!«

»Wir werden die Vorfälle aufklären, das verspreche ich Ihnen.« Moto klopfte Hopkins freundschaftlich auf die Schulter. »Es war ein langer Tag. Schlafen Sie sich aus, und lassen Sie uns morgen früh darüber sprechen...«

»Schlafen? Ich kann schon lange nicht mehr schlafen.«

»Haben Sie immer noch diese Alpträume?«

»Träume?« Hopkins lachte schräg. »War der verweste Hai in der Ausstellung nur ein übel riechender Traum? Oder der Faulschlamm auf dem Dach vom Hotel? Es sind Zeichen, Alex, böse Omen, denn sie verkünden nur den Tod.«

Plötzlich wurden Hopkins Augen starr. Er hob die Hand und deutete über Motos Schultern durch die offene Tür des Poolmeisterhäuschens in den Garten.

»Mein Gott, Alex! Sehen Sie!«

»Was?«

»Sehen Sie denn nicht? Das Feuer...!«

Moto drehte sich um und sah was Hopkins meinte. Die Flammen der Fackeln in der Nähe des Ufers wuchsen mehrere Meter in den nächtlichen Himmel. Sie schienen im Rhythmus des Trommelfinales der Feuertanzgruppe zu lodern und bildeten geisterhafte Figuren, die in wilden Kapriolen durch die Luft wirbelten. Es war, als folgten sie der Choreographie des *hula,* den die ölgesalbten Tänzer in ekstatischer Trance zelebrierten.

Dann sammelten sich die Flammen zu einem Kreis hoch über

dem Anleger der *Tangaroa II*. Im selben Moment hielten die Trommeln inne, und eine unheimliche Stille senkte sich über den Garten. Starr vor Entsetzen sahen die Gäste des *lu'au,* was vor ihren Augen geschah. Wie ein brennender Wasserfall rauschte das Feuer vom Himmel, und nur Sekunden später stand der Katamaran lichterloh in Flammen. Es war ein blaues, geradezu unheimliches Feuer, in dem das Schiff zu einer schwelenden Masse verschmolz und in der nächtlichen Brandung versank.

12
I'A MAHINA
MONDFISCHE

Ein riesiger Mond stand am sternklaren Himmel und legte einen schillernden Teppich aus silbernem Licht über das Wasser. Es war eine erfrischend kühle, beinahe windstille Nacht. Die Luft war erfüllt vom Zirpen der Insekten, die mit den Strömen des Passats auf die abgelegene Koralleninseln gewandert waren, und das Donnern der Brandung war zu einem sanften Gurgeln verebbt. Nur das unablässige Brummen der Stromgeneratoren drang aus der Tiefe des Riffs hervor und störte die friedvolle Stille der Nacht, die wie eine Lüge über der hochgerüsteten Militärbasis von Wake Island lag.

Marlin Sun saß auf dem Anleger an der Spitze des schmalen Deichs, der die Einfahrt zur Zentrallagune des Ringatolls säumte, und spielte nachdenklich mit dem Stück einer Kokosnußschale. Er war keineswegs der Typ, der sich auf der Suche nach Inspiration dem Mondschein oder dem Klang der Wellen zuwandte. Obwohl er aus tiefster Überzeugung ein rationaler Mensch war, für den es wenig Gründe gab, dem Verstand und der Logik den Rücken zu kehren, folgten seine Gedanken seit einiger Zeit einer unbestimmten Ahnung, daß die mathematische Welt, die er liebte und deren Algorithmen er wie seine Muttersprache beherrschte, ihm keine ausreichenden Antworten auf seine Fragen geben konnte.

Trotz der unwiderlegbaren Übereinstimmung der Indizien mit den Theorien, die in den Jahren seiner Suche nach Erklärungen für die Mysterien hinter den Grenzen der Naturwissenschaft in seinem Kopf gewachsen waren, hatte er das Gefühl, daß sich die Phänomene, die er in den letzten Stunden gesehen hatte, von allen anderen unterschieden, mit denen er bislang konfrontiert gewesen war. Er hatte durch das Tor zu einer fremdartigen Erkenntniswelt geschaut, und vielleicht, so hoffte er wenigstens, wartete dort endlich der Schlüssel für die Rätsel, die ihn verwirrten und die er seit Jahren vor den Augen der Welt verbergen mußte. Nicht nur, weil ihre Entdeckung an der Macht der Mächtigen rütteln würde, sondern auch, weil sie allen Grundfesten der Zivilisation widersprachen.

Sun fühlte sich an diesem Abend einsam. Allein gelassen von allem, was ihm viele Jahre Halt geboten hatte. Es war nicht, daß er fürchtete, sich geirrt zu haben. Irrtum war ein zwangsläufiger Wesenszug der Wissenschaft und Motor allen Fortschritts. Es war vielmehr die Ehrfurcht vor der Erkenntnis, daß er viel zu lange einem schwachen und falschen Gott gefolgt war und daß der erste Schritt auf dem Weg, den er gehen mußte, ein Schritt in die entgegengesetzte Richtung war. Ein Schritt zurück zur Basis der Existenz.

Der Schrei eines Fregattvogels holte Sun aus seinen Gedanken. Im selben Augenblick hörte er schnelle Schritte, die sich ihm auf den Planken des Anlegers näherten. Tekina Kao war außer Atem. Ihr Körper glänzte vor Schweiß, aber ihr Gesichtsausdruck verriet nichts von einer schlechten Nachricht, die sie zu überbringen gedachte, wie er im ersten Augenblick befürchtet hatte. Ganz im Gegenteil. Sie war bester Laune und schien die kühleren Abendstunden für eine Joggingrunde um die Lagune genutzt zu haben. Sie trug Laufschuhe, enganliegende Shorts und ein schwarzes Sporttop mit einem *maori*-Ornament, das – wie Sun fand – bedeutend besser zu ihr paßte als der Navyoverall, in dem er sie zum ersten Mal gesehen hatte.

»Hi, Dr. Sun!« rief sie fröhlich. »Was machen Sie hier draußen ganz allein? Angeln Sie nach Mondfischen?«

»Mondfische? Ja, vielleicht angle ich tatsächlich nach Mondfischen.«

»Darf ich mich zu Ihnen setzen.«

»Sicher.«

Sun freute sich über den Besuch, nicht nur, weil er seine ziellos kreisenden Grübeleien unterbrach, sondern auch, weil er viel zu selten Gesellschaft hatte. Besonders weibliche – wie er manchmal aufrichtig bedauerte. Er warf einen verstohlenen, fast neidvollen Blick auf Kaos athletischen Körper und fragte sich, warum er sich nie etwas aus Sport gemacht hatte.

»Ich habe viel von Ihnen und Ihrer Arbeit gehört«, meinte Kao und ließ sich neben Sun auf dem Steg nieder.

»Tatsächlich? Das ist bedenklich.«

»Warum?«

»Weil es nicht eine einzige autorisierte Publikation von mir gibt. Im Grunde existiere ich gar nicht. Nicht einmal auf der Gehaltsliste des Pentagon.«

»Meine Lohnsteuerkarte wird von einer Immobilienfirma in Auckland ausgefüllt, die kaum mehr als einen Briefkasten besitzt.«

Sun nickte lächelnd. »Dann gibt es bei Ihnen wohl auch niemanden, der Sie vermißt, wenn Sie auf längere Dienstreisen gehen.«

»Es gibt Dinge, die sich schwer mit unserem Job vereinbaren lassen. Beziehungen, Freundschaften, Vertrauen…«

»Vertrauen?«

»Sicher! Ich glaube, das ist sogar das heikelste Problem.« Kao zog die Sneakers aus und tauchte ihre Füße in das glitzernde Wasser der Lagune. »Und wie mir scheint, teilen wir unser Mißtrauen gegenüber gewissen Instanzen und dem Verhalten eines besonders verschwiegenen Kollegen.«

»Leute wie Bates sind dafür verantwortlich, daß Leute wie ich keinen Schlaf finden.«

»Dann hegen Sie auch Zweifel an seiner Aufrichtigkeit?«

»Manchmal hege ich Zweifel an der Rechtschaffenheit des ganzen Jobs.« Sun seufzte und warf die Kokosschale ins Wasser. »Oft ertrage ich die Arbeit nur, weil ich hoffe, eines Tages den unschuldigen Opfern zu ihrem Recht verhelfen zu können, die aufgrund angeblich höherer Ziele ihre Gesundheit oder sogar ihr Leben lassen mußten.«

»Sie meinen Opfer wie die Besatzung der *Tangaroa?*«

»Ich meine ganze Inselbevölkerungen, die zu Testzwecken nuklearer Strahlung oder gentechnisch manipulierten Viren ausgesetzt wurden.«

»Glauben Sie, daß Leute wie Bates solche Dinge vorsätzlich begangen haben?«

»Ich glaube es nicht, Agent Kao, ich weiß es, denn ich habe viel zu lange Zeit stillschweigend an der Konstruktion der Lügengebäude mitgewirkt, mit der diese Verbrechen vertuscht wurden.«

»Erwartet man das von Ihnen auch im Fall der *Tangaroa?*«

»Bislang nicht. Noch scheint niemand eine Ahnung zu haben,

was dort draußen geschehen ist. Und in diesem Stadium wird meine Arbeit als wichtiger eingeschätzt als mein Schweigen.«

»Aber wir teilen die Vermutung, daß Leute wic Bates einmal mehr dafür verantwortlich sind, oder?«

»Beteiligt vielleicht, aber nicht primär verantwortlich.«

»Wie meinen Sie das?«

»Möglicherweise haben wir es nur begrenzt mit einem durch Menschenhand verursachten Phänomen zu tun.«

»Begrenzt?« Kao wunderte sich. »In welcher Weise?«

»Das ist schwer zu erklären.«

»Versuchen Sie es!«

»Wie ich bereits sagte, ist es recht einfach Theorien zu konstruieren. Schwierig wird es nur, wenn die Antworten in einem Widerspruch zu dem herrschenden Paradigma stehen, das sich hinter der Frage verbirgt.«

»Ich habe kein Problem mit Schwierigkeiten und schon gar nicht mit dem Einreißen weltanschaulicher Mauern.«

»Die Probleme kommen spätestens dann, wenn Sie den Wundern ins Antlitz schauen.«

»Sie glauben an Wunder, Dr. Sun?«

»Ist nicht die ganze Welt ein Wunder?«

»Das denken nur Kinder, die die Gesetze der Natur noch nicht zu verstehen gelernt haben.«

»Dann sind wir über dieses Stadium noch nicht weit hinausgewachsen, denn was immer auch da draußen geschehen ist, übersteigt bei weitem das, was wir von der Welt zu wissen glauben.«

»Ich hoffe, Sie haben Bates Bemerkung vorhin nicht ernst genommen.«

»Ma no umi?« Sun lachte. »Warum nicht? Legenden enthalten oft ein Körnchen Wahrheit.«

»Um so mehr ist es unsere Aufgabe herauszufinden, womit wir es in Wirklichkeit zu tun haben.«

»Ist es das tatsächlich, Agent Kao?«

»Natürlich ist es das. Unwissenheit ist der mächtigste Feind, weil er sich nicht kalkulieren läßt.«

»Manchmal denke ich, daß unser Wissenwollen die größere Bedrohung ist, oder besser unser Irrglaube, wissen zu können.«

»Eine seltsame Vorstellung für einen Wissenschaftler, Dr. Sun.«

»Finden Sie? Ich fürchte, es existieren Phänomene in der Natur, die die begrenzten Möglichkeiten unseres Verstandes schlichtweg übertreffen. Wir entdecken sie, erforschen sie und versuchen sie zu unserem Nutzen zu kontrollieren. Dabei spielen wir mit einer Macht, deren Ausmaß und Gefährlichkeit wir nicht einmal annähernd ahnen, und lösen letztlich Katastrophen aus, deren Ursachen wir hinterher nicht nachvollziehen können.«

»Sie denken, Bates spielt ein solches Spiel, nicht wahr?«

»Bates ist nur ein Handlanger. Die wahren Spieler sieht man nicht. Nur die Liste ihrer Opfer ist erschreckend lang.«

»Womit wir wieder bei der Frage wären, was die *Dateline* und die *Tangaroa* da draußen suchten und worum es am Ende ging.«

»Vielleicht ist die Frage nach dem Grund der Suche nicht so entscheidend wie der Blick auf das Geheimnis, das man letztlich fand.« Sun ließ einen Stein über die Wellen tanzen und schien plötzlich einen Einfall zu haben. »Haben Sie etwas Zeit, Agent Kao?«

»Sicher.«

»Ich würde Ihnen gerne etwas zeigen.«

»Was denn? Einen Mondfisch?«

»Ja, so etwas in der Art.« Sun zog das kleine Ruderboot heran, das am Steg festgemacht war und zündete ein Signallicht. »Steigen Sie ein, Agent Kao. Ich denke, es wird Sie interessieren.«

»Meinen Sie nicht, daß dieses Fahrzeug für den Pazifik etwas zu schmächtig ausgefallen ist?«

»Ich bitte Sie. Ich komme aus der Provinz Szechuan in Zentralchina. Wenn ich als Landratte keine Angst habe, sollten Sie als Nachfahre der größten Seefahrer aller Zeiten doch nicht Ihr Gesicht vor mir verlieren.«

»Um noch reines Maoriblut in meinen Adern zu finden, müßten Sie wahrscheinlich eine Spurenanalyse durchführen. Aber eine Bootsfahrt mit Ihnen schlage ich trotzdem ungern aus. Stechen Sie in See, Skipper!« Kao setzte sich auf die Heckbank und hob ihren Arm zum Horizont. »Aotearoa liegt in dieser Richtung.«

»Aotearoa?«

»Das Land der großen, weißen Wolke, das die *papalangi* einst Neuseeland getauft haben.«

»Sie meinen die europäischen Seefahrer.«

»Ja, die weißhäutigen Teufel, die einmal geglaubt haben, sie könnten die Welt wie einen Kuchen unter sich aufteilen, und sich noch heute um jedes Sahnehäubchen streiten.«

»Tun das nicht alle Menschen?« fragte Sun beinahe traurig. »Sich bekriegen, um des eigenen Vorteils willen?«

»So scheint es zumindest, und vielleicht ist es alleine das, was uns Menschen in der Welt so einzigartig macht und uns von allen anderen Spezies unterscheidet.«

»In diesem Sinne wäre es interessant herauszufinden, was andere Wesen über uns denken.«

»Wissen wir das nicht schon längst, Doktor Sun?«

»Ja, vielleicht haben Sie recht.« Sun verständigte über Funk die Nachtwachen, die am Strand patrouillierten, stieß das Boot vom Steg ab und legte die Ruder in die Riemen. »Sehen Sie das *motu* dort drüben. Dort hat die Marine in den siebziger Jahren eine Art Trainingscamp für Delphine eingerichtet. Die Tiere schienen als harmlos wirkende Bombenleger geradezu prädestiniert zu sein. Man glaubte, sich ihren Spieltrieb zunutze machen zu können, und bildete sie entsprechend aus. Zum Leidwesen der Erfinder schlugen die Versuche oftmals fehl, weil die Delphine offenbar nicht ernsthaft genug bei der Sache waren und mit den Bomben manchmal eher für die Lehrer zur Bedrohung wurden.«

»Vielleicht waren sie zu friedliebend, um sich für Militäraktionen einspannen zu lassen.«

»Ja, das wäre eine Erklärung. Pazifistische Delphine als Kriegsdienstverweigerer.« Sun lachte vergnügt und versuchte zu verbergen, daß er bereits nach wenigen Ruderschlägen schwere Arme hatte. »Jedenfalls wurden die Versuche nach dem Abflauen des kalten Krieges eingestellt, zumindest hier auf Wake Island. Die großen Pools sind aber noch da.«

Kao nickte nachdenklich und ließ ihre Hände durch das Wasser gleiten. »Und was hat es nun mit dem Mondfisch auf sich, den Sie mir zeigen wollen?«

»Es ist ein ganz besonderes Exemplar, das sich hier bei uns einquartiert hat«, erklärte Sun und versuchte ungeschickt den Kurs zu halten.

»Ein Killer-Delphin im Ruhestand?«

»Nein, an unserem Gast hätten die damaligen Dompteure sicher wenig Freude gehabt.«

»Unser Gast? Das klingt, als wäre es der Botschafter einer befreundeten submarinen Macht.«

»Ein Botschafter? Ein interessanter Gedanke, Agent Kao.« Sun holte erschöpft die Ruder ein, während das Boot die letzten Meter zu den Delphinbecken auf der anderen Seite der Lagune glitt.

»Da wären wir«, meinte er erleichtert und wischte sich den Schweiß von der Stirn.

»Schade, Sie hätten ruhig noch etwas weiter fahren können. Es war richtig romantisch.«

»Und ich wollte gerade vorschlagen, daß Sie zurückrudern.«

Sun vertäute das Boot und führte Kao über einen Laufsteg zu einem der großen Bassins, die zwischen Riff und Strand durch Schwimmnetze von der Lagune abgetrennt waren.

»Darf ich Ihnen Big Blue vorstellen?« fragte er geheimnisvoll und deutet auf das Becken.

»Big Blue?« Kao konzentrierte sich auf das Wasser, konnte aber nichts erkennen, außer den Lichtreflexen des Mondes, die sich auf der leicht gekräuselten Oberfläche spiegelten.

»Ihr Mondfisch scheint ein wenig mondscheu zu sein, Dr. Sun.«

»Die Küstenpatrouille hat Big Blue heute nachmittag im Pool entdeckt. Seltsam genug, denn wir haben keine Ahnung, wie ihm das gelungen ist. Das gesamte Wake-Atoll ist mit elektronischen U-Bootsperren abgeriegelt. Da kommt nicht einmal eine einsame Sardine hindurch, ohne Alarm auszulösen.«

»Vielleicht wollte er sich mit diesem tollen Trick für den Delphinrekruten-Kurs empfehlen.«

»Bei seinem Stammbaum hätte er nicht einmal den grundlegendsten Anforderungen der Aufnahmeprüfung entsprochen. Vielmehr scheint es, als hätte er die Absicht gehegt, sich das Leben zu nehmen, da die Einfahrt zur Lagune mit einem ganzen Arsenal von automatischen Verteidigungssystemen gespickt ist.«

»Ein Mondfisch mit Selbstmordabsichten?« wunderte sich Kao.

»Big Blue ist vielleicht etwas mehr als ein Fisch.« Sun ging zu einem Elektroverteilerkasten und betätigte einen der unzähligen

Schalter. »Kommen Sie hier herüber, Agent Kao. Ich werde sie einander vorstellen.«

In dem Riffbassin erstrahlten gleißende Scheinwerfer und tauchten das Wasser in einen türkisen Schein. Nun sah Kao auch den fremden Besucher. Es war ein riesenhafter, dunkler Schatten, der aufgeschreckt vom plötzlichen Licht in chaotischem Zickzackkurs durch den Pool schwamm. Ein massiger Körper mit dunkelblauer, weißgefleckter Haut, die aussah wie ein Himmel voller Sterne.

»Ein niedlicher Mondfisch«, meinte Kao erstaunt. »Was für eine Spezies ist das?«

»Wir sind uns noch nicht ganz sicher. Er zeigt im wesentlichen die physischen Merkmale von *Rhincodon typus,* dem pazifischen Walhai. Allerdings ist es ein äußerst ungewöhnliches Exemplar, das in keinem Lehrbuch abgebildet ist.«

»Das ist ja ein Riese.«

»Mit seinen sieben Metern ist er eher schmächtig ausgefallen. Ausgewachsene Walhaie erreichen gut und gerne die doppelte Länge. Zudem entspricht seine Kopfform eher der eines *Cetorhinus maximus*...«

»*Cetorhinus,* aha...!« Kao amüsierte sich. »Dr. Sun, es war eine wundervolle Bootsfahrt, und dieser Aquarienbesuch ist sicher auch einmalig, aber Sie haben mich sicherlich nicht hierher gebracht, um mir einen Vortrag über vergleichende Zoologie zu halten.«

»Sie wollten doch eine Antwort auf Ihre Frage.«

»Nichts lieber als das.«

»Big Blue ist nicht nur ein Rätsel der Natur, sondern möglicherweise ein Augenzeuge für das Geschehen, das sich vor einem Monat auf dem Ozean abgespielt hat.«

»Schließen Sie das aus seiner Depression, oder was läßt Sie sonst zu dieser erstaunlichen Idee kommen?«

»Passen Sie einmal auf!« Sun schaltete das Licht in dem Bassin wieder aus. »Sehen Sie es?«

»Nein, es ist stockfinster.«

»Sehen Sie genau hin, Agent Kao. Sehen Sie die Lichter, das Leuchten auf seiner Haut?«

»Ja, was ist das? Biolumineszenz?«

»Das dachten wir anfangs auch, aber so etwas gibt es bei *Rhincodon typus* nicht.«

»Was ist es dann?«

»Im wesentlichen dürfte es sich um den sichtbaren Spektralanteil einer thermischen Strahlung handeln, die den Symptomen ähnelt, die wir beim Mast der *Tangaroa* festgestellt haben. Nur in einem weniger fortgeschrittenen Stadium.«

»Und Sie schließen daraus, daß Big Blue der gleichen zerstörerischen Kraft ausgesetzt war.«

»Das wäre immerhin denkbar. Ich fürchte nur, daß wir weder die Zeit noch die Möglichkeit haben, eine genauere Untersuchung an seinem Körper anzustellen.«

»Dann wird Big Blue das gleiche Schicksal widerfahren, wie der *Tangaroa*?«

»Davon ist wohl auszugehen. Es ist der gleiche Prozeß. Die Lumineszenswerte nehmen deutlich zu. Wie die Hitzewellen bei einem tropischen Fieber.«

»Fieber?«

»Es ist, als würde er von innen verbrennen.«

Kao setzte sich nachdenklich auf den Steg und verfolgte die sanften Bewegungen des riesigen Hais, der langsam und dicht unter der Wasseroberfläche seine Bahnen zog und sich ihr sogar auf wenige Meter näherte.

»Was haben Sie mit Big Blue vor?« fragte sie nach einer Weile.

»Wenn Bates von seinem Zustand wüßte, würde er ihn sicher sofort in strengste Sicherheitsverwahrung nehmen.«

»Haben Sie das nicht bereits getan?«

»Die Sperrzäune sind offen, er könnte jederzeit hinausschwimmen. Die Küstenwache hatte anfangs sogar versucht ihn wieder aufs offene Meer zu treiben, aber er schwamm immer wieder in den Pool zurück.«

»Vielleicht weiß er, daß er sterben muß, und wir sollten ihm seinen Frieden lassen.«

»Daran habe ich auch schon gedacht, Agent Kao, nur quält mich dabei der Gedanke, daß Big Blue das gar nicht will.«

»Wie bitte?«

»Ist es nicht seltsam, daß er ausgerechnet hierhergekommen ist?

Wenn sein Zustand durch die gleiche Ursache ausgelöst worden ist wie bei der *Tangaroa,* ist er fast zweitausend Seemeilen geschwommen, nur um hier in der Lagune zu sterben.«

»Glauben Sie etwa, er wäre zu uns gekommen, weil er hoffte, daß wir ihm helfen können?«

»Nein, wenn er wirklich in bewußter Absicht gehandelt hat, ist er auch intelligent genug, unsere medizinischen Fähigkeiten einzuschätzen.«

»Sie haben seltsame Gedanken, Dr. Sun.« Kao schüttelte amüsiert den Kopf

»Finden Sie? Es gibt sehr viel Seltsames in der Welt, und ich erinnere Sie an Ihre Bemerkung, Big Blue wäre ein Botschafter einer befreundeten Spezies. Vielleicht ist er gekommen, um uns vor dem zu warnen, was dort draußen geschehen ist. So wie damals die Delphine, die uns mit ihren Spielen die Sinnlosigkeit des Krieges zeigen wollten, die aber niemand verstanden hat, weil man ihre Sprache nicht kannte und sie nur für halbintelligente Tiere hielt.«

»Eine Warnung?« wiederholte Kao ernst. »Das erinnert mich an ein altes *maori*-Sprichwort nach dem es ein böses Omen ist, wenn sich Haie vor der Küste sammeln. Und wenn ein großer Hai gar in die Lagune einer Insel eindringt, steht eine Katastrophe bevor, die Tod und Vernichtung über die Welt der Menschen bringen wird.«

13
HANA ALOHA
LIEBESZAUBER

Der Steingarten des Hotels war in das weiße Licht des Mondes getaucht, das durch die gläserne Kuppel der Muschel in das Atrium fiel. Von draußen hörte man die letzten Klänge der Hawai'i-Gitarren, die die Gäste des *lu'au* nach dem Brandanschlag beruhigten und mit einem melancholischen Lied bewegten, das Fest ohne Panik zu verlassen. Dann hüllte sich der Hof in nächtliche Stille.

Alexander Moto schritt langsam über die weißen Kiesel der Wege. Er liebte dieses Geräusch. Das leise Knirschen, das unter seinen Schuhen entstand und mit dem Plätschern des kleinen Wasserfalls im Zentrum des Gartens verschmolz. Es erinnerte ihn an seine Kindheit. An sein Elternhaus in Kyoto, das er mit siebzehn verlassen hatte, weil es ihm nichts als Geborgenheit gegeben hatte. Moto brauchte keine Geborgenheit, keinen Schutz vor den Unbilden der Welt, mit denen er kämpfen wollte, um ihr Potential für sich zu nutzen. Er brauchte keine Familie, keine Freundschaften oder Beziehungen, die seiner Erfahrung nach mehr forderten, als sie einbrachten. Die Dinge, die er vom Leben verlangte, ließen sich erkaufen. Durch Geld und Macht. Ohne dabei seine Freiheit und Unabhängigkeit aufzugeben.

Moto war ein Einzelgänger. Er war gern allein. Wie endlich nach dem *lu'au* an diesem Abend. Er haßte gesellschaftliche Verpflichtungen, aber seine Position verlangte diese Dinge von ihm. Und manchmal war das Eingehen von sozialen Beziehungen durchaus von Vorteil. Zumindest kurzzeitig und ohne Sentimentalität. Beziehungen ohne Bindung, die so frei waren wie der Wind und das Meer.

Moto schritt langsam voran, versunken in seine Gedanken und zufrieden mit dem Fortgang des großen Spiels. Trotz der dramatischen Ereignisse an diesem Abend und trotz der Probleme, die andere in seiner Nähe verbreiteten. Dinge ließen sich ersetzen, und mit Menschen war es nicht viel anders. Die Zeit war längst reif für den nächsten Schritt, und er setzte einen Fuß vor den anderen. Fest entschlossen, wie er es immer tat. Dann hörte er etwas Fremdes. Ein feines Rascheln und Schritte, die von der anderen Seite des Gartens kamen. Er verlangsamte seinen Gang und horchte. Er spürte den Blick, der auf ihm ruhte und der ein leichtes Frösteln der Erregung über seine Haut legte. Jemand folgte ihm, und nur das verlieh dem Abend seinen vorausgeplanten Sinn.

Moto ging zu einem der Fahrstühle und fuhr hinauf in das oberste Stockwerk. Am Eingang seiner Suite wartete er, bis das leise Summen des zweiten Fahrstuhls verstummte. Erst dann öffnete er die Eingangstür. Im Vorzimmer brannte nur ein schwaches Licht, eine Papierlaterne über einem Shinto-Schrein. Das Geisterlicht, das immer brannte, wenn Akiko gegangen war. Wenn er sie fortgeschickt hatte, weil das, was er zu tun gedachte, nicht für ihre Augen bestimmt war.

Moto lief weiter. Ruhig und langsam. Schritt für Schritt. Er schloß die Türen nicht, durch die er ging, zeigte dem Verfolger seinen Weg und gelangte schließlich in sein Arbeitszimmer. Er spürte die Spannung in der Luft. Den Strom konzentrierter Energie, der ihn mit dem Eindringling verband und seine Nähe offenbarte. Obwohl er wußte, daß der Schatten, der ihm folgte, nur wenige Meter hinter ihm war, stellte er sich schutzlos mit dem Rücken zur Tür vor die schräg liegende Fensterfront der Muschelschale. Wie aus einem überdimensionalen Cockpit schaute man von hier hinaus über das Meer. Nach links sah man den dunklen Vulkankegel des Diamond Head in den tiefblauen Nachthimmel ragen und zur anderen Seite die unzähligen Lichtpunkte der Strandhotels von Waikiki.

Moto lauschte. Er lauerte auf den Atem in seinem Nacken, und endlich hörte er die Stimme des Verfolgers, der dicht hinter ihm aus der Dunkelheit sprach.

»Dies ist sicher der kostspieligste Ausblick von ganz Hawai'i.«

»Für mich ist er mit Geld nicht aufzuwiegen.« Ohne sich umzusehen öffnete Moto die Tür zum *lanai* und ließ die frische Nachtluft in den Raum. »Mein Architekt riet mir, diese Etage als exklusive Suite für besondere Gäste zu gestalten, die bereit sind jeden Preis dafür zu zahlen.«

»Und warum haben Sie es nicht getan?«

»Diese Räume geben mir die Ruhe und die Abgeschiedenheit, die ein Ort wie Waikiki sonst nirgendwo zu bieten hat.«

»Aber Dinge, die man nicht mit anderen Menschen teilt, haben keinen wahren Wert.«

»Der Wert der Dinge liegt allein in dem, was man aus ihnen macht, und es gibt nur wenige Menschen, die dieser Weisheit folgen.« Moto drehte sich um und betrachtete seinen nächtlichen Gast, der alles das verkörperte, was er sich von diesem Moment versprach. Dann öffnete er eine Flasche Dom Perignon und reichte Cherry Jones ein Glas. »Verleihen wir den Dingen eine Bedeutung, Cherry. Teilen Sie mit mir das Geschenk dieser Nacht!«

»Haben Sie mich deshalb hierhergebeten... Alex?«

»Wäre das Licht des Vollmondes über Waikiki nicht verschwendet, wenn ein Mann es nicht in der Gesellschaft einer schönen Frau genießen könnte?«

»Ist das Ihr Lieblingssatz aus *Blue Hawai'i*?«

»Kitschig, aber nicht ohne Wahrheit.«

Jones fühlte, wie sich Motos Hände sanft um ihre Schultern legten und ihr die Seidenstola abstreiften.

»Die Kulisse ist wahrhaft verführerisch«, sagte sie, wich einen Schritt zur Seite und schaute hinaus über die glitzernden Wellen der Brandung. »Aber Waikiki ist nicht die Wirklichkeit.«

»Die Wirklichkeit...?« Moto stellte den Champagner zurück in den Kühler und trat hinaus auf den *lanai*. »Richtet sie sich nicht allein nach dem Drehbuch, das wir für sie schreiben?«

»Glauben Sie, Alex? Sind wir nicht nur Komparsen in einem größeren Schauspiel, auf dessen Gestalt wir nur in sehr geringem Maße Einfluß haben.«

»Für die meisten Menschen mag es so scheinen. Aber was wäre, wenn Sie es sich aussuchen könnten? In was für einer Rolle würden Sie sich gerne sehen?«

»Vielleicht als Joan Blackman in den Armen von Elvis im Licht des Vollmondes über dem Strand von Waikiki?« Jones verdrehte innerlich die Augen und staunte über die Wahl ihrer Worte.

»Ich frage Sie, Cherry?«

»Wäre das die Rolle, in der Sie mich heute nacht gerne sähen?«

»Könnte Ihnen das Angebot gefallen?«

»Vielleicht sollte ich es darauf ankommen lassen.« Jones fuhr mit ihren Fingern sanft über Motos Lippen, entschlüpfte dann aber seinen Armen, die sie an ihn heranziehen wollten. Sie war froh, daß Moto ihre Gedanken nicht lesen konnte, ihre Abscheu gegenüber dem berechnenden Spiel, die sie in jahrelangen qualvollen Übungen zu kontrollieren gelernt hatte.

»Was ist der wirkliche Grund, aus dem sich die Tür zu Ihrem Palast für mich geöffnet hat, Alex?«

Moto nahm Jones das Champagnerglas aus der Hand und drückte sie mit sanfter Gewalt gegen den Türrahmen des *lanai.* »Es gäbe da einen kleinen Gefallen, den Sie mir tun könnten.«

»Ach ja?« Sie öffnete den Knoten seiner Krawatte und ließ langsam den obersten Knopf seines Hemdes aus dem Loch gleiten. »Ist das der Preis für diesen Logenplatz in Ihrem Paradies-Imperium?«

»Der Preis?« Moto lachte. »Erst am Ende wird sich zeigen, wer in wessen Schuld steht.« Er beugte sich vor und legte seine Lippen an Jones Ohr. »Ich bin jedenfalls erzogen worden, jede Schuld auf Heller und Pfennig zurückzuzahlen.«

»Ich schätze, der Gefallen wird nicht darin liegen, Sie über den Verlust Ihres neuen Schiffes hinwegzutrösten, oder?«

»Das Schiff?« Moto winkte ab. »Ein bißchen Aluminium, ein bißchen Karbon. Solche Dinge sind leicht austauschbar. Andere dagegen weniger.«

Er ging zu seinem Schreibtisch, öffnete eine Schublade und nahm ein Foto daraus hervor. Es zeigte eine moos- und flechtenüberwachsene Felswand, in die zahllose Wellenlinien und andere geschwungene Figuren eingraviert waren.

»Wissen Sie, was das ist?«

»Mit ein wenig Phantasie erinnern mich diese Symbole an primitive Schriftzeichen. Manche ähneln sogar ein wenig den *rongorongo*-Hieroglyphen, die auf der Osterinsel gefunden wurden.«

»Was würden Sie sagen, wenn diese Zeichen aus einer Grotte auf Kaua'i stammen?«

Jones lachte. »Dann würde ich sagen, daß sich jemand einen Scherz erlaubt hat. In Polynesien hat es nie eine Schriftkultur gegeben.«

»Und wenn doch? Immerhin zählte die Zivilisation von *Rapa Nui* zum polynesischen Kulturkreis.«

»Die Osterinselschrift ist nicht polynesischen Ursprungs. Wenn sie überhaupt authentisch ist, was zu Recht bezweifelt wurde und bei den wenigen erhaltenen Überresten letztlich kaum mehr zu ergründen ist, stammt sie höchstwahrscheinlich aus Südamerika. Es gibt dazu zahllose Theorien. Heyerdahl, Metroux...«

»Und nicht zuletzt Heine-Geldern.«

»Der weltumspannende Panbabylonismus?« Jones lachte. »Das ist ein typisches Schreibtischtheorem, das in der Konfrontation mit der Wirklichkeit kläglich versagt. Letztlich sind alle Theorien, die von einem hochkulturellen Ursprung der Polynesier ausgehen, längst widerlegt.«

»Weil man von falschen Überlegungen ausgegangen ist.«

»Die Theorien wurzeln in ideologisch geprägten Lehrmeinungen und entbehren jeder Grundlage.« Jones hielt inne und musterte Moto. Der Verlauf der Konversation überraschte sie. »Was haben Sie eigentlich vor, Alex? Mit Champagner, Kerzenschein und ... ethnologischen Migrationstheorien?«

Moto zeichnete mit seinem Finger einen Träger von Jones Kleid nach und ließ ihn dann über ihre Schulter gleiten. »Vielleicht bin ich auf der Suche nach einem versunkenen Schatz.«

»Etwa ein goldener *moai* in einem Tal auf Kaua'i?«

»Ich habe kein Interesse an Gold, Cherry. Was ich suche, ist kostbarer als alles Gold auf dieser Welt.«

»Das klingt ...« Jones suchte nach einem passenden Wort. »... verführerisch.«

»Verführerisch?« Moto schüttelte den Kopf und fuhr mit der Hand durch Jones rote Locken. »Das Wissen um diesen Schatz macht betrunken, sinnlos betrunken, und das ist es, was seine Bergung so gefährlich macht.«

»Seit wann graben Sie nach historischen Schätzen, Alex? Ich dachte, Sie wären ein Pionier, dessen Augen allein auf den Fortschritt und die Zukunft gerichtet sind.«

»Vielleicht ist der Schatz der Schlüssel zur Entdeckung einer Laune der Geschichte, deren Verständnis Vergangenheit und Zukunft zu einem neuen Weg verschmelzen läßt.«

»Eine Laune der Geschichte?«

»So etwas wie eine vorübergehende Amnesie.«

Jones verstand nicht, was Moto meinte, aber sie wußte, daß sie vorsichtig vorgehen mußte, um nicht durch eine unbedachte Frage ihre vielleicht einmalige Chance zu verspielen, die er ihr in dieser Nacht bot. »Und auf welche Weise glauben Sie, könnte ich Ihnen bei der Hebung dieses Schatzes helfen?«

»Ich brauche einen Pfadfinder, Cherry. Jemanden, der die Schatzkarte lesen kann.«

»Wenn es dabei um diese Hieroglyphen geht, dann haben Sie Ihren Experten bereits. Joshua Hopkins ist die größte Kapazität auf dem Gebiet der ideographischen Linguistik.«

»Hopkins ist schwach. Er ist ein Verlierer, und Verlierer scheitern an ihrer eigenen Angst. Das Leben dagegen ist ein Spiel voller Chancen, und ich setze auf die Trümpfe, von denen ich mir am meisten verspreche.«

»Und was versprechen Sie sich dabei von mir?«

»Synergien, Cherry. Alle bedeutenden Dinge entstehen durch Synergien.« Moto tauchte seinen Zeigefinger in den Champagner und kopierte die Wellenlinien der Felsmalereien auf die Rundungen ihrer Brüste. »Suchen Sie nach Zeichen und Wundern, und lernen Sie, sie zu verstehen.«

»Zeichen und Wunder...« Jones schloß die Augen und überließ das Bewußtsein ihrer Phantasie. Sie fiel in eine Meditation, die sie perfekt beherrschte und die ihre Seele vor Verletzung schützte. Sie spürte, wie ihr Kleid über ihre Beine zu Boden glitt. Sie spürte seine Hände auf ihrer Haut und seine Hitze, als er in sie eindrang. Dann öffnete sie den Stein auf ihrem Ring und stieß eine feine Injektionsnadel in seinen Nacken. Er schrie vor Lust, bäumte sich noch einmal auf und sackte dann in sich zusammen. Sie hatte erreicht, was sie wollte, und er würde sich beim Erwachen nur an ein fernes Glücksgefühl erinnern. Wenigstens darin beneidete sie ihn in dieser Nacht, in der noch sehr viel Arbeit vor ihr lag.

14
PAPA HA'OLELE
DER HAUCH DES TODES

Im Zimmer war es stickig und schwül. Die Jalousien waren zugezogen und die Fenster fest verschlossen. Nicht der leiseste Hauch der frischen Nachtluft fand den Weg in den dunklen Raum, dessen einzige Lichtquelle die roten Leuchtziffern des Radioweckers auf dem Nachttisch waren. Joshua Hopkins wälzte sich unruhig auf seinem Bett hin und her. Er schwitzte, und die Bettdecke klebte unangenehm auf seiner Haut. Sein Bewußtsein wanderte entlang der schmalen Linie zwischen Wachen und Träumen und konnte sich nicht entscheiden, welche der beiden Welten es betreten sollte.

Stunden hatte Hopkins in diesem Dämmerzustand zugebracht, Stunden, in denen die Zeit ihren normalen Gang verlassen hatte und sich quälend langsam vorwärts schob. Er wünschte sich nichts sehnlicher, als in tiefen Schlaf zu fallen, und zugleich gab es nichts, wovor er sich mehr fürchtete. Er dachte an die Bilder, die seine Alpträume hervorbrachten, an die bösen Omen und die Geister, die sich mehr und mehr ihren Weg in die Realität suchten und sein Bewußtsein langsam aber sicher in den Wahnsinn trieben.

Hopkins kniff die Augenlider zusammen und spähte auf seine Uhr. Es war gerade vier Uhr morgens. Die Nacht wollte kein Ende nehmen. Stöhnend drehte er sich auf die Seite, tastete nach der bauchigen Flasche, die neben seinem Bett auf dem Nachttisch stand, und nahm einen kurzen, kräftigen Schluck. Seit Jahren trank er, seit jenem unglückseligen Tag im Tal von Manalei, als alles begonnen und er nicht rechtzeitig erkannt hatte, was geschehen war. Eine Zeitlang hatte er Medikamente zu sich genommen. Starke Beruhigungsmittel. Schlaftabletten. Schließlich Psychopharmaka in kleinen Dosen. Und alles wurde nur noch schlimmer. Die Drogen öffneten den Traumgestalten Tür und Tor zu seinem Geist und stürzten ihn in den Schlund der Hölle.

Hopkins wischte sich mit dem Handrücken den Schweiß von der Stirn, legte sich zurück auf die Matratze und suchte eine andere, kühlere Stelle seines Kissens, in der Hoffnung, endlich einschlafen zu können. Der Alkohol hinterließ eine wohltuend brennende Spur auf seinem Weg die Kehle hinunter und weckte einen Hauch der Gleichgültigkeit in seinen Gedanken, ein begrenztes Vergessen, dem einzigen kurzzeitigen Ausweg aus der Ausweglosigkeit, der er sich ausgeliefert hatte.

Draußen hatte es angefangen zu regnen. Ein tropischer Schauer, der von den Bergen in das Tal hinunterzog. Eine Weile versuchte sich Hopkins auf das Prasseln der Regentropfen zu konzentrieren, die auf das Verandadach vor seinem Schlafzimmer fielen. Tack, tack, tack, tack. Dann hörte er ein anderes Geräusch, ein kratzendes, ohne Zweifel unnatürliches Geräusch, das nur bedeuten konnte, daß er nicht mehr alleine im Haus war. Es kam aus dem Flur. Vielleicht auch aus der Küche. Eine Tür, die sich leise öffnete? Ein Stuhl, der über den Holzboden schrammte? Schlurfende Schritte?

Hopkins ahnte, wer in das Haus eingedrungen war, und erschauderte. Mühsam versuchte er sich aufzusetzen und suchte nach seiner Brille. Auf dem Nachttisch. Neben seiner Pillendose. Dort, wo er sie immer hinlegte. Aber sie lag nicht dort.

»Verdammt...!« zischte er.

Warum lag sie nicht dort? Ohne Brille war er fast blind, hilflos dem Eindringling ausgeliefert.

»Hallo, Mele, bist du das?« rief er mit sinnloser Hoffnung.

Das samoanische Hausmädchen antwortete nicht. Natürlich nicht. Wenn sie überhaupt einmal kam, dann sicher nicht mitten in der Nacht.

Hopkins atmete tief durch, versuchte sein rasendes Herz zu beruhigen und horchte. Er hörte den Regen, den Schrei eines Honigvogels. Sonst nichts. Die Geräusche im Haus waren verstummt. Er hielt den Atem an. Nichts, kein Laut. Hatte er sich getäuscht? Wie so viele Nächte zuvor? Mehr verzweifelt als mutig stand er auf, warf seinen Morgenmantel über, schlüpfte in seine Hausschuhe und tastete sich durch das finstere Zimmer zu der Tür, die hinaus in den Flur führte. Er bebte vor Angst, aber er mußte nachschauen gehen. Er mußte sich vergewissern. Und an Schlaf war jetzt ohnehin nicht mehr zu denken. Langsam, ohne einen Laut, drückte er den Knauf herunter und öffnete die Tür. Nur einen kleinen Spalt, so daß er hindurchsehen konnte. In diesem Augenblick hörte er ein Heulen und einen krachenden Knall. Das Schlafzimmerfenster flog auf, und für Sekunden wehte ein eisiger Luftzug durch das Haus.

Hopkins zuckte zusammen. Er kannte dieses Phänomen. Aus der Literatur. Aus den Mythen und Legenden der *kama'aina.* Sie nannten es *papa ha'olele,* den Hauch des Todes. Es war der Vorbote der zürnenden *akua,* die ihre Hilfsgeister schickten, um ihn zu strafen, für das heilige *kapu,* das er in seiner Gier nach Macht und verbotenem Wissen gebrochen hatte. Wie erstarrt blieb er in der Tür stehen. Und nun sah er auch den Schatten, der langsam aus der Küche in den Flur gekrochen kam, in den langen Gang, an dessen Ende sein Schlafzimmer lag. Ohne Brille konnte er nur eine undeutliche Silhouette erkennen, aber ohne Zweifel war es eine menschenähnliche Gestalt. Nein, es war mehr als das. Es war ein übermenschliches Wesen. Übermenschlich groß, wie ein mächtiger Dämon, und er bewegte sich direkt auf ihn zu. Nein, er schwebte wie ein körperloser Schatten durch den Gang, wie ein schwereloser Geist, aus dessen dunkler Maske rotfunkelnden Augen blitzten.

Hopkins schrie auf. Er stürzte zurück in sein Schlafzimmer, stürzte auf sein Bett und klammerte sich wie ein kleines, verängstigtes Kind an sein Kissen. Er war sich völlig sicher, wen oder was er dort im Flur gesehen hatte. Sein Alptraum hatte ihn wieder eingeholt. Er war zurückgekehrt. Der böse Geist mit den glühenden Augen, der gekommen war, um ihn endgültig in den Abgrund des Wahnsinn zu treiben.

»Was willst du von mir?« brüllte er, obwohl er die Antwort nur zu gut kannte.

Die Gestalt sagte nichts. Sie blieb wenige Schritte entfernt von ihm in der Tür stehen. Dunkel. Unheimlich. Gehüllt in ein schwarzes, wehendes Gewand über das lange Haare in feuerroten, regentriefenden Wellen flossen. Hopkins starrte sie an. Starrte in ihr Gesicht, das er in seinem angetrunkenen und von Panik erfüllten Zustand nicht erkannte. Dann hob sie drohend die Hand. Zugleich traf ihn ein Blitz aus rotem Licht. Er riß seinen Kopf herum und im selben Augenblick spürte er einen stechenden Schmerz in seinem

Nacken. Er schrie auf. Verlor sein Gleichgewicht. Fiel von seinem Bett. Hinunter in die Scherben der Flasche. In die Lache des Scotch, den er im Fallen von seinem Nachttisch gerissen hatte. Dann wurde ihm schwarz vor Augen. Für Sekunden, für eine Ewigkeit, bis sich das Dunkel in ein Meer leuchtender Farben verwandelte, in eine Flut verwirrender Wahrnehmungen, ein Feuerwerk seiner Synapsen, deren Stromstöße sein Gehirn überschwemmten und in ein Chaos surrealer Bilder stürzten.

Die Gestalt trat in das Zimmer, sah sich um und fand sehr schnell, was sie suchte. Sie zog ein kleines silbernes Kästchen aus ihrem Gewand, klappte es auf und schickte einen gleißenden Blitz durch den Raum, der für den Bruchteil einer Sekunde die Nacht in hellichten Tag verwandelte. Ein zweiter Blitz folgte. Und ein dritter. Dann legten sich wieder Stille und Dunkelheit über das Haus.

Nach einer Unendlichkeit beruhigten sich Hopkins Sinne wieder. Die Lichter verschwanden und die vertrauten Konturen seines Schlafzimmers bezwangen das Chaos der Formen und Farben, durch das er haltlos geschleudert worden war. Sein Blick wanderte verstört durch den dunklen Raum. Die Tür zum Flur stand offen. Genauso wie das Fenster, durch das ein Schleier von Regentropfen in das Zimmer fiel. Erneut war der Regen das einzige, was er hörte. Wie es schien, war er wieder allein. Der Alptraum war vorüber. Die geisterhafte Gestalt war fort. Noch einmal hatte sie ihn verschont. Seltsam war nur, daß sie diesmal kein Zeichen ihrer Anwesenheit zurückgelassen hatte. Und irgendwie schien sie ihm auch sehr verändert. Mit ihren roten Haaren und der seltsam hellen Haut.

Hopkins versuchte einen klaren Gedanken zu fassen. Vielleicht hatte er sich getäuscht. Vielleicht war er die ganze Zeit alleine gewesen, und seine vom Alkohol ertränkten Sinne hatten ihm einen üblen Streich gespielt, eine Halluzination, die allein das Spiegelbild seiner Todesängste war. Ein Blick auf die Uhr verriet ihm, daß er mehr als eine Stunde bewußtlos auf dem Boden gelegen haben mußte. In einer Pfütze aus Alkohol und Scherben. Mühsam richtete er sich auf und zog seinen Morgenmantel aus. Er war klamm und stank nach Schweiß und Scotch, genau wie sein Schlafanzug, der am linken Ärmel einige Blutspuren zeigte.

Hopkins betrachtete seinen Arm, die Schnittwunden, die ihm die Scherben zugefügt hatten, und stieß einen kurzen, fast hysterischen Lacher aus. Die Blutung hatte bereits aufgehört, und letztendlich waren die Kratzer von keinerlei Bedeutung. Die weitaus tieferen Wunden, die er sich zugezogen hatte, lagen in seinem Inneren. Und sie waren noch längst nicht verheilt. Im Gegenteil, sie rissen immer weiter auf.

Er zog eine neue Whiskyflasche aus einem Karton unter seinem Schreibtisch hervor, öffnete den Verschluß und nahm einen kräftigen Schluck. Er genoß die betäubende Wärme, doch im selben Moment wurde ihm wieder schwindelig, und sein Magen, der seit Tagen keine vernünftige Mahlzeit mehr zu sich genommen hatte, meldete sich mit einem schneidenden Schmerz.

Hopkins mußte sich setzen und versuchte seine Gedanken von seiner Übelkeit abzulenken. Sein Blick fiel auf die Berge von Papieren und Büchern, auf Zeitschriften und zahllose Bögen mit wellenförmigen Mustern, die im silbrigen Mondlicht auf dem Schreibtisch aufgestapelt waren. Dazwischen lagen seine Aufzeichnungen. Seine Tabellen. Vergleichende Listen und Bilder von Steinen und Hölzern mit fremdartigen Schriftzeichen. Darunter auch die Fotos der submarinen Höhle, die er Palo Uribe am Tag zuvor abgekauft hatte, und der blaue Kristall, der unter all den Funden das größte Rätsel war.

Hopkins nahm den Stein und fröstelte. In seinen Händen lag die wahre Quelle seiner Angst. Der Ursprung seiner Alpträume. Hier lag der Schlüssel zu einer Tür, die in einen dunklen Abgrund führte. Eine Tür, die er aus Habgier und Geltungssucht aufgestoßen hatte, obwohl er wußte, daß dahinter das Verderben lauerte. Er hatte die dunklen Mächte herausgefordert. Er hatte von ihnen die Lösung eines Mysteriums gefordert, das nicht ohne Grund Jahrtausende vor der Welt verborgen gewesen war. Und je weiter er gegangen war, desto größer wurde seine Angst vor dem, was er nach und nach zu entdecken begann. Es war die Angst vor dem wahren Gesicht der Geister, die er geweckt hatte. Vor ihrer wahren, ungezügelten Macht.

Hopkins starrte auf den blauen Stein, der in seiner Hand wie die Pupille eines magischen Auges im Mondlicht schimmerte. In diesem Moment zuckte erneut ein schneidender Schmerz durch seinen Bauch, ein Schmerz, der durch seinen ganzen Körper fuhr, hinauf in seinen Kopf, wo er ein Feuerwerk von Stichen auslöste. Ihm wurde schwindelig. Zugleich bildete sich im Innern des Steines ein wellenförmiges Reflexionsmuster des Mondes und verwandelte mit rhythmischer Schwingung seine silbrig leuchtende Gestalt. Dann löste es sich auf, begann wie eine Woge am Strand zu zerfließen und formte sich augenblicklich neu, zu anderen Figuren, gleich Schlangen, Spiralen und züngelnden Lichtern, die wie kleine Flammen oder Blitze aussahen. Insgesamt waren es acht unterscheidbare Formen, die in chaotischer Abfolge in stetiger Verwandlung sichtbar wurden. Acht magische Zeichen, erschaffen aus dem Licht des Mondes, gleich archetypischen Symbolen aus unbewußten Tiefen seines verwirrten Geistes.

Hopkins zitterte. Er war fasziniert, wenn auch nicht überrascht. Er kannte dieses Phänomen. Seit langem. Von einem anderen Stein, der seit Jahren in seinem Besitz war, ohne daß er je eine vernünftige Erklärung für das rätselhafte Formenspiel gefunden hatte, das auch durch andere Lichtquellen in verschiedener Intensität hervorzurufen war. Nur eines schien klar. Der Stein konnte keinesfalls natürlichen Ursprungs sein. Irgend jemand hatte dieses kunstvolle Artefakt geschaffen, und es war nicht schwer sich vorzustellen, daß seine Bedeutung weit über das eines Lichtspiels hinausgehen mußte.

Mit geradezu beschwörendem Blick starrte Hopkins auf die Figuren, als wolle er ihnen mit magischer Kraft ihr Geheimnis entreißen. Er ging näher ans Fenster, drehte den Stein im Licht des Mondes, und plötzlich bildete sich ein neues Zeichen. Ein neuntes Zeichen, das er nie zuvor gesehen hatte. Dann entstand ein zehntes, ein elftes, ein zwölftes. Es wurden mehr und mehr. Sie begannen sich immer schneller zu verwandeln. In rasendem Tempo, zu immer neuer Gestalt. Schon bald bildeten sich komplexere, wellenförmige Muster, die sich auf verschachtelten Raumebenen organisierten und in einem beinahe fraktalen Wachstumsprozeß miteinander verbanden.

Es war ein Bild von geometrischer Schönheit. Zugleich schien es Hopkins, als sähe er die Figuren in gänzlich neuer Gestalt und mit präziser, analytischer Klarheit. Trotz seines vom Alkohol vernebelten Hirns. Oder vielleicht gerade deswegen. Dann schob sich eine Wolke vor den Mond, und die Bilder verblaßten. Er mußte sich zwingen, seinen Blick abzuwenden und zurück zum Schreibtisch zu gehen.

Hektisch versuchte Hopkins Teile der Muster auf kleine Zettel zu kopieren und begann sie auf dem Tisch hin und her zu schieben. Er versuchte sie in Beziehung zueinander zu setzen, sie zu ordnen, nach den wandelnden Mustern, die er in der Tiefe des Steines gesehen hatte. Und tatsächlich erschuf seine Erinnerung einen übergeordneten Sinn. Plötzlich enthüllten die Figuren eine Gesetzmäßigkeit und eine Logik, nach der er bislang vergeblich gesucht hatte.

Was er nun erkannte, war ein geometrisches System, eine Ordnung aus dreidimensionalen Mustern, die über alle ihm bekannten mathematischen und linguistischen Ausdrucksformen hinausging. Es waren Kompositionen komplexer Raumsymmetrien, ein Kaleidoskop aus fraktalen Körpern, die in immer neuen Spielarten und unendlicher Variation eine Formensprache mit geradezu göttlicher Einfachheit und Schönheit beschrieben.

Wie in Trance nahm Hopkins einen großen Bogen Zeichenpapier, und irgend etwas anderes als sein bewußter Geist begann für ihn, den Stift zu führen. In diesem Augenblick hätte er niemandem erklären können, was dort vor ihm entstand. Selbst wenn es ihm aufgrund einer Erleuchtung möglich gewesen wäre, hätte es niemanden gegeben, der ihn verstanden hätte. Das System erschien ihm unmöglich von Menschen gemacht, eher von einem Wesen einer höheren Art. Und nichts erschreckte ihn mehr als diese Erkenntnis. Was hatte die Existenz dieses *lono-lono* zu bedeuten, für dessen fraktale Formensprache in der Geistesgeschichte der vorcomputerisierten Menschheit kein Platz zu finden war? War es etwa eine göttliche Schrift? Die Formel für die Schöpfung der Welt?«

Schon vor Jahren hatte sich Hopkins von jeglichen Spielarten theistischer Religiosität distanziert, und den Hoffnungen der Astrobiologen auf götterähnliche extraterrestrische Lebensformen stand er mehr als skeptisch gegenüber. Wenn es eine sinnvolle Vorstellung von Gott gab, dann mußte dieser der Schöpfung immanent sein. Er mußte mit ihr identisch sein, und jedes Wesen war auf seine Weise Teil von diesem Ganzen. Es war das Wunder der Natur, die schöpferische Kreativität, die sowohl der Materie als auch der kosmischen und biologischen Evolution innewohnte.

Daran glaubte Hopkins, und zugleich lag darin auch das Problem. Nur die Idee eines übernatürlichen, alles umfassenden Systems gab den Mustern, die in dem blauen Kristall vor seinen Augen entstanden waren, einen Sinn. Für Hopkins waren sie ein Ausdruck von Vollkommenheit, ein Abbild der Schöpfung, ein Spiegelbild vom Wunder der Existenz. Übrig blieb allein die Frage, wer letztendlich dieses Abbild schuf.

Die Natur bediente sich keiner sie selbst erklärenden Schrift, und der Mensch war dem Rätsel der universalen Existenz bislang nur unzulänglich nahegekommen – wenn überhaupt. Was hatte seine Entdeckung also zu bedeuten? Und was würde eine mögliche Entschlüsselung dieses vollkommenen Systems für Konsequenzen für die Menschheit nach sich ziehen? Fortschritt? Vervollkommnung? Chaos und Vernichtung?

Hopkins Gedanken überschlugen sich, verwirrten sich in gleicher Weise wie die Zeichen auf dem Papier. Er war nicht mehr in der Lage seine Gedanken weiterzuführen. Vielleicht wäre niemand dazu in der Lage gewesen, und vielleicht lag darin der ganze Sinn der Alpträume, die ihn heimsuchten, die Botschaft der Geister, die ihn warnen wollten, die die Menschen vor einer Erkenntnis warnen wollten, für die sie nicht reif waren, nicht weise genug, das Wunder der Natur zu verstehen. Wer aber waren diese Geister? Wer war es, der diese Symbole geschaffen hatte? Und vor allem, warum erfanden sie überhaupt eine für das menschliche Auge sichtbare Schrift?

Hopkins legte den Kristall beiseite und kämpfte mit den Attacken seiner Gedanken. Sie bedrängten ihn mehr und mehr. Sie quälten ihn, weil er wußte, daß es nur eine Antwort auf seine Fragen geben konnte, eine über alle Maßen erschreckende Antwort. Hilflos setzte er die Flasche an den Hals, um die Spuren seiner Eingebung zu ertränken. Dann zerriß er den Zeichenbogen, der am Ende nur ein unvollständiges und völlig unzureichendes Abbild der Formensprache festgehalten hatte, weil die dritte Dimension des Raumes fehlte. Vielleicht auch die vierte Dimension der Zeit und weitere Ebenen, für die der Mensch keine Namen kannte.

Die Bilder in Hopkins Erinnerung verblaßten. Er begann zu zweifeln, was er eigentlich gesehen hatte, warf die Fetzen seiner Aufzeichnungen in den Mülleimer und wankte geradezu erleichtert zurück zu seinem Bett. Er hoffte, nur noch einzuschlafen und mit dem Schlaf die wundervollen und zugleich schrecklichen Visionen zu vergessen, die er gesehen hatte. In diesem Moment hörte er wieder ein Geräusch, ein fremdartiges, ganz und gar beunruhigendes Geräusch, das allein aus jener abgründigen Welt kommen konnte, in die er einen Blick geworfen hatte. Es war ein dumpfes Rauschen, ein Brodeln wie von Wasser, das sich einen Weg durch die Spalten eines trockengefallenen Riffs suchte.

Hopkins starrte, unfähig sich zu rühren, auf die Tür, die sein Schlafzimmer vom Flur trennte. Die Tür begann sich zu bewegen, wie von einem sanften Windstoß angetrieben. Hin und her, hin und her. Dann quoll aus dem Flur ein Licht hervor, ein schwacher bläulichen Schein, der wie ein nebeliger Dunst langsam heller werdend vom Boden bis zur Decke stieg. Es war wie der steigende Pegel von Wasser in einem sich langsam flutenden Tank.

Hopkins Puls begann zu rasen, und er dachte nur noch an Flucht. Er fuhr herum, stolperte, riß im Fallen den Stuhl vor seinem Schreibtisch um und fiel hart auf seine Knie. Er fühlte keinen Schmerz. Der Alkohol betäubte ihn. Auf allen Vieren krabbelte er in Richtung auf das offene Fenster, hinter dem die Dunkelheit der Nacht wartete, aber er erreichte das rettende Tor nicht mehr. Das blaue Licht war schneller als er. Es rollte heran, wie eine Springflut, die durch den Flur in das Haus einbrach. Das Licht holte ihn ein. Es überrollte ihn. Es riß ihn nieder. Ein kaltes Licht, ein schweres, beinahe flüssiges Licht, das ihn festhielt, das in seinen Körper eindrang, seine Lungen füllte und ihn schließlich wie unter einem eisigen Leichentuch begrub.

II

KU

15
'AUMAKU'A
DAS WESEN VON DER ANDEREN SEITE DER ZEIT

Ein atemloses Geschöpf bahnte sich einen Weg entlang der einsamen Küste. Es hatte Augen, die blitzend die Dunkelheit durchbrachen, und seine Stimme verhöhnte grollend die Stille der Nacht. Die Götter der Inseln kannten Gespenster wie dieses, und längst beachteten sie sie nicht mehr. Sie gehörten nicht in ihre Welt. Sie waren fremd und kalt, und das Blut, das durch ihre Adern floß, war nicht durchströmt von *mana,* der schöpferischen Kraft. Es waren künstliche Geschöpfe, bedauernswerte Kreaturen aus Plastik und Stahl, die gefangen in Raum und Zeit allein ihrem unaufhaltsamen Verfall entgegenblickten. Nur der Mensch, der in dieser Nacht im Innern der Maschine saß, erregte die Aufmerksamkeit der *akua.* Seit einiger Zeit begleiteten sie ihn auf dem verschlungenen Weg, den er aus den ungezählten Pfaden des Schicksals für sich bestimmt hatte, und weckten nun das Licht des Tages, damit er sich in seinem Alptraum nicht noch mehr verirrte.

Dennis gähnte und drehte das Autoradio leiser, das seit einer halben Stunde nur wimmernde Hawai'i-Gitarrenklänge aus einem alten Broadwaymusical spielte, die wenig dazu angetan waren, seine Müdigkeit zu vertreiben. Die ganze Nacht hatte er wachgelegen, und nicht einmal die Johanniskrautpillen, die er auf längeren Flugreisen immer mit sich führte, hatten ihm geholfen etwas Schlaf zu finden. Andererseits haßte Dennis den Schlaf. Mehr noch. Er fürchtete ihn wie die Wellen des Ozeans, die ihn bis in seine tiefsten Träume verfolgten. Fortwährend konfrontierten sie ihn mit Bildern und Erlebnissen, die mit der realen Welt nicht in Übereinstimmung zu bringen waren, und er scheute den Gedanken daran, daß es Schlaglichter aus jener Welt waren, die sein Trauma zu einem schwarzen Loch in seiner Erinnerung verwandelt hatte.

Was sein Unterbewußtsein produzierte war so surreal, so chaotisch, daß selbst eine Kapazität wie Arnold Brillstein keine Antwort auf die Frage gefunden hatte, was das war, was er dort sah. Manchmal waren die Erlebnisse so unmittelbar und realistisch, daß sie unmöglich allein seiner Phantasie entsprungen sein konnten. Möglicherweise – und allein dieser Gedanke beruhigte ihn – waren Träume nichts weiter als chaotische, elektrostatische Entladungen in den Gehirnzellen. Eine Fehlentwicklung der Evolution. Eine Art *bug* in der Software des Lebens.

Er hatte einmal mit Brillstein über diese Theorie diskutiert und vertrat die Meinung, daß Organismen, die sich von diesen Fehlschaltungen befreien konnten, einen selektiven Vorteil hätten. Brillstein hielt dagegen, daß sich in den Träumen ein Bilderbuch der vom Leben geschundenen Seele öffnete, und zitierte dabei voller Leidenschaft skurrile Anekdoten aus der Erkenntnisgeschichte der psychoanalytischen Traumdeutung.

Dennis gefielen diese Geschichten nicht. Sein ganzes Leben erschien ihm als ein einziger in seltsamer Weise zusammenhangloser Traum, eine verwirrende Verkettung von nur scheinbar kausalen Ereignissen, die sich selbst durch Brillsteins ausufernde Channeling-Seancen nicht zu einem sinnvollen Ganzen zusammensetzen ließen.

Dennis wählte einen anderen Sender des Radios und versuchte sich zu Griegs Neue-Welt-Symphonie auf die Straße zu konzentrieren, die sich in langgezogenen Kurven an die einsamen Buchten schmiegte und die kleinen Ortschaften mit ihren Strandhäusern, Tankstellen und Supermärkten miteinander verband. Schon vor Anbruch der Dämmerung hatte er sich von Waikiki auf den Weg zur Nordküste von O'ahu gemacht, obwohl allein der Gedanke an die endlosen Strände seinen Magen in helle Aufruhr brachte. Irgendwie war es absurd. Er war fünftausend quälende Meilen über den Ozean geflogen, um den Auftrag zu erhalten, ein Mädchen zu suchen, das in den Wellen ertrunken war. Und sein vielversprechendster Informant war ausgerechnet ein leidenschaftlicher Surfer, der in einer Hütte am Meer wohnte.

Wollte das Schicksals ihn ärgern, oder steckte dahinter ein System? Brillsteins System! Wie damals, als ihn ein Bekannter spontan auf ein Wochenende in sein angeblich neues Ferienhaus in Florida einlud. Natürlich lag es in einer traumhaften Atlantikbucht. Direkt am Strand. Gepachtet von einem New Yorker Psychoanalytiker namens Arnold Brillstein, wie Dennis zu spät herausfand. Die Liste von Brillsteins Helfershelfern schien ausgesprochen lang. Warum sollte nicht auch ein hawaiianischer Surfer darin eingetragen sein?

Dennis lachte laut auf, schaltete die Scheinwerfer aus und beschleunigte auf der wenig befahrenen Straße. Er mußte sich auf die Realität besinnen, auf die wenigen Fakten, die er hatte. Die Brillstein-Variante war nichts weiter als sein ganz persönlicher Spleen. Geradezu lehrbuchhaft paranoid. Trotzdem ließ ihn der Gedanke nicht los. Oder gerade deshalb.

»Brillstein, verdammt!« brüllte er in die Morgendämmerung. »Verschwinden Sie endlich aus meinem Kopf!«

Dennis verließ den Kamehameha-Highway nördlich von Kahiku an der kaum sichtbaren Abzweigung, die Cherry Jones ihm beschrieben hatte, und bog in eine holprige Seitenstraße ein, die zu einem verwilderten Privatgrundstück führte. Schon nach wenigen Metern verwandelte sich der Weg in einen schlammigen, von Pfützen durchsetzten Schotterweg und endete kurz darauf an einem massiven Gittertor, das jedes Weiterkommen versperrte.

Er parkte seinen Chrysler 4WD, den er sich mit Motos Smartcard aus dem Carpark des Hotels ausgeliehen hatte, und stieg mit einem Gefühl aus dem Wagen, das ihm sagte: »Junge, pack deine Sachen und verschwinde schleunigst von hier.«

Das Tor war mit einer schweren Eisenkette gesichert, und über dem Vorhängeschloß prangte ein verrostetes Hinweisschild mit dem Symbol eines zähnefletschenden Hais.

»Sharks Cove Bay – Kapu! – Private Property! – Keep Out!«

Das bedeutete soviel wie, bis hierher und keinen Schritt weiter, und entsprach genau dem Typ von Verbot, das sich Dennis in diesem Augenblick wünschte. Da es andererseits zu seinen beruflichen Lieblingsbeschäftigungen zählte, sich über solche Anweisungen hinwegzusetzen, kletterte er entschlossen über das Gitter und folgte dem Trampelpfad, der in einen dichten, von Schlingpflanzen überwucherten Bambuswald führte.

Früher als erwartet bereute Dennis seinen Mut. Die Luft in dem Wäldchen war wie in einer Waschküche, und von den Blättern tropfte dampfender Morgentau wie aus einer überdimensionalen Dusche. Bereits nach wenigen Metern war er bis auf die Haut durchnäßt und schwitzte wie in einer Sauna. Erneut ärgerte er sich über die unpassende Wahl seiner Kleidung und verfluchte seine Straßenschuhe, die kaum Halt auf dem glitschigen und von tiefen Motorradspuren aufgerissenen Schlammboden fanden. Er schwor sich, sofort nach seiner Rückkehr in Honolulu den nächstbesten Outdoor-Laden aufzusuchen, um sich eine dem tropischen Abenteuer angemessene Ausrüstung zuzulegen. Und als er endlich eine trockenere Anhöhe erreichte, war er bereits mehrmals ausgerutscht, und sein Anzug trug die schlammverdreckte Zeichnung einer Tarnuniform.

Schlimmer als die blauen Flecken, die er sich bei seinen Stürzen zugezogen hatte, war jedoch der Anblick, der sich ihm auf der Anhöhe bot. Mehr als zwanzig Meter unterhalb seiner Füße lag das türkisblaue Wasser einer halbmondförmigen Bucht, die von schwarzen Vulkanfelsen und den grünen Kronen windzerzauster Palmen gesäumt war. Das Meer war so klar, daß man die meisterhaften Bauwerke der Korallen sehen konnte, eine Stadt unter Wasser, bewohnt von den buntesten Fischen. Und darüber glitzerten die Wellen wie ein blauer, lebendiger Kristall.

Dennis wurde schlecht. Von einem starken Schwindelgefühl getroffen, ließ er sich auf dem schmalen Grat der Steilklippe zu Boden sinken. Sein ganzer Körper begann zu zittern, und zugleich fühlte er sich wie gelähmt. Er konnte den Anblick der Wellen nicht ertragen. Die bloße Nähe des Ozeans. Es hatte einfach keinen Sinn. Wie sollte er unter diesen Bedingungen arbeiten? Babys konnte man ins Wasser werfen. Sie hatten keine Angst und begannen einfach zu schwimmen. Er war für eine solche Radikaltherapie zu alt, auch wenn seine bewußte Existenz gerade einmal fünf Jahre zurückreichte.

»Warum machst du Held nicht kehrt und fliegst zurück aufs Festland?« fragte er sich mit ehrlichem Verlangen. »Nach Arizona oder Arkansas, wo andere Menschen ein erfülltes Leben führen, ohne je in die Nähe des Ozeans zu kommen?«

Dennis wußte, daß das keine Lösung war. Das Wasser fand immer einen Weg. Auch in sein Bewußtsein, egal, wo er gerade war.

Es sprudelte aus der Quelle seiner Angst. Er zwang sich, die Augen wieder zu öffnen und bereute es im selben Augenblick. Er spürte, wie ihn die Panik vor dem Meer gefangen nahm und begann, sein Bewußtsein über die Grenze der Wirklichkeit zu entführen. Was er sah, entbehrte jeder Vernunft. Es entsprang allein dem verrückten Drehbuch, das nur ein böser Geist für ihn geschrieben haben konnte. Einem Drama, das sich nun auf unerklärliche Weise vorhersehbar vor seinen Augen abspulte.

Auf dem glitzernden Wasserteppich der Bucht tauchte ein länglicher Schatten auf, der seine Gestalt aus den Bewegungen der Wellen formte. Nach und nach erkannte Dennis, daß es die Silhouette eines Menschen war, eines Mädchens, dessen lange Haare wie ein Netz aus schwarzen Anemonen auf dem Wasser trieben. Sofort war ihm klar, wer die Schwimmerin war. Zugleich schien sie ihm wie ein Wesen aus einer anderen Welt oder, wie es seine Gedanken treffender formulierten, ein Wesen von jener anderen Seite der Zeit, die sich hinter dem Abgrund in seinem Kopf versteckte. Eine Botschafterin, die eine Nachricht für ihn mit sich trug. Die Gesandte, auf die er all die Jahre gewartet hatte, weil nur sie den Schlüssel kannte, der ihn aus seinem Trauma befreien konnte.

Beinahe reglos trieb das Mädchen tief unter ihm in der Bucht, als wartete sie allein auf ihn. Die Wellen trugen ihren Körper und umspülten sanft ihre goldbronzene Haut wie eine zärtliche Liebkosung, auf und ab, auf und ab. In ihrem weißen Gewand schien es, als wäre sie ein Teil der Brandung, die Krone einer Welle, die lachend mit ihren Gefährten in der Sonne spielte und ihn einlud, zu ihr in diese wundervolle Wasserwelt hinabzusteigen, hinab ins Meer, das er mehr fürchtete als Tod und Teufel.

»Keani!« rief Dennis und bemerkte, daß er sich nicht einmal über die Begegnung wunderte. Die Geschichte entwickelte sich mit der Dramaturgie eines Schauspiels. Und wenn es so war – daran erinnerte ihn beharrlich sein Verstand –, war es ein ganz und gar abgekartetes Spiel, dem er hilflos wie eine Marionette folgte. Andererseits erschien ihm diese Hilflosigkeit in diesem Moment fast wie ein Geschenk. Zum ersten Mal verhinderte seine Angst nicht, was mit ihm geschah. Zum ersten Mal lief er nicht mehr davon. Er konnte es nicht. Nein, er wollte es nicht und spürte geradezu erleichtert, wie er sich in sein Schicksal fallen ließ. Sein Bewußtsein löste sich von seinem Körper, und sein Geist befreite sich von seiner Qual. In Gedanken stürzte er sich hinunter in die Wellen, in die Vergangenheit, zu dem Mädchen, das aus den Tiefen des Ozeans der Zeit gekommen war, um ihn an den Ursprung seiner Angst zu führen und den Abgrund in seiner Erinnerung zu schließen.

Für eine Sekunde schien es Dennis endlich klar. Was er erlebte war Teil von einem Spiel. Von Brillsteins Spiel. Und sein Erstaunen verwandelte es zu einer Meistertherapie, die begann, sein Trauma zu zerschlagen. Geradezu euphorisch rutschte er näher an die Kante der Klippe. Zentimeter für Zentimeter. Er konnte seine Blicke nicht mehr lösen. Von der Bucht, von den Wellen, von dem Mädchen, das auf unerklärliche Weise aus dem Nirgendwo der Vergessenheit aufgetaucht und zum Symbol seiner Heilung geworden war. Er mußte zu ihr. Er mußte sie berühren, ihre Augen sehen, die die Antwort auf alle seine Fragen kannten.

»Keani! rief er erneut. In diesem Augenblick tauchte aus den Spalten des Riffs eine dunkle Gestalt empor und schnitt pfeilschnell durch die Korallen. Es war ein tiefblauer Schatten, mit einer Finne, dreieckig und flach wie die Klinge eines scharfen Messers.

»Keani!« schrie Dennis lauter und erwachte aus seinem trügerischen Wahn.

»Mein Gott, Keani, da ist ein Hai!«

Wenn das Spiel je Brillsteins Spiel gewesen war, dann verwandelte es sich jetzt in tödlichen Ernst. Dennis tastete sich an den äußersten Rand der Klippe und begann panisch mit den Armen zu winken, um auf sich aufmerksam zu machen. Seine Blicke suchten das Mädchen, aber sie fanden es nicht mehr, als hätte der Hai es bereits verschluckt. Zugleich hörte er ein dumpfes Knacken und spürte eine Erschütterung unter seinen Knien.

Noch in derselben Sekunde verlor er seinen Halt. Ein großer Felsbrocken brach vom Rand der Klippe los. Es war der Felsen, auf dem er sich befand. Mit einem Schrei, der noch in seinem Hals verstummte, stürzte er in die Tiefe, und seine Vision wurde zur grausamen Realität. Die Wellen rasten auf ihn zu. Das Meer, das jetzt wie ein dunkler Spiegel schien. Ein bodenloser Abgrund. Er fiel und fiel. Eine Endlosigkeit. Ein Sturz hinab in den Schlund der Hölle.

Dann schlug er auf dem Wasser auf, mit einer Wucht, die ihm alle Luft aus den Lungen preßte. Es war ein Gefühl, als wäre er aus vollem Lauf gegen eine Wand geprallt. Zurück blieb ein reißender Schmerz, der sämtliche Fasern seiner Nerven überflutete. Zugleich spürte er, wie sich die Wand verwandelte, wie sie an Härte verlor und ihn sanft umschloß. Er versank in einer kühlen Dunkelheit, die begann seinen Schmerz zu verschlingen. Eine Weile trieb er in einem Meer chaotischer Empfindungen. Er sah Bilder, wie er sie aus seinen Träumen kannte. Was fehlte war allein die Angst und mit ihr die Frage, was das war, was er dort sah.

Dann tauchte er wieder auf, und mit der Rückkehr seines Bewußtseins zwang ihn sein Verstand zu erkennen, was mit ihm geschehen war. Die Antwort ließ nicht lange auf sich warten. Noch mit dem ersten Atemzug begriff er, daß sein Gegner ihn wieder eingeholt hatte. Der Ozean, sein unbarmherziger Feind, in dessen erbarmungslosen Fängen das Leben, das er kannte, seinen Anfang genommen hatte.

Dennis schluckte Wasser. Er hustete und ruderte hektisch mit den Armen. Mit ununterdrückbarer Panik versuchte er sich über Wasser zu halten und bemerkte erstaunt, daß es ihm gelang. Er versuchte sich zusammenzureißen. Versuchte sich zu orientieren. Suchte das Mädchen, die Klippe, den Strand, das rettende Ufer, und schwamm, weil er in den Wellen nichts als Wasser sah, in die entgegengesetzte Richtung.

Der Wind frischte auf, wurde böiger und drückte höhere Wellen von der offenen See in die kleine Bucht hinein. Dennis schwamm, so schnell es seine Kräfte erlaubten, und war bereits nach wenigen Zügen völlig außer Atem. Er hatte sich nie sehr viel aus Sport gemacht, aus Schwimmen schon gar nicht, und das war ein Fehler, den er zum ersten Mal in seinem Leben bereute.

Sturmwolken zogen über der Küste auf, und die Wellen schwollen gewaltig an. Sie rissen ihn mehrere Meter hoch und ließen ihn wieder fallen. Und dann, nur wenige Meter von ihm entfernt, bemerkte er den dunklen Schatten. Es war der Hai, den er von der Klippe gesehen hatte. Er sah den massigen Körper und die riesige Rückenflosse, die ihn in einer weiten Bahn umkreiste. Zugleich erkannte er, daß er nicht mehr Retter, sondern Opfer war. Seine Bewegungen hatten den Hai auf ihn aufmerksam gemacht, und der Räuber steuerte direkt auf ihn zu. Für eine Sekunde glaubte er auch Keani zu sehen. Dann brach sich eine grollende Woge über seinem Kopf, und er versank in brodelndem Schaum.

Sekunden später tauchte er wieder auf und schnappte gierig nach Luft. Jetzt sah er nur noch Wasser. Der Hai war verschwunden. Genauso wie Keani, die in ihr Grab im Ozean zurückgekehrt zu sein schien. Dennis wußte nicht, was er tun sollte. Einen quälenden Moment geschah nichts. Dann, plötzlich, spürte er eine eisige Strömung, die unterhalb seiner Beine aus der Tiefe quoll. Es fühlte sich an wie der Hauch des Todes, wie der Atem jenes unheimlichen Wesens, das bereit zum Angriff unter dem Spiegel der Wellen auf ihn lauerte. Dennis erstarrte vor Angst, und mit der gleichen Angst begann er panisch mit seinen Armen und Beinen zu rudern, obwohl er ahnte, daß dies genau das falsche Verhalten war. Dann streifte etwas seine Flanke, etwas kaltes, rauhes, das ihn erschaudern ließ. Erneut verlor er die Kontrolle über seine Bewegungen. Er tauchte unter, schluckte Wasser und sah den riesenhaften Schatten an sich vorüberziehen. Wie in Zeitlupe, lauernd und erbarmungslos, gleich einer mächtigen, tödlichen Waffe.

Dennis schlug um sich, versuchte irgendwohin zu entkommen. Wieder riß ihn eine grollende Welle mit, und dann spürte er einen schneidenden Schmerz auf seiner Brust. Es war, als würde sein Leib in Stücke gerissen. Er schrie, aber sein Atem versagte. Er schnappte nach Luft und schluckte wieder Wasser – rotes, salziges Wasser. Er hustete, spuckte und sah das riesige Monster nun ganz dicht an seiner Seite. Ein massiger dunkelblauer Körper mit unzähligen weißen Punkten darauf, wie ein Himmel voller Sterne. Im selben Moment fühlte er, wie ihn etwas packte. Er spürte die unbändige Kraft, die ihn fortzog, nach unten, immer tiefer, hinein in die gähnende Dunkelheit. Ein letzter, mächtiger Schlag erschütterte seinen Körper, und seine Lunge ertrank in brennendem Wasser. In rasendem Schmerz verlor Dennis sein Bewußtsein, und seine Bewegungen erlahmten. Zurück blieb nur ein lautloser Schrei in der alles umschließenden Stille der See.

16
ILINA I'A
FRIEDHOF DER FISCHE

Mit deutlich überhöhter Geschwindigkeit raste der Cherokee die Straßen des Nu'uanu Valley hinauf und durchschnitt mit raunendem Motor die Stille des noblen Villenviertels. Die Stadt lag noch in morgendlichem Schlaf. Kein Mensch war zu sehen. Weder auf den Gehwegen noch in den gepflegten Vorgärten der luxuriösen Anwesen rührte sich Leben. Und nicht einmal die ansonsten immer präsenten Stimmen der Vögel und Insekten waren an diesem Morgen zu hören. Man spürte nur ein kaum wahrnehmbares Vibrieren in der Luft, ein Stöhnen der Erde über die drückende Schwüle, die sich bereits vor Sonnenaufgang über die Stadt gelegt hatte.

Der bullige Achtzylinder des Jeeps heulte auf, als die Automatik in einen niedrigeren Gang zurückschaltete, und erklomm mühelos den steilen Zufahrtsweg zu einem großen, in kolonialem Stil erbauten Haus inmitten eines Bougainvilleahains. Alexander Moto parkte den Geländewagen vor dem Garagentor und stieg mit sichtbarer Unruhe aus. Das Tor war verschlossen. Genauso wie die weißgetünchten Fensterläden des Hauses. Das war ungewöhnlich, und mit Sicherheit kein gutes Zeichen. Seine innere Stimme signalisierte Moto, daß etwas nicht stimmte. Vor mehr als einer Stunde hatte ihn Joshua Hopkins im Institut der Halewai-Stiftung versetzt und seither auf keinen seiner Anrufe reagiert.

Das war nicht Hopkins' Art. Zumindest was Pünktlichkeit betraf, war er ein Pedant. Er verpaßte nie eine Verabredung, und noch weniger war zu glauben, daß er um diese Zeit noch schlief. Hopkins mußte etwas zugestoßen sein, etwas, das sich bereits am Abend zuvor angedeutet hatte, als er mit panikartigem Schrecken auf den Brandanschlag während des *lu'au* reagiert hatte, und Moto ahnte bereits, daß der dunkle Schatten wiedergekehrt war, der Hopkins Stück für Stück näher an den Rand des Wahnsinns trieb.

»Joshua...?« Moto schlug mit der Faust gegen die Haustür. »Joshua, machen Sie auf!«

Er wußte, daß es sinnlos war auf eine Antwort zu warten. Mit einem gezielten Tritt brach er die Holztür auf und drang in das abgedunkelte Haus ein. Ein muffiger, ekelerregender Geruch schlug ihm entgegen. Eine Mischung aus Fäulnis, Verwesung und Tod.

»Joshua...?« rief Moto mechanisch und preßte sich ein Taschentuch vor die Nase. Mit der anderen Hand öffnete er ein Riegelschloß und riß das große Dielenfenster auf. Das Sonnenlicht vertrieb die Dämmerung aus dem Raum, und der Luftzug aus dem Garten legte den schweren Blütenduft der Orchideen über den fauligen Gestank.

Moto folgte seiner Nase in die Küche, und bereits der erste Blick bestätigte seine Ahnung über das Geschehen, das sich im Haus abgespielt haben mußte. Von der Küchentür, die sich in das Wohnzimmer öffnete, ergoß sich eine langgezogene schleimig-blutige Lache durch den ganzen Raum. Es war ein abstoßender, geradezu makabrer Anblick. Der rötliche Schleim war aus unzähligen aufgeplatzten Fischleibern gesickert, die wie von einer Flutwelle zurückgelassen über den Boden verteilt lagen. Einige der Fische waren bereits in einem fortgeschrittenen Zustand der Verwesung und hatten sich in einen fruchtbaren Brutplatz für Würmer und Fliegenmaden entwickelt.

Vom Wohnzimmer führte die Spur weiter durch den Flur, an dessen Ende die Tür lag, hinter der sich Hopkins' Schlafzimmer befand. Moto hatte eine Waffe dabei, aber er wußte, daß er sie nicht brauchen würde. Die Täter hatten ihr grausiges Werk mit Sicherheit vor Sonnenaufgang vollendet. Nur, wie weit sie diesmal gegangen waren, war eine Frage, die ihn erschreckte. Nicht daß ihm das Schicksal des alten Mannes besonders nahegegangen wäre, aber noch brauchte er ihn, noch war er auf sein linguistisches Wissen angewiesen, das den Schlüssel für das Tor zwischen Vergangenheit und Zukunft barg.

Mit gemischten Gefühlen öffnete Moto die Schlafzimmertür und trat hinein. Der Raum war in das diffuse Licht feiner Lichtbündel getaucht, die durch die Ritzen der Fensterläden auf den Boden fielen. Überall lagen tote Fische, aufgequollene Bücher und nasse Kleidungsstücke herum, die aussahen, als seien sie von einer mächtigen Welle aus den aufgerissenen Schränken herausgespült worden. Deutlich war zu erkennen, daß hier ein Kampf stattgefunden hatte, eine Schlacht, in der zumindest Hunderte von Meerestieren ihr Leben gelassen hatten. Die seltsame Todesspur zog sich bis in das Badezimmer, wo das rituelle Schlachtfest seinen grausigen Höhepunkt gefunden hatte. In der Mitte des Raumes lagen die Überreste von einem großen Makihai, dessen Kadaver nach dem Vorbild eines alten *kahuna*-Rituals in acht Teile zerrissen war. Es war ein magisches Todesomen, das niemand anders als die *Boys for Pele* hinterlassen hatten, um ihre makabre Aktion zu signieren.

Moto ging zurück in das Schlafzimmer, öffnete die Verandatüren, um mehr Licht und Frischluft in das Haus zu lassen, und blickte sich teils angewidert, teils über den Aufwand der Inszenierung beeindruckt in dem verwüsteten Zimmer um. Es dauerte nicht lange, bis er fand, was er suchte. Das Bett war völlig zerwühlt und leer, aber auf dem Boden daneben lag der zusammengekrümmte Körper von Joshua Hopkins unter einem blutbefleckten Laken. Moto kniete sich nieder und drehte den alten Mann vorsichtig auf den Rücken. Ein beißender Gestank von Alkohol und Erbrochenem schlug ihm entgegen. Wenigstens war Hopkins nicht tot. Er atmete flach, und bis auf ein paar Kratzer an den Armen und auf der Stirn schien er äußerlich unverletzt. Sein ohnmächtiger Zustand war dem Geruch nach weniger in dem nächtlichen Anschlag zu suchen, als in einem schweren Alkoholrausch, den er sich selbst zugefügt hatte. Der Beweis dafür stand neben dem Nachtschrank. Zwei leere Flaschen Scotch. Und die Scherben einiger weiterer Flaschen lagen zwischen den toten Fischen über den Boden verstreut.

Moto ging zurück ins Badezimmer, füllte eine Waschschüssel und schüttete das Wasser über Hopkins' Kopf. Es dauerte einige Sekunden und bedurfte noch einiger Schläge gegen die Wangen, bis er zu sich kam. Er begann zu stöhnen und heftig zu husten. Er zitterte am ganzen Körper, und nur mit Motos Hilfe gelang es ihm schließlich, sich aufzusetzen und sich kraftlos gegen den Rahmen des Bettes zu stützen.

»Willkommen in der Wirklichkeit, Joshua«, sagte Moto zynisch. »Hatten Sie wieder Besuch von Ihrer *kahuna*-Freundin?«

»Es war…, es war schrecklich«, stammelte Hopkins, noch immer benommen. »Es war eine Wand aus blauem Licht, einem flüssigen Licht, wie eine Springflut, die durch das Haus zog.«

»Eine Flut? Zweihundert Meter über dem Meeresspiegel? Das wäre ein Zaubertrick, den ich nicht einmal den *Boys for Pele* zutraue.« Moto blickte sich skeptisch um. Tatsächlich waren die zerstörerischen Spuren vom Wasser überall zu erkennen. Von einer gewaltigen Menge Wasser, deren Verbleib nur eines der vielen Rätsel war.

»Das war kein Zaubertrick, Alex.«

»Stimmt, aber mich würde wirklich interessieren, wie sie das angestellt haben. Allein die ganzen Fische. Das muß mindestens eine Lastwagenladung gewesen sein.«

»Ein Lastwagen...?« Hopkins schüttelte resignierend den Kopf. »Begreifen Sie denn nicht, was hier geschieht?«

»Sicher, das ist ja nicht zu übersehen. Ihre Freunde haben sich diesmal außerordentliche Mühe gegeben, uns zu beeindrucken. Aber sie werden mit ihren *kahuna*-Spielchen nicht weit kommen. Irgendwann werden die *Boys for Pele* einen Fehler machen, und dann werden wir sie und ihre hübsche Anführerin erwischen.«

»Ich glaube, Sie wollen es nicht verstehen, Alex. Dieses Mädchen ist keine *kahuna*. Sie können sie nicht fangen, und sie wird keine Ruhe geben, solange wir nicht aufhören, nach dem Tor zu suchen, durch das sie in unsere Welt gekommen ist.«

»Verdammt, Joshua, reißen Sie sich zusammen!« Moto wurde ärgerlich. »Wie kann einem gebildeten Mann ein solcher Mummenschanz eine derartige Angst einjagen? Sie wissen genau, was hier gespielt wird.«

»O ja, das weiß ich, und deshalb fordere ich, die Sache zu beenden.«

»Sie fordern...?«

»Wenn Sie es nicht tun, werden Sie auf mich verzichten müssen.«

»Tatsächlich? Sie vergessen, daß Sie eine geschäftliche Vereinbarung unterschrieben haben, lieber Professor, und ich habe zu viel investiert, um die Sache jetzt auf Eis zu legen.«

»Wollen Sie mich erpressen?«

»Erpressen?« Moto lachte. »Sie wissen genau, daß wir nicht mehr umkehren können. Wenn wir jetzt stehenbleiben, wird jemand anders die Früchte ernten, die uns zustehen. Und das wäre doch ein

Jammer. Wollen Sie leichtfertig die Chance wegwerfen, auf die Sie Ihr ganzes Leben gewartet haben? Nur wegen diesem faulen Zauber.«

Moto stand auf, nahm sein Handy aus der Westentasche und trat an den Schreibtisch, der neben dem aufgerissenen Fenster stand. »Ich werde Hawea anrufen. Er soll die Spurensicherung herschikken, und dann kann Ihre Haushälterin diese Sauerei beseitigen.«

»Meinetwegen können Sie das Haus abreißen lassen. Ich bleibe keine Sekunde länger hier.«

»Da haben Sie recht. Das wäre wirklich nicht ratsam.« Moto überlegte. »Waschen Sie sich, und ziehen Sie sich etwas Trockenes an. Ich lasse Sie ins Ma'alaea Ressort bringen. Dort wird Ihre Freundin Sie nicht mehr belästigen. Es sein denn, sie kann sehr gut schwimmen.«

»Vergessen Sie's, Alex. Sie kommt überall hin. Sie erreicht uns durch das Tor unserer Träume.«

»Keine Angst, ich werde schon dafür sorgen, daß Sie in Zukunft sicher und ungestört arbeiten können.«

»Arbeiten?« Hopkins lachte spöttisch. »Woran denn? Diese Funde bringen sämtliche Theorien der Weltgeschichte durcheinander, wenn nicht noch viel mehr.«

»Mein Gott, das ist es ja! Denken Sie daran, welche wissenschaftlichen Konsequenzen unsere Entdeckung haben wird. Welche wirtschaftlichen und politischen Konsequenzen? Vielleicht werden wir der Welt ein neues Gesicht verleihen.«

»Sie sind ein Phantast, Alex. Zwischen Ruhm und Lächerlichkeit liegt nur ein schmaler Grat. Man wird uns der Fälschung bezichtigen, und mit dem, was wir bis jetzt haben, werden wir nicht einmal das Gegenteil beweisen können. Alles, was wir aufweisen können, sind zwei undatierbare Steine und eine kühne Theorie, die in kein Schema paßt.«

»Doch, Joshua! Sie paßt in ein Schema. In das Schema, das all die Jahre Ihren Forschungen zugrunde gelegen hat.« Moto deutete auf Hopkins' Aufzeichnungen, die feucht und miteinander verklebt eine breiige Masse auf dem Schreibtisch gebildet hatten. »Alleine deshalb haben wir die Stiftung ins Leben gerufen und viel Geld in ein Projekt investiert, das mit den beschränkten staatlichen Mitteln des kulturhistorischen Museums nicht zu realisieren gewesen wäre. Deshalb sind Sie damals zu mir gekommen und haben mich von Ihren Visionen überzeugt. Und nun stehen Sie kurz vor der Vollendung Ihres Lebenswerkes.«

»Mein Lebenswerk, pah…«

»Unser Lebenswerk, Joshua! Endlich haben wir eine konkrete Spur gefunden. Endlich wissen wir, wo wir suchen müssen. Und nun, wo wir die Chance haben, die Beweise, die wir brauchen, zu finden, jetzt, wo der Durchbruch unmittelbar bevorsteht, werden Sie die Sache verdammt noch mal durchstehen.«

Moto sah sich um und entdeckte unter dem Schreibtisch neben dem umgestürzten Mülleimer den aquamarinblauen *lono-lono,* den Piedro Uribe auf dem Grund des Meeres gefunden hatte. Darunter lagen einige Zettel, deren Schrift bereits unkenntlich verschwommen war. Nur einige Fetzen von einem mit Bleistift beschriebenen Blatt waren noch halbwegs erhalten. Sie zeigten ein Muster aus wellenförmigen Symbolen, die in einer räumlich-geometrischen Weise zueinander in Beziehung gesetzt worden waren.

»Joshua!« rief Moto erstaunt und versuchte die Teile wieder zusammenzusetzen. »Was ist das?«

»Chaos!« antwortete Hopkins ohne aufzuschauen. »Wirres Zeug!«

»Nein, ich meine dieses Schriftsystem.«

»Sie wissen genau, daß ich die Bedeutung der *lono-lono*-Symbole nicht entschlüsseln konnte.«

»Aber das hier ist neu«, bestärkte Moto seine Frage. »Wann haben Sie dieses System entwickelt?«

»Wovon sprechen Sie?« Hopkins stand mühsam vom Bett auf und schlurfte zum Schreibtisch hinüber. Als er die Papierfetzen sah, zuckte er nur ratlos mit den Schultern. »Keine Ahnung! Ich sehe das zum ersten Mal.«

»Aber es ist Ihre Schrift. Sie haben das gezeichnet. Wahrscheinlich gestern nacht, oder?«

»Ich kann mich nicht daran erinnern«, beteuerte Hopkins und griff mechanisch zu der letzten Scotchflasche, die die nächtliche Flut unbeschadet überstanden hatte.

»Dann bemühen Sie sich gefälligst! Und hören Sie endlich damit auf, den letzten Rest Ihres Verstandes mit diesem Teufelszeug wegzuätzen.« Moto riß Hopkins die Flasche aus der Hand und warf sie in eine Ecke, wo sie klirrend zerbrach. Dann nahm er den *lono-lono* und die Reste der seltsamen Aufzeichnungen und hielt sie dem alten Mann fast beschwörend unter die Nase. »Hören Sie zu, Joshua! Ich brauche Antworten, und ich weiß, Sie sind ganz nah dran. Vielleicht ist dieses System eine Art geometrisches Alphabet und damit die Basis für eine uralte, von der Welt vergessene Sprache.«

17
HE'E NALU
DAS WANDELN AUF DEM WASSER

Ein Schrei riß David aus dem Schlaf. Ein lautloser Schrei, der mit den Ohren nicht zu hören war. Es war ein Hilferuf auf einer unbewußten Ebene der Wahrnehmung. David Pu'ukohala konnte solche Laute hören. Er konnte Dinge sehen, die für die Augen der meisten anderen Menschen unsichtbar waren. Manchmal spürte er, was andere fühlten. Ihre Liebe, ihren Haß und ihren Schmerz. Und manchmal konnte er sogar Gedanken lesen und wissen, was jemand tun würde, bevor er es tat.

Die wenigen Freunde, die David hatte, hielten ihn für einen Sonderling. Er sprach mit dem Wind und den Wellen und tat mitunter sonderbare Dinge. Andererseits galt er in Surferkreisen als genial, als *kahuna* in der Kunst des *he'e nalu.* Die meisten anderen glaubten allerdings, er wäre nicht ganz richtig im Kopf. Vielleicht war er das auch nicht, und vielleicht verbrachte er deswegen die Tage am liebsten allein mit seinem Surfbrett auf den Wellen, dort, wo er den *'aumaku'a* nahe war, seinen Ahnengeistern, die in den Gärten der Korallenriffe lebten und deren Gesellschaft ihm lieber war als die der Menschen.

David spürte eine Welle von Schmerz und furchtbarer Angst. Er spürte den nahenden Tod. Geistesgegenwärtig griff er sein *'olo* und stürzte aus der Hütte hinaus an den einsamen Strand. Er sah die Sturmwolken, sah die schäumende Wut der Wellen und wußte sofort, was geschehen war. Nur ein *malihini* konnte die Warnung ignoriert und das *kapu* gebrochen haben, das den heiligen Ort schützte. Eine Sekunde zögerte er. Er liebte diese Bucht, dieses Wunder der Natur, das die Götter den *kama'aina* geschenkt hatten, um sich mit ihnen zu vereinen. Hier waren die Inseln noch nicht beschmutzt von den gierigen Fingern der *haole,* die nicht die wahre Schönheit und das Wesen dieser grandiosen Landschaft sahen, sondern nur das

Geld, das sich damit verdienen ließ. Das einzige Maß, das die *haole* kannten, war der Nutzen, und die Einheit für das Maß war nicht die Liebe oder die Lebensfreude, sondern allein der Dollar, der das begehrteste Idol unter den leblosen Götzen im Pantheon der Fremden war.

David verachtete die *haole.* Er betete jeden Tag zu den *akua,* daß die Welt sich endlich von ihrer Herrschaft lösen konnte, und manchmal wünschte er sich nichts sehnlicher, als die Zeit zurückzudrehen, bis zu jenem fernen Tag, als die weißen Segel ihrer trägen, dickbäuchigen Schiffe am Horizont aufgetaucht waren. Er hätte alles getan, um die Geschichte anders zu schreiben. Er hätte die *haole* verflucht, er hätte sie mit Blindheit und Vergessen in die Flucht geschlagen, damit sie niemals wiederkommen mit ihrer kranken Idee eines höchsten Gottes, der ihnen befahl, sich die Welt Untertan zu machen. Sie waren wie die Wesen, von denen die Legenden sprachen, die schon einmal *Kanaloas* Inseln aus Habgier und falschem Glauben vernichtet hatten. Am Ende jener längst vergangenen Zeit, die von den *akua* aus der Erinnerung der Menschen gelöscht worden war, um sie vor sich selbst zu schützen.

Aber David war kein Richter. Und er war auch nicht der Krieger, für den ihn manche hielten. Sein Herz war zu weich, und er hatte gelernt, daß jedes Wesen seinen Platz in der Schöpfung besaß, selbst das unwürdigste. Vielleicht, so dachte er manchmal, hatten die Götter die *haole* einst nach Hawai'i geführt, um hier den Weg des *huna* zu lernen, den Respekt vor der Natur und das Wissen um die Einzigartigkeit aller Wesen. Vielleicht würden sie sogar eines Tages den Geist des *aloha* verstehen, die Liebe zum Leben. Nur deshalb warf er sein *'olo* in die Wellen, das glattpolierte Brett aus edlem *koa,* das den Göttern des Meeres geweiht war. Nur deshalb ruderte er hinaus in die schäumende Brandung, weiter und weiter, dem törichten Eindringling zu Hilfe, obwohl dessen Unglück ein abschreckendes Beispiel für die Grundstücksspekulanten bedeutet hätte. Und damit einen Segen für den Frieden der heiligen Bucht.

Wie ein Schwert durchschnitt das Brett die Gischt und stieß in das Herz der heranrollenden Wogen vor, die mit tosender Wut den bewußtlos treibenden Körper des *malihini* erfaßt hatten und gegen die messerscharfen Korallenbänke des Riff schleuderten. Geradezu todesmutig kämpfte David gegen die Fluten, gegen den Zorn der Haigeister, die in einer tiefen Höhle unter dem Riff lebten. Sie hatten den plötzlichen Sturm entfacht und die Wellen zu meterhohen Bergen aufgetürmt. Zu gefräßigen, blauweißen Monstren, die alles verschlangen, was ihnen zu nahe kam. Er kannte ihre Macht. Er spürte ihre Wut und wußte, daß nur die Reinheit seiner Gedanken ihn vor ihrer Gewalt schützen konnte. Nur mit größter Mühe erreichte er den Ertrinkenden, griff nach seinen Armen und zog ihn zu sich auf das lange Brett.

Dann rollte die nächste Woge heran, bäumte sich auf, wuchs zu einem reißenden Wellenkamm, höher und höher, bildete einen Tunnel aus blauem Licht und überschlug sich, begrub die Körper und das Brett und spukte sie wieder aus, nur um von der nächsten Welle erneut verschlungen zu werden. Doch diesmal kletterte das Brett mit den Wassern hinauf, krönte die Gischt über dem Tunnel, eilte den dunklen Gewitterwolken entgegen und ritt mit dem Fauchen des Windes an den rettenden Strand.

Nur langsam tauchte Dennis aus der Tiefe seiner Bewußtlosigkeit empor, aus den Abgründen des Ozeans, der ihn noch einmal aus seinen Fängen hatte entkommen lassen. Er spürte einen schmerzhaften Griff um seine Handgelenke und sah die Schemen einer hünenhaften Gestalt, die ihn über den heißen Sand aus dem Wasser zerrte. Er versuchte sich zu bewegen, aber es gelang ihm nicht. Er versuchte zu sprechen, aber es kam nur ein Stöhnen aus seinem Mund.

»Wahnsinn, Wahnsinn…« murmelte die Gestalt und ließ sich erschöpft zu Boden sinken. »Warum hab' ich diesen Idioten nicht einfach ersaufen lassen?«

Dennis hustete das brennende Wasser aus seinen Lungen und röchelte nach Luft. Er drehte sich auf den Bauch, hustete erneut, spuckte Wasser und mußte sich mehrmals übergeben. Es verging einige Zeit, bis er spürte, wie die Lebensgeister mit der Wärme der Morgensonne zurück in seinen Körper fuhren, und mit ihnen der Schmerz, den die zahllosen Wunden ausstrahlten, mit denen seine Brust, die Arme und die Oberschenkel gezeichnet waren. Jetzt wußte er wieder, was geschehen war, und mit der Erinnerung erkannte er auch seinen Retter, der schwer atmend seinen Kopf in die Hände gestützt neben ihm auf dem Boden saß.

»David...!«

»Hey, Mann! Hast'de Grütze im Hirn oder bist'de von Natur aus lebensmüde?«

»Was..., was ist geschehen?«

»Da fragst'de noch? Hast'de die Schilder nicht gesehen? Die Bucht ist *kapu*. Das Wetter schlägt hier um, so schnell wie'n Blitz. Bei starken Böen gehen die Pipes an der Riffkante rauf bis über dreißig Fuß. Nur'n Verrückter geht hier baden.«

»Aber..., da war ein Mädchen im Wasser.«

»Mädchen, Mädchen? Hast'de immer nur Mädchen in der Birne?«

»David, es war Keani! Sie...«

»Keani...? Bist'de jetzt völlig *pule?*« David schüttelte stöhnend den Kopf, verdrehte die Augen und ließ sich rücklings in den Sand fallen. »Ich glaub', dein Schädel hat bös einen mitbekommen.«

»Sie schwamm draußen über den Korallenbänken, und dann war da plötzlich dieser große, blaue Hai...«

»Ein blauer Hai..., na klar! Und dann hast'de wohl noch *Kanaloa* persönlich gesehen, was?«

»Es war ein Hai, und es schien, als hätte er Keani von einer Sekunde zur anderen verschlungen...« Dennis überlegte. »Dann brach der Fels von der Klippe. Ich stürzte in die Tiefe, und der Hai kam direkt auf mich zu...«

»Mann, was quatschst'de da?« David stieß ein seltsames Lachen hervor, beugte sich über Dennis und begutachtete die Verletzungen. »Wenn da wirklich 'n Hai gewesen wär, hätte er *haole*-Frikassee aus dir gemacht. Bei dem vielen Blut.«

»Das verstehe ich auch nicht.« Dennis drehte sich mühsam zur Seite und starrte hinaus auf die schäumende Brandung, als suchte er eine Bestätigung für das, was er erlebt hatte. »Es fühlte sich an, als würde er mich zerreißen.«

»Das waren die Korallen. Die schlitzen deine Haut auf wie Papier. Brennt höllisch, was? Wenn'de nicht aufpaßt, gibt's 'ne üble Entzündung.«

»Aber...« Langsam erinnerte sich Dennis wieder. Wie ihm auf

der Klippe schlecht geworden war. Und an die starken Schwindelgefühle, die ihm beim Anblick des Wassers beinahe das Bewußtsein geraubt hatten.

»Ich kann das doch nicht alles nur phantasiert haben?« zweifelte er, noch immer benommen.

»Schon gut, Mann. War selbst schon'n paar Mal kurz vorm Ersaufen. Das ist der Schock. Da denkst'de immer wirres Zeug.«

Dennis versuchte sich zu beruhigen und seine Atmung wieder unter Kontrolle zu bringen.

»Ich schätze wohl, ich habe dir mein Leben zu verdanken.«

»Vergiß es!« schnaufte David abfällig. »Was hast'de hier eigentlich zu suchen gehabt?«

»Kannst du dir das nicht denken?«

»O Mann! Tu mir einen Gefallen. Laß mich endlich zufrieden mit deinen verrückten Geschichten.«

»Warum hast du mir nicht gesagt, daß du Keani kennst?«

»Weil's dich nichts angeht. Außerdem ist sie tot. Mann, wann kapierst'de das endlich?«

»Dann erklär mir, warum mir deine Leute gestern die Kamera mit den Aufnahmen von ihr gestohlen haben?«

»Hä...? Was für Leute? Was faselst'de denn da?«

»Es war jedenfalls keine gute Idee, mich davon zu überzeugen, *Pele* hätte sich einen Scherz mit mir erlaubt. Nun sieht ein Blinder, daß an der Geschichte mit der *Tangaroa* etwas faul ist.«

»Natürlich ist was faul, sonst wären'se nicht abgesoffen.«

»Du glaubst, daß der Untergang kein Unglück war, nicht wahr?«

»Unglück. Unglück. Was bedeutet das schon? Dinge haben einen Grund, verstehst'de? Nichts geschieht einfach so.«

»Und was war deiner Meinung nach der Grund, aus dem die *Tangaroa* gesunken ist?«

»Was weiß ich? Vielleicht war's der Sturm. Vielleicht hat auch jemandem die Sache nicht in den Kram gepaßt.«

»Alexander Moto zum Beispiel?«

»Hey, Mann, du fragst zuviel.« David stand auf, ging zum Wasser und zog sein Surfbrett aus der Brandung.

»Oder wollten die *Boys for Pele* ihm die Havarie der *Tangaroa* nur in die Schuhe schieben?« rief Dennis ihm nach.

David drehte sich mit einem unverständlichen Blick um, antwortete aber nicht. Dennis ließ nicht locker und schaffte es mit Mühe, sich aufzusetzen.

»Die *Tangaroa* ist gar nicht gesunken, hab' ich nicht recht?«

»Mann, red' keinen Scheiß und laß mich in Ruhe! Geh zurück, von wo'de gekommen bist, und kümmere dich um deinen Kram.«

»Hör zu! Ich habe Keani gesehen. Ich weiß, daß sie lebt, und ich werde herausfinden, was das zu bedeuten hat.«

»Dann paß gut auf dich auf.« David verstaute sein *'olo,* zog sich ein trockenes Sweatshirt über und stieg auf sein Geländemotorrad, das unter einem überhängenden Dach an der Rückseite der Strandhütte stand. »Das nächste Mal wird vielleicht niemand dasein, um dich vor den Haien zu retten.«

Dann trat er den Kickstarter, jagte in einer Fontäne aus Sand die Böschung hinauf und verschwand mit dem Dröhnen seiner Maschine in dem kleinen Bambuswald.

Der Wind hatte sich gelegt, und langsam kam auch die Sonne wieder hinter den Sturmwolken hervor, die sich plötzlich wie aus dem Nichts über der Sharks Cove Bay zusammengebraut hatten. Nur seine zerrissene Kleidung, die aufgeschnittene Haut unter dem blutigen Hemd und die höllischen Schmerzen versicherten Dennis, daß sein Erlebnis wirklich geschehen war. Mühsam versuchte er aufzustehen, sackte aber sogleich wieder in die Knie. Er spürte seine Muskeln kaum. Nur die salzverkrusteten Wunden brannten wie Feuer. Er mußte zurück zu seinem Wagen, aber allein der Gedanke an den Rückweg durch den schlammigen Bambuswald bereitete ihm Qualen.

Die ersten Schritte waren eine Tortur. Die Böschung über dem Strand, der steile Weg zur Anhöhe hinauf. Erst im Schatten des Waldes fühlte er langsam seine Kräfte zurückkehren. Die Verletzungen schienen nicht so schwer, wie er befürchtet hatte, und die Blutungen hatten bereits aufgehört. Er stand aber noch immer unter Schock.

Schwer atmend lehnte er sich an einen Baum, um einen Moment auszuruhen. Dann hörte er ein Knacken, ein Brechen von Zweigen, und wenig später sah er eine Gestalt mit feuerroten Haaren, die ihm mit energischen Schritten entgegenkam. Es war eine großgewachsene Frau in einem roten Strandkleid, und ihr Gesichtsausdruck verriet mehr als nur Verwunderung.

»Mr. Newman! Was ist denn mit Ihnen geschehen?« Cherry Jones schien sichtlich erschrocken. »Wer hat Sie so übel zugerichtet?«

»Ich hatte eine kleine Auseinandersetzung...«

»Mit David?«

»Nein, mit dem Riff.«

»Gehen Sie immer im Anzug schwimmen?« Jones schaute skeptisch auf die Kleidungsreste, die in Fetzen an Dennis' Körper hingen. »Oder wollten Sie David auf dem Surfbrett interviewen?«

»Nein, es war... ein Unfall. Ich war ziemlich unvorsichtig und bin von der Klippe gestürzt. Zum Glück hat mich David rausgefischt.«

»Und dann hat er Sie in diesem Zustand gehen lassen?«

»Na ja, er schien nicht gerade begeistert von meiner Neugier zu sein und zog es vor, sich vorzeitig zu verabschieden.«

»Er ist einfach abgehauen?«

»Wahrscheinlich fürchtete er, es zu bereuen, mich gerettet zu haben. Die Einheimischen scheinen es wirklich nicht gern zu sehen, wenn man ihnen zu nahe kommt.«

»Das kommt immer darauf an. Im Grunde sind es die herzlichsten und hilfsbereitesten Menschen, die ich je kennengelernt habe, solange man ihnen mit Zurückhaltung und Respekt begegnet.«

»Dann werde ich wohl noch etwas an meinen Umgangsformen feilen müssen.«

»Seien Sie erst einmal froh, daß ich Sie gefunden habe. In Ihrem Zustand wären Sie wohl kaum allein zurück nach Honolulu gekommen.«

Dennis nickte und bemerkte erst jetzt, daß er neben seiner Brieftasche und seinem Handy auch die Schlüssel zu seinem Wagen verloren hatte. »Im Gegensatz zu mir scheinen Sie ein ausgesprochen gutes Gefühl für das richtige Timing zu haben. Man könnte sagen, Sie schickt der Himmel.«

»Zeigen Sie mal...« Jones begutachtete mit sorgenvoller Miene Dennis' Verletzungen. »Das sieht gar nicht gut aus. Sie sollten schnellstens zu einem Arzt.«

Sie nahm eine Wasserflasche aus ihrer Umhängetasche und öffnete den Verschluß.

»Nehmen Sie einen Schluck. Das wird Ihnen guttun.«

Dennis trank begierig die halbe Flasche leer und ließ sich stöhnend auf einen Baumstumpf sinken. »Es geht gleich wieder. Ich muß mich nur etwas ausruhen.«

»Warten Sie, ich habe etwas gegen Ihre Schmerzen.«

Er nahm die Tabletten und trank noch einen Schluck.

»Haben Sie vielleicht auch noch ein Paar Schuhe in Ihrem Erste-Hilfe-Kasten?«

Erst jetzt bemerkte Jones Dennis' Füße, an denen nur noch die Reste seiner Socken hingen, und mußte unwillkürlich lachen.

»Hat David Ihnen etwas über Keani erzählt?« fragte sie anstelle einer Antwort.

»Nein, das Thema scheint ein rotes Tuch für ihn zu sein. Er denkt sicher, ich will die *Tangaroa*-Story ausschlachten.«

»Wollen Sie das denn nicht?«

»Glauben Sie mir, Miss Jones. Es geht mir wirklich nur um Keani.« Dennis nahm noch einen Schluck Wasser und spürte mit einem Mal, wie ein pelziges Gefühl in seinem Mund entstand und seine Zunge schwerer wurde.

»Warum erzählen Sie mir nicht etwas über Ihre Begegnung mit ihr? Sie scheint Ihnen ja sehr viel bedeutet zu haben.«

»Nein, es ist nur…, ich… Entschuldigung, mir ist plötzlich wieder schwindelig.«

»Das ist noch der Schock.« Jones hockte sich neben Dennis und stütze ihn, damit er nicht umkippte.

»Ich glaube, ich…«

»Ganz ruhig. Ich passe ja auf Sie auf.«

Jones holte ein Handy aus ihrer Tasche und tippte eine kurze Nummer, während Dennis auf ihrem Schoß ohnmächtig zusammenbrach und zurück in die Fluten des Ozeans stürzte.

18

KALAIMA

LUG UND BETRUG

Marlin Sun kappte die Verbindung zum illegalen Provider und schaltete sein Webboard auf Stand-by. Er war müde, geradezu erschlagen, aber seine Neugier hatte sein Verlangen nach Schlaf besiegt. Die ganze Nacht hatte er auf den Highways der geheimen Pentagon-Netzwerke zugebracht, hatte versteckte Abzweigungen entdeckt, unerlaubte Wege beschritten, verschlossene Türen geöffnet, Sicherheitscodes geknackt, seinen Verfolgern falsche Fährten gelegt und schließlich die Spuren unkenntlich gemacht, die seine Anwesenheit in den verbotenen Zonen des Intranets des amerikanischen Geheimdienstes unweigerlich hinterließ.

Sun kannte die digitale Datenwelt wie seine Westentasche. Für ihn war sie auf eine unbestimmte Weise realer als die natürliche Welt, in der er sich nur noch selten und mit wachsendem Unbehagen bewegte. Der Cyberspace war wirklicher, weil er hier wirken konnte und die Wirkungen unmittelbarer und kalkulierbarer waren, auch wenn es in dieser Nacht kaum etwas anderes als Sackgassen für ihn gegeben hatte. Er war nur wenige Schritte weitergekommen, doch dieses Ergebnis war weder überraschend noch wertlos. Es bestätigte seine Ahnung, auf der richtigen Spur zu sein, denn nur das Bedeutende wurde so sorgsam getarnt, daß es selbst mit den raffiniertesten digitalen Schlüsseln, die er sich in jahrelanger Arbeit gefeilt hatte, nicht zu finden war.

Offiziell galt die *Dateline* als ein modifiziertes Modell der Bluefin-Klasse, aber ihre Planungsakten waren aus dem Pentagon-Netz gelöscht worden, lange bevor sie in den Wellen der Ozeane untergetaucht war. Übrig blieb alleine eine kaum wahrnehmbare Geisterspur, ein virtuelles Gegenstück jenes leicht erwärmten und schwach radioaktiven Kielwassers, durch das man ein atomgetriebenes U-Boot orten konnte, wenn es gelang, in seine Nähe zu kommen. Es war der digitale Schatten einer Heckwelle, und diese Spur trug einen Namen. Er führte das Nichtexistente zu seinem Ursprung zurück, der das Schicksal der *Dateline* ein weiteres Mal mit dem Schicksal des hawaiianischen Hochseekatamarans *Tangaroa* verknüpfte.

Sun streckte seinen verkrampften Körper und ging hinaus in das von Palmenkronen überdachte Atrium von *Freitags Hütte,* der komfortablen, am Strand gelegenen Unterkunft, die den zivilen Besuchern der Marinebasis vorbehalten war. Energisch klopfte er an die Tür des Nachbarzimmers, aber es meldete sich niemand. Natürlich meldete sich niemand. Jonathan Bates hatte die Nacht mit Sicherheit genauso wenig in seinem Bett verbracht wie er. Möglicherweise waren sie sich sogar begegnet, unerkannt hinter den Masken ihrer Softbots, jener virtuellen Agenten, die für sie auf Jagd nach Informationen durch die weltweiten Datennetze streiften und Aufgaben erfüllten, die sich von den Missionen realer Spione kaum unterschieden – bis hin zu der Eliminierung unerwünschter Kontrahenten.

Das Zimmer auf der gegenüberliegenden Seite des kleinen Hofs stand dagegen offen, und eine frische Brise vom Meer wehte durch den sonnenüberfluteten Raum. Tekina Kao stand mit dem Rücken zur Tür vor einem Spint und trocknete ihre Haare, die jetzt lang und lockig über ihre breiten Schultern fielen. Sie trug eine dunkelblaue Sporthose der Marines und ein weißes Shirt, das sich über ihre durch tägliches Training geformten Muskeln spannte.

Sun blieb im Schatten der Innenveranda stehen und schaute schweigend hinüber. Der Anblick des athletischen Körpers fesselte ihn, obwohl Kao in keinster Weise dem blassen und feingliedrigen Schönheitsideal entsprach, das die Kultur entwickelt hatte, in der er aufgewachsen war. Seine geschiedene, chinesische Frau hatte er in all den Jahren, die er im Auftrag der Regierung um die Welt gereist war, nicht gesehen. Sie war für ihn nur noch eine ferne Erinnerung an eine Welt, die er längst und ohne Bedauern gegen den Cyberspace eingetauscht hatte. Vielleicht fühlte er sich aus diesem Grund zu Special-Agent Kao hingezogen. Sie war zwar eine Frau aus Fleisch und Blut, aber sie ähnelte irgendwie den Heldinnen der virtuellen Spiele, die er immer öfter spielte, wenn seine Logik über den Phänomenen der Natur verzweifelte. Über ihr schwebte der Nimbus körperlicher Perfektion, den er der physischen Sensibilität der sterblichen Frauen in der realen Welt vorzog, auch wenn er sich dessen kaum bewußt war.

Kao hatte den Beobachter hinter ihrem Rücken längst bemerkt. Sie spürte die Anwesenheit von Menschen, ihre Stimmungen und Gefühle. Es war eine intuitive Fähigkeit, die sie von ihren polynesischen Vorfahren geerbt hatte, eine Wahrnehmung organischer Energien, die sie oftmals ihrem Intellekt und den Signalen ihrer übrigen Sinne vorzog.

»Hi, Dr. Sun!« rief sie. Erst dann drehte sie sich um und trat hinaus in den Innenhof. »Phantastischer Morgen. Waren Sie auch schon schwimmen?«

Sun verneinte irritiert. Er fühlte sich wie ein Voyeur, der von dem Objekt seiner Bewunderung entdeckt worden war.

»Was ist?« fragte Kao besorgt und betrachtete Suns Gesicht, das bleich und übermüdet wirkte. »Haben Sie im Traum Schiffe versenken gespielt?«

»Was einer versenkt, muß ein anderer heben, Agent Kao. Haben Sie wenigstens Ihren Schlaf nachgeholt?«

»Danke, Doktor. Nach einem morgendlichen Bodysurf fühle ich mich wie neugeboren. Das sollten Sie auch einmal probieren. Die Brandung hier ist einmalig.«

»Vielleicht ein anderes Mal«, meinte Sun und erinnerte sich nicht daran, jemals schwimmen gelernt zu haben. »Ist Ihnen Bates heute morgen schon über den Weg gelaufen?«

»Nein, aber er hat sich gestern abend vom Stützpunktkommandanten die Zugangscodes für den Zentralrechner des Labors aushändigen lassen. Ich schätze, er hatte noch einige Hausaufgaben nachzuholen.«

»Seine Arbeitsweise kenne ich, aber das wird ihm nicht viel nützen.« Sun hielt triumphierend einen X-Ram-Chip hoch. »Ich glaube, ich habe einige interessante Neuigkeiten.«

Kao und Sun bestiegen die Magnetschwebebahn, die in der Nähe von *Freitags Hütte* vorbeifuhr. Wenige Minuten später gelangten sie in den unterirdischen Komplex des Hochsicherheitstraktes, wo Milton Caan bereits mit geringschätziger Ungeduld wartete, um die Zivilisten zu der außerplanmäßigen Unterredung mit Bates zu begleiten.

Wie alle Abteilungen von Wake Island waren die Räumlichkeiten für die Terminals des Zentralcomputers durch eine Kette von Checkpoints geschützt, die ein unbefugtes Eintreten unautorisierter Personen praktisch unmöglich machten. Sun schmunzelte über den martialischen Sicherheitsaufwand des Stützpunktes, der sich einerseits als waffenstarrende Festung präsentierte und sich andererseits durch die weit offenstehenden Hintertüren in seinen Datennetzen selbst ad absurdum führte. Während er schweigend die routinierten Kontrollen des Wachpersonals über sich ergehen ließ, malte er sich genüßlich aus, wie er in der Nacht zuvor unsichtbar und unbemerkt mit Lichtgeschwindigkeit durch die Lücken des Systems geschlüpft war und geheime Pentagon-Akten gesichtet hatte, für die er keine auch nur annähernd ausreichende Zugangsberechtigung besaß. Er hatte Daten gefunden, für deren Gebrauch anscheinend niemand bevollmächtigt war, abgesehen von einer handverlesenen Gruppe von gesichts- und namenlosen Spezialagenten, die sich hinter dem Projektnamen *Dateline* verbargen.

Jonathan Bates hatte dunkle Ringe unter den Augen. Er saß verkrampft vor den Monitoren einer Terminalsuite und beendete eilig die Programmierung eines digitalen Schlüssels, als Kao, Sun und Caan den kleinen Rechnerraum betraten. Ohne die Begrüßung zu erwidern, aktivierte er das Programm und sperrte durch ein zusätzliches Paßwort den Zugriff auf sämtliche hinter dem Schloß versteckten Daten.

»Was tun Sie da?« ereiferte sich Caan, der von der nächtlichen Aktion gerade erst und für sein Selbstverständnis viel zu spät erfahren hatte.

»Er dient treu dem Volke«, erklärte Sun mit unverhohlener Ironie und lenkte seinen Blick auf einen Codechip, der neben der Tastatur auf dem Tisch lag. »War Ihre Mission erfolgreich, Agent Bates?«

»Sie kennen doch die Prozedur, Doktor. Keine Daten. Keine Fragen...«

»Ich schätze, damit dürfte meine Arbeit hier beendet sein, nicht wahr?«

»Zumindest vorläufig.« Bates zuckte beinahe mitleidsvoll mit den Schultern und ließ seinen Codechip, der die neuen Schlüsselsequenzen für die *Dateline*-Datenbänke des Labors enthielt, in der Brusttasche seines Overalls verschwinden. »Sie erhalten wieder Zugang zu dem Material, wenn weiterführende Analysen erforderlich werden. Bis dahin wird es diese Untersuchung offiziell genausowenig gegeben haben wie das Wrackteil der *Tangaroa.*«

»Was soll das heißen, die Arbeit ist beendet?« beschwerte sich Caan. »Wir haben gerade erst angefangen das Material zu analysieren, und wenn ich an die Vorlaufkosten denke…«

»Es tut mir leid um Ihren Etat, Commander«, erwiderte Bates lakonisch. »Aber wie Dr. Sun uns gestern eindrucksvoll vermittelt hat, hat sich unser einziges Fundstück inzwischen in Luft aufgelöst.«

»In Wasser, Agent Bates«, korrigierte Sun gelassen. »In salzigem Hochseewasser.«

»Sie vergessen die Satellitenaufzeichnung von der *Tangaroa*«, erinnerte Kao ernst. »Sie ist es, die uns in Zugzwang bringt und eine Erklärung von uns fordert.«

»Niemand wird etwas von uns fordern können. Isoliert ist die Aufzeichnung wertlos, und ihre Authentizität kaum zu verifizieren. Schon gar nicht, nachdem den Kiwis das Originalmaterial letzte Nacht verlorengegangen ist.«

»Verlorengegangen?« Caan war verwirrt. »Was soll das heißen, Agent Bates?«

»Ein Virus in den Systemen, Commander. Ein bedauerlicher Zwischenfall.«

»Ihre Vorgehensweise ist unverantwortlich und belastet zunehmend Ihre Glaubwürdigkeit«, beschwerte sich Kao. »Ich habe unseren Auftrag darin verstanden, das Verschwinden der *Dateline* aufzuklären, um damit unsere Unschuld am Untergang der *Tangaroa* zu beweisen, während Sie offenbar nur Ihren Kopf aus der Schlinge ziehen wollen.«

»Denken Sie, was Sie wollen, Agent Kao! Für mich gilt es zuallererst, Schaden von unserem Land abzuwenden.«

»Wer unschuldig ist, braucht eine Anklage nicht zu fürchten.«

»Als Politologin sollten Sie gelernt haben, daß Recht und Unrecht relative Größen sind. Außerdem kostet jede weitere Untersuchung unnütz Zeit und Geld und wirft nur Fragen auf, die mit den Vorfällen nichts zu tun haben.«

»Saboticrt man deshalb seine Waffenbrüder?« Suns Augen wurden noch schmaler, als sie ohnehin schon waren.

»Sie haben recht, Doktor. So etwas gehört sich nicht.« Bates stand auf und zwängte sich zwischen Kao und Caan aus der kleinen Suite. »Ich werde mich bei Gelegenheit entschuldigen.«

»Ich denke, Sie werden sich mehr als eine Entschuldigung einfallen lassen müssen, denn glücklicherweise ist noch nie etwas so gut versteckt worden, daß man es nicht irgendwann gefunden hätte.«

Bates blieb in der Tür stehen und drehte sich mit einem mißtrauischen Blick um. »Was haben Sie gefunden?«

»Schmutzige Kielwasserspuren.« Sun setzte sich an den Computer, steckte seinen Chip in einen freien Slot des Terminals und aktivierte die Daten, die er in der Nacht gesammelt hatte.

»Laut den Akten des Pentagon galt die *Dateline* als Prototyp einer modifizierten Klasse von atomgetriebenen Unterseebooten, die für die ozeanographische Forschung in großen Tiefen eingesetzt werden sollten.«

»Daraus ist nie ein Geheimnis gemacht worden.«

»Bemerkenswert indessen ist, daß nirgendwo auch nur ein einziger Hinweis darauf zu finden ist, was an dem U-Boot so Besonderes war und worum es bei den Forschungen ging.«

»Vielleicht waren wir auf der Suche nach versunkenen Wracks und Geisterschiffen.«

»Hören Sie auf, Bates!« entrüstete sich Caan. »Ich hatte Ihre gestrige Bemerkung als Scherz durchgehen lassen.«

»Ich denke, Agent Bates' Geständnis ist sehr treffend, Commander«, erklärte Sun zustimmend. »Die *Dateline* war schon ein Geisterschiff, bevor sie überhaupt in Dienst gestellt wurde, und es gibt nicht den geringsten Hinweis darauf, daß sie je gebaut wurde.«

»Also schön, die *Dateline* ist nicht auf einer amerikanischen Marinewerft gebaut worden«, räumte Bates vorsichtig ein. »Für die Konstruktion fehlten uns die technischen Voraussetzungen…«

»…Voraussetzungen, die Sie in einer High-Tech-Schmiede im südlichen Japan vorgefunden haben?«

»Kompliment, Doktor. Offenbar haben Sie Ihre Hausaufgaben gründlicher gemacht, als ich dachte.«

»In Japan?« Caan runzelte die Stirn. Aufgrund seiner militärisch geschulten Menschenkenntnis, traute er den ehemaligen Kriegsgegnern außerhalb von Sushibars nicht über den Weg.

»Um genau zu sein, auf der kleinen und für den internationalen Flugverkehr gesperrten Insel Kazan Retto, auf der Moto Enterprises ausgedehnte Forschungslaboratorien und eine hochmoderne Schiffswerft unterhält.«

»Moto?« rief Kao sichtlich überrascht. »Wollen Sie damit sagen, Alexander Moto hätte die *Dateline* gebaut?«

Sun nickte. »Die *Dateline* und viele andere maritime Spielzeuge, mit denen er sich in den letzten Jahren hinter der Fassade seiner Holiday-Ressorts ein beachtliches Wirtschaftsimperium im pazifischen Raum aufgebaut hat.«

»Moto Enterprises ist einer der führenden Entwickler im Bereich der marinen Technologie«, erklärte Bates mit unschuldiger Miene. »Es ist nicht ungewöhnlich, daß Staatsprojekte von privaten Unternehmen realisiert werden, und Moto Enterprises war für unsere Zwecke der geeignete Partner.«

»Genau diese Zwecke sind es, die mir Sorgen bereiten.«

»Arbeitet Moto Enterprises nicht auch an der Entwicklung von nuklearen Unterwasserreaktoren?« erinnerte sich Caan beunruhigt.

»Das sind nur Gerüchte, die in der neuseeländischen Ökoszene kursieren«, erklärte Kao zweifelnd.

»Immerhin wäre dies eine Erklärung für die Protestfahrt der *Tangaroa*?« meinte Caan mit einer ihn selbst überraschenden Scharfsinnigkeit. »Vielleicht ging es bei dem *Dateline*-Projekt um die Erprobung einer neuartigen Wasserstofftechnologie, der die Crew der *Tangaroa* auf die Schliche gekommen ist, eine Art submariner Fusionsreaktor, wie ihn die Franzosen angeblich bereits im Tuamotu-Archipel testen. Möglicherweise ist der Reaktor bei dem Seebeben hochgegangen und hat diese Materieanomalien hervorgerufen. Eine Folge massiver nuklearer Verstrahlung wie damals in Maralinga.«

»Ihre Schlußfolgerungen sind absurd, Commander«, beschwerte sich Bates mit wachsendem Unmut. »Erstens ist die nukleare Fusion das Gegenteil der Kernspaltung, und zweitens versucht sich unser Land gerade von solchen risikoreichen Technologien zu befreien und umweltfreundlichere Alternativen zu entwickeln.«

»Immerhin würde Commander Caans Theorie erstmals das Rendezvous der beiden Schiffe in der Sturmnacht erklären«, meinte Kao mißtrauisch. »Ganz zu schweigen von den Streitigkeiten, die es im Vorfeld der Expedition zwischen der Crew der *Tangaroa* und Alexander Moto gegeben hat, deren wahrer Grund nie bekannt geworden ist.«

»Es hat nie eine Verbindung zwischen dem *Dateline*-Projekt und der *Tangaroa* gegeben«, erklärte Bates kategorisch und schien die Diskussion damit endgültig beenden zu wollen. »Das U-Boot absolvierte eine Routine-Testfahrt zur Erprobung der Navigationscomputer. Es befanden sich nur Ingenieure von Moto Enterprises an Bord. Wenn es überhaupt zu einem Zusammentreffen der Schiffe gekommen ist, was nach wie vor alles andere als geklärt ist, dann war die zeitgleiche Havarie der Schiffe nichts weiter als ein Zufall, ein zugegeben bedauerlicher und in höchstem Maße tragischer Zufall.«

»Beunruhigenderweise hat der Zufall ein Gesicht bekommen, Agent Bates, ein Gesicht, das mir mehr und mehr mißfällt.«

»Das ist Ihr Problem, Agent Kao.«

»Es ist unser Problem, und ich frage mich gerade, ob wir nicht alle gewaltig an der Nase herumgeführt worden sind.«

»Könnten Sie sich vielleicht etwas klarer ausdrücken.«

»Sie sagten, es wären nur Motos Leute an Bord gewesen.«

»Sicher, das Schiff war noch nicht fertiggestellt und sollte erst einige Tage später an unsere Crew übergeben werden.«

»Haben Sie schon einmal daran gedacht, daß Moto die *Dateline* für eigene Zwecke ausgeliehen haben könnte?«

»Um die *Tangaroa* zu versenken?« Bates lachte verkrampft. »Ich gratuliere Ihnen, zu einer derart geistreichen Spekulation.«

»Vielleicht ist sie geistreicher als Sie im Augenblick zugeben möchten. Ich habe heute morgen eine interessante Nachricht von unseren neuseeländischen Freunden in Hawai'i erhalten...«

»Wenn Sie nichts Handfesteres als Dr. Sun zu bieten haben, Agent Kao, möchte ich mich lieber entschuldigen. Meine Zeit ist zu kostbar, als sie mit Ihren vagen Verdächtigungen zu verschwenden.«

»Ich denke, diese Nachricht wird Sie interessieren.« Kao nahm ihr Handy aus der Tasche und aktivierte die Notiz auf dem Display. »Wie es aussieht, ist gestern ein Journalist in Honolulu aufgetaucht, der behauptet, ein Besatzungsmitglied der *Tangaroa* quicklebendig am Strand von Waikiki gesehen zu haben.«

»Von der *Tangaroa?*« Bates runzelte verwirrt die Stirn.

»Das klingt nach einer Zeitungsente!« schloß sich Caan der Skepsis achselzuckend an. »Wir hatten schon Reporter, die das ganze Schiff auf irgendeinem Riff gesehen haben wollten. Diese Klatschspaltenartisten sind doch alles Spinner, die sich wichtig machen wollen.«

»Das dachte unser Informant anfangs auch. Interessanterweise arbeitet der Mann auf Rechnung von Alexander Moto.«

»Hat dieser Mann auch einen Namen?«

»Sicher, Commander. Er heißt Dennis Newman.«

»Newman?« wiederholte Bates, und die Farbe seiner Haut wurde sichtlich blasser. »Woher haben Sie diese Informationen?«

»Im Gegensatz zu Ihnen haben sich die Kiwis von Anfang an kooperativ erklärt, in der *Tangaroa*-Sache mit uns zusammenzuarbeiten. Außerdem haben sie bereits vor einigen Wochen einen ihrer besten Agenten auf Moto und seine engsten Mitarbeiter angesetzt. Ich glaube, unsere neuseeländischen Waffenbrüder sind da einer ganz heißen Sache auf der Spur, und ich möchte nicht in Ihrer Haut stecken, wenn sich herausstellen sollte, daß die ganze Story von der Havarie im Sturm eine bewußt lancierte Finte war, um das wahre Schicksal der *Tangaroa* vor den Augen der Welt zu verstecken.«

19

HALEKULANI

FRIEDVOLLES SEIN

Dennis lag in einer weißen Wolke. In einer weichen, stillen Welt der Ruhe und des Wohlbefindens. Er wußte nicht, wo er war, und eine Zeitlang war ihm nicht einmal klar, ob er vielleicht nur träumte. Mit großer Mühe versuchte er sich aufzurichten und sah sich benommen um. Das Bett, auf dem er lag, stand in der Mitte eines hellen Zimmers. Alles darin war weiß. Die Kissen unter seinem Kopf, die Decken, die seinen Körper einhüllten. Die Kommode mit den hohen Spiegeln gegenüber. Die Rahmen der Bilder an den Wänden, die hawaiianische Blumen zeigten. Der Boden aus hölzernen Dielen. Die Vorhänge vor den Fenstern, die sich in der sanften Brise des Windes wellten. Und der Stuhl neben dem Bett, auf dem einige fremde Kleidungsstücke lagen. Eine Jeans, Shorts, ein weißes Hemd und Leinensportschuhe, die seiner Größe entsprachen.

Das Zimmer hatte etwas Künstliches, beinahe Unlebendiges. Es wirkte nicht bewohnt. Es war unpersönlich wie die Kulisse für die Szene eines Films. Eingerichtet für einen unsichtbaren, hinter der Fassade verborgenen Zweck, der auch den Fortgang der Handlung bestimmte. Das Schicksal der Akteure. Sein Schicksal. Dennis blickte durch die gläsernen Schiebetüren hinaus in einen tropischen Garten, in dessen Mitte ein von farbenprächtigen Orchideen gesäumter Pool angelegt war. Dann hörte er das Plätschern und bemerkte die Schwimmerin, die ruhig ihre Bahnen zog. In sanften Wellen flossen ihre roten Locken über das Wasser, glitten zum Rand des Beckens und legten sich über die nahtlos gebräunte Haut ihres Körpers, der sich eine chromglänzende Leiter hinauf und hinaus aus dem Becken hob. Einen kurzen Moment streckte sie sich und atmete die Wärme der Sonne, während die letzten Tropfen des Wassers über ihren Rücken perlten.

Dann kleidete sie sich in eine zweite Haut, in ein gelbes Gewand aus glänzender Seide, und trat durch die Tür hinein in den lichten Raum. Begleitet von dem Duft des Wassers setzte sie sich zu Dennis an das Bett, und endlich wußte er wieder, was mit ihm geschehen war.

»Wie geht es Ihnen?« erkundigte sich Cherry Jones und legte ihre kühle Hand auf seine Stirn. »Haben Sie gut geschlafen?«

»Wo bin ich?«

»Sie wurden im Wald ohnmächtig. Da habe ich Sie lieber zu mir gebracht.«

»Zu Ihnen?«

»Das erschien mir das Sinnvollste. Ich wollte kein Risiko eingehen, und bei Dr. Saito, meiner Ärztin hier in Kane'ohe, weiß ich wenigstens, daß Sie in guten Händen sind. Sie ist Expertin für Schwimmverletzungen.«

»Und ich habe schon geglaubt, ich wäre im Himmel.« Dennis deutete auf den weißen Schleier des Moskitonetzes, das über dem Bett hing.

»Denken Sie, daß dort ein Plätzchen für Sie reserviert ist?«

»Ich weiß nicht. Im Augenblick war wohl gerade nichts frei.«

»Wieder ein schlechtes Timing, was?« Jones lachte und trocknete sich die Haare, deren Rot in der Sonne wie loderndes Feuer schien. Dennis mußte unweigerlich an die Geschichten über *Pele* denken, der zürnenden Vulkangöttin, die sich gerne Scherze mit Touristen erlaubt, und ertappte sich bei dem Gedanken, daß er diesmal das Opfer war – Brillsteins Opfer, der wahrscheinlich hinter dem Spiegel saß und Pfeife rauchend seine hochwissenschaftlichen Notizen machte.

»Sie scheinen jedenfalls einen sehr verläßlichen Schutzengel zu haben«, meinte Jones. »Die Wunden auf Ihrer Brust sind halb so schlimm, und Ihr Kopf hat nur eine Beule abbekommen. Kleine Gehirnerschütterung. Dr. Saito meinte, Sie sollten sich am besten eine Weile ausruhen, dann sind Sie bald wieder so gut wie neu.«

»Eine Weile...?«

»Zwei, drei Tage...«

»Was? Nein, das geht nicht. Ich muß...«

»Sie müssen gar nichts, Mr. Newman.«

»Dennis...«

»Okay, Dennis. Ich heiße Catherine, aber seit meiner Schulzeit nennt man mich Cherry. Wegen der Haare!«

»Bitte verstehen Sie mich nicht falsch, Cherry. Ich bin Ihnen wirklich sehr dankbar, und bei Ihrer liebevollen Fürsorge würde ich gerne noch eine Weile in diesem exklusiven Krankenzimmer verbringen, aber ich habe eine wichtige Verabredung.«

»Ich weiß, Moto wollte Ihnen das *Ma'alaea Bay Ressort* zeigen. Ich habe bereits vor einer Stunde mit ihm telefoniert. Er hatte Sie schon vermißt und klang richtig besorgt, als er hörte, was mit Ihnen geschehen ist.«

»Was haben Sie ihm denn gesagt?«

»Nur, daß Sie einen kleinen Badeunfall hatten. Ich hielt es für besser, Ihre Begegnung mit David nicht zu erwähnen.«

»Moto glaubt, David gehört zu den *Boys for Pele,* nicht wahr?«

»Er hält ihn sogar für den Kopf der Bande, und wenn Sie Ihren Job behalten wollen, sollten Sie Ihr Interesse für die *Tangaroa* besser nicht an die große Glocke hängen.«

»Was hat Moto gesagt?«

»Er meinte, wenn Sie sich bis heute abend besser fühlen, könnten Sie ihn direkt im *Ma'alaea* treffen.«

»Das sollte machbar sein«, meinte Dennis und versuchte sich aufzurichten. »Wenn Sie mir den Weg erklären.«

»Keine Sorge. Moto schickt Ihnen seinen Helikopter. Also, bleiben Sie wenigstens noch so lange liegen und schlucken brav Ihre Medizin, während ich mir noch mal Ihre Wunden ansehe.« Jones drückte Dennis mit sanfter Gewalt zurück in die Kissen, zog die Decke bis zu den Hüften zurück und nahm den Verband von der Haut.

»Ich habe hier eine Salbe von Dr. Saito. Die wird einer Entzündung vorbeugen und stillt die Schmerzen.«

Vorsichtig begann Jones die grünliche, nach Meerestang duftende Paste auf die Rißwunden zu massieren, die unterhalb der Rippen blutige Spuren auf die Haut gezeichnet hatten. Dennis spürte eine wohltuende Wärme. Er schloß die Augen und ertappte sich dabei, die sanfte Behandlung zu genießen.

»Haben Sie mich alleine hierher verfrachtet?« fragte er nach einer Weile und überlegte, ob Dr. Saito vielleicht einen Vollbart trug.

»Wäre Ihnen das peinlich?«

»Nein, ich frage mich nur gerade, ob Sie alle Männer so schnell in Ihr Bett bekommen.«

»Manchmal, aber gewöhnlich sträuben sie sich dabei nicht so wie Sie.« Jones legte ein gekonntes Lächeln auf, das einmal mehr verbarg, was sie wirklich dachte.

»Haben Sie eigentlich ein ernsthaftes Interesse an dem Job, den Moto Ihnen angeboten hat?« fragte sie und ging hinüber in das Badezimmer, um sich die Salbe von den Händen zu waschen.

»Wieso fragen Sie?«

»Vielleicht gibt es in Wahrheit einen ganz anderen Grund, aus dem Sie auf die Inseln gekommen sind?«

»Einen anderen Grund?« Dennis dachte mehr an das hauchdünne Nichts, das Jones als Kleidung gewählt hatte, und fragte sich, was Brillstein wohl damit bezweckte.

»Ich meine Ihr Interesse an Keani und der *Tangaroa.*«

»Ich sagte doch, ich habe rein zufällig das Bild in der Zeitung gesehen und...«

»Zufällig?« Jones stellte ein Glas Wasser und eine Schale mit Antibiotika-Tabletten auf das Tischchen neben dem Bett und setzte sich wieder. »Ist es nicht eher eine Art profitabler Spleen von Ihnen, nach verschollenen Leuten zu suchen?«

»Habe ich etwa im Fiebertraum phantasiert?«

»Das auch, lauter unverständliches Zeug. Daher habe ich mir Ihre Vita lieber aus verläßlicheren Quellen zusammengestellt.« Jones deutete auf den Computer, der durch die geöffnete Tür im Nebenzimmer zu sehen war und auf dessen Bildschirm das World-Wide-Web-Logo einer Informationsagentur zu sehen war.

»Dennis Newman ist kein unbeschriebenes Blatt in Journalisten- oder Detektivkreisen, zu denen man Sie wohl besser zählen sollte, seit Sie vor einiger Zeit erstaunlich erfolgreich damit angefangen haben, nach Personen zu suchen, die unter ungewöhnlichen Umständen verschwunden sind.«

»Checken Sie alle Patienten so sorgfältig, die Sie in Ihr Privathospital aufnehmen?«

»Ich bevorzuge es, zu wissen, wer in meinem Bett liegt.«

»Und? Wurde Ihr Wissensdurst befriedigt?«

»Wenigstens weiß ich jetzt, daß Sie nicht der Typ sind, der Strände für Hochglanzprospekte fotografiert. Ihnen liegen eher – wie sagten Sie gestern? – hintergründige Themen. Von prominenten Auftraggebern, wie beispielsweise der NSA.«

»Das steht im Internet?«

»Wenn man die richtigen Links kennt. Allerdings frage ich mich die ganze Zeit, was Sie wirklich suchen. Geht es Ihnen um den Ruhm? Oder ist es nur das Geld?«

»Es ist ein Job, Cherry. Ein oftmals wenig angenehmer und bei den Bundesbehörden auch noch ein lausig bezahlter Job, der in meinem Fall wohl ausschließlich dazu gedient hat, die Sicherheit des Mafia-Zeugenschutzprogramms zu testen.«

»Sie hätten ein Vermögen verdienen können, wenn Sie Elvis wiedergefunden hätten...«

»... oder das Ungeheuer von Loch Ness!«

»Network Media soll Ihnen immerhin eine halbe Million Dollar für den Fall geboten haben, daß Sie einen spurlos verschwundenen Physiker ausfindig machen. In Hongkong, nicht wahr?«

»Samuel Tyme war ein Schriftsteller...«

»Ach ja? Einer der größten Medienkonzerne der Welt bietet einem Privatdetektiv eine halbe Million, nur um einen Schriftsteller wiederzufinden? Das klingt nicht sehr überzeugend. Zudem sich auch noch die chinesischen Triaden für Tyme interessiert zu haben scheinen. Da lauerte wohl mehr...?«

»... mehr als ein ausgebranntes Autowrack am Fuße der Steilklippen?« Dennis lachte verächtlich.

»Ich glaube, Sie sind ein Typ für die ganz heißen Sachen, Dennis Newman. Angeblich soll Dr. Tyme einer bahnbrechenden Atomtechnologie auf der Spur gewesen sein.«

»Ich sag' Ihnen was, Cherry. Es war ein Flop, und zwar auf der ganzen Linie. Ich bin einen Monat durch den Schmutz der Hinterhöfe Hongkongs gekrochen, der seit der Übergabe an die Chinesen nicht gerade wohlriechender geworden ist, und irgendwann hatte ich die Schnauze voll. Es gibt sicher keine Stadt, in der man leichter untertauchen kann. Und wenn ein Chinese Ihnen etwas nicht sagen will, können Sie genausogut mit der Tapete an der Wand kommunizieren.«

»Und deshalb haben Sie sich entschlossen, von den brisanten Fällen in das geruhsamere Fach des Reisejournalismus zu wechseln, um stimmungsvolle Bilder von Alexander Motos Ferienhotels zu schießen?«

»Ich habe den Job über eine Agentur bekommen, für die ich vor Jahren als Fotoreporter gearbeitet habe«, schwindelte Dennis und verfluchte erneut Brillsteins dubiosen Rat, nach Hawai'i zu fliegen. »Ich brauchte einfach etwas Ruhe, und da kam mir das Angebot gerade recht.«

»Sie haben eine seltsame Auffassung von Ruhe. Oder ist es Ihre spezielle Art der Entspannung, auf riskante Weise Ihr Leben aufs Spiel zu setzen, nur um hinter einem Mädchen herzuspionieren, das seit Wochen auf dem Grund des Ozeans liegt?«

»Ich sagte bereits, ich kannte Keani von früher...«

»Das glaube ich Ihnen nicht, Dennis!« Jones Gesicht wurde ernster. »Sie sind Keani nicht begegnet, und schon gar nicht am Strand von Waikiki.«

»Woher wollen Sie das wissen?«

»Muß ich Ihnen das wirklich erzählen?« Jones knallte einen alten Zeitungsausschnitt auf das Bett. »Sie kennen bereits die Geschichte von dem Tsunami in Manalei.«

»Nur was Sie mir gestern erzählt haben.«

»Nachdem das Wasser zurückgegangen war, fand ein Rettungsteam der Küstenwache Keanis leblosen Körper in den Schlammassen in dem Tal. Erst dachte man, sie sei ertrunken, aber wie durch ein Wunder hatte sie die Katastrophe überlebt.«

»...Überlebende von Manalei gibt Rätsel auf...!« las Dennis.

»Angeblich soll Keani bereits tot gewesen sein, bevor sie plötzlich wieder erwachte.«

»Angeblich?«

»Es gab viele Gerüchte damals. Manche Hawaiianer meinten, es sei nicht mit rechten Dingen zugegangen. Man sprach von Zauberei und *kahuna*-Magie. Einige meinten sogar, sie wäre von einem *'unihipili* besessen, einem Geist, der sich ihres verstorbenen Körpers bemächtigt hat, um in ihrer Gestalt sein Unwesen zu treiben.«

»Ein hawaiianischer Zombie?« zweifelte Dennis, weil er fand, daß die Geschichte schon haarsträubend genug war.

»Nun ja, die *kama'aina* sind sehr abergläubisch, und Berichte von Phänomenen dieser Art haben in Hawai'i eine lange Tradition.«

»Und was ist Ihrer Meinung nach damals geschehen?«

»Ich denke, Keani könnte in Folge der Flutkatastrophe unter einem schweren Schock gelitten haben. Einer der Rettungsschwimmer beschrieb ihren Zustand als eine Art Autismus, ein Träumen bei vollem Bewußtsein, das jede Form der Kommunikation mit ihr unmöglich machte. Leider verschwand das Mädchen unter mysteriösen Umständen, bevor ihr Zustand genauer untersucht werden konnte.«

»Mysteriös?« Dennis hatte seit längerem beschlossen, dieses Attribut aus seinem Wortschatz zu verbannen, und hatte auch nicht vor, es grundlos wieder einzuführen. »Was meinen Sie mit mysteriös?«

»Die Sache wurde nie geklärt. Angeblich soll David, der damals für die Coastguards gearbeitet hat, versucht haben, seine Teamkollegen daran zu hindern, Keani nach Lihue in das nächste Krankenhaus zu bringen, und während die anderen nach weiteren Opfern des Tsunamis suchten, soll er das Mädchen entführt und irgendwo in dem Tal versteckt haben.«

»Und warum sollte David das getan haben?«

»Auf diese Frage haben damals viele vergeblich eine Antwort gesucht. Am Ende schob man den Fall in die Ecke des religiösen Fanatismus.«

»Hat David Keani etwa auch für einen Geist gehalten?«

»Seine Aussagen waren sogar die Quelle für die Gerüchte. Er hat behauptet, das Mädchen habe sich vor seinen Augen in Wasser verwandelt und sei in den Kaskaden des Wasserfalls von Manalei verschwunden.«

»Das klingt ja wie im Märchen.«

Jones nickte. »Deshalb wurde Anklage gegen David erhoben, die aber nach einiger Zeit mangels Beweisen wieder fallengelassen wurde.«

»Hat man denn nicht nach Keani gesucht?«

»Schon, aber ohne Erfolg. Es gab zwar Geschichten von Campern und Wanderern, die einige Male eine *kama'aina* bei den Wasserfällen von Manalei gesehen haben wollen. Aber man kennt ja den

Wahrheitsgehalt von solchen Stories. Keani blieb verschwunden, und soviel ich weiß, konnte bis heute nicht einmal ihre Identität festgestellt werden. Sie wurde weder von jemandem als vermißt gemeldet, noch hat man je herausgefunden, woher sie damals gekommen ist, bis sie in der Nacht der unplanmäßigen Abreise der *Tangaroa* völlig überraschend und auf ebenso ungeklärte Weise an Bord auftauchte.«

»Und nach alldem hat man sie einfach an der Expedition teilnehmen lassen?« hakte Dennis skeptisch ein.

»Die *kama'aina* hielten ihr plötzliches Erscheinen für ein Omen. Es hieß, Keani sei eine *kahuna kaula*...«

»Eine *kahuna*? Sie meinen, man hätte Keani für eine Hexe gehalten?«

»Das ist ein modernes Klischee, Dennis. Der Begriff *kahuna* stand in früheren Zeiten für all jene Menschen, die auf spirituellen aber auch auf ganz profanen Gebieten besondere Fähigkeiten besaßen. Neben Zauberern, mit der Gabe, Magie zu praktizieren, gab es auch Heilkundige, Wahrsager, Masseure, Architekten, Bootsbauer und Navigatoren. Besonders auf längeren Seereisen nahmen die Polynesier immer *kahunas* mit seherischen Fähigkeiten mit. Für sie waren diese Fahrten nicht in erster Linie geographische Reisen, sondern spirituelle Erfahrungen, rituelle Traumreisen zu ihrer mythischen Urheimat *kahiki,* für die man eine besondere Art der Navigation brauchte, weil diese heiligen Inseln entgegen der landläufigen Meinung nicht Tahiti waren, ja nicht einmal ein konkreter geographischer Ort.«

»Also nahm man an, Keani hätte aufgrund ihres psychischen Traumas hellseherische Fähigkeiten erlangt.«

»Die *kama'aina* denken nicht in psychologischen Kategorien. Aufgrund der Umstände ihrer Existenz glaubte man, Keani sei eine direkte Gesandte der Meeresgötter, die geschickt worden war, um ihre Botschaften in Form prophetischer Träume zu vermitteln. Manche meinten sogar, sie hätte die *Tangaroa*-Crew dazu gebracht, das Schiff noch in der Nacht zu kapern, um damit ein magisches Ritual auf hoher See zu zelebrieren.«

»Ein Ritual?«

»Der Aberglaube ist eine unerschöpfliche Quelle«, meinte Jones achselzuckend und beschloß, das unfruchtbare Thema endlich zu beenden. »Wie wir wissen, ist der Zauber schiefgegangen, was die Story nicht gerade glaubwürdiger macht. Genauso wie die Geschichte von Ihrer Strandbegegnung, Dennis. Oder wollen Sie mir immer noch erzählen, Sie hätten Keani wie ein Bikinimädchen in Waikiki getroffen?«

»Glauben Sie etwa, ich hätte das Ganze nur geträumt?«

»Nein, Dennis. Ich denke, daß Sie gelogen haben, und es wäre an der Zeit mir zu erklären, was Sie dazu bewogen hat, mir diese abstruse Story ans Bein zu binden.«

»Erklären?« Dennis stöhnte. »Ich fürchte, im Augenblick kann ich das nicht erklären, aber gelogen habe ich nicht. Ich bin Keani wirklich begegnet.«

»Vielleicht bei den Wasserfällen von Manalei?«

»Nein, es war in Waikiki. Und zwar gestern morgen.«

»Gestern?« Jones versuchte ein erstauntes Lächeln aufzusetzen, obwohl sie Dennis' absonderliche Behauptung aus der Sharks Cove Bay längst kannte, als sie sein Gespräch mit David belauscht hatte. »Ich glaube, ich sollte Dr. Saito lieber noch mal rufen.«

»Ich weiß, es klingt verrückt...« verteidigte sich Dennis und rang nach Worten.

»Allerdings, und ich weiß nicht, was Sie mit Ihren Geschichten bezwecken wollen.«

»Ich will gar nichts bezwecken, ich will nur herausfinden, was hier gespielt wird.«

Jones überlegte. Immerhin war es möglich, daß Keani nicht mehr an Bord war, als die *Tangaroa* sank, und sich erneut aus unbekannten Gründen vor der Welt versteckte. Oder Dennis hatte eine *kama'aina* gesehen, die dem Mädchen zum Verwechseln ähnlich sah, was immer auch der Hintergrund für diese mit großer Wahrscheinlichkeit fingierte Begegnung war. Aber von wem war sie fingiert? Von Alexander Moto, der Dennis engagierte? Von den *Boys for Pele,* die einen makabren Feldzug gegen Moto und seine Stiftung führten? Oder von einer dritten dunklen Macht, deren Gestalt noch unter der Oberfläche des Ozeans verborgen lag? Zudem ergab sich die Frage, wofür man eine Doppelgängerin erschuf. Denn letztendlich fehlte dem Szenario der Sinn.

»Sie behaupten also allen Ernstes, daß Keani lebt und auf wundersame Weise vom Grund des Pazifiks auferstanden ist, um sich mit Ihnen am Strand von Waikiki zu treffen?«

»Ich weiß nur, daß ich Keani gestern gesehen habe«, versicherte Dennis und ließ sich erschöpft zurück in die Kissen fallen.

»Vielleicht war es wieder ein Omen«, meinte Jones zynisch.

»Cherry, irgend jemand spielt hier ein merkwürdiges Spiel, dessen Sinn und Zweck mir bislang völlig schleierhaft ist. Deshalb war ich gestern bei Ihnen. Und aus dem gleichen Grund bin ich heute morgen hinaus zur Sharks Cove Bay gefahren. Ich bin mir sicher, daß David weiß, daß Keani noch am Leben ist, und auch, was wirklich mit der *Tangaroa* geschehen ist.«

Jones schüttelte den Kopf und überlegte. »Hören Sie zu, Dennis. Ich weiß nicht, was ich von der ganzen Sache halten soll, und es spricht im Augenblick für Sie, daß ich ein wenig schwanke, ob ich Ihnen einen guten Psychiater empfehlen oder Sie besser gleich vor die Tür setzen soll.«

»Die Psychiater haben sich an mir schon die Zähne ausgebissen. Und ich kann verstehen, daß Sie mir nicht glauben. Aber ich weiß, was ich gesehen habe, und ich werde herausfinden, warum die Wahrheit über das Unglück der *Tangaroa* vor der Öffentlichkeit zurückgehalten wird.«

»Die Wahrheit…« Jones verdrehte die Augen. »In diesem Fall scheint es, als ob sich jeder seine ganz persönliche Wahrheit strickt.«

»Keani lebt«, beharrte Dennis. »Und wenn sie das Unglück überstanden hat, haben es die anderen Besatzungsmitglieder vielleicht auch. Möglicherweise hat die Havarie der *Tangaroa* niemals stattgefunden.«

»Und warum sollte jemand einen derart aufwendigen Betrug inszenieren?«

»Vielleicht, um daraus politisches Kapital zu schlagen.« Dennis richtete sich erneut auf. »Haben Sie nicht gestern selbst angedeutet, daß an der Geschichte etwas nicht stimmt.«

»Ich habe gesagt, daß es Dinge gibt, die niemals befriedigend erklärt werden können.«

»Vielleicht nur deshalb, weil man die Hintergründe nicht kennt.«

»Mag sein.« Jones stand auf und ging nachdenklich zur Terrassentür. »Wahrscheinlicher ist jedoch, daß Sie derjenige sind, der aus Berechnung seine Lügenmärchen sät. Angefangen bei der Ma'-alaea-Story. Alex hat Sie mit Sicherheit nicht engagiert, um seine Hotels abzulichten.«

Dennis überlegte. »Hören Sie zu, Cherry. Ich schulde Ihnen einiges, und ich verstehe, daß es Ihnen schwerfällt, mir zu glauben. Aber die Geschichte mit Keani ist wahr.«

»Genauso wahr wie Ihre eigene Geschichte?« Jones wurde zunehmend ärgerlich und drehte sich wieder um. »Ich habe das Dossier überprüft, das Moto über Sie eingeholt hat. Der Mann, der sich Dennis Newman nennt, hat gar keine Geschichte. Nichts in Ihrem Leben scheint mehr als fünf Jahre zurückzureichen. Ihr Führerschein, Ihr Paß, Ihr gesamtes Leben, das offenbar mit einer Entlassungsurkunde aus dem Gewahrsam der amerikanischen Einwanderungsbehörden beginnt. Ist das nicht seltsam, Dennis? Zumindest das haben Sie mit Keani gemeinsam. Niemand scheint zu wissen, wer Sie sind.«

»Sie wollen wissen, wer ich bin?« Dennis lachte und setzte sich mühsam auf die Bettkante. »Irgendwie endet alles bei mir immer bei dieser Frage, einer Frage, die ich leider nicht beantworten kann.«

»Die Sie nicht beantworten können oder wollen?«

»Wie Ihnen Ihr schlauer Informationsdienst sicher bereits verraten hat, konnten nicht einmal die Behörden eine Antwort darauf finden.«

»Ach ja, Ihre staatlich attestierte Amnesie.« Jones nahm die Kleidung vom Stuhl und warf sie neben Dennis auf das Bett. »Schade, Dennis Newman, oder wie sie auch immer heißen. Ich hatte gehofft, wir könnten Freunde werden. Aber wie mir scheint, sind Sie selbst die größte Ihrer Lügen.«

20

PO'OKI'I

TÄUSCHENDE MASKEN

Für Akiko Watanabe war das *Kapiulani Beach* Hotel ihr Zuhause. Ihr kleines Apartment in der Beretania Street – ein klimatisierter Briefkasten mit Dusche – suchte sie zumeist nur zum Schlafen auf, und auch das nicht allzuoft. Das breite Feld ihrer Arbeitsbereiche ließ Freizeit kaum zu, und wenn es die erweiterten Funktionen ihres Jobs verlangten, verbrachte sie die Nächte in Alexander Motos Suite.

Hätte es einen Plan gegeben, optimierte Angestellte zu klonen, wäre Akiko sicher in die Endauswahl für die Rubrik Chefassistentin gekommen. Wahrscheinlich hätte sie sogar gute Chancen gehabt, ein Modell mit Standardcharakter zu etablieren. In Japan gab es spezielle Institute für hochqualifiziertes, weibliches Dienstpersonal, die gemäß alter Tradition den Geishaschulen nachgeahmt waren, wenngleich auch am Lehrplan gewisse Modifikationen und Modernisierungen vorgenommen worden waren. Das perfekte Spiel auf der Shamisen wurde dabei von einem fundierten Wissen auf der Internetklaviatur ersetzt, und die klassische Gesangsausbildung war der Sprachgewandtheit in möglichst vielen Fremd-, Code- und Programmiersprachen gewichen, die die *samas* – die hohen Chefs in den japanischen Wirtschaftskonzernen – selten ausreichend beherrschten. Allein die virtuose Anwendung allerlei Entspannungstechniken war im Zentrum der Ausbildung verblieben, ergänzt durch vielfältige Methoden, den eigenen Körper in Hochform zu bringen.

Akiko zog das klassische Karate dem stupiden amerikanischen Bodybuilding vor. Ganz im Gegensatz zu ihrer puppenhaften, fast zerbrechlich wirkenden äußeren Erscheinung beherrschte sie die subtilsten Kampftechniken, die sie im Falle eines Falles zur Selbstverteidigung und zum Schutze ihres *sama* in eine todbringende Waffe verwandelten.

Dem Gegner, der ihr an diesem Nachmittag gegenüberstand, hatte sie trotz ihres virtuosen Könnens nichts entgegenzusetzen. Akiko starrte auf den Lauf der eigenartig geformten Pistole, die der touristisch in Shorts und Hawai'i-Hemd gekleidete Eindringling auf sie richtete. Noch bevor sie das Sicherheitssystem aktivieren oder auch nur einen Gedanken an ein Verteidigungsmanöver fassen konnte, hörte sie ein dumpfes Plopp, gefolgt von dem zischenden Geräusch des Projektils, das mit einem schmerzhaften Stich in ihre Schultermuskulatur eindrang. Nur den Bruchteil einer Sekunde später brach die Ohnmacht über ihr Bewußtsein herein.

Jonathan Bates steckte die Betäubungspistole zurück in die Schulterhalterung, drückte auf einen roten Knopf auf dem Interkom und überlegte, wann er das letzte Mal so viel Gefallen an seinem Job gefunden hatte. Vielleicht lag es daran, daß er bereits als Sieger feststand, bevor das Spiel überhaupt begonnen hatte, aber vielleicht auch an der Genugtuung über die Gelegenheit, offene Rechnungen zu begleichen – mit der zierlichen Japanerin, die ihn bei ihrer ersten Begegnung auf überraschende und zugleich kunstvolle Art aufs Kreuz gelegt hatte, und mit Alexander Moto, den er insgeheim für seine unnahbare Arroganz verachtete, mit der er in erfolgsverwöhnter Weise auf dem Siegerpodest des Lebens zu stehen schien.

Ohne jede Vorsicht öffnete Bates die schallgedämmte Zwischentür, die in die Lobby der weitläufigen Privatsuite führte, und ging in das spartanisch aber in höchstem Maße exklusiv eingerichtete Büro. Sein Timing war perfekt. Nach seinen Berechnungen hatte er knapp neunzig Sekunden um seinen martialischen Auftritt zum Höhepunkt zu bringen. Bates kannte Moto sehr genau und wußte, daß der Japaner ein Mann war, der wenigen Klischees entsprach. Den Safe hinter einem der kalligraphischen Wandbilder zu verstecken war für Moto viel zu gewöhnlich. Er hatte sich etwas Ausgefalleneres einfallen lassen, etwas, das sein Faible für technische Raffinessen befriedigte.

Bates trat vor eine Installation aus Spiegeln und kristallinen Prismen, die mit verschiedenfarbigen Laserstrahlen komplexe holographische Muster in das Innere eines gläsernen Kubus projizierten, und rief sich die Konstruktionspläne des eigentümlichen Gebildes zurück ins Gedächtnis, dessen technisch-funktionale Möglichkeiten Moto ihm in seinem zwanghaften Spieltrieb einmal verraten hatte. Die sprachgesteuerte Ausrichtung der Prismen generierte einen Lichtcode und damit den Schlüssel zu dem raffinierten Öffnungsmechanismus des Safes, der in dem massiven Marmorsockel unter der Installation verborgen war.

Bates nahm ein streichholzschachtelgroßes, digitales Diktiergerät aus seiner Gürteltasche, aktivierte die Play-Funktion und lauschte dem fremdsprachigen »Sesam öffne Dich!« für den Öffnungscode, den er für eine nicht unbeträchtliche Summe bei einer Spezialagentur aus dem Informationsmarkt, den sein Berufsstand auf geheimen Pfaden des World Wide Web unterhielt, aus verschiedenen Tonaufnahmen hatte zusammenschneiden lassen. Eine Sekunde später hob sich der gepanzerte Sockel unter dem gläsernen Kubus und öffnete den Zugang zu einem geräumigen Fach. Der Safe enthielt eine kleine Schatulle mit japanischen Siegelstempeln aus Elfenbein, mehrere Dokumentenmappen, ein Lederetui mit Smartcards und eine Box, in der mehrere X-Ram-Sticks mit Speicherkapazitäten im Gigabyte-Bereich lagen. Die Datenspeicher schienen die Juwelen in Motos Schatz zu sein, aber Bates legte sie wieder zurück in den Safe. Er war nicht gekommen, um die Sticks zu stehlen. Sein Plan ging in eine andere Richtung, und nach aller Wahrscheinlichkeit enthielten die Speicherchips nicht einmal die Daten, die die Aufschrift *»Dateline«* versprach.

Weitaus interessanter war eine Mappe mit Dokumenten und Fotos. Es war ein von Moto in Auftrag gegebenes Exposé über einen Mann, der seit kurzer Zeit eine undurchsichtige Rolle in seinem Imperium einzunehmen schien. Für Bates bedeutete die Existenz der Dokumente eine Bestätigung seines seit Wochen gehegten Verdachts, daß er hintergangen worden war. Gleichzeitig verlangte die Situation eine Veränderung in seiner Strategie, und es gehörte zum Selbstverständnis seines Jobs, auf das Unvorhersehbare angemessen vorbereitet zu sein. Ohne Eile legte er die Mappe zurück und ließ den Safe geöffnet.

Die ganze Aktion hatte weniger als eine Minute gebraucht, und als dreißig Sekunden später die Tür aufflog und zwei bewaffnete Wachleute gefolgt von Alexander Moto in das Büro stürmten, saß Bates mit übereinandergeschlagenen Beinen und künstlich entspannter Miene auf einem der bequemen Ledersessel, die vor dem ausladenden Schreibtisch standen.

»Aloha!« summte er und nickte mit dem Kopf.

Moto wirkte äußerst verärgert, als er begriff, was geschehen war.

»Jon, was soll das? Warum dringen Sie hier gewaltsam ein und vergreifen sich an meiner Sekretärin.«

»Regen Sie sich nicht auf, Alex. Ich schuldete Akiko noch eine Revanche, und außerdem juckte es mir einfach in den Fingern, einmal eine echte *ninja* aufs Kreuz zu legen.«

»Und...?« Motos Augen blieben kalt. »Hatten Sie Ihren Spaß? Oder gibt es noch etwas anderes, das Sie hier zu finden suchten?«

»Nun ja, Sie kennen mich. Ich bin ständig auf der Suche nach Erklärungen.«

»Erklärungen? Wofür? Seit dem bedauerlichen Zwischenfall folgen Sie mir wie ein Schatten, und ich bin Ihr Mißtrauen langsam leid.«

»Mißtrauen ist die Basis meines Jobs, Alex.« Bates grinste zynisch und nahm einen der fingergroßen X-Ram-Sticks aus dem Safe. »Immerhin bewahren Sie hier strenggeheime Dokumente auf, und es ließ mir einfach keine Ruhe herauszufinden, wie leicht es ist, an diesen Schatz heranzukommen.«

»Und was wollen Sie mit Ihrem Testraub beweisen?«

»Vielleicht, daß ein mittelschweres Seebeben nicht der Grund für das spurlose Verschwinden eines hochmodernen U-Bootes sein kann.«

Moto lachte. »Glauben Sie etwa, hier wäre jemand hereinspaziert, hätte die *Dateline*-Akten gestohlen und das Boot dann gekapert.«

»Warum nicht? Man sollte jede Möglichkeit in Betracht ziehen.«

»So naiv sind Sie nicht, Jon. Ihr fiktiver Pirat wäre hier nicht unbemerkt mit den Chips herausgekommen, selbst wenn er die Alarmanlage nicht absichtlich ausgelöst hätte, wie Sie es offensichtlich taten. Die Datenspeicher sind mit einem Sicherheitssystem codiert. Ein Entfernen der Chips aus diesem Raum hätte einen Alarm ausgelöst und sämtliche Ausgänge des Apartments automatisch versperrt.«

»Es wäre nicht notwendig gewesen, die Chips zu stehlen«, konterte Bates und wedelte mit seinem Handy, das Schnittstellen für Ram-Sticks und Smartcards besaß. »Die Daten hätten diese heiligen Hallen ganz einfach per Satellit verlassen können. Mit Lichtgeschwindigkeit. Zu jedem beliebigen Ziel.«

»Eins zu null für Sie, Jon!« gratulierte Moto und schickte mit einer Handbewegung die beiden Wachen aus dem Raum. »Dennoch wundere ich mich über Ihre Idee. Die Chips enthalten selbstverständlich chiffrierte Daten, was sie mit einem Blick auf das Display Ihres phänomenalen Gerätes unschwer hätten feststellen können.«

»Das war gar nicht nötig, Alex. Ich bin mir über die Qualität Ihrer Datenbänke durchaus bewußt.«

»Was wollen Sie dann?« unterbrach Moto ungeduldig und schien Bates Wink nicht zu verstehen oder nicht verstehen zu wollen. »Sie sind doch nicht gekommen, um mein Sicherheitssystem zu testen.«

»Ich sagte es bereits. Ich suche nach Erklärungen. Das ist doch sicher auch in Ihrem Sinne, oder?«

»Erklärungen werden wir nur dort draußen finden.« Moto deutete über den *lanai* hinaus auf das Meer. »Die *Dateline* ist nur ein weiterer, wenn auch in besonderem Maße bedauerlicher und im Sinne Ihres Projektes beinahe schon schicksalsironischer Eintrag in der langen Verlustliste der Geschichte des Drachenmeeres.«

»Ach ja? Inzwischen hege ich ernsthafte Zweifel an dieser Theorie, und ich frage mich, ob nicht ganz gezielt Informationen lanciert und verfälscht wurden, um das wahre Geschehen zu verschleiern.«

»Was soll das heißen?«

»Ich habe die Befürchtung, daß das Abkommen, das uns beide verbindet, nicht die wahren Interessen abdeckt. Ihre wahren Interessen, Alex.«

»Könnten Sie vielleicht etwas konkreter werden?«

»Was wäre, wenn die Kursdaten, die Sie uns übermittelt haben, nachdem Ihnen unser Schiff auf Ihrer Testfahrt abhanden gekommen ist, genauso unbrauchbar waren wie die Daten auf den Chips, die Sie hier aufbewahren? Vielleicht haben Sie uns die ganze Zeit an der falschen Stelle suchen lassen. Absichtlich und mit kalkuliertem Eigennutz.«

»Was soll diese Unterstellung, Jon?« beschwerte sich Moto. »Sie wissen genau, daß der Verlust der *Dateline* dem Projekt erheblichen

Schaden zugefügt und es um Wochen zurückgeworfen hat. Wir haben einige unserer fähigsten Spezialisten verloren. Ganz zu schweigen von dem finanziellen Schaden, der Moto Enterprises trifft. Sie können mir glauben, daß wir alles in der Welt mögliche getan haben, um das Schiff wiederzufinden, nur fehlten uns konkrete Daten. Aufgrund der extremen elektromagnetischen Anomalien haben wir den Kontakt zur *Dateline* verloren, lange bevor sie verschwand. Durch das Seebeben am Fleming Deep und den damit verbundenen Strömungen könnte das Boot weit von seinem ursprünglich geplanten Kurs abgekommen sein. Unsere Nautiker haben diese Szenarien in jeder Konfiguration durchgespielt.«

»Richtig. Und deshalb habe ich begonnen, mich für das Undenkbare zu interessieren.«

»Da bin ich aber gespannt.« Moto setzte sich hinter seinen Schreibtisch und faltete abwartend die Hände.

»Ich spiele mit dem Gedanken, daß die *Dateline* mit einer Mission betraut wurde, noch bevor sie überhaupt ihren Dienst aufnehmen konnte.« Bates stand auf, nahm eine Kopie der Minidisc des neuseeländischen Geheimdienstes aus seiner Jacke, legte die Datenscheibe in ein Abspielgerät, das unter einem großen Flachbildschirm in einem Rack an der Wand stand, und startete die Aufzeichnung, die er in der Nacht zuvor um den fiktiven Kurs der *Dateline* bis zu ihrem tödlichen Rendezvous mit der *Tangaroa* erweitert hatte.

»Was ist das?« fragte Moto sichtlich erstaunt.

»Es ist ein Spiel, Alex. Nennen wir es Schiffe versenken. Zwei Schiffe stechen in See. Ein hochmodernes, mit den neuesten Errungenschaften der marinen Technologie ausgestattetes Unterseeboot und ein altertümliches, polynesisches Segelboot, dessen Planken nur durch Palmenfasern zusammengehalten werden. Zwei Schiffe also, wie sie unterschiedlicher nicht sein könnten. Sie haben verschiedene Ziele, fahren verschiedene Kurse, und auch ihre Crews haben oberflächlich betrachtet nichts gemeinsam. Plötzlich aber weichen beide von ihrem geplanten Kurs ab, treffen sich, als hätten sie sich abgesprochen, an einem Punkt auf dem Ozean, der scheinbar nichts weiter ist als ein weißer Fleck auf der Weltkarte, und verschwinden auf seltsame Weise, ohne etwas anderes zu hinterlassen als ein Meer unbeantworteter Fragen.«

»Es tut mir leid. Ich kann Ihrer Argumentation beim besten Willen nicht folgen.« Moto versuchte einen mitleidsvollen Ton in seiner Stimme anklingen zu lassen, der sein Erstaunen über die unerwartete Anschuldigung überdeckte.

»Hören Sie, Jon! Wir haben für einen außergewöhnlichen Zweck ein außergewöhnliches Schiff konstruiert, das uns leider bei einer seiner notwendigen Testfahrten abhanden gekommen ist. Wie wir Ihnen bereits mehrfach zugesichert haben, wird Ihnen in wenigen Wochen ein neues Schiff zur Verfügung stehen, das sich bereits in seiner letzten Bauphase befindet. Erneut bedauere ich den Zwischenfall. Es war höhere Gewalt, und Moto Enterprises kommt für den Schaden in voller Höhe auf, um das Projekt und seine Geheimhaltung nicht zu gefährden.«

»Sicherlich tun Sie das, denn damit halten Sie sich Fragen vom Hals, die Ihnen weitaus größere Probleme bereiten könnten als der Verlust von ein paar Millionen Dollar. Fragen, die aufdecken könnten, daß Ihre sogenannte Testfahrt ganz und gar nicht den Interessen des *Dateline*-Projekts diente, sondern einem eigennützigen Zweck, den Sie uns gegenüber verheimlichen.«

»Das ist ja lächerlich!«

»Finden Sie, Alex? Und aus welchem Grund steht dann ein gewisser Dennis Newman in Ihren Diensten?« Bates zog die Exposé-Mappe aus dem Safe und warf sie auf den Tisch.

»Mr. Newman ist ein erstklassiger Privatdetektiv, den ich engagiert habe, um bei der Aufklärung der Anschläge gegen meine Hotels zu helfen.«

»Schöne Geschichte, Alex! Nur leider paßt sie nicht recht zu den Dingen, die Mr. Newmans Lebenslauf verschweigt.«

»Ich habe keine Ahnung, wovon Sie sprechen, Jon.«

»Die Puzzlesteine fügen sich zusammen, Alex. Sie wissen, ich habe Ihnen nie vertraut, und ich werde herausfinden, was für ein perfides Spiel Sie treiben.«

»Sie haben sich da völlig verrannt, Jon«, meinte Moto ärgerlich und stand von seinem Stuhl auf. »Ich bezweifle sehr, daß Ihr Verhalten für die Zukunft unseres Projekts förderlich ist.«

»Und ich fürchte, daß unsere Zukunft bereits auf dem Grund des Ozeans begraben liegt.«

21
KA'AHELE I PO
REISE IN DIE UNTERWELT

Es war eine Allee lodernder Fackeln. Ein Meer flammender Geister, die erwachten, als das Himmelsfeuer rotglühend und mit lautlosem Zischen in der Brandung des Ozeans versank. Das Licht des Tages wich den Schatten der Nacht, und mit dem magischen Glanz des Mondes bekundeten die *akua* ihr Erscheinen in der sichtbaren Welt. Sie lauschten den Stimmen der *kahunas,* die sich an den heiligen Gestaden von Maui eingefunden hatten, um das uralte Zeremoniell des *kupakapakanava* mit neuem Leben zu erfüllen.

Nur langsam bahnte sich der weiße Lexus einen Weg entlang der kilometerlangen Prozession der Fackelträger, die versunken in den rhythmischen Wellen ihrer Gesänge die Küstenstraße säumten.

»Was feiern diese Leute, Steve?« fragte Dennis Motos Chauffeur, der ihn vom Lahaina-Heliport an der Südküste von Maui abgeholt hatte, und schaute fasziniert aus dem Seitenfenster der Limousine.

»Angeblich wurde das alljährliche Fackelfest vorverlegt. Aber dahinter verbirgt sich mit Sicherheit der Protest der Anwohner gegen die Eröffnung des neuen Ressorts.«

»Eine ungewöhnliche Form von Protest.«

Dennis ließ seinen Blick über die Phalanx der modernen Luxusherbergen wandern, die die Strände der Ma'alaea Bay säumten. Vor den aufragenden Betonburgen wirkten die Fackelträger in ihren weißen Gewändern wie Gestalten aus einer längst versunkenen Welt.

»Auf mich macht das eher den Eindruck einer religiösen Wallfahrt«, meinte er nachdenklich und versuchte das Geschehen einer Kategorie seiner Erfahrung zuzuordnen.

»Das *kupakapakanava* ist eine heidnische Tradition, die heute für zeitgemäßere Zwecke herhalten muß. Die Polizei hat nach den Anschlägen der letzten Zeit sogar mit gewalttätigen Ausschreitungen unter den radikaleren Gruppierungen der Demonstranten gerechnet.« Steve deutete auf einen Konvoi von Mannschaftstransportern, vor denen sich in martialem Widerspruch zu der friedlichen Prozession eine kleine Armee mit Helmen und Schutzschilden bewehrter Polizisten aufgebaut hatte. Mit gelangweilten Mienen schauten die Beamten den Fackelträgern zu und schienen aufgegeben zu haben, auf ihren Einsatzbefehl zu warten.

»Da haben sich die Gesetzeshüter wohl verrechnet«, meinte Dennis belustigt.

»Wahrscheinlich hat die massive Präsenz der Einsatztruppen den Ökohooligans die Show verdorben. Mich würde es nicht wundern, wenn die sich heute nacht woanders austoben. Mr. Moto hat vorsorglich die Wachmannschaften in allen seinen Hotels verstärkt.«

Die Kette der Fackelträger bestand vorwiegend aus älteren *kama'aina*. Sie trugen farbenprächtige Blüten-*leis,* die in auffälligem Kontrast zu ihren ernsten, in sich gekehrten Gesichtern standen. Einige von ihnen waren offenbar in tranceartiger Meditation versunken, und aus ihren geschlossenen Mündern entwickelte sich ein tiefer, seltsam singender Ton. Es war keine Melodie. Es war eine Wolke aus Klang, die nicht allein Dennis' Ohren berührte, sondern sich wie eine prickelnde Flüssigkeit über seinen Körper legte und durch die Poren in seine Haut eindrang. Es war eine Welle aus konzentrierter Vitalität, wie er sie zuvor nur einmal bei einer von Brillstein arrangierten Schamanen-Seance in einer indianischen Schwitzhütte in Big Sur empfunden hatte. Sie entwickelte sich aus der Gemeinschaft wie ein mächtiges, kollektives Wesen, das wie eine Woge aus tanzenden Bewegungen über die Uferpromenade floß.

Je näher der Wagen dem Jachthafen von Kihei kam, desto dichter wurde die Menschenmenge. Zwischen die Einheimischen drängten sich nun auch mehr und mehr schaulustige *haoles* und asiatische Touristen in bunten Hawai'i-Shirts, die das Protestritual offenbar als Teil eines großen Volksfestes mißverstanden. Spontan hatte ein Chinese die Gelegenheit erkannt und vor seinem Schnellrestaurant eine kleine Garküche aufgebaut, während entlang der Kaimauer eine zunehmende Zahl fliegender Händler jede Art von hawaiianischem Souvenirkitsch anpries.

»Es tut mir leid, Mr. Newman«, erklärte Steve schulterzuckend und lenkte die Limousine durch eine Gruppe kamerabewaffneter Honeymoon-Japaner auf den Parkplatz eines Supermarktes. »Es hat keinen Sinn. Hier kommen wir nicht mehr durch. Wir müssen den Rest zu Fuß gehen, aber es ist nicht mehr weit.«

Dennis stieg aus und drängte sich hinter Steve durch die Menschenmenge in Richtung zu den Anlegern des Hafens. Bald war er umringt von Fackelträgern und angetrunkenen Mitläufern der Prozession, die sich zunehmend mit lodernden Scheiten bewaffneten und die Promenade in einen Abenteuerparcours für Feuerläufer verwandelten.

Das ganze Ufer schien bereits zu brennen. Dutzende von Strandfeuern waren zwischen den Palmen entzündet worden, und immer mehr Menschen drängten zu den Anlegern, wo sich eine Gruppe respekteinflößender Gestalten in einer Reihe entlang der Kaimauer aufgebaut hatte. Es waren ausnahmslos weibliche *kama'aina* mit einer außerordentlichen Körperfülle. Sie trugen traditionelle *kapa* um ihre mächtigen Brüste, und ihre Blicke suchten einen imaginären Ort weit draußen auf dem Meer.

Dennis lief ein kalter Schauer über den Rücken. Die Szene erinnerte ihn an ein Trance-Erlebnis, das ihm während des Schamanen-Rituals widerfahren war. Brillstein hatte ihm nie erklären können, was er dort gesehen hatte. Es waren Bilder, die tief in seiner Vergangenheit begraben lagen, zu tief, um von dort auf eine bewußte Ebene seiner Wahrnehmung gehoben zu werden.

»Wer sind diese Frauen?« fragte er verunsichert.

»Wahrscheinlich *kahuna*-Priesterinnen, die mit ihren Ritualen die Geister des Meeres herbeirufen wollen«, meinte Steve mit desinteressiertem Achselzucken. In seinen Adern floß zumindest zur Hälfte polynesisches Blut, aber er schien nicht viel über die hawaiianische Kultur zu wissen oder wissen zu wollen.

»Eine kollektive Seance?«

»Das ist einheimischer Aberglaube. Für die *kama'aina* ist die Ma'-alaea-Bay heilig. Maui war in früheren Zeiten der Sitz King Kamehame'as, dem berühmtesten Herrscher von Hawai'i. Noch heute glauben viele Hawaiianer, daß die Ahnengeister seiner *'ohana* in diesen Gewässern leben und über ihr Heiligtum wachen.«

»Und ausgerechnet hier hat Alexander Moto sein neues Hotel erbaut?«

»Sicher! Warum nicht? Wir leben im einundzwanzigsten Jahrhundert, Mr. Newman.«

Dennis sah sich um. »Wo ist denn das Schloß unseres Touristenkönigs? Die Gebäude hier scheinen nicht gerade seiner Extravaganz zu entsprechen.«

»Das Ma'alaea Ressort kann man von hier nicht sehen.« Steve lachte und deutete hinaus auf das Meer. »Es liegt dort draußen.«

»Sagen Sie nicht, es ist ein schwimmendes Hotel.« Dennis schluckte und rang mit dem Gedanken, daß ihm ein neuerlicher Horrortrip bevorstand.

»Nun ja, wie man es nimmt. Ich würde es eher als ein Berghotel bezeichnen. Lassen Sie sich überraschen, Mr. Newman.«

Neben dem Jachtclub führte eine breite Landungsbrücke hinaus in die Bucht und verbreiterte sich an ihrem Ende zu einer hellerleuchteten, künstlichen Insel, von der sternförmig kleinere Anleger ausgingen. Im Zentrum der Anlage stand ein in altem hawaiianischen Stil erbautes Versammlungshaus, unter dessen weitausladender Dachkonstruktion eine kleine Flotte stromlinig geformter Boote lag. Mit ihrer Deltaform erinnerten sie an die *Tangaroa II,* und ohne Zweifel waren dies die ersten Exemplare jener völlig neuen Generation von Seefahrzeugen, von denen Cherry Jones am Abend zuvor gesprochen hatte.

Mit an Atemnot grenzendem Widerwillen stieg Dennis in eines der Boote, nahm auf einem schalenförmigen Sitz Platz und begann leise Brillsteins bislang wenig hilfreichen Beruhigungsformeln zu rezitieren, die seine Angst in Streßsituationen kontrollieren sollten – theoretisch jedenfalls. Sein ganzer Körper begann zu zittern. Er weigerte sich, den bedrohlichen Zustand zu akzeptieren, und seine Nerven lösten eine bestens funktionierende Alarmanlage aus, die augenblicklich alle Muskeln des Bewegungsapparates mobilisierten, den Rückwärtsgang einzuschalten. Allein der Sicherheitsgurt, der sich automatisch über seinen Oberkörper legte, verhinderte seine Flucht.

Dennis fühlte sich wie ein Gefangener in einem teuflischen Experiment, und Steves vergnügter Gesichtsausdruck mutierte in seiner Phobie zur blanken Schadenfreude eines sadistischen Foltermeisters. Alles andere als entspannend wirkte zudem die Tatsache, daß sich über seinem Kopf ein transparentes Plexiglasdach schloß, das mit leisem Zischen die wasserdichte Versiegelung des Cockpits bekundete und dem rettenden Sprung in die Freiheit die letzte Chance nahm.

Sekunden später begann mit dem dumpfen Summen der Turbinen die Fahrt, und der Ritt, der dann folgte, übertraf bei weitem die Dramaturgie von Brillsteins Schocktherapie, die Dennis vor einigen Monaten in den Rifftanks des Oceanparks von Orlando nach wenigen Versuchen erfolglos abgebrochen hatte. Das seltsame Fahrzeug beschleunigte und legte sich dabei immer tiefer in die Dünung, bis das Wasser über der Glaskuppel zusammenschlug und der sternenklare Himmel unter den Wellen verschwand.

»Sorry, Mr. Newman«, entschuldigte sich Steve mit einem Zynismus, der wie ein grinsendes Gesicht in Dennis Kopf entstand – ein bärtiges Gesicht mit Pfeife –, und schaltete die Scheinwerfer des Unterwassershuttles ein. »Bei Tageslicht ist die Fahrt durch das Riff ungleich faszinierender.«

»Danke, es ist bereits jetzt bei weitem aufregender, als ich erwartet hatte.« Dennis fuhr der kalte Schweiß aus den Poren, und während er mit sich kämpfte, wohin er seinen Blick wenden sollte, tauchte in den Lichtkegeln ein riesiger Fischschwarm auf, der wie das Highlight einer atemberaubenden Choreographie erbarmungslos seine Aufmerksamkeit auf sich zog.

»Was hat Brillstein Ihnen für den Trip gezahlt, Steve?«

»Brillstein? Wer ist Brillstein?«

»Ich dachte, Sie würden für ihn arbeiten.«

»Was?«

»Ach, vergessen Sie es«, seufzte Dennis und ergab sich einmal mehr hilflos seiner Paranoia.

Der Fischschwarm bewegte sich mit einer unbeschreiblichen Schönheit und Symmetrie. Es schien, als würde nicht die Bewegung der einzelnen Fische die Form des Schwarms bestimmen, sondern ein übergeordneter, kollektiver Geist, der die Individuen zu einer Wolke aus purer Lebenskraft verwandelte. Mit gedrosselter Fahrt steuerte Steve direkt in den silbrig glänzenden Schwarm und trieb das Tauchboot wie ein Messer durch das Innere des Wesens, bis es von allen Seiten von ihm umhüllt war, verschluckt von einem Organismus, der aus unzähligen Leibern bestand, unzähligen Köpfen mit Mäulern und starrenden Augen, die mißtrauisch die Fremdlinge in ihrer Mitte betrachteten.

Auf beunruhigende Weise spürte Dennis die Nähe der Fische, in deren stille Welt er eingedrungen war und deren Harmonie er störte. Er empfand aber auch seine eigene Unvollkommenheit, mit der er sich der für ihn fremden und unwirtlichen Sphäre des Meeres aussetzte.

Eine Weile begleitete der Schwarm das Boot und verlor alsbald das Interesse. Er öffnete seinen Leib wie einen schillernden Vorhang und gab den Blick auf die von tausendfarbigen Organismen bewachsene Hügellandschaft des Riffs frei – ein für Dennis nicht mehr zu ertragender Anblick. Allein der selbsthypnotische Versuch, sich augenblicklich in die Hongkonger Subway zu versetzen, verhinderte, daß er die Plastiktüte benutzen mußte, die er vorsorglich aus der Seitentasche seines Sitzes gezogen hatte und nun verkrampft in den Händen hielt.

Nach kurzem Flug über die Korallenwälder verlangsamte Steve die Geschwindigkeit und steuerte das Boot in Richtung der zerklüfteten Riffkante, an der die seichte Lagune der Ma'alaea Bay in das gähnende Loch der Tiefsee stürzte. Wenig später tauchte in einer der Spalten ein riesiger, leuchtender Körper auf, der wie der Schirm einer überdimensionalen Tiefseequalle über den Felsen zu schweben schien. Aus seinem Leib führten röhrenförmige Arme tentakelartig auf den Boden und verankerten das Objekt im Riff.

Für einen Moment vergaß Dennis seine Angst. Er vergaß sogar, wo er sich befand, denn die Szenerie war so unwirklich, daß das gläserne Cockpit, in dem er saß, wie das Fenster zu einem virtuellen Raum erschien, dessen Realität ihm ein hochentwickeltes Computerprogramm suggerierte. Gleich einem interstellaren Kreuzer näherte sich das Tauchboot einer Öffnung im Mutterschiff und glitt langsam durch die prismenförmige Schleuse in das Innere der künstlichen Welt.

»Willkommen im Ma'alaea Ressort«, erklärte Steve beinahe stolz und beendete mit der Aktivierung der magnetischen Anker die rasante Tauchfahrt. »Sie waren mein erster Gast auf dieser Strecke. Sozusagen der Testpassagier. Offiziell wird das Ressort erst nächste Woche eröffnet.«

»Ein Hotel auf dem Grund des Meeres«, stöhnte Dennis schweißgebadet und versuchte vergeblich für seine Blicke einen beruhigerenden Halt zu finden. Er befand sich in einer gläsernen Unterwasserstation inmitten des riesigen, natürlichen Aquariums der Ma'alaea Bay. Vollständig umgeben von Wasser, dem Element der schrecklichsten Heimsuchungen seiner Alpträume. Die Realität hatte seine schlimmsten Befürchtungen bei weitem übertroffen, und er konnte einfach nicht mehr glauben, daß all die Zufälle, die ihn seit seiner Ankunft in Hawai'i verfolgten, keinen gemeinsamen Ursprung hatten.

»Das Ma'alaea ist weit mehr als ein Hotel, Mr. Newman«, verbesserte Alexander Moto, der Dennis aus dem Shuttle befreite. »Es ist der erste Schritt bei der Verwirklichung eines Menschheitstraumes.«

»Eine Touristenstadt unter dem Meeresspiegel?« folgerte Dennis und versuchte zu begreifen, welch enorme Größe das Riffhotel besaß.

»Sie denken in falschen Kategorien, Mr. Newman. Der Tourismus ist nur der Anfang. Der Ozean ist der Lebensraum der Zukunft.«

»Glauben Sie? Ich kann mir kaum vorstellen, daß es allzu viele Leute gibt, die es freiwillig für längere Zeit unter Wasser zieht.«

»Vielleicht wird es schon bald zu einem Privileg in einer Welt zu leben, die nicht nur unvorstellbare Ressourcen an Rohstoffen und Energie beherbergt, sondern auch Nahrungsmittel und Trinkwasser in Hülle und Fülle.«

»Das ist noch kein Grund hier unten Städte zu bauen.«

»Es sei denn die Ocean Cities bieten Raum in einer übervölkerten Welt, die durch die Zerstörung der Ozonschicht derart von kosmischer Strahlung bombardiert wird, daß ein Leben an der Oberfläche kaum noch möglich ist.«

»Ich denke, man sollte seine Energien lieber dafür einsetzen, die natürlichen Lebensräume zu erhalten«, bemerkte Dennis mit einer Logik, die nicht allein seiner Aversion gegen das Wasser entsprang.

»Eine Zerstörung der Atmosphäre wäre sicher das schrecklichste Horrorszenario, das sich vorstellen läßt.«

»Jeder tut, was er für richtig hält, Mr. Newman, und die Menschheit wird froh sein, daß es eine Alternative für das Überleben gibt, wenn die Hoffnungen von Leuten wie Ihnen sich nicht erfüllen sollten. Im Meer liegt die Chance für eine lebenswerte Zukunft, und vielleicht wird es schon bald die einzige Zukunft sein, die uns offensteht. Ganz abgesehen von dem schier unerschöpflichen Potential an Wissen, das die Erforschung der Ozeane birgt und die Entwicklung der Zivilisation in eine völlig neue Dimension katapultieren wird. Das Meer bietet eine Schatzkammer von Erkenntnissen, von denen Naturwissenschaftler und Mediziner bislang kaum zu träumen wagten. Kommen Sie, Mr. Newman. Ich möchte Ihnen zeigen, wie komfortabel und lehrreich das Leben in *Kanaloas* Reich sein kann.«

»Wieso mußte Kapitän Nemo ausgerechnet mich zu seinem Ehrengast ernennen«, dachte Dennis und versuchte vergeblich zu verdrängen, wo er sich befand.

Durch eine Lichtschranke öffnete Moto eine der zahlreichen Schleusen, die Zugang zu den verzweigten Flügeln der Unterwasserstadt gewährten, und führte Dennis durch eine sanft beleuchtete Glasröhre, die frei im Wasser zu schweben schien. Das Material, aus dem die Wände bestanden, war warm und fühlte sich lederartig an. Beinahe wie die Haut eines Lebewesens. Zudem spürte man eine feine Vibration und eine langsamere übergeordnete Schwingung des Tunnels, als würde die Konstruktion die Wellenbewegungen des Wassers absorbieren. Dennis spürte seine Übelkeit zurückkehren und interpretierte die Symptome als beginnende Seekrankheit, die er bislang nur aus Brillsteins Beschreibungen kannte. Bis auf eine Fahrt mit einer der Staten-Island-Fähren hatte er nie freiwillig das Deck eines Schiffes betreten, und wenn es nach ihm gegangen wäre, hätte er sich ein weiteres dieser quälenden Experimente auch gern erspart.

Moto bemerkte, daß seine Ausführungen über die Faszination submariner Lebensräume auf wenig Gegenliebe zu stoßen schienen, und drehte sich beinahe enttäuscht zu Dennis um. »Sie scheinen keine besondere Vorliebe für den Ozean zu haben, Mr. Newman.«

»Nehmen Sie es nicht persönlich. Vor einigen Jahren wäre ich fast ertrunken. Seither fühle ich mich auf festem Grund wohler.«

»Tut mir leid, Ihnen diese Unannehmlichkeit zumuten zu müssen, Mr. Newman, aber nachdem Professor Hopkins letzte Nacht erneut unerfreulichen Besuch hatte, habe ich ihn vorsichtshalber hierher bringen lassen.«

»Sie meinen, seine Alptraum-Bekanntschaft war wieder da?« folgerte Dennis und war froh, das Gespräch in eine weniger aquatische Richtung lenken zu können.

Moto nickte. »Diesmal hat sie Hopkins' Haus verwüstet und sein Schlafzimmer in einen Fischfriedhof verwandelt.«

»Das Mädchen hat sein Haus verwüstet?«

»Nun, sie wird diesen geschmacklosen Scherz sicherlich nicht alleine inszeniert haben. Da muß eine ganze Mannschaft am Werk gewesen sein.«

»Ich nehme an, Sie verdächtigen die *Boys for Pele?*«

»Die Aktion trägt unverkennbar die Handschrift dieser Fanatiker. Fauler Zauber, der vortäuschen soll, daß ihre alten Götter noch am Leben sind.«

»Wozu dieser erstaunliche Aufwand?«

»Psychoterror, Mr. Newman. Ähnlich dem karibischen Voodoo. Es ist ein rituelles Planspiel, das sein Opfer systematisch in den Wahnsinn treiben soll, und beunruhigenderweise nimmt die Brutalität von Mal zu Mal zu.«

»Und warum richten die *Boys for Pele* ihre Aktionen gerade gegen Sie und Ihre Mitarbeiter?«

»Ich habe Macht und Einfluß. Und ich bin Japaner, Mr. Newman. Für die reaktionären *kama'aina* entspreche ich damit der Ausgeburt des bösartigen Imperialisten, der den Hawaiianern ihre Inseln gestohlen hat.«

»Soviel ich hörte, sind Sie ein Mäzen der hawaiianischen Kultur. Mit der Halewai-Stiftung unterstützen Sie ein Überleben alter Traditionen, wie beispielsweise des *hula* und der Schiffbaukunst.«

»Offenbar ist es gerade das, was die *Boys for Pele* erzürnt, wobei sich hier ihre fanatische Widersprüchlichkeit am deutlichsten zeigt. Einerseits protestieren sie gegen die Überfremdung ihrer Kultur und den Verfall ihrer Traditionen. Andererseits frönen die *kama'aina* geradezu vorbildhaft dem McDonald's-Way-of-Life und lassen ihre kulturellen Schätze achtlos verrotten. Wenn sich aber ein Fremder darum kümmert und einen Teil der Kultur für die Nachwelt bewahren will, beginnt das alles für sie äußerste Wichtigkeit anzunehmen, und sie protestieren gegen jede Einmischung von außen. Manchmal sogar mit radikalen Methoden wie die *Boys for Pele.*«

»Sie meinen, die Anschläge haben gezielt dazu gedient, die Arbeit der Halewai-Stiftung zu sabotieren?«

»In der Tat, und es macht den Anschein, als wollten die *Boys for Pele* mit ihrem *kahuna*-Gehabe mit allen Mittel die Erforschung ihrer eigenen Geschichte verhindern.«

»Das verstehe ich nicht.«

»Sehen Sie, Mr. Newman. Hopkins ist seit einiger Zeit einer bedeutsamen archäologischen Entdeckung auf der Spur, die weitreichende kulturwissenschaftliche Konsequenzen nach sich ziehen könnte.« Moto öffnete die Schleuse am Ende des Tunnels und trat in einen größeren mit Sitzlandschaften möblierten Saal. »Es geht dabei um ethnographische Artefakte aus dem polynesischen Kulturraum mit einem unschätzbaren historischen Wert.«

»Vielleicht wollten die *Boys for Pele* die Kunstwerke schlicht stehlen und zu Geld machen«, bemerkte Dennis und atmete erleichtert auf, als er den Saal betrat, dessen dunkelgetönten Wände zwar mit maritimen Motiven verziert waren, ansonsten aber den Blick auf das Riff versperrten. Von hier aus führte eine Flügeltür in einen dämmrig beleuchteten Raum, der wie eine Pianobar eingerichtet war.

»Ich denke, sie haben vor, die Stücke an ihre Fundorte zurückzubringen, weil sie sie als religiös unantastbar und heilig ansehen. In den Händen eines *haoles* sehen sie diese Reliquien entweiht. Deshalb versuchen sie Hopkins mit ihrem Hokuspokus von seiner Arbeit abzuhalten.«

»Offensichtlich mit Erfolg.«

»Es sind nur billige Zaubertricks, mit denen Priester und Schamanen in primitiven Kulturen schon immer ihre religiöse und politische Machtstellung gesichert haben. Aber darin liegt auch das Problem. Es entsteht durch die Leichtgläubigkeit mancher Menschen, die sich in ihrer Angst einer nüchternen Betrachtung dieser makabren Spielchen verweigern. Erst sie verleihen Fanatikern wie den *Boys for Pele* ihre Macht.« Moto zuckte mit den Schultern. »Kommen Sie, Mr. Newman, ich stelle Ihnen Professor Hopkins vor. Er war bislang der Hauptleidtragende dieser makabren Horrorinszenierungen und wird hoffentlich imstande sein, Ihnen genauer zu schildern, womit wir es zu tun haben.«

Die Pianobar entpuppte sich zu Dennis' Entsetzen als der zentrale Schauraum des überdimensionalen Aquariums, dessen gewölbte Panoramakuppel einen atemberaubenden Blick über einen weiten, mit Scheinwerfern erleuchteten Teil des Riffs erlaubten. Offensichtlich ungestört von dem hellen Licht tummelten sich zahllose Spielarten tropischer Fische in den farbenprächtigen Korallenwäldern. Seite an Seite schwebten majestätische Rochen mit meterlangen Spannweiten neben Maki- und Hammerhaien. Und wenn man den Prospekten Glauben schenkte, die Moto Dennis für sein Alibi in die Hand gedrückt hatte, konnte man von hier aus einen unvergleichlichen Einblick in die Kinderstube der in den hawaiianischen Gewässern beheimateten Buckelwale werfen.

Glücklicherweise hatte Dennis keine Zeit mehr, sich eine solche Begegnung auszumalen, denn auf einem Hocker vor der Cocktailbar erkannte er einen älteren, ungepflegt wirkenden Mann, der mit gesenktem Kopf über einem Whiskyglas hing und offensichtlich seine Probleme auf hochprozentige Weise zu lösen versuchte.

»Joshua, darf ich Ihnen Mr. Newman vorstellen.«

Dennis reichte Hopkins vergeblich die Hand. Der alte Mann schien ihn überhaupt nicht wahrzunehmen. Seine Augen waren geweitet und glasig, fast wie unter Drogen.

»Alex, ich muß Sie sofort sprechen«, brummte er mit schwerer Zunge.

»Später Joshua. Erst einmal erzählen Sie Mr. Newman, was gestern nacht geschehen ist, damit er uns helfen kann, die *Boys for Pele* endlich unschädlich zu machen.«

»Schnickschnack! Ein Detektiv wird uns genauso wenig helfen wie die Wachen, die sie überall postiert haben.«

»Sie brauchen sich keine Sorgen zu machen. Hier sind Sie sicher.«

»Sicher? Ha! Wenn Sie mich fragen, ist dies der letzte Ort, wo wir uns verstecken können.«

»Reißen Sie sich zusammen, Joshua«, unterbrach Moto ungehalten und fühlte sich einmal mehr in seinem Gefühl bestätigt, den alten Mann so schnell wie möglich von seinen Aufgaben zu befreien. »Und hören Sie mir zu!«

»Sie hören jetzt zu, Alex!« Hopkins setzte sich auf und hatte plötzlich ein bedrohliches Funkeln in den Augen. »Sie hatten recht, es paßt alles zueinander...«

»Schon gut, darüber reden wir später...«

»Herrgott, Alex, verstehen Sie denn nicht? Die *lono-lono* sprechen eine Sprache, eine göttliche, allmächtige Sprache.«

Dennis sah, wie Hopkins einen blauen Kristall aus einem Samtbeutel zog, und konnte sich nicht erklären, warum ihm der Stein vertraut erschien.

»*Kane*, *Ku*, *Lono* und *Kanaloa*. Die Symbole sind die Entsprechungen der hawaiianischen Götter...«

»Natürlich, Joshua, aber...«

»... Erde, Feuer, Luft und Wasser...« Hopkins lallte einfach weiter. »Alex, begreifen Sie denn nicht? Sie haben sich ein Bildnis ihrer Götter geschaffen, ein Abbild der Schöpfung. Sie...«

Seine Worte brachen abrupt ab, und sein Blick führte erstarrt an Moto vorbei hinaus auf das Riff, über das sich ein dunkler Schatten legte. Ein Schatten, der mit großer Geschwindigkeit wuchs und das Ausmaß der riesenhaften Gestalt erahnen ließ, die sich lautlos durch die Korallenwälder dem Unterwasserhotel näherte.

»Verdammt, was ist das?« murmelte er und umklammerte seinen blauen Stein.

Gleichzeitig schwoll ein dumpfer, singender Ton an, der Dennis an den Gesang der *kahunas* erinnert hätte, wenn ihm die Zeit geblieben wäre, einen klaren Gedanken zu fassen. Das ihm dies nicht gelang, lag sicher nicht nur an dem faszinierenden Anblick einer Armada weißgrauer Riffhaie, die in wilden Zickzackformationen durch die Korallen jagten und alle anderen Bewohner des Riffs in sichere Verstecke trieben. Weitaus bedrohlicher wirkten die anschwellenden Resonanzen, die binnen weniger Sekunden die gesamte Konstruktion des Hotelflügels erzittern ließen.

Dann erkannte Dennis den massigen Körper, der die Dunkelheit über das Riff legte. Ein riesiges, dunkelblaues Monster mit starren Augen und einem gewaltigen, keilförmigen Kopf, das auf direkten

Kollisionskurs mit der Panoramakuppel ging. Einen Atemzug später erschütterte ein gewaltiger Schlag den Raum und schleuderte Hopkins von seinem Hocker.

Das Licht fing an zu flackern und fiel im nächsten Moment aus. Zugleich wurde es ganz still, für endlose Sekunden, bis sich ein neuer Ton in den finsteren Raum schlich. Ein dunkler Ton. Tief und bedrohlich. Es war das unheimlichste, das Dennis je vernommen hatte. Der Ton war nicht identifizierbar. Er war mehr spürbar als zu hören. Ein Beben der Angst. Dann setzte ein Grollen ein, ein Dröhnen, das an den Wänden zerrte. Die rote Notbeleuchtung flammte auf. Eine schrille Sirene begann zu heulen, und die Tür der Bar begann sich langsam zu bewegen.

»Raus hier!«, brüllte Moto geistesgegenwärtig und stürzte als erster voran durch das Foyer zu der Schleuse, die in den Plexiglastunnel führte.

»Laufen Sie!«, schrie er ohne sich umzudrehen.

In letzter Sekunde erreichte er die Röhre, stemmte sich gegen das sich automatisch schließende Schott, drückte es mit aller Kraft zur Seite und sprang hinaus in den rettenden Gang.

Dennis erwachte deutlich später aus seinem Schock und erkannte mit einiger Verzögerung die tödlichen Falle, in der er saß. Im selben Moment bemerkte er Hopkins, der unter einem Barhocker begraben auf der Erde lag und mit rudernden Bewegungen nach dem blauen Kristall fingerte, der unter den Tresen geschleudert worden war.

»Kommen Sie!« schrie Dennis und zerrte an Hopkins Ärmel.

»Der *lono-lono*…«, keuchte Hopkins. »Ich muß ihn…«

»Lassen Sie den verfluchten Stein, und kommen Sie endlich!«

»Nein…«

»Verdammt, wir müssen sofort hier raus.« Dennis versuchte mit aufflammender Panik den alten Mann hochzuzerren. Im selben Moment barst mit einem schneidenden Geräusch eine Dichtung der sternförmig geteilten Panoramakuppel, und der Ozean drang wie eine Sintflut in die künstliche Welt.

22
HO'OP'OPI'O WAI
WASSERZAUBER

Big Blue war ein Koloß. Ein dunkelblauer Berg aus Fleisch und Muskeln, der tobend durch die Wellen stob. Wasser peitschte durch die Luft. Schlamm spritzte meterweit und zeichnete phantastische Spuren auf den von gleißenden Flutlichtstrahlern erhellten Strand. Wie von Sinnen hatte der Walhai die hölzernen Laufstege zwischen den Delphinpools zerfetzt und jagte mit enormer Geschwindigkeit auf einem chaotischen Zickzackkurs durch das seichte Wasser. Mit jedem Schlag seiner mächtigen Schwanzflosse versank dabei ein weiterer Teil der alten Trainingsanlagen in der Lagune, und es schien nur eine Frage der Zeit, bis sein Wüten auch eines der kleinen Küstenwachboote erfaßte, die neben den Pools an einem Anleger vertäut lagen.

»Schalten Sie sofort den verdammten Strom ab!« rief Kimo, als er mit weitem Vorsprung vor Marlin Sun den abgetrennten Teil der Lagune erreichte, an dem Caan einige Soldaten der diensthabenden Wache zusammengezogen hatte, um das ebenso spektakuläre wie zerstörerische Schauspiel noch vor seinem Finale zu beenden.

»Ihr blauer Freund läuft Amok.« Milton Caan versuchte sich ebenso hilflos wie vergeblich vor einer Wasserfontäne in Sicherheit zu bringen, die über die Uferbefestigung peitschte. »Wenn wir ihn nicht schleunigst zurück aufs offene Meer treiben, wird er nicht nur sich selbst ins Jenseits befördern, sondern vorher noch die ganze Marinebasis in Trümmer legen.«

»Reden Sie keinen Unsinn, Commander«, beschwerte sich Sun schweißgebadet und vom Dauerlauf außer Atem. »Dieser Hai ist ein wichtiges Forschungsobjekt, und wir haben hier eine einmalige Chance…«

»Chance, Chance…« fuhr Caan wutentbrannt dazwischen und wischte sich die Wasserspritzer aus seinem rotangelaufenen Gesicht. »Glauben Sie, daß Ihre Videoaufnahmen die Schäden rechtfertigen, die dieses Monstrum an wertvollem Staatseigentum anrichtet? Oder haben Sie mit Stephen Spielberg einen Millionenvertrag abgeschlossen, um die Kosten zu decken?«

»Wenn Sie nicht endlich die Spannung von den Netzen nehmen, wird Big Blue zu Moby Dick mutieren«, warnte Kimo und hielt vergeblich Ausschau nach dem Hauptschalter der Stromversorgung für das elektronische Abwehrsystem, das dazu diente, Eindringlinge wie Killerwale oder Haie aus der Lagune zu vertreiben. »Haie orientieren sich an elektromagnetischen Schwingungen, und was er jetzt durchlebt, ähnelt wahrscheinlich einem Horrortrip.«

»Das ist ja auch der Sinn der Sache, wenn man ungebetene Gäste loswerden will.«

»Sie sehen ja, was Sie damit erreichen.«

»Hören Sie, Dr. Havili. Ihr Schoßtier hat schon verrückt gespielt, bevor wir die Hainetze aktiviert haben, und seit einer halben Stunde gehen hier äußerst beunruhigende Dinge vor sich. Wir registrieren massive hochenergetische Felder, die zunehmend beginnen unser Sonar und die Langstreckenscanner lahmzulegen, und die Quelle dieser Störfelder befindet sich eindeutig vor uns in der Lagune. Das ist ein hinterhältiger Sabotageakt.«

»Das ist lächerlich, Commander«, entgegnete Sun genervt.

»So, lächerlich finden Sie das?« Caan war außer sich. »Ich finde es in höchstem Maße dreist, uns einen trojanischen Fisch ins Haus zu schicken, um unsere Verteidigung außer Kraft zu setzen.«

»Wer sollte denn so etwas tun?«

»Was weiß ich, Doktor. Die Russen oder Ihre Landsleute von den roten Garden. Vielleicht war's auch dieses Schlitzauge Moto, um eines seiner neuen Spielzeuge auszuprobieren.«

Wortlos und unbeeindruckt von Caans Wutausbruch nahm Kimo ein Infrarotmeßgerät aus dem Rucksack, den er mitgebracht hatte, und begab sich auf die Suche nach einem geeigneten Beobachtungsposten, der nahe genug am Wasser lag.

»Kommen Sie zurück, Dr. Havili«, raunzte Caan und befahl den Soldaten das halsbrecherische Unterfangen des Tahitianers zu unterbinden. »Wir haben jetzt nicht die Zeit, um uns Gedanken über den Ursprung dieser Störfelder zu machen. Tatsache ist, daß inzwischen sämtliche Sensoren des U-Boot-Ortungssystems abgestürzt sind, und wenn es uns nicht schnellstens gelingt, diesen Kamikazehai aus der Lagune zu treiben, bewegt sich auf Wake Island bald kein einziges Rädchen mehr.«

»Ihre Aktion wird zu gar nichts führen, Commander«, erklärte Sun kopfschüttelnd. »Big Blue stirbt, und aus irgendeinem Grund hat er beschlossen, es hier zu tun. Mit großer Wahrscheinlichkeit wird sich sein Körper schon bald in ähnlicher Weise auflösen wie der Mastbaum der *Tangaroa.* Und eine Untersuchung dieses Phänomens könnte uns unschätzbar wertvolle Erkenntnisse liefern.«

»Eine Untersuchung?« Caan lachte beinahe schadenfroh. »Wie denn? Das Verhalten Ihres Freundes ist in den letzten Stunden immer aggressiver geworden, und solange er dermaßen tobt, kommen Sie nicht einmal auf zehn Meter an ihn heran. Ein Schlag seiner Schwanzflosse beschert Ihnen einen Freiflug in den Himmel.«

»Big Blue wird sich schon wieder beruhigen, wenn Sie endlich den Strom abschalten lassen«, rief Kimo und versuchte aus sicherer Entfernung ein Spektrogramm der energetischen Turbulenzen aufzuzeichnen, die inzwischen von einer massiven Infrarotemission begleitet von dem Körper des Walhais abstrahlten. »Sein Zustand gleicht einem tropischen Fieber. Seine Anfälle treten voraussichtlich in Schüben auf, und sobald wir die Gelegenheit bekommen, an ihn heranzukommen, werden wir Hautproben entnehmen können, um festzustellen, ob er unter dem gleichen Anomaliesyndrom leidet, das auch den *Tangaroa*-Mast zerstört hat.«

»Leiden tut allein die Sicherheit der Basis«, drohte Caan und versuchte Autorität in seiner Stimme anklingen zu lassen. »Wie Ihnen sicher bekannt sein dürfte, ist Wake Island ein neuralgischer Knotenpunkt im Verteidigungssystem der USA. Die submarinen Flottenverbände, die hier stationiert sind, tragen eine strategisch entscheidende Rolle bei der Sicherung der pazifischen Flanke gegenüber potentiellen Übergriffen aus dem asiatischen Raum, und es wäre ein sträflicher Leichtsinn, die Basis ohne das Schutzschild der Langstreckenscanner zu lassen, bis sich dieser Fisch endlich zum Sterben entschließt.«

»Es gibt keine Angreifer, Commander. Wir befinden uns nicht im Krieg.«

»Sie sind naiv, Sun. Die Vorhut des Feindes ist bereits mitten unter uns, und wenn es nach mir gegangen wäre, hätten wir diesen Selbstmordattentäter schon längst abgeknallt.«

»Sie wollen Big Blue abknallen?« wiederholte Sun und rieb sich nachdenklich am Kinn.

»Es ist die einzig vernünftige Lösung, auch wenn es Ihnen das Herz zerreißt.«

»Warum? Ich finde Ihren Vorschlag gut. Knallen wir den Dicken ab, aber auf eine lebenserhaltende Weise ohne gleich die Bajonette aufzupflanzen.«

»Was...?«

»In den Waffenmagazinen wird sich sicher ein Narkosegewehr oder etwas Ähnliches finden lassen. Oder besitzt die Navy nur ABC-Waffen?«

Als Milton Caan mit einem Druckluftgewehr bewaffnet zum Delphinpool zurückkehrte, war seine Laune auf dem Nullpunkt angelangt. Vom Kommunikationsoffizier der Navy zum Fischdompteur degradiert zu werden war der Tropfen, der das Faß seines Unmuts zum Überlaufen brachte. Er hatte zwar vehementen Einspruch gegen die Rettungsaktion geltend gemacht, mußte sich aber schließlich den Weisungen des Chiefcommanders fügen, der in Abwesenheit von Jonathan Bates Tekina Kao das Kommando über die *Dateline*-Untersuchung überließ.

»Ich weiß nicht, was Sie sich von dieser haarsträubenden Aktion versprechen, Agent Kao«, meinte Caan mit hochrotem Kopf und dem Gefühl, gerade das Gesicht verloren zu haben. »Ich kann mir jedenfalls nicht vorstellen, daß die Abkommandierung eines hochqualifizierten Teams von Kampftauchern zur Sterbehilfe eines lebensmüden Fisches dem Verteidigungsauftrag der Navy entspricht.«

»Ich habe den Eindruck, daß es den Männern gefällt, zur Abwechslung ihre Fähigkeit einmal zu konstruktiven Zwecken einzusetzen.« Kao schloß den Neoprenanzug über ihrem T-Shirt und überprüfte sorgfältig ihre Sauerstoffflaschen. Fünf weitere Froschmänner saßen neben ihr auf dem hellerleuchteten Anleger bereit und warteten auf den Befehl für ihren ungewöhnlichen Einsatz.

»Haben Sie das aus dem Erste-Hilfe-Schrank im Stationslazarett?« stichelte Sun und deutete auf die kleinen Druckluftprojektile, die Caan als Munition für das Betäubungsgewehr mitgebracht hatte.

»Sparen Sie sich Ihren Sarkasmus, Doktor. Dieses Narkotikum wurde speziell für Delphine entwickelt, aber unseren Ärzten fehlt jede Erfahrung, wieviel wir Ihrem blauen Freund davon einverleiben müssen, geschweige denn, ob das Zeug überhaupt eine Wirkung bei einem solchen Monstrum zeigt.«

»Dann lassen wir uns eben überraschen, Commander.«

Mißmutig lud Caan ein Narkosegeschoß in den Lauf des Gewehres und legte etwas unbeholfen auf Big Blue an, der nach dem Abschalten der Hainetze wieder ruhigere Bahnen in der Lagune zog. »Wollen Sie einen Blattschuß, oder reicht es, wenn ich ihm das Zeug einfach unter die Haut jage?«

»Versuchen Sie ihn unterhalb seiner Rückenflosse zu treffen«, riet Kimo und starrte gespannt hinaus auf das Wasser.

Caan rückte das Gewehr zurecht, aktivierte die Laserzieleinrichtung, wartete, bis sein Opfer in Schußweite war, und drückte ab. Mit einen Knall, gefolgt von einem zischenden Geräusch, schoß das Projektil durch die Luft und traf Big Blues Rücken wenige Zentimeter seitlich der Finne.

»Treffer!« Caan freute sich, wenigstens mit seinen Schießkünsten seine militärische Qualifikation unter Beweis gestellt zu haben.

»Gratuliere, Commander!« Kao warf Caan einen anerkennenden Blick zu. »Ich hatte schon befürchtet, Sie hätten an Ihrem Schreibtisch den Instinkt des einfachen Soldaten verloren.«

Während sich Caan voller Stolz von den umstehenden Wachsoldaten als Schützenkönig feiern ließ, zog Big Blue unbeeindruckt weiter seine Kreise. Nicht einmal der Einstich des Narkoseprojektils hatte zu einer Reaktion seines massigen Körpers geführt, und es schien sich die Befürchtung zu bestätigen, daß das Betäubungsmittel bei einem Walhai keine Wirkung zeigte.

Erst nach einer Viertelstunde und zwei weiteren Schüssen, die Caan allerdings nicht mehr so zielgenau plazierte, schienen Big Blues Bewegungen langsamer und schwerfälliger zu werden. Er schien seine Balance nicht mehr kontrollieren zu können und legte sich leicht auf die Seite.

»Schnell, wir müssen ihm jetzt helfen«, rief Kimo und setzte seine Taucherbrille auf. »Haie ersticken, wenn sie sich nicht bewegen können.«

Dann ließ er sich in die glitzernde, von mächtigen Flutlichtstrahlern erhellte Lagune fallen und schwamm zu Big Blue hinüber. Kao folgte ihm. Sie instruierte die Kampftaucher, den Hai an seinen Brustflossen langsam durch das Wasser zu ziehen, und versuchte, Strahlungssensoren auf seiner Haut anzubringen.

In diesem Moment stiegen sprudelnde Perlen neben Big Blue an die Oberfläche, begleitet von einem kaum wahrnehmbaren blauen Leuchten. Zugleich begann das Wasser zu schäumen, und einige der Scheinwerfer zerbarsten in einem Regen aus sternschnuppenartigen Funken.

»Raus aus dem Pool!« schrie Sun und deutete mit ausgestrecktem Arm auf das Wasser.

»Mein Gott, was ist das?« Kao traute ihren Augen nicht und riß sich die Maske vom Gesicht. Das Wasser wimmelte plötzlich von kleinen Riffhaien. Dutzende von dreieckigen Finnen jagten durch die Lagune und zogen leuchtende Spuren über die Wellen. Sie webten ein Muster glimmender Fäden, ein Netz aus bläulichem Licht und hüllten Big Blue damit ein. Sein ganzer Körper begann zu leuchten, begann zu brennen, in einem lodernden aquamarinen Feuer, das mehr und mehr mit der Färbung des Wassers verschmolz.

Schon bald war sein Körper nicht mehr von den Fluten zu unterscheiden, die ihn brodelnd umgaben. Und dann erhob sich aus der Tiefe der Lagune eine dunkle Welle. Sie bäumte sich über der Stelle auf, an der sich Big Blue mit dem Element seines Ursprungs vereinte. Wie in Zeitlupe erhob sich die Woge über das Wasser, rollte über die Sperrzäune des Pools und verschwand Sekunden später gemeinsam mit dem Heer der Haie unter dem Aufheulen der Alarmsirenen des Sicherheitssystems in der Tiefwasserrinne des Atolls.

23

PA 'AHAO

GEFANGEN IN FREMDER WELT

Es war wie eine Sintflut, ein ungezügeltes Alluvium, das die Welt, über die es hereinbrach, unbarmherzig vernichtete. Das dumpfe Grollen verwandelte sich in ein mächtiges Donnern, begleitet von dem ohrenbetäubenden Krachen der Wassermassen, die durch den Riß in der geborstenen Dichtung der Panoramakuppel in das Innere der Pianobar schossen und auf ihrem Weg eine Spur der Verwüstung hinterließen. Tische und Stühle wurden aus ihren Verankerungen gebrochen und schleuderten gegen die transparenten Zwischenwände des Foyers, die sich unter der Wucht des Aufpralls wie Gummi verformten, um dann mit quietschenden Tönen in Fetzen gerissen zu werden.

Dennis zerrte Hopkins durch die Strömung voran. Meter um Meter. Zu langsam für den rettenden Sprung in den Verbindungstunnel, durch den Moto wenige Augenblicke zuvor geflüchtet war. Das Notschott verriegelte sich in Sekunden, versperrte den Fluchtweg aus dem Lobbybereich der Bar und isolierte den gesamten Bereich von der übrigen Station. Das Wasser stieg mit rasender Geschwindigkeit, und es war nur noch eine Frage von wenigen Minuten, bis die Sektion vollständig geflutet war und sich in eine tödliche Falle verwandelte.

»Zurück ...!« schrie Dennis und riß sich sein durchweichtes Jackett von den Schultern. Instinktiv versuchte er gegen die reißende Strömung des Wassers anzukämpfen, das in die geradezu lächerlich zerbrechliche Kunststoffkapsel donnerte, die einmal die Cocktailbar von Motos Fünf-Sterne-Unterwasser-Hotel gewesen war. Er hatte keine Chance. Es war ein ungleicher Kampf. Er hatte einfach nicht die Kraft, sich gegen die Flut zu wehren. Nicht nach alldem, das ihm an diesem Tag bereits widerfahren war. Vielleicht wollte er sich auch gar nicht mehr wehren. Seine Wunden brannten im salzigen Wasser wie Feuer, und seine Muskeln verkrampften sich mit schneidendem Schmerz. Vielleicht war dies der Ort, an dem sich sein Schicksal endlich erfüllen sollte, begraben im Schoß des Ozeans, der eigentlich schon vor Jahren seine letzte Ruhestätte hätte werden sollen.

Dennis löste sich von Hopkins und ließ sich in die Strömung fallen, die sich übermächtig neue Wege suchte. Er ließ sich einfach mitreißen. Erschöpft, erleichtert und geradezu befreiend willenlos. Der Sog erfaßte ihn, drückte ihn unter Wasser und schleuderte ihn in den Fluten umher. Sekunden später wußte er nicht mehr, wo oben und wo unten war. Er spürte nur noch, wie er unsanft mit einen harten Gegenstand kollidierte. Eine herausgerissene Tür oder eine Tischplatte, die wie ein tödliches Projektil durch das Chaos schoß. Dennis schrie auf, ein lautloser Schrei, ertränkt von der reißenden Flut. Er erinnerte sich an dieses Gefühl. Er kannte die Qual des Ertrinkens, die ihm erneut bevorstand, und zugleich jagte ein Gedanke durch sein Hirn. Eine Idee, die sich gegen seine Kapitulation zur Wehr setzte. Eine Frage, für die es keine sinnvolle Antwort gab, falls das Leben nicht nur das Resultat einer sinnlosen Aneinanderreihung von zufälligen Quantensprüngen war.

Wenn es so etwas wie Schicksal gab, warum war er nicht bereits in der Sharks Cove Bay gestorben? Warum hatte ihn das Schicksal am Morgen verschont? Sicher nicht, um ihn hier und jetzt kläglich ersaufen zu lassen! Vielleicht hatte er tatsächlich eine Lebensversicherung, einen Schutzengel, wie Cherry Jones seine wundersame Rettung gedeutet hatte. Vielleicht hatte die Versicherung sogar einen Namen. Brillsteins Namen, der hinter den Kulissen das neueste seiner sadistischen Experimente überwachte und im letzten Moment genüßlich auf den Exit-Button drückte?

Dennis schwor sich, Brillstein zu erschießen, wenn auch nur ein Fünkchen Wahrheit an der Sache war. Er mußte endlich herausfinden, ob der Gedanke, den er seit seiner Ankunft auf den Inseln mit sich herumschleppte, eine Basis hatte. Er mußte einfach wissen, ob es stimmte! Ob Brillstein im Hintergrund die Fäden zog. Allein das war es wert, nicht aufzugeben und zu überleben. In diesem Moment gab die Brillstein-Variante seinem Leben einen neuen Sinn, selbst wenn dieser Sinn nur in dem Verlangen lag, sich für all die Qualen zu rächen, die der Seelenklempner ihm mit seinen endlosen Tests und Psychotherapien angetan hatte.

Nackte Wut stieg in Dennis auf, und plötzlich war er wild entschlossen, sich dem Tod nicht wehrlos hinzugeben. Er kämpfte sich zurück an die Oberfläche, zog sich an einer Stange über Wasser, holte tief Luft und warf sich zurück in die Strömung. Sie riß ihn an den geborstenen Eingangstüren der Pianobar vorbei, hinüber zu Hopkins, der von den Strudeln fortgerissen wie ein Koala an einem verbogenen Kleiderständer in der Garderobe hing. Mit starrem Blick und noch immer vor Entsetzen zitternd umklammerte er den *lono-lono,* dessen Bergung entscheidende Sekunden gekostet und verhindert hatte, die rettende Schleuse rechtzeitig zu erreichen.

»Hier kommen wir nicht mehr durch«, schrie Dennis gegen das Donnern der Wassermassen, kraulte die letzten Meter zu Hopkins hinüber und versuchte sich an ihm festzuhalten, um nicht erneut in den Sog des Strudels zu geraten, mit dem das Wasser in die noch nicht gefluteten Abteilungen der Foyerräume gezogen wurde.

»Gibt es noch einen anderen Weg?«

Hopkins antwortete nicht und Dennis erkannte, daß es offensichtlich möglich war, noch mehr Angst zu besitzen, als er sie empfand. Wenn er überleben wollte, mußte er die Initiative ergreifen.

»Professor...!« brüllte Dennis und schlug Hopkins mit der flachen Hand ins Gesicht. »Wir müssen hier raus! Und lassen Sie endlich diesen verdammten Stein los!«

»Eine Flut wird kommen...«, stammelte Hopkins wie paralysiert. »... eine alles verschlingende Flut...«

»Verdammt, wir sind bereits mitten drin. Wenn uns nicht schnell etwas einfällt, werden wir gleich hier und jetzt ersaufen. Es muß doch noch einen anderen Ausgang geben.«

»Was? Nein, ich weiß nicht...«

»Herrgott, denken Sie nach!«

Neben Hopkins riß eine weitere Glastrennwand, und Dennis wurde mit voller Wucht von der Wasserfontäne getroffen, die sich durch das Loch einen neuen Weg aus der Pianobar suchte. Auch Hopkins wurde mitgerissen und verlor dabei den Kristall. Hilflos tauchte er unter und schluckte Wasser, bitteres Wasser, dessen widerlicher Geschmack ihn endlich aus seiner Apathie riß. Er hustete, ruderte mit den Armen, und schließlich gelang es ihm, sich wieder unter Kontrolle zu bringen. Zum erstenmal realisierte er, in welcher Gefahr er schwebte, und gab die Idee einer Bergung des *lono-lono* aus den Fluten todesängstlich und mit der bösen Ahnung auf, daß der Stein die wahre Ursache für das Unglück sein konnte.

»Mein Gott, ja, ja..., ich glaube, es gibt einen Weg...« stammelte er und erinnerte sich an Motos Vortrag über die Sicherheitsvorkehrungen des Hotels, als er sich am Morgen vergeblich geweigert hatte, sein Unterwasserquartier in der Ma'alaea Bay zu beziehen.

»Es gibt Notausstiege...«

»Wo?«

»Überall. In jeder Sektion.«

»Die Rettungsbojen! Natürlich!« Nun fielen auch Dennis wieder die Notschleusen ein, die er vor Betreten des Foyers an der Außenwand im letzten Segment des Verbindungstunnels bemerkt hatte. Mit ausholenden Schaufelbewegungen seines rechten Armes und Hopkins im Schlepptau seines linken kämpfte er sich zurück zu dem verschlossenen Schott des Verbindungstunnels. Wenigstens war die Strömung diesmal auf seiner Seite, und nur wenige Sekunden später erreichte er die gegenüberliegende Wand. Über der runden Notluke war die Funktion der Druckkammer mit Symbolen beschrieben, die auch für einen technisch unterdurchschnittlich versierten Pauschaltouristen verständlich waren.

Dennis überflog die Anleitung und aktivierte mit einem leichten Druck auf einen der roten Knöpfe den Mechanismus, der den letzten Teil des Tunnels in eine Rettungskammer verwandelte. Eine blinkende Lampe signalisierte, daß der Vorgang eingeleitet worden war, aber die Luke bewegte sich trotzdem nicht.

Hopkins wurde erneut nervös. Ihm wurde bewußt, daß es nur noch wenige Sekunden dauern würde, bis der Wasserstand die Decke erreichte und die letzte Atemluft durch den Riß in der Dichtung der Panoramakuppel pressen würde. Ungeduldig hängte er sich an den Öffnungsbügel der Luke und versuchte vergeblich daran zu zerren.

»Das verfluchte Ding geht nicht auf«, japste er und hämmerte verzweifelt gegen die Tür.

»Das Wasser drückt zu stark dagegen«, vermutete Dennis und

folgte den Hinweisen der Bedienungsanleitung. »Erst müssen wir die Kammer fluten und warten, bis der Druck ausgeglichen ist. Atmen Sie gleichmäßig und kräftig ein, solange noch Luft da ist.«

»Und dann…?«

»Dann brauchen wir hoffentlich nicht mehr als sechzig Sekunden, bis wir in der Kammer sind, sich die Luke geschlossen hat und das Wasser wieder abgepumpt wird. Mehr Zeit werden uns unsere Lungen kaum geben.«

»Das ist Wahnsinn!« zeterte Hopkins, störrisch wie ein kleines Kind. »Das schaffe ich nicht!«

»Natürlich schaffen Sie das!«

Mit geradezu unverständlicher Gelassenheit wartete Dennis bis der Innenraum des Tunnelsegments geflutet war, atmete tief ein und tauchte entschlossen unter. Mit einiger Mühe ertastete er in der Dunkelheit das elektronische Schloß und fünf Sekunden später öffnete sich mit dem Zischen der Vakuumversiegelung die Luke, die den rettenden Zugang in die Druckkammer freigab. Mit schnellen Bewegungen zwängte er sich durch das schmale Schott, zog Hopkins hinterher, der wie ein Hund im Wasser paddelte und sich dadurch mehr seiner Rettung widersetzte als dabei half.

Dennis konnte keine Rücksicht nehmen. Mit letzter Kraft zerrte er an Hopkins Schulter, quetschte seinen Körper durch das enge Loch und hob ihn wie eine leblose Puppe über sich in das Innere der Kammer. Fünfundvierzig Sekunden später verschloß er die Verriegelung, und nach weiteren fünf Sekunden setzten die automatischen Pumpen ein, die mit enormem Druck das Wasser aus der Kammer saugten. Dennis streckte seinen Kopf über den schnell sinkenden Wasserspiegel und sog gierig die Luft in seine Lungen.

»Puh, das war knapp«, stöhnte er und versuchte zu begreifen, daß er zum zweiten Mal an diesem Tag nur um Haaresbreite dem Tod entkommen war. Gleichzeitig wunderte er sich, daß er seine Gefangenschaft in einer Plastikröhre in den Tiefen des Ozeans überhaupt als Zustand der Rettung akzeptierte. Noch vor kurzer Zeit hätte ihn allein der Gedanke an eine solche Situation in blanke Hysterie versetzt. Nun war er vergleichsweise ruhig. War er etwa auf dem Weg der Heilung? Oder war er einfach zu erschöpft um seine Panik zu bemerken?

»Ist alles in Ordnung mit Ihnen, Professor?« fragte er und versuchte seine Gedanken von der dritten Variante abzulenken. Der Testmaus- oder besser Goldfischvariante, die wahrscheinlich die unbefriedigenste aller Möglichkeiten war, weil sie ausschließlich zeigte, daß er noch immer glaubte, die hilflose Marionette in einem abgekarteten Spiel zu sein.

Hopkins schnaufte kurzatmig, und sein puterroter Kopf signalisierte, daß die Rettungsaktion keine Sekunde hätte länger dauern dürfen.

»Sie haben mir das Leben gerettet, Mr. Newman«, keuchte er und ließ sich kraftlos und aufgeweicht wie ein nasser Pudel auf den Boden der Kammer fallen. »Warum sind Sie nicht hinter Alex hergerannt?«

»Sie sind gestolpert. Ich konnte Sie doch nicht zurücklassen.«

»Er konnte es, ohne jedes Zögern...«

»Machen Sie ihm keinen Vorwurf. Wir waren alle in Panik, und es ging alles sehr schnell. Wahrscheinlich hat er Sie gar nicht fallen gesehen. Lassen Sie uns froh sein, daß er es geschafft hat. Jetzt kann er schnellstens Hilfe holen.«

»Meinen Sie, es wird lange dauern, bis man uns hier unten rausholt?«

»Ich weiß es nicht«, sagte Dennis und steckte seinen Kopf in eine der Rettungsbojen, die an der Außenwand der Kammer angedockt waren und deren Zugangsluken sich automatisch geöffnet hatten, nachdem das Wasser aus der Notdruckkammer abgesaugt worden war. Jede der schwach beleuchteten und mit einem Bullauge versehenen Kugeln beherbergte acht mit Sicherheitsgurten und Sauerstoffmasken ausgestattete Notsitze, eine Batterie von nautischen Anzeigeinstrumenten und einen Erste-Hilfe-Kasten.

»Kommen Sie, Professor!« Dennis kletterte entschlossen voran in das Innere der Boje. »Vielleicht können wir die Sache etwas beschleunigen.«

Neben der Eingangsluke gab es ein Bedienpaneel mit einer Reihe von Schaltern, deren Funktionen ebenso einfach und klar erklärt waren wie der Mechanismus der Schleuse.

»Halten Sie sich fest!« riet Dennis, nachdem sich Hopkins angeschnallt hatte, und drückte auf einen großen, grünumrandeten

Knopf mit der Bezeichnung *LIFT OFF.* Im selben Augenblick ging ein Ruck durch die Kabine. Zugleich löste sich die Boje aus ihrer Verankerung in der Außenhülle des Verbindungstunnels und setzte sich mit einem bedächtigen Aufwärtstrend in Bewegung.

Dennis stellte sich unter Zuhilfenahme von Brillsteins bewährter Visualisierungstechnik vor, in einem Kaufhauslift zu sein, und preßte mutig seine Nase an das kleine Bullauge der Boje. Durch eine Wolke perlender Luftbläschen sah er den leuchtenden Schirm des Zentralgebäudes des Ma'alaea Ressorts, das langsam unter der aufsteigenden Rettungskugel in der Tiefe verschwand, und ertappte sich dabei, in den gläsernen Verbindungstunneln nach Brillsteins grinsendem Gesicht zu fahnden oder nach irgendeinem anderen Beweis für die Realität seines teuflischen Experiments.

»Wäre es möglich, daß das Licht der Riffscheinwerfer dieses Monster so aggressiv gemacht hat?« meinte Dennis, nachdem er es geschafft hatte, seinen Gedanken davon zu überzeugen, nach einer vernünftigen Erklärung des Unglücks zu suchen.

»Welches Monster?«

»Diesen Riesenhai oder was immer das war, das uns gerammt hat.«

»Das war kein Hai.« Hopkins lachte schräg.

»Was soll es sonst gewesen sein?«

»Nennen wir es einen bösen Traum.«

»Ein Traum?« Dennis runzelte die Stirn. »Ich habe schon häufig vom Ertrinken geträumt, aber dabei bin ich nie pitschnaß aufgewacht.«

»Sie verstehen das nicht. Niemand versteht das.«

»Könnte es sein, daß die *Boys for Pele* dahinterstecken?«

»Schnickschnack!« Hopkins winkte ab. »Hat Moto Ihnen das erzählt?«

»Ich weiß, daß es in den letzten Wochen eine ganze Reihe solcher Anschläge gegeben hat. Der letzte gestern nacht in Ihrem Haus.«

»Die *Boys for Pele* existieren nicht. Sie sind nichts weiter als eine Ausrede, die Alex hervorgeholt hat, um etwas zu erklären, das er nicht begreifen kann.«

»Tatsache ist, daß jemand versucht, Sie umzubringen.«

»Wäre ich dann nicht schon längst gestorben?« Hopkins schüttelte den Kopf. »Nein, Mr. Newman, am Ende sind wir es selbst, die uns vernichten.«

»Und die Anschläge?«

»Das waren Warnungen...«

»Von dieser *kahuna,* die Sie gesehen haben wollen?«

»kahuna, kahuna ...« Hopkins zischte spöttisch und schüttelte energisch den Kopf. »Alle glauben, sie wäre eine *kahuna.* Aber das ist sie nicht.«

»Was ist sie dann?« Dennis wurde langsam ungeduldig.

»Gewiß alles andere als das, wofür Sie sie halten.«

»Ich denke, ihr Name ist Keani. Sie ist das Mädchen, das auf wundersame Weise eine Springflut auf Kaua'i und den Untergang der *Tangaroa* überlebt hat.«

»Nur Menschen können sterben, Mr. Newman.«

»Und wie nennen Sie Wesen, die eine solche Gabe nicht besitzen?«

Hopkins senkte resignierend seinen Kopf. »Hören Sie, Mr. Newman. Sie haben mir das Leben gerettet, und daher gebe ich Ihnen einen guten Rat. Hören Sie auf mit Ihren Fragen und verschwinden Sie von den Inseln, bevor sich Ihr Leben in einen ähnlichen Alptraum verwandelt wie meines.«

»Danke für den Hinweis, aber ich fürchte, dafür ist es schon lange zu spät. Mein Leben war nie etwas anderes als ein Alptraum, und wie mir scheint, nähren sich unsere Träume aus der gleichen Quelle.«

24

LAPU

GEISTERERSCHEINUNGEN

Freitags Hütte lag in ein blaues Licht getaucht. Wie ein Spiegel aus Wasser hing der flache Plasmaschirm an der Nordseite des Innenhofs an der Wand, und die Bilder, die er zeigte, dokumentierten ein Geschehen aus einer fremdartigen Welt. Es waren die letzten Aufnahmen von den Unterwasserkameras im Delphinpool, bevor ihre Elektronik versagt hatte und die Optikchips der Objektive von hochenergetischer Strahlung zerstört worden waren. Übriggebliebenen waren alleine die Reste verschmolzener Siliziumplättchen und Milton Caans abenteuerliche Theorie von einer neuartigen Strahlenwaffe, die von einem unbekannten Gegner in Big Blues Bauch in die Lagune geschmuggelt worden war, um ihre zerstörerische Wirkung zu testen.

Caans These entsprang zwar ausschließlich seinem Verfolgungswahn, aber sie fand schnell Anhängerschaft unter den Soldaten. Zum einen, weil sie ihr militärisches Selbstverständnis unterstützte, und zum anderen, weil sie endlich einmal Abwechslung in das Einerlei der täglichen Routine auf der abgelegenen Marinebasis brachte. Zudem war es keinem der Augenzeugen gelungen eine befriedigendere Erklärung für das atemberaubende Lichtspektakel zu finden, das alle in den entscheidenden Sekunden des Geschehens geblendet hatte, als Big Blue scheinbar zu Wasser verwandelt in der Tiefe der Lagune verschwand. Caan war der Held des Abends. Die Konsequenzen seiner Theorie wurden vom Krisenstab bis in die Kantine in allen Facetten durchgespielt. Und am Ende stand Wake Island unter DEFCON III.

»Haben Sie diese Welle gesehen, Doktor?« fragte Tekina Kao und sah sich die Videobilder in einer Endlosschleife immer wieder an.

»Ja, verdammt.« Marlin Sun stopfte wütend ein paar T-Shirts in einen Seesack, warf den Beutel aus seinem Quartier hinaus in den Hof und verstaute dann mit größerer Sorgfalt sein Webboard in eine lederne Umhängetasche. »Ich habe sie 'zigmal angesehen. Immer wieder und wieder. In Zeitlupe, mit Infrarotfilter und jedem möglichen Zoomfaktor, den die Auflösung der Chips hergegeben hat.«

»Wie kann sich ein Hai restlos in Wasser auflösen, in einer leuchtenden Welle, die sich verhält, als würde ein intelligenter Geist ihre Bewegungen bestimmen.«

»Fragen Sie Commander Caan. Für ihn hat sich heute abend das Trauma eines neuen Pearl Harbour erfüllt.«

»Deshalb frage ich ja Sie, Dr. Sun. Sie sind der einzige, von dem ich heute abend noch keine Meinung gehört habe.«

»Hören Sie, Agent Kao«, sagte Sun und knallte die Tür zu seiner Unterkunft zu. »Wenn ich Ihnen erklären könnte, was dort draußen geschehen ist, bräuchte ich mich nicht von Leuten wie Caan als Kollaborateur diffamieren zu lassen.«

»Der Commander hat eine cholerische Ader und hat sich bei Ihnen und Dr. Havili entschuldigt.«

»Es wurde ein militärischer Untersuchungsausschuß zur Klärung des Vorfalls eingerichtet.«

»Das richtete sich nicht gegen Sie.«

»Das nicht, aber auf meine Mitarbeit wollte man dabei ausdrücklich verzichten.«

»Es soll lediglich festgestellt werden, wie Big Blue unbemerkt durch die U-Boot-Sperren gelangen konnte.«

»Noch spannender finde ich die Frage, wie er wieder hinausgekommen ist.«

»Das denke ich auch, und deshalb brauche ich Sie. Ohne Ihre Erfahrung kommen wir in der *Tangaroa*-Sache nie weiter.«

»Bates hat mich längst von diesem Fall abgezogen.«

»Dann werde ich dafür sorgen, daß man Sie wieder einsetzt.« Kao packte Sun am Arm. »Bitte, Doktor, helfen Sie mir, diese Phänomene zu verstehen.«

»Das kann ich nicht.«

»Dann sagen Sie mir einfach, was Sie auf dem Video sehen.«

»Leuchtendes Wasser, das Big Blue einfach verschlingt.«

»Ähnlich wie bei dem Mast der *Tangaroa?*«

»Nein, hier ist etwas anderes geschehen, Agent Kao. Der Mastbaum hat sich in einer explosiven Reaktion in seine Bestandteile zersetzt, weil seine organische Molekularstruktur instabil geworden ist. Das war ein rein thermodynamischer Prozeß. Big Blue hat dagegen seine Gestalt verwandelt. Offenbar ganz bewußt und aus einer wohlkalkulierten Absicht heraus.«

»Bewußt? Was meinen Sie mit bewußt?«

»Na ja, er hat sich von uns verabschiedet, weil er gesehen hat, daß die Menschen seine Botschaft nicht verstehen. Das gleiche werde ich jetzt auch tun, bevor unser gemeinsamer Freund Jonathan Bates sich hier wieder blicken läßt und auf die Idee kommt, unsere Erinnerungen auf gleiche Weise zu säubern wie die Datenbänke im Computer des Labors.«

»Sie können nicht gehen«, protestierte Kao. »Nicht jetzt, wo die Dinge anfangen, sich zu bewegen.«

»Was ich zu sagen hätte, würden Sie mir sowieso nicht glauben. Und selbst wenn, werden Leute wie Bates erneut alles in Bewegung setzen, um Big Blues Rätsel vor den Augen der Welt zu verbergen und uns vielleicht gleich mit.«

»Kein lebendes Wesen kann einfach seine Gestalt verwandeln«, hakte Kao zweifelnd nach und wußte, daß das Geschehen ihre Worte Lügen strafte.

»Sehen Sie! Ich sagte doch, daß Sie mir nicht glauben würden.«

»Wie denn? So etwas geschieht nur in Märchen.«

»Oder in Träumen...«

»Erzählen Sie mir nicht, wir hätten all das nur geträumt!«

»Wer weiß, vielleicht ist die gesamte Existenz am Ende nur ein Traum, und das, was wir Realität nennen, nur eine Illusion unserer Sinne.« Sun nahm sein Gepäck und reichte Kao versöhnlich und fast ein wenig traurig die Hand. Sie wich aus, ging hinüber zu der Videoanlage und zog mit einer ärgerlichen Geste den Datenchip aus dem Player.

»Ich habe nichts gegen Träume, aber ich weigere mich zu glauben, daß eine menschliche Phantasievorstellung Spuren auf einem Video hinterläßt.«

»Vielleicht liegt es daran, daß wir den Begriff des Traumes mit einer unpassenden Bedeutung füllen.« Sun betrachtete Tekina Kao und sah den Trotz in ihren Augen, einen entwaffnenden, geradezu herausfordernden Trotz. Er überlegte einen Moment, warf seinen Seesack wieder auf den Boden und steckte den Videochip zurück in das Gerät. Dann aktivierte er eine digitale Kamera und ging quer durch den Hof zu dem großen Plasmaschirm, der auf der Strandveranda aufgehängt war.

»Jetzt sagen Sie mir bitte, was Sie gesehen haben«, rief er zu Kao herüber.

»Sie haben einen Spaziergang durch das Atrium gemacht.«

»Sie glauben tatsächlich, daß mein Körper durch diesen Raum gewandert ist...?«

»Sicher.«

»... meine Atome, die in einem biologischen Wachstumsprozeß eine komplexe Molekülgitterstruktur gebildet haben und zu einem formvollendeten männlichen Wesen herangewachsen sind?«

Kao schmunzelte. »Für die Formvollendung sollten Ihre Spaziergänge schon etwas intensiver ausfallen, Dr. Sun. Worauf wollen Sie hinaus?«

»Nehmen wir einmal an, daß die Spazierganghypothese eine falsche Sichtweise der Realität ist, und nehmen wir weiterhin an, daß das einzige, was sich bewegt hat, eine Idee war, die dem Raum seine materielle Form gegeben hat.«

»Sie meinen, daß nur die Idee des Marlin Sun durch das Atrium gewandert ist?« Kao lachte und ging zu Sun hinüber. »Dann wären Sie ja die ganze Zeit drüben bei der Kamera geblieben. Zumindest das, was einmal ihre materielle Substanz gebildet hat. Ich schätze knappe siebzig Kilo aus etwas unsportlichem Fleisch und Blut.«

»Das, was Sie Substanz nennen, ist auch noch dort drüben, aber es ist etwas viel Grundlegenderes als organische Kohlenwasserstoffverbindungen. Es ist eine universelle Substanz, die den Raum ausfüllt. Sie ist in gleicher Weise dort drüben wie hier bei uns und letztlich überall. Ohne die Idee der Form, können wir diese Substanz allerdings weder sehen noch fühlen, schmecken oder hören. Ohne Idee gibt es keine Form und ohne Form keine Wahrnehmung einer für uns erkennbaren Existenz.«

»Und?« Kao runzelte die Stirn und beschloß, Suns Ausführungen prophylaktisch ernst zu nehmen. Nicht weil sie weniger verrückt klangen als Caans Paranoia, sondern weil Sun der einzige war, dem sie eine Lösung von Big Blues Rätsel zutraute.

»Stellen Sie sich vor, der gesamte Kosmos wäre erfüllt von einer solchen Art der universellen Substanz oder einer Energie, die weder mit unseren Sinnen noch mit herkömmlichen physikalischen Meßsystemen zu erfassen ist.«

»Sie meinen, so etwas wie den Äther?« Kao lachte. »Diese Theorie ist schon von unseren Urgroßeltern verworfen worden.«

»Zu Recht und zu Unrecht möglicherweise, denn vielleicht hilft uns diese Vorstellung, das Geschehen in einem völlig neuen Licht zu sehen. Demnach wäre das, was Sie Marlin Sun nennen, die materielle Formation einer Idee, die den Äther dazu bringt, sich zu einer menschlichen Gestalt zu formieren, zu verdichten, oder wie immer Sie es nennen wollen. In gleichem Sinne hätte die Bewegung der Idee den Äther an jedem Raumpunkt meines Spaziergangs dazu gebracht, die Gestalt von Marlin Sun anzunehmen und sogleich wieder aufzugeben. Alle Materie wäre damit nur ein spezieller Zustand dieser grundlegenden, wenn auch virtuellen Substanz, die den Raum erfüllt oder ihn überhaupt erst konstituiert.«

»Haben Sie sich das gerade ausgedacht?« fragte Kao und kämpfte mit sich, ihr Wohlwollen wieder aufzugeben.

»Schön wär's, aber der Gedanke entsprang bereits vor langer Zeit weit erhabeneren Geistern, denen eine rein materialistische Weltsicht keine umfassende Erklärung bot. Vielleicht war Albert Einstein der erste Physiker, der sich an den Grenzen seiner Relativitätstheorie wissenschaftlich mit dieser Vorstellung auseinandergesetzt hat. Im Grunde reicht diese Theorie aber tief in die Philosophiegeschichte der Menschheit zurück, in der die materielle Welt des öfteren sogar als reines Trugbild unserer Sinne dargestellt wurde.«

»Die materielle Welt als reine Widerspiegelung einer ideellen Welt?«

»Eine Welt darüber hinaus, die voller Dynamik ist. Ändert sich die Idee, ändert sich die Materie. So wäre es denkbar, daß aus dem Äther ein Mensch entsteht, aus dem Mensch ein Hai, eine Welle oder das blaue Licht, das wir gesehen haben.«

»Ich bitte Sie, Doktor. Das klingt gelinde gesagt haarsträubend und wirft mehr Fragen auf, als es klärt.«

»Zumindest scheint es so, und deshalb haben sich nur wenige seriöse Wissenschaftler mit diesen Phänomenen auseinandergesetzt. Unter vorgehaltener Hand natürlich und im stillen Kämmerlein, um den eigenen Ruf nicht zu gefährden. Erst Anfang der achtziger Jahre wurde zu Glanzzeiten der New-Age-Bewegung eine Theorie öffentlich diskutiert, die weltweites Aufsehen erregt hat.«

»Die Atriumtheorie des Dr. Sun?«

»Nein, nein, ich will mich nicht mit fremden Federn schmücken, obwohl mir die Theorie ganz außerordentlich gefällt. Haben Sie schon einmal etwas von morphischen Feldern gehört?«

Kao schüttelte den Kopf und setzte sich gespannt auf einen der Rattanstühle, die auf der Veranda standen.

»Ein Amerikaner namens Sheldrake entwickelte ein spektakuläres Modell, das erstmals einen Erklärungsansatz für eines der bislang ungelösten Probleme der Naturwissenschaft zu bieten versuchte«, begann Sun und setzte sich Kao gegenüber. »Es ging dabei um die Frage, was Energie und Materie dazu bringt, spezifische Formen anzunehmen. Woher weiß die Materie, daß sie sich zu einer speziellen Gestalt formieren soll?«

»Durch das Wort Gottes?«

»Das wäre für die Naturwissenschaft eine höchst unbefriedigende Antwort, Agent Kao. Deshalb hat man lange Zeit gehofft, die Formation von Molekularstrukturen mit Hilfe der Quantentheorie und der Theorie des elektromagnetischen Feldes beschreiben und erklären zu können. Bis heute scheitert die Physik allerdings bereits bei den einfachsten Bausteinen der Materie. Um wieviel problematischer muß dann erst die Frage nach der Entstehung eines Eiskristall erscheinen? Wie wächst das Ei von einem Huhn? Oder ein Embryo? Wie bringen diese Wesenheiten ihre atomaren Bestandteile dazu, sich ihrer Form entsprechend zu organisieren? Zu einer Hand, zu einem Arm, zu einem ganzen Menschen?«

»Was ist mit der DNS?«

»Eiskristalle haben keine DNS, Agent Kao, und auch bei der Entwicklung von Bio-Organismen reicht diese Erklärung in keinster Weise aus, eine Beziehung zwischen der Produktion von Molekülen und der Morphogenese herzustellen. Sheldrake beschreibt diese Sichtweise so, als bräuchte man nur die richtigen Baumaterialien und Maschinen auf ein Baugrundstück zu transportieren und könnte dann zusehen, wie dort ganz von selbst ein Haus in der richtigen Form und Größe entsteht.«

»Also kehren wir zurück zu unserer Schattentheorie«, kombinierte Kao und begann den Vortrag zu genießen.

»Tatsächlich sind Schattenbilder ein gutes Analogiemodell für diese Phänomene. Nehmen wir beispielsweise ein Fernsehgerät. Auch hier existiert eine Kraft, die Energiefelder dazu bringt, bestimmte Formen anzunehmen. Seien es Töne oder Bilder, die sich aus der bloßen Substanz der Geräte nicht ergeben.«

Sun nahm eine Fernbedienung und spielte das Video seines Ganges durch das Atrium ab, das er zuvor aufgezeichnet hatte.

»Es ist das gleiche Geschehen, nur in einer anderen Dimension. Auch in diesem Fall steht dahinter ein immaterieller Geist, ein digitaler Code, der die Farbpunkte auf dem Plasmaschirm durch die Anordnung von elektrischen Impulsen dazu bringt, sich zu der Gestalt des Marlin Sun zu formieren und durch das Bild zu wandern.«

»Es war zu befürchten, daß sich in Ihnen ein Poltergeist versteckt.«

»Sheldrake spricht von morphischen Feldern.«

»Also eine strukturierende, wenn auch letztlich geisterhafte Form von Energie.«

»Es ist keine Energie im üblichen Sinne, Agent Kao. Es geht hier um die Struktur selbst. Das, was die Energie anordnet, die Materie und ihre Dynamik in Raum und Zeit.«

»Sie meinen also, der reale Dr. Sun wäre auf gleiche Weise durch den Raum gewandert wie die Bilder auf dem Videomonitor, und Ihr immaterieller Geist oder sein morphisches Feld hätte den Raum an jedem Punkt des Spaziergangs dazu gebracht, eine menschliche Gestalt anzunehmen?«

»O ja, ganz genau. Es ist eine energetische Schwingung, die sich durch den Raum bewegt. Ein gestaltendes Feld, das eine materielle Struktur aus dem virtuellen Äther erzeugt und sogleich wieder vernichtet. Auf ähnliche Weise wandern Ozeanwellen durch das Meer. Die Welle überträgt ihre Idee fortlaufend auf ihre Trägersubstanz und ordnet das Medium ihrer Ausbreitung oder ihrer materiellen Existenz entsprechend an.«

»Trotzdem bleiben es Ozeanwellen. Sie verwandeln sich nicht plötzlich in Haie. Oder umgekehrt.«

»Warum nicht? Alles in der Welt verwandelt sich. Mal langsamer, mal schneller und manchmal sogar in spektakulärer Weise.« Sun deutete auf den Bildschirm und startete erneut die Endlosschleife von Big Blues wundersamer Verwandlung.

»Sorry, aber das widerspricht allem, was wir über die Natur wissen.«

»Zu wissen glauben, Agent Kao. Und vielleicht liegt genau da das Problem. Vielleicht akzeptieren wir eine solche Möglichkeit nur deshalb nicht, weil sie nicht unserer Gewohnheit entspricht, jener Normalität, auf die unser Wachbewußtsein programmiert ist.«

»Sie meinen, daß Big Blue jetzt irgendwo dort draußen als Ozeanwelle herumgeistert?«

»Als Welle, als Lichterscheinung oder wieder als Hai. Wer weiß? Vielleicht ist er ein Wesen, das die Fähigkeit besitzt, die universelle Substanz in weitaus größerem Maße zu beeinflussen, als wir uns das in unseren kühnsten Träumen vorstellen können. Nehmen wir einmal an, daß sein Bewußtsein die Struktur der Materie kontrollieren könnte, dann wäre es möglich, daß er in der Lage ist, jede nur denkbare Gestalt anzunehmen.«

»Damit wäre es dann wohl vorbei mit der Idee des Menschen, sich als Krone der Schöpfung zu betrachten«, meinte Kao und fand Gefallen an dem Gedanken.

»Für diese Erkenntnis hätten wir Big Blue wahrlich nicht gebraucht.« Sun lachte bitter.

»Also schön, nehmen wir einmal an, Sie hätten recht mit Ihrer gotteslästerlichen Theorie. Bleibt die Frage, aus welchem kühnen Grunde sich ein derart übermenschliches Wesen wie Big Blue in unsere waffenstarrende Lagune gezaubert hat?«

»Die Antwort haben Sie sich gestern abend bereits gegeben. Sie bezeichneten Big Blue als Botschafter. Ein Hai, der in die Lagune eindringt, um uns vor einer großen Bedrohung zu warnen. Einer Gefahr, der möglicherweise zuvor die *Dateline* und die *Tangaroa* zum Opfer gefallen sind.«

»Der Haimythos ist alter Aberglaube«, schmunzelte Kao und ertappte sich bei dem Gedanken, daß Sun sie die ganze Zeit nur auf den Arm genommen hatte. »Ich hatte nicht damit gerechnet, daß Sie das ernst nehmen würden.«

»Immerhin würde es erklären, warum die Polynesier früher Haie als Götter verehrten. Und sie hätten bestimmt auch weniger Probleme mit unserem Mondfisch gehabt, der auch aus einem ganz anderen Grund überhaupt nicht in diese Welt zu gehören scheint.«

»Was meinen Sie?«

Sun zögerte einen Moment. Dann zog er einen Computerausdruck aus seiner Jackentasche und legte ihn vor Kao auf den Tisch.

»Dieses Wesen, das gestern morgen in die Wake-Lagune eingedrungen ist, ist nach Ansicht des ozeanographischen Instituts in Honolulu das Exemplar einer Hai-Spezies, die seit über siebzigtausend Jahren als ausgestorben gilt.«

»Siebzigtausend? Sun, das ist verrückt.«

»Allerdings«, meinte Sun, stand auf und schulterte seinen Rucksack. »Deshalb überlasse ich es Ihnen, Agent Kao, darüber zu befinden, ob das, was wir gesehen haben, ein Teil der Wirklichkeit war oder nur die Geisterbilder eines kollektiven Traums.«

25

'AIHUE

DIEBE IN DER NACHT

Das Licht des Mondes tauchte die Fassade des *Kapiulani Beach* in einen hellen Glanz und drohte die Gestalt zu verraten, die sich über das gewölbte Dach der künstlichen Riesenmuschel auf einen der vielen *lanais* abseilte. Mit einem letzten Schwung erreichte der in Katzengrau gekleidete Kletterer sein Ziel, schob lautlos die Balkontür zur Seite und schlich sich in das Zimmer.

Erleichtert zog sich Jonathan Bates die Mütze vom Kopf und versuchte seine Atmung wieder zu beruhigen. Es war schon eine Weile her, daß er an solchen James-Bond-Spielchen Gefallen gefunden hatte. Diesmal war der anstrengende Weg dem einfachen jedoch vorzuziehen. Nach seinem Auftritt am Nachmittag war er im Hotel nicht mehr gern gesehen, und solange er nicht wußte, welche Karten die Parteien in den Händen hielten und wie die Koalitionen zwischen den Spielern aussahen, war es ohnehin klüger bis auf weiteres im Schatten zu agieren.

Bates ließ den Lichtkegel seiner Halogenstablampe durch den Raum fliegen und konzentrierte seine Sinne auf die Suche. Das Zimmer war verlassen. Es wirkte nicht einmal bewohnt. Er öffnete eine der Taschen seines Gürtels und zog daraus zwei kleine Metallzylinder hervor. Ein Druck mit dem Daumen aktivierte die Elektronik, und ein leiser Piepton bestätigte die Bereitschaft der hochsensiblen Mikrosender, die mit einem Klebefilm beinahe überall und praktisch unsichtbar anzubringen waren. Eine der mit winzigen Fischaugenlinsen versehenen Videowanzen plazierte er in der Nähe des Telefons am Fenster und die andere auf der gegenüberliegenden Seite des Zimmers neben der Tür zum Gang.

Dann ging Bates zum Schrank. Er war leer, genau wie die Schubladen der Kommode. Nur die Zahnbürste im Bad, ein winziger Rasierapparat und ein Fläschchen mit einer Rescue-Bachblütenmischung zeugten von dem Gast, der in diesem Zimmer wohnte. Offenbar lagen seine einzigen Habseligkeiten in dem kleinen Safe, dessen elektronisches Schloß mit einem Zahlencode zu öffnen war. Bates kniete sich nieder und klemmte seine Minitaschenlampe zwischen die Zähne. Dann nahm er ein silbernes Kästchen mit einem Display aus seiner Gürteltasche und hielt es gegen die Safetür. Wie bei einem Glücksspielautomaten wirbelten die Ziffern über die Anzeige und blieben nacheinander stehen, bis der Code entschlüsselt war. Der Computer hatte leichtes Spiel. Es waren nur sechs Ziffern. Ein Geburtstag. Ein Feiertag. Die Obergrenze für das Gedächtnis eines Strandurlaubers. Einen Moment später reagierte die Elektronik, und die Tür öffnete sich.

Bates grinste. Sein letzter Besuch auf dem grauen High-Tech-Markt in Shanghai hatte sich bereits ausgezahlt. Im oberen Fach des Safes lag ein taschenbuchgroßes Webboard. Es war ein Modell der neuesten Generation, dessen Datenspeicher es spielend mit einer mittleren Stadtbibliothek hätte aufnehmen können. Er steckte einen modifizierten X-Ram-Stick in den Slot des winzigen Computers und bootete das System. Der Chip umging das Paßwort und kopierte die Daten in seinen Speicher. So konnte er später in aller Ruhe die Dateien auf seinem Rechner sichten.

Plötzlich hörte Bates ein Geräusch. Die Fahrstuhltür der Etage, gefolgt von Schritten auf dem Gang. Schnell legte er das Gerät zurück in den Safe, schaltete seine Taschenlampe aus und schlich sich am Bett vorbei zurück zur Schiebetür des *lanai.* Er beschloß, kein Risiko einzugehen, und schlüpfte hinaus in die Nacht.

Im selben Augenblick öffnete sich die Zimmertür, und das Deckenlicht ging an. Vorsichtig spähte Bates durch einen Spalt im Vorhang und erkannte eine elegant gekleidete, rothaarige Frau, die gefolgt von dem Etagenkellner in das Zimmer kam. Sie stellte einen Champagnerkühler und zwei Gläser auf das Tischchen neben dem Bett, gab dem Kellner ein Trinkgeld und wartete bis der Hoteldiener das Zimmer wieder verlassen hatte. Dann schaltete sie das Licht wieder aus, streifte sich die dünnen Träger ihres Kleides von den Schultern und ging hinüber in das Badezimmer.

Bates kauerte sich in die dunkelste Ecke des *lanai* und wartete. Er hatte mit allem gerechnet, nur nicht damit. In Gedanken wägte er die Möglichkeiten ab, die ihm nun offenstanden und entschied sich für die Variante, die versprach, die vergnüglichste für ihn zu werden.

Wenige Minuten später kam die Frau zurück. Sie war nur in ein Badetuch gehüllt, schlug die Bettdecke auf und schlüpfte darunter. In der selben Sekunde trat Bates zurück in das Zimmer.

»Haben Sie sich nicht in der Zimmertür geirrt, Agent Jones?« rief er barsch, aber nicht ohne eine Prise Ironie.

Cherry Jones fuhr erschrocken hoch. In der Tür zum *lanai* stand eine wie ein Einbrecher gekleidete Gestalt, die breit bis über beide Ohren grinste und keinerlei Ähnlichkeit mit dem Mann hatte, den sie zu einem wohlkalkulierten Versöhnungstrunk hatte überreden wollen.

»Jon, was machst du hier?«

»Dasselbe könnte ich dich fragen, obwohl...« Bates setzte sich in einen der Stühle gegenüber vom Bett, knipste eine Stehlampe an und schlug genüßlich die Beine übereinander. »Eigentlich erübrigt sich die Frage.«

»Und du? Finanzierst du deine kostspieligen Hobbys jetzt mit Fassadenkletterei?«

»Vielleicht bin ich dir gefolgt, um herauszufinden, warum sich der neuseeländische Geheimdienst für Alexander Motos Gäste interessiert? Oder arbeitet die vielseitig begabte Miss Jones jetzt für den Intimservice des Hotels?«

»Du weißt ja, wie lausig unsere Regierungen die Dienste ihrer treuen Soldaten bezahlen.«

»Also schön, Cherry. Wie es das Schicksal will, hat es uns wieder einmal an denselben Ort verschlagen. Bleiben uns also die drei üblichen Möglichkeiten, die in den Satzungen unserer Vereine festgeschrieben sind. Entweder wir erschießen uns gegenseitig...«

»... oder wir tun so, als wenn der andere überhaupt nicht da wäre...«

»... oder wir greifen uns gegenseitig hilfreich unter die Arme.«

»An deine Griffe kann ich mich deutlich erinnern, Jon«, meinte Jones und zog eine winzige Automatik unter der Bettdecke hervor. »Ich glaube, diesmal erschieße ich dich lieber.«

»Ein Körper wie eine Gazelle und ein Gedächtnis wie ein Elefant.« Bates ignorierte die Waffe, kam herüber und setzte sich auf die Ecke des Bettes. »Bei unserer Affinität sollten wir unsere Aktionen in Zukunft besser koordinieren. Dann könnten wir uns so manche Akrobatik ersparen.«

»Sport ist doch gesund.« Jones entsicherte die Automatik und richtete sie auf Bates. »Aber bitte, stecken wir unsere Claims ab. Eine mehr als ominöse Geheimabteilung des Pentagon schickt ihren erfahrensten Mann nach Honolulu, um nach dem Baby zu suchen, das man in enger Verbundenheit mit dem großen *sama* des führenden Konzerns für marine Technologien in die Welt gesetzt hat und das nun leider abhanden gekommen ist. Hat sich Alex etwa nicht an eure Spielregeln gehalten?«

»Respekt. Soviel streng geheimes Wissen in einem solch hübschen Kopf. Vielleicht sollte ich unsere Headhunter auf dich ansetzen. Oder meinst du es ernst mit deiner neuen Karriere als aufstrebende Wissenschaftlerin im Dienste der kapriziösen Halewai-Stiftung?«

»In stiller Stunde denke ich mitunter darüber nach. Das Agentenleben wird im Alter mehr als unbequem. Gerade du solltest das doch wissen, Jon.«

»Moto hat dich sicher bereits zu Höherem auserkoren, als seine Kanusammlung zu katalogisieren. Habe ich nicht recht?« Bates kniff die Augen zusammen. »Laß mich raten. Entweder er spielt mit dir das eine Millionen-Dollar-Spiel, weil ihm seine blaßhäutige Akiko-san als Betthäschen und Leibwächter zu langweilig geworden ist...«

»Oder...?«

»Ach nein.« Bates schüttelte den Kopf. »Wenn ich es mir recht überlege, kann es so nicht sein. Dazu ist unsere pflichtbewußte Cherry Jones ihrem schönen Land gegenüber viel zu loyal. Außerdem habe ich bereits vernommen, daß den Kiwis die Nase des guten Alex nicht geheuer ist. Seine visionären Pläne über die Zukunft des Ozeans. Sein wachsender Einfluß bei den Regierungen der pazifischen Inselstaaten...«

»... und seine Kooperation mit den dunkelsten Dunkelmännern des amerikanischen Geheimdienstes, die im Vorhof unserer schönen Riffe mit seinen Spielzeugen Verstecken unter Wasser spielen.«

»So viel Mißtrauen unter Waffenbrüdern, Cherry?«

»Mißtrauen ist das Fundament unseres Geschäfts. Sonst wären wir beide heute nacht nicht hier.«

»Was uns zurück zu der Frage führt, was Dennis Newman in Honolulu verloren hat.« Bates öffnete den Champagner und füllte den edlen Tropfen in die Gläser.

»Warum engagiert Alexander Moto einen Privatdetektiv...«

»... einen äußerst zwielichtigen Schnüffler, der bereits kurz nach seiner Ankunft eine Menge Staub aufgewirbelt hat...«

»... Staub, der auch Alex nicht gefallen dürfte...«

»... weil er auf Dingen liegt, die er gerne begraben sieht, wie den Untergang der *Tangaroa*...«

»... oder weil der Staub aus den tiefsten Kellern des Pentagon aufgewirbelt wurde, deren Geheimnis Alex mit euch teilt. Jon, ich weiß nicht, was ihr da draußen verbockt habt. Ich weiß nur, daß da etwas gewaltig schiefgelaufen sein muß. So schief, daß ihr die Kontrolle darüber verloren habt. Oder die Kontrolle über Alex. Denn nur das erklärt, wieso du dich maskiert wie ein Phantom in die Gemächer der Vasallen deines Verbündeten abseilst. Alex hat die Karten neu gemischt, und nun mußt du herausfinden, welch krummes Spiel er treibt.«

»Die Form des Spiels ist leicht zu erkennen.«

»Schiffe versenken in den Weiten des Ozeans?«

Bates nickte. »Nur der Sinn des Ganzen fehlt.«

»Zu alledem paßt Newman nicht in das Bild...«

»... die ganze Geschichte mit der *Tangaroa* paßt nicht in das Bild.«

»Egal, ob man es von meiner oder von deiner Warte aus sieht...«

»... insbesondere dann, wenn Newmans Behauptungen stimmen.«

»Was ebenso unwahrscheinlich ist wie die Annahme, er hätte sich die Story mit seiner Begegnung mit diesem einheimischen Mädchen ausgedacht. Schon gar nicht im Auftrag von unserem guten Alex.«

»Ich glaube, dieser Newman ist ein ganz ausgeschlafener Typ«, meinte Bates und verschwendete den Moët zum Stillen seines Durstes. »Ich habe das Gefühl, er weiß ganz genau, was er tut.«

»Das bezweifele ich.« Jones schüttelte den Kopf. »Wie es aussieht, ist er sich weder darüber im klaren, was hier geschieht, noch welche Rolle er in diesem Spiel einnimmt.«

»Ach ja? Offenbar hast du das Seminar über Mimikry und Maskerade auf der Akademie geschwänzt. Oder lernt man so etwas in eurem schönen Land nicht? Naivität und Unwissenheit bilden immer wieder das beste Versteck, in das man sich verkriechen kann.«

»Ich denke, Newman wird für etwas benutzt, dessen Gestalt bewußt vor ihm verborgen gehalten wird.«

»Sorry, aber für mich ist er ein Maulwurf.«

»Solltest du das nicht wissen, Jon?«

»Vielleicht ist er ja einer von euren Leuten...«

»Was ist mit den Russen?«

»Oder den Chinesen?«

Jones lachte und überlegte, wie sie aus der Sackgasse kam, in die sie mit ihrer Provokation geraten war. Sie kannte Bates und wußte, daß es leichter war, die Wahrheit aus dem Kaffeesatz zu lesen, als seine versteckten Absichten aufzudecken.

»Sagt dir der Name Arnold Brillstein etwas?« fragte sie mit aufmerksamen Blicken.

»Brillstein?« Bates' Wimpern zuckten.

»Dr. Arnold Brillstein ist der behandelnde Psychoanalytiker von Dennis Newman.«

»Nie von ihm gehört.«

»Solltest du aber«, konterte Jones und ahnte, daß Bates log. »Brillstein gilt nicht nur als Kapazität auf seinem Gebiet, er schreibt auch kapriziöse Rechnungen. Rechnungen, die in Newmans Fall ungewöhnlicherweise vom Staat bezahlt werden.«

»Vom Sozialamt?«

»Es sind verschlungene Finanzwege, die einmal mehr in euren tiefen Kellern verschwinden.«

»Wir zahlen Newmans Seelenklempner?«

»Ihr zahlt ihm nicht nur seinen luxuriösen Lebensstil. Er ist sogar einer von euren freiberuflichen Experten. Zumindest war er das zu Zeiten des kalten Krieges. Seine Spezialität war Gehirnwäsche und die Betreuung von übergelaufenen Agenten aus dem Reich von Väterchen Frost.«

»Und was sollte Mr. Newman damit zu tun haben?«

»Vielleicht weiß bei euch die eine Hand nicht, was die andere tut, und du observierst deinen eigenen Kollegen.«

»Meintest du nicht gerade, er wüßte nicht, was er tut?«

»Vielleicht wird er von Brillstein unbewußt gelenkt. Unwissenheit ist eine geniale Tarnung. Insbesondere, wenn sie echt ist. Dann wäre Mr. Newman nur die Marionette eines perfiden Spiels, das Brillsteins Patienten für geheime Aufträge benutzt. Beispielsweise zur Beschattung von Alexander Moto.«

»Wozu? Wir haben bereits eine Spezialabteilung für Moto abgestellt.«

»Vielleicht glaubt jemand im Pentagon, daß ihr die Kontrolle über euer Projekt verloren habt. Oder man befürchtet auf höherer Ebene, die Kontrolle über euch zu verlieren.«

Bates antwortete nicht. Der Gedanke war letztlich nicht von der Hand zu weisen, auch wenn seine Vorstellung von der Rolle, die Dennis Newman in dem Spiel einnahm, eine gänzlich andere war.

»Euer Projekt scheint auf jeden Fall äußerst bedeutend zu sein«, fuhr Jones fort. »Bedeutender möglicherweise, als ihr es euch je vorgestellt habt. Was immer es auch ist, das ihr in den Weiten des Ozeans sucht. Mit Alexander Motos Unterwassertechnologie. So ist es doch, oder?«

»Noch einen Schritt weiter und ich müßte dich erschießen.«

»Damit tust du dir nur selber weh, denn wie es aussieht, ist dir die Sache mächtig aus dem Ruder gelaufen.« Jones lächelte provokant. »Das unerklärliche Verschwinden eures schönen U-Bootes. Die tragische Havarie der *Tangaroa* und ein neugieriger Privatdetektiv, der mit seinen Behauptungen das Unglück ad absurdum führt und noch mehr Zweifel an der Ehrenhaftigkeit von Alexander Motos Plänen schürt.«

»Das klingt, als wolltest du mir einen Deal anbieten.«

»Warum nicht? Wenn es einer gerechten Sache dient.«

»Ich glaube, darauf kann ich gut verzichten«, entgegnete Bates herablassend. »Außerdem bezweifele ich sehr, daß du mit deiner Betthäschen-Methode den wahren Grund für Mr. Newmans Eskapaden herausfinden wirst.«

»Deine Fassadenkletterei ist auch nicht gerade originell. Wenn

Newman ein Geheimnis hat, dann trägt er es in seinem Kopf, nicht in seinem Safe. Was im übrigen auch für Alex gilt.«

»Deine Ermittlungen scheinen bereits ein fortgeschrittenes Stadium erreicht zu haben, nicht wahr?« stichelte Bates.

»Sicher weiter als die deinen, aber davon willst du ja nichts wissen.« Jones richtete ihren Blick auf ihr Handgelenk. Ein spürbares aber lautloses Vibrieren signalisierte ihr, daß der Kommunikationschip in ihrer Uhr eine Nachricht erhalten hatte, die in knappen Worten auf dem schwach beleuchteten Display sichtbar wurde.

»Sieh an. Unser vergeßlicher Freund hat wieder einen seiner spektakulären Auftritte inszeniert.«

»Sag nicht, er wäre schon wieder baden gegangen.«

»In den Tiefen des Meeres und in voller Montur. Wie es aussieht, hat es einen Anschlag auf das Ma'alaea Ressort gegeben.«

»Ist ihm etwas passiert?«

»Nein, offenbar hat er sieben Leben und konnte sich wieder einmal vor den Fluten retten.« Jones schüttelte beeindruckt den Kopf. »Einfach faszinierend dieser Mann.«

»Muß ich eifersüchtig werden?«

»Auf einen Mann, der nicht nur gutaussehend und charmant, sondern auch unsterblich ist? Was bleibt dir da für eine Chance, Jon?«

»Auf jeden Fall scheint er eine innige Beziehung zu dem Element zu haben, das er angeblich so sehr fürchtet«, bemerkte Bates und leerte sein Glas. »Und wo ist er jetzt?«

»Die Küstenwache hat ihn gerade aus einer Rettungsboje befreit und ins Kamehameha Hospital gebracht.«

»Das tut mir leid für dich, Cherry. Dann wird dein Opfer heute nacht wohl nicht mehr unter deine Decke schlüpfen.«

»Sieht so aus, und mit dem Champagnerfrühstück wird es wohl auch nichts werden. Interessanterweise hat er für den Morgen einen Flug nach Kaua'i gebucht.«

»Weshalb findest du das interessant?« fragte Bates lauernd.

»Gerade wolltest du mich noch erschießen.«

»Der einzigen Widersacherin, die mir je etwas bedeutet hat? Cherry, ich bitte dich. Außerdem bist du es doch, die hier nur mit einer Waffe bekleidet eingedrungen ist.«

Jones lachte und ließ die Automatik sinken. »Es ist nur so eine Idee, aber überleg einmal, Jon. Newman verfolgt offenbar konsequent eine Spur. Was verbindet Kaua'i mit diesem Mädchen von der *Tangaroa,* das er so übereifrig sucht?«

»Sag du es mir!«

»Manalei!« Jones löschte das Licht, kroch unter der Decke hervor und verschwand im Badezimmer. »Keani tauchte zum ersten Mal in Manalei auf, einem beinahe unzugänglichen und für die Hawaiianer heiligen Tal an der Westküste von Kaua'i, das vor etwa fünf Jahren von einer Tsunamiwelle völlig zerstört wurde. Ergibt das für dich einen Sinn, Jon?«

»Noch nicht«, gestand Bates nicht ganz ehrlich. »Aber ich wette, Mr. Newmans übersinnlicher Spürsinn wird uns des Rätsels Lösung näherbringen.«

Während Jones den bequemen Weg über die Hotelflure nahm, seilte sich Bates über die Fassade des Hotels in den Garten ab. Zum ersten Mal seit langer Zeit begann ihm sein Job wieder jene Freude zu bereiten, die er früher empfunden hatte. Nicht nur, weil er Cherry Jones wiederbegegnet war, die ihm vor Jahren einmal den Kopf verdreht hatte. Es war das simple Detektivspiel, das er am Anfang seiner Agenten-Karriere genossen hatte, das aber bei seinem Aufstieg in der Hierarchie des Pentagon immer weiter in den Hintergrund getreten und zum Schluß von dem größten aber auch unnahbarsten aller Geheimnisse verdrängt worden war. Dem Geheimnis von dem zornigen Drachen auf dem Grund des Meeres, der ihn mehr und mehr in einen gefährlichen Strudel riß.

III

LONO

26

WAI MELE

SINGENDE WASSER

Morgendunst hing zwischen den Klippen von Na Pali. So weit das Auge reichte, verwandelte die steinerne Urlandschaft die Westküste von Kaua'i zu einer uneinnehmbaren Festung, deren einziger Feind die unablässig heranrollende Brandung des Pazifiks war. Dennis stand auf einer baufälligen Aussichtsplattform, die in schwindelerregender Höhe aus der Felswand ragte, und blickte mit fast ehrfürchtigem Erstaunen hinunter auf eine wilde, von Menschenhand unberührte Natur. Unter den Wolkenschleiern lag ein undurchdringliches, von meterhohen Farnen und wilden Taropflanzen überwuchertes Labyrinth aus Steilwänden, Wasserfällen und Geröll. Es war ein bizarres Bühnenbild aus grünem Dschungel und schwarzer Lava, geboren aus dem Blut der Erde, schroff und zerklüftet von unzähligen Kratern und Spalten, die wie von Riesenhand vor unendlich langer Zeit in den Leib der Berge gerissen worden waren. Das Tal war ein mächtiger, kesselartiger Einschnitt in der Steilküste, und der einzige Zugang zu der Schlucht schien ein gigantisches Felsportal zu sein, zu dessen Seiten die Klippen Hunderte von Metern fast senkrecht in die Brandung stürzten.

Manalei war der abgelegenste Ort des ganzen Archipels. Eine leere Wildnis, hinter der die endlose Wasserwüste des Ozeans begann. Dennis hatte das Gefühl, als stünde er am Rande der sichtbaren Welt. An der Grenze zwischen Realität und Traum. Zugleich erschien ihm das Tal wie die Endstation seiner törichten Suche nach einem Menschen, der ebensowenig in die Wirklichkeit gehörte wie er selbst, weil sie beide längst gestorben waren. Dennis glaubte nicht an ein Leben nach dem Tod. Was er suchte, war das Tor zu einem vergessenen Teil seiner Erinnerung, und nun war er bereit den letzten Schritt ins Nirgendwo zu gehen. Einen Schritt, das wurde ihm nun klar, der nicht alleine geographisch zu verstehen war.

Kaua'i lag nur eine dreiviertel Flugstunde von Maui entfernt. Die Fahrt mit dem Auto vom Flughafen in Lihue zu den Ausläufern der Na Pali Coast hatte dagegen dreimal so lange gedauert, und für den letzten Teil der Strecke, die vom Waimea Canõn hinauf in die zerklüfteten Küstengebirge führte, war der Leihwagen gar nicht zugelassen. Der Blick auf die Inselkarte hatte Dennis in die Irre geführt. Von der Straße, die sich durch den Koke'e-State-Park schlängelte, schien Manalei in greifbarer Nähe, und er hatte leichtsinnig ignoriert, daß auf dem Plan weder eine Abzweigung noch ein Wanderpfad zu den Wasserfällen eingezeichnet war. Als sich die Straße hinter einer Absperrung in eine wilde Schotterpiste verwandelte und schließlich unweit der Aussichtsplattform an einem wilden Bergbach endete, der den Weg unterspült und größtenteils fortgerissen hatte, wurde seine Hoffnung auf eine bequeme Fahrt endgültig zerstört.

Dennis stand an der Abbruchkante einer viele hundert Meter tiefen Schlucht. Obwohl die Küste fast zum Greifen nahe schien, lag sein Ziel in unerreichbarer Ferne. Er war in eine Sackgasse geraten. Überall waren Sperrzäune gezogen und Warnschilder aufgestellt. Selbst ohne Ortskenntnisse war unschwer zu erkennen, daß die Wasserfälle weder mit dem Auto noch auf dem Fußweg zu erreichen waren. Da er sich aber in einem Zustand rauschhafter Besessenheit befand, in dem jede Angst und Hemmung wich, kletterte er über den Absperrzaun und begann sich durch dorniges Gestrüpp auf einem steilen, beinahe vollständig zugewucherten Trampelpfad in das Tal hinabzuarbeiten.

Manalei war ein Nebelloch. Je tiefer man in den Felsendom hinabstieg, desto feuchter wurde es. Zahlreiche Wasserfälle schickten ihre Kaskaden über die steilen Hänge und hüllten die Wildnis in einen dichten Dunst. Zudem hatte es die ganze Nacht geregnet, und die Sonne mühte sich vergeblich, die Nässe aus dem moos- und flechtenüberwachsenen Boden zu saugen. Dennis schwitzte wie in einer Sauna und schickte ein resignierendes Stoßgebet in den verhangenen Himmel. Die Berge schienen die Wolken wie ein Magnet anzuziehen, und nach allem, was ihm bislang auf den Inseln passiert war, hätte es ihn nicht verwundert, selbst bei einer Bergwanderung Gefahr zu laufen zu ertrinken. Wenigstens gaben ihm die festen

Wanderstiefel, die er sich am Morgen weitsichtigerweise gekauft hatte, etwas Halt auf dem rutschigen Geröll. Nur seine Jeans wurde dem waghalsigen Abstieg nicht gerecht. Er faßte den Entschluß, die nutzlosen Beine der ohnehin bereits völlig verdreckten Hose abzuschneiden.

Erst eine Stunde später, kaum zweihundert Meter von seinem Ausgangspunkt entfernt, wurde er sich der Fahrlässigkeit seines Unterfangens bewußt. Dennis konnte nicht mehr weiter. Er war restlos entkräftet, und als er endlich realisierte, daß er geradezu naiv und dumm gehandelt hatte, war der Pfad, den er sich durch den Busch geschlagen hatte, zu einem Weg ohne Wiederkehr geworden. Einige Male war er mehr oder weniger freiwillig die steilen Felswände hinuntergerutscht und hatte sich dabei nicht nur die Haut aufgeschürft, sondern auch den Rückweg versperrt, da die Überhänge ohne Seilzeug nicht wieder zu ersteigen waren. Es gab kein Zurück mehr, und letztlich wollte er auch nicht umkehren, weil es dort, von wo er gekommen war, keine Antworten auf seine Fragen gab. Wenn das Brillstein-Spiel ein Ziel hatte – ganz gleich, ob es diesen Namen am Ende verdiente –, dann lag es irgendwo in der Wildnis unterhalb seiner Füße.

Dennis taten sämtliche Knochen weh, und nur mit dem Mut der Verzweiflung raffte er sich nochmals auf. Mit nutzloser Vorsicht ließ er sich zwischen zwei Baumwurzeln zu einer Nische hinuntergleiten, verfehlte sein Ziel, trat auf einen losen Stein, verlor den Halt und landete nach einer schmerzhaften Rutschpartie über eine Böschung auf einer überhängenden Felsnadel, die zwar seinen Absturz stoppte, aber jedes Weiterkommen endgültig zunichte machte. Der Vorsprung reichte etwa zwei Meter aus dem Abhang hervor, umrahmt von mächtigen Steilwänden, zwischen denen eiskaltes Wasser aus dem Berg in die Tiefe schoß. Es war ein natürlicher Balkon. Mindestens vierzig Meter über dem See, der am Fuße der Wasserfälle ein tiefblaues, beinahe kreisrundes Becken bildete, und sein Wasser von dort über weitere Terrassen hinunter zu einem schmalen Sandstrand führte, wo es schäumend mit der Brandung verschmolz.

Die Felsnadel war völlig vermoost und machte keinen besonders stabilen Eindruck. Dennis drehte sich vorsichtig auf den Bauch und klammerte sich mit Händen und Füßen an den Stein, als säße er ohne Sattel auf dem Rücken eines Pferdes. Die Erinnerung an seinen Absturz in der Sharks Cove Bay fuhr ihm wieder in die Knochen. Andererseits fühlte er sich auf eigenartige Weise vogelfrei. Wie jemand, der für das gleiche Verbrechen nicht zweimal zum Tode verurteilt werden kann. Dreimal hatte das Schicksal sein Leben verschont. Was also sollte ihm passieren? Und weil jemand, der keine Angst hat, wenig Mut zu haben braucht, schob er sich bis an den äußersten Rand des schmalen Vorsprungs, der sicherlich ein spektakuläres Sprungbrett für Bunjeejumper darstellte. Oder für Selbstmörder, was Dennis als passender empfand!

Die Felsnadel war ein faszinierender, geradezu überweltlicher Ort. Ein Logenplatz zwischen Himmel und Wasser. Darüber hingen schwere Regenwolken, davor lag die endlose Weite des Ozeans und darunter breiteten sich der tiefblaue See und drei kleinere Pools auf unterschiedlichen Felsterrassen am Fuße der Manalei Falls aus, die sich von Zeit zu Zeit unter dichten Dunstwolken versteckten.

Dennis Herz begann schneller zu schlagen. Vor Aufregung, die fast an Euphorie grenzte. Er wußte nicht, woher dieses Gefühl kam, zumal er einmal mehr beinahe vollständig von Wasser umgeben war, ein Zustand, der bis vor kurzem noch wilde Panik in ihm auszulösen pflegte. Auf gleiche Weise schien er vergessen zu haben, in welch auswegloser Situation er sich befand. Er konnte weder vor noch zurück, das Handy aus dem Leihwagen hatte in den Bergen längst seinen Dienst versagt, und sein Hilferuf mußte in dem tosenden Rauschen der Wassermassen ungehört verstummen. Das Tal schien menschenleer, und von der Straße war sein Gefängnis unmöglich zu erkennen. Allein sein Fahrzeug auf dem Parkplatz in der Nähe der alten Aussichtsplattform mochte von seiner Anwesenheit künden, allerdings war die Wahrscheinlichkeit äußerst gering, daß sich ein Retter an diesen Ort am Ende der Welt verirrte.

»Es sei denn…«

Nein! Sein Verstand hatte die Brillsteinvariante einmal mehr verworfen. Nüchtern betrachtet befand er sich in einer lebensbedrohlichen Lage. Aber Dennis war nicht nüchtern. Er war geradezu betrunken, als hätten die Wassernebel, die ihn umschlossen und bis auf die Haut durchnäßten, eine rauschhafte Wirkung, die wie ein feinstoffliches Fluidum bis in die tiefsten Schichten seiner Seele kroch und seine Wahrnehmung surreal veränderte.

Vor seinen Augen flirrten die Dunstschwaden des Wassers und verwandelten sich in einen schillernden Regenbogen, der sich in atemberaubender Pracht über das Tal spannte und gleich einer Kuppel aus Licht und Farbe über der Bühne des Dramas schloß. Dennis hing über dem Abgrund einer Welt, die nur einem Traum entsprungen sein konnte. Seinem ureigensten Traum, der zugleich ein Alptraum war, aus dem es kein Entkommen gab. Mit einem Male erschien ihm das Tal wie der Schlund einer monströsen Kreatur, die aus der Tiefe der Berge aufgetaucht war. Der Wasserfall bewegte sich wie die Zunge eines Drachen, umgeben von den Felszacken seiner riesenhaften Zähne. Er begann ihn zu wittern. Er begann nach ihm zu schnappen, um ihn in sich hineinzusaugen, wie eine lang ersehnte Beute, die seinen Hunger stillen mußte. Manalei begann ihn zu verschlingen. Er konnte nichts dagegen tun. Und er wollte es auch nicht. Die Bilder, die er sah, schienen ihm in gleicher Weise unheimlich wie vertraut, als wäre er ein wesenhafter Teil davon. Zugleich wußte er, daß er allein die Traumwelt formte, den Fortgang der Geschichte, ihr Geheimnis und ihr Ziel.

»Keani!« rief er das Zauberwort, das zwischen den Wänden des Felsendoms ein vielfaches Echo fand. Und mit dem Namen veränderte sich der Klang des Wasserfalls. Sein mächtiges Tosen wurde ein wenig leiser, ein wenig klarer, als antwortete er auf die fremde Stimme, die seine Unnahbarkeit durchdrang. Aus dem Donnern wurde ein Rauschen, aus dem Rauschen ein Murmeln und aus dem Murmeln ein Flüstern, das wie die Stimmen von Geistern klang, die in den Wassern hausten.

Für eine Sekunde glaubte Dennis einen Schatten unter dem Spiegel des Sees zu sehen und erinnerte sich an die Geschichte, die ihm Hopkins nach langem Drängen in der Nacht zuvor in der Rettungsboje erzählt hatte. Es war ein Märchen von der Sorte, wie sie überall in Hawai'i erzählt wurden, ein Märchen von einem Fabelwesen, das in einer Grotte unter dem Wasserfall von Manalei ein längst vergessenes Heiligtum hütete. Es war ein Wesen, halb Mensch, halb Hai, das jeden Eindringling in ein Labyrinth von Alpträumen stürzte, der dem Geheimnis zu nahe kam.

Dennis glaubte weder an Felsendrachen noch an verzauberte Haie und zwang seine Gedanken endlich zur Vernunft. Abgesehen von seiner Wasserneurose hielt er sich für einen rationalen Menschen. Nicht von ungefähr hatte er es zu seinem Beruf gemacht, das Unerklärliche auf logische Weise zu hinterfragen. Längst dachte er nicht mehr an Motos Auftrag. Er selbst wollte Hopkins Story widerlegen. Keani war ein Mensch aus Fleisch und Blut, und wenn sie nicht ertrunken war, dann lebte sie noch heute, hier und jetzt, mit einer Geschichte, die genau wie seine letztendlich auf vernünftige Weise abseits des einheimischen Aberglaubens zu erklären war. Alleine deshalb war er nach Manalei gekommen. Das zumindest redete er sich gebetsmühlenartig ein und kämpfte zugleich mit der widersinnigen Hoffnung, daß mit Keanis Rätsel auch sein eigenes zu lösen war.

Dennis ließ seinen Blick über die Wasserfälle gleiten, die von allen Seiten hinunter in das Tal stürzten, und malte sich aus, was als nächstes geschehen mochte, als ob er es nicht längst schon wußte. Tief unter ihm verwandelten sich die Kaskaden in Bahnen aus durchscheinender Seide, die in der Brise des Windes wehten wie die Vorhänge vor einer riesenhaften Bühne.

Noch einmal rief Dennis Keanis Namen, und mit dem Wort zogen kräftigere Böen durch das Tal. Es war wie ein plötzlich aufkommender Sturm. Mit seinem Fauchen öffneten sich die Wasserschleier für den letzten Akt des Dramas und gaben den Blick auf eine farnüberwucherte Grotte in einem tiefen Einschnitt zwischen den Felsen oberhalb der Pools frei. Zugleich schien sich der Spiegel des Wassers in ihrem Innern ein wenig zu senken, und aus dem Becken tauchten die Umrisse eines alten *heiau* empor, eines halb verfallenen, stufenförmigen Altars aus glattgeschliffenen Lavabrokken, der bis dahin unter dem Wasserfall verborgen gewesen war.

Dennis wunderte sich nicht über das, was er sah. Er ließ seine Gedanken das Geschehen bestimmen und erblickte auf dem *heiau* die Schemen einer menschlichen Gestalt, deren Körper sich in fließenden Bewegungen aus den perlenden Schleiern der Wassertropfen formte. Erst transparent, dann silbrig blau, bis die Sonnenstrahlen die Haut mit wärmeren Tönen färbte.

Dennis rührte sich nicht. Er traute sich nicht einmal zu atmen.

Längst war es nicht mehr die Furcht, von der schmalen Felsnadel in die Tiefe zu stürzen. Es war der Gedanke, das wundersame Geschehen durch seine Zweifel zu zerstören, obwohl er gleichsam wußte, daß das Schauspiel nur für ihn zur Aufführung kam. In diesem Augenblick war er sich völlig sicher. Keani hatte ihn erwartet, genau wie er sie erwartet hatte. Es war der folgerichtige Fortgang der Geschichte. Allein die Botschaft verstand er nicht, den Sinn des ganzen Spiels.

Das Mädchen schwebte direkt unter seinen Blicken in einer Wolke aus wehender Gischt. Ihre Augen waren verschlossen, und ihr Körper lag wie aufgebahrt unter einem weißen Tuch auf dem glänzenden Altar. In diesem Moment verwandelte sich Dennis Rausch in Angst, und mit der Angst entstand die Frage, ob er vielleicht zu spät gekommen war. Keani schien nicht nur zu schlafen. Sie atmete nicht mehr, und ihre Haut war noch immer so blaß, als hätte eine höhere Macht ihr das Leben aus den Adern geraubt.

Und dann, als drehte sich die ganze Welt im Kreis, als wiederholte sich sein Schicksal in immer gleicher Weise, legte sich ein dunkler Schatten über das Tal. Das Fauchen der Böen wurde stärker und zerriß die Schleier des Regenbogens, der hoch über der Grotte am Himmel stand. Zugleich durchschnitt ein ohrenbetäubendes Dröhnen die stille Welt und übertönte mit roher Gewalt das Flüstern des Wasserfalls, als wäre die Stimme des Drachens im See von Manalei erwacht.

»Brillstein! Sie elender Sadist!« brüllte Dennis und erwachte aus seiner Trance. Endlich erkannte er das stählerne Insekt, das dicht über seinem Kopf schwebend den künstlichen Sturm entfachte. Mit schwindender Kraft klammerte er sich gegen den peitschenden Wind an die Felsnadel. Dann spürte er einen feinen Stich in seinem Nacken, gefolgt von einem dumpfen Schmerz, der ihn wie ein Hammer traf und gleich einem Stein hinunter in die Tiefe stürzen ließ.

Dennis fiel und fiel. Zurück in seinen Traum. Tiefer und tiefer. In das dunkle Loch des Todes, das er sehr gut kannte, weil er längst ein Meister in der Kunst des Sterbens war.

27

MO'O

DAS SEEUNGEHEUER

Kihei war noch immer von Schaulustigen überflutet. Zu beiden Seiten des Jachthafens drängten sich Trauben von Menschen die Uferstraße entlang und blickten erwartungsvoll hinaus auf das Meer. Genau wie in der Nacht zuvor, als die einheimischen *kahuna*-Priester inmitten der Fackeln des *kupakapakanava* die Geister des Meeres beschworen hatten, wußten nur wenige, wonach sie eigentlich Ausschau hielten. Geister hatte niemand zu Gesicht bekommen. Und auch jetzt, als die Sonne bereits hoch über dem Mauna Loa stand und ihren heißen Atem über die Küste blies, war nur der Horizont zwischen Wellen und Wolken zu sehen, ein für hawaiianische Verhältnisse wenig spektakulärer Anblick. Einzig und alleine den Geschichten, die überall erzählt und nach dem Stille-Post-Prinzip phantasievoll ausgeschmückt wurden, war es zuzuschreiben, daß die gierigsten unter den Sensationshungrigen die ganze Nacht am Ufer ausgeharrt hatten.

Niemand wußte, was geschehen war. Um so mehr Gerüchte gab es. Von einem Seebeben inmitten der Ma'alaea Bay. Von einem Seeungeheuer, das von den *kahunas* gerufen worden war, um die heilige Bucht vor dem Zugriff der Menschen zu schützen. Und von einem russischen Spionage-U-Boot, das Motos neues Submarine-Ressort gerammt und zerstört hatte, weil darin angeblich mit geheimer Militärtechnologie experimentiert worden war.

Unter dem Spiegel des Ozeans lag für die meisten Menschen eine unheimliche Welt, und darin waren der Phantasie keinerlei Grenzen gesetzt. Das galt um so mehr, als es an der Oberfläche nicht viel zu sehen gegeben hatte – abgesehen von einem seltsamen, blauen Leuchten weit draußen am Riff und einem Rettungshubschrauber der Küstenwache, der kurz nach Mitternacht eine signalrote Kapsel aus dem Wasser gezogen hatte und mit seiner verborgenen Fracht in

Richtung auf das neue Kamehamea-Hospital von Lahaina abgeflogen war.

Sicher war, zumindest darin schienen sich die Fraktionen der Gerüchteschmieden einig, daß es im *Ma'alaea Bay Ressort* einen Zwischenfall gegeben hatte. Und dies war auch die Erklärung dafür, daß Polizei und Feuerwehr noch während der Nacht das *kupakapakanava* vorzeitig und gegen den Protest der Demonstranten aufgelöst, alle Fackeln entlang des Ufers gelöscht und das Gelände um den Anleger weiträumig abgesperrt hatten. Eine Aktion allerdings, die das Gegenteil von dem bewirkt hatte, wofür sie gedacht war. Neben den beiden Polizeihubschraubern, die über der Bucht kreisten, fanden sich kurze Zeit später weitere Helikopter und eine Armada von Motorbooten lokaler Fernseh- und Radiosender ein, die versuchten, live über die potentielle Sensation zu berichten, und dadurch noch mehr Menschen an die Hafenpromenade lockten.

Als schließlich die Nachricht die Runde machte, ein weißer, durch atomare Strahlung mutierter Monsterhai hätte ein vollbesetztes Shuttleboot des *Ma'alaea Bay Ressorts* attackiert und alle Insassen getötet, verwandelte sich der Jachtclub von Kihei zum Kulminationspunkt für aufgestaute Sensationsgier und Proteste, die mit dem eigentlichen Geschehen kaum mehr etwas gemein hatten. Hobbyangler gingen mit ihren Booten auf Monsterjagd, Sektenprediger verkündeten den nahenden Weltuntergang, und Umweltschützer entrollten neben Tourismusgegnern meterlange Transparente, begleitet von politischen und kirchlichen Aktionsgruppen, die mit lautstarken Kundgebungen die zunehmende Medienpräsens nutzen wollten, um auf ihre Anliegen aufmerksam zu machen.

Während das *kupakapakanava* völlig friedlich verlaufen war, hatten die Sondereinheiten der Polizei nun immense Mühe, die zum Teil rivalisierenden Protestgruppen auseinanderzuhalten, deren Zorn sich in stiller Übereinkunft auf eine Person fokussierte, die letztendlich für alles verantwortlich gemacht wurde, was irgend jemandem ein Dorn im Auge war – von der Überfremdung der hawaiianischen Kultur bis hin zu den jüngsten Benzinpreiserhöhungen.

»Killerhaie – Spielbergs Szenario vor der Küste von Maui!«

Alexander Moto knallte die Titelseite der Sonderausgabe des

Island Daily auf die Motorhaube eines der Polizeifahrzeuge, die seit Stunden auf dem abgesperrten Bootsanleger des *Ma'alaea Bay Ressort* Shuttle Service postiert waren. »Wie lange noch wollen Sie mit Ihrer Unentschlossenheit die Gerüchteküchen anheizen?«

»Wir sind weder Ihre Privatarmee noch die Handlanger der Medien«, konterte Frank Hawea, der sich mit wachsendem Unmut zum Bodyguard für Alexander Moto degradiert sah, nachdem Aktionisten einer radikalen *Save-the-Whales*-Gruppe mehrfach versucht hatten, den Anleger zu stürmen, um Moto in Ermangelung von Waltran mit ranzigem Fischfett zu bespritzen.

»Dann ziehen Sie endlich die Konsequenzen, Inspektor. Es ist eine Tatsache, daß wir es mit einem weiteren wohlgeplanten und in seiner Brutalität noch nicht gekannten Anschlag der *Boys for Pele* zu tun haben, der durch diese Art der Sensationshascherei bewußt in ein falsches Licht gerückt und vertuscht werden soll.«

»Ihre Beschuldigungen gegen den *Island Daily*, als funktionales Rädchen in einer angeblichen Verschwörung gegen Sie zu agieren, entbehrt jeder Grundlage, Mr. Moto.«

»Die Kuppel der Pianobar wurde vorsätzlich zerstört. Und es war mit Sicherheit kein Killerhai, wie uns dieses Schmierenblatt weismachen will.«

»Die Untersuchungen der Taucher haben keinerlei Hinweise auf einen terroristischen Akt ergeben«, betonte Hawea und versuchte seinen Ärger in Zaum zu halten. Manchmal haßte er seinen Job. Besonders dann, wenn Recht und Unrecht ihren Kontrast verloren, wie Licht und Schatten an einem regnerischen Tag. »Es gab weder Sprengstoffreste noch andere Hinweise auf eine Manipulation an der Außenhülle des Hotels.«

»Hören Sie auf, Inspektor. Sie wissen genau, was heute nacht hier geschehen ist. Während die *Boys for Pele* unbehelligt ihren Coup feiern, scheinen Sie Ihre Aufgabe darin zu sehen, Straßensperren aufzustellen und mit Ihren unverantwortlichen Presseerklärungen den Ruf meiner Einrichtungen zu schädigen.«

»Es war die Aussage eines Ihrer Shuttlepiloten, die der *Island Daily* zitiert«, korrigierte Hawea gelassen und blätterte in seinem Notizblock. »Steve Kanakupolu. Er will eine riesenhafte, dunkelblaue Kreatur am Riff vor dem Hotel gesehen haben.«

»Eine Kreatur hat er gesehen? Aha! Wahrscheinlich ein Seeungeheuer.«

»Aufgrund der Form der Finne war er der Meinung, daß es sich dabei um einen Großhai gehandelt haben könnte.«

Moto lachte gereizt. »Vielleicht sollte ich Mister Kanakupolu die Behandlung durch einen Augenarzt nahelegen. Oder kennen Sie eine Haiart, die in der Lage wäre, eine vierzig Zentimeter dicke Panzerglaswand zu durchstoßen?«

»Ein ausgewachsener Walhai hat immerhin ein Gewicht von einigen Tonnen.«

»Das bionische Material, aus dem das Ressort konstruiert wurde, ist extrem flexibel und autoregenerativ«, verteidigte sich Moto aufgebracht. »Es würde selbst einem Tsunami in der Größenordnung der Hilo-Schockwelle standhalten. Außerdem erzeugen wir ein hochfrequentes, elektromagnetisches Feld im Umkreis von fünfzig Fuß um das Hotel, damit sich Wale nicht zu nah dem Bau nähern. Dieses Feld dürfte auch Großhaie und jede andere Lebensform abschrecken.«

»Möglicherweise ist dieses System noch nicht ausgereift«, bemerkte Hawea unbeeindruckt. »Haie nehmen ihre Umwelt und ihre Beute in Form elektromagnetischer Felder wahr. Vielleicht hat das System den Hai derart aggressiv gemacht, daß er die Anlage angegriffen hat.«

»Sie machen mich aggressiv, Hawea!« Moto kochte. »In welcher Funktion agieren Sie hier eigentlich?«

»Die Polizei steht auf der Seite der Wahrheit, Mr. Moto. Es ist unsere Aufgabe, jede Erklärung in Betracht zu ziehen. Sowohl die Möglichkeit eines Anschlags als auch die Eventualität, daß es sich bei dem Vorfall nur um einen Unfall gehandelt hat.«

»Ein Unfall?«

»Immerhin gab es in der Vergangenheit kritische Berichte darüber, ob das Hotel das Biotop des Riffs beeinträchtigen und sogar die Verhaltensmuster der Wale verändern könnte.«

»Die Kultur des Menschen beeinträchtigt immer die Natur. Er verändert sie. Zerstört Sie oder hat die Chance, sie zu optimieren.«

»Das ist Ihre Philosophie, Mr. Moto. Die hawaiianische Kultur hat sich dagegen immer im Einklang mit der Natur gesehen.«

»Ach ja, das Märchen von Rousseaus edlen Wilden.« Moto verdrehte die Augen. »Fakt ist, daß das Ressort eine weitaus umweltfreundlichere Beobachtung des Riffs für die Touristen ermöglicht als die ausufernde Flotte der lärmenden Ausflugsboote, die tagtäglich hinaus in die Bucht jagt, um den Buckelwalen in ihrer Kinderstube auf den Leib zu rücken.«

»Da mögen Sie ausnahmsweise einmal recht haben.«

»Dann erklären Sie das bitte diesen Rousseauisten dort am Ufer.« Moto deutete hinüber auf eine Gruppe junger *kama'aina,* die mit Transparenten bewaffnet den sofortigen Abriß des Hotels forderten. »Und sollte es mit Ihrem Berufsbild zu vereinbaren sein, könnten Sie dort einmal nach Motiven für diesen Unglücksfall suchen. Beispielsweise bei den einheimischen Bootsunternehmern, die sich einer vernichtenden Konkurrenz gegenübersehen und im Kampf dagegen gerne alte Legenden von zürnenden Haigeistern hervorkramen, die ein Blatt wie der *Island Daily* natürlich nur zu gerne aufgreift.«

»Es hat in der Geschichte der Inseln immer wieder ungeklärte Vorfälle mit Haien gegeben«, erinnerte Hawea mit einem mahnenden Zeigefinger in seiner Stimme.

»Das ist Seemannsgarn.«

»Haie gelten in Hawai'i als heilige Wesen, die die Menschen für den Verstoß gegen *kapus* und andere zerstörerische Eingriffe in die Natur zur Rechenschaft ziehen.«

»Ich bitte Sie, Hawea! Wollen Sie ernsthaft mit mir über diesen Aberglauben diskutieren?« Moto winkte ab und atmete tief durch, um sich zu beruhigen. »Hören Sie, Inspektor! Im Grunde profitiere ich von der Publicity, wenn durch diese phantasievollen Schlagzeilen die Schaulustigen nach Maui strömen. Leider haben wir es bei dem Anschlag mit einer rücksichtslosen Form von Terrorismus zu tun, die sich nicht scheut, Menschenleben aufs Spiel zu setzen. Stellen Sie sich vor, das *Ma'alaea* wäre bereits voller Touristen gewesen.«

»O ja, daran habe ich auch schon gedacht«, meinte Hawea mit sorgenvoller Miene. »Besonders in Hinblick auf die Vorstellung, daß wir es mit einem simplen technischen Defekt zu tun haben, der sich auch in Zukunft wiederholen könnte.«

»Ein Defekt?«

»Sicher! Es gab schon vor Monaten Befürchtungen von anerkannten Experten über die mangelnde Sicherheit im Konstruktionsaufbau des Hotels, und ich frage mich langsam, ob Sie mit der ganzen Geschichte nur zu vertuschen versuchen, daß Ihre Unterwassertechnologie noch nicht ausgereift ist. Mich würde nicht einmal wundern, wenn Sie die Story mit dem Killerhai selbst in die Welt gesetzt hätten.«

»Also schön, Hawea, hören wir auf mit diesen Spielchen.« Moto winkte seinen Chauffeur herbei und nahm Hopkins Alukoffer, den er zusammen mit Uribes *lono-lono* von Tauchern aus der gefluteten Pianobar hatte bergen lassen. »Sie haben längst verraten, auf welcher Seite Sie stehen, aber Sie werden damit nicht durchkommen. Ich lasse mich weder von Ihnen noch von David Pu'ukohala einschüchtern.«

»David?« Hawea lachte. »Sie kämpfen gegen Geister, Mr. Moto, und irgendwann werden Sie erkennen, daß das gefährlichste dieser dunklen Wesen Ihr eigener Schatten ist.«

28

O'ULI

ZEICHEN UND WUNDER

Sturm lag über Manalei. Ein künstlicher Sturm, der die Kaskaden der Wasserfälle gegen die Hänge des Felsenkessels peitschte. Es war der Atem des stählernen Insekts, das fauchend und bedrohlich über dem Tal schwebte und den Frieden der einsamen Bergwelt störte.

Cherry Jones rührte sich nicht. Sie hatte sich die Kapuze über ihre Haare gezogen und kauerte hinter einer Wand aus dichtem Buschwerk, höchstens dreißig Meter von der Felsnadel entfernt, von der Dennis kurz zuvor abgestürzt war. Heruntergerissen von dem Sog der mächtigen Rotoren und betäubt von einem Injektionsgeschoß, das von einem Scharfschützen auf ihn abgefeuert worden war. Mit seinem Aufprall auf der Wasseroberfläche seilten sich zwei Männer aus dem Hubschrauber ab und bargen den treibenden Körper in Sturmtruppenmanier aus dem aufgewühlten See.

Jones wußte nicht, wer die Entführer waren. Sie trugen schlichte Neoprenanzügen und die Maschine besaß keine offizielle Kennung. Mit Sicherheit waren es nicht die Rettungsschwimmer des Baywatch-Teams. Dennoch waren es Profis, und die Aktion war minutiös geplant. Sie schnürten ihr Opfer in ein Rettungsgeschirr und zogen es wieder hinauf in die Luft. Wenig später folgte ein zweites Opfer, das ebenfalls bewußtlos in den Helikopter verfrachtet wurde. Zweifelsfrei handelte es sich um den Körper einer jungen *kama'aina,* und Jones fiel es nicht schwer zu begreifen, wer das Mädchen in dem weißen *kapa* war, das die Taucher von den Ruinen des uralten *heiau* aus der Grotte am Fuße des Wasserfalls geborgen hatten – so verrückt die ganze Geschichte auf den ersten Blick auch war.

Nach kurzer Zeit drehte der Hubschrauber wieder ab. Die Akteure verließen die Bühne ebenso plötzlich, wie sie sie betreten hatten, und wenig später erinnerte nichts in dem einsamen Tal an das wunderliche Geschehen, das sich vor Jones Augen abgespielt hatte.

Offenbar hatten die Kidnapper bekommen, was sie wollten. Zurück blieb allein ein Meer von Fragen über den Sinn und Zweck der spektakulären Tat.

Für einen Moment war Jones verwirrt. Vielleicht, weil genau das eingetreten war, was sie insgeheim erwartet hatte. Die unwahrscheinlichste aller Möglichkeiten, die die Lügengeschichten von Dennis Newman zur alleinigen Wahrheit machte und die Wahrheit zur perfekt lancierten Lüge. Ihre Gedanken bildeten einen Strudel, der in ihrem Kopf versuchte, eine Flut von Puzzlesteinen zu einem neuen Bild zu formen. Zu einer beeindruckenden Collage aus Täuschung und Betrug.

Wenn Keani lebte, war sie die Hauptfigur in einem bösen Spiel, und mit ihrer Wiederauferstehung kehrte auch die Frage zurück, wessen Spiel das Ganze war? Motos Spiel? Bates' Spiel? Das Spiel der *Boys for Pele,* hinter deren Maske sich eine dritte dunkle Macht versteckte, deren Marionetten alle anderen waren? Und welche Rolle spielte dabei Arnold Brillstein, der Gehirnwäscher des CIA, dessen Name Dennis gerufen hatte, bevor er hilflos von den Felsen gerissen worden war?

Wer immer auch die Spieler waren, das Preisgeld für den Sieger stand längst fest. Moto hatte es ihr in seiner Suite verraten. Es war ein versunkener Schatz, der wertvoller war als alles Gold der Welt, und der Schlüssel dazu – das zumindest schien nun klar – lag hinter dem Geheimnis von Keanis Existenz verborgen. Jones spürte, daß sie der Wahrheit ganz nahe war, und zugleich schien das Ziel für sie unendlich fern. Die Entführer waren ihr zuvorgekommen und hatten den höchsten Trumpf vor ihren Augen aus dem Spiel genommen und damit die Quelle für die Antworten auf ihre Fragen.

Jones war es nicht gewohnt das Spielfeld als Verlierer zu verlassen. Zudem blieb ihr die Chance, auf direktem Wege nach dem Schatz zu suchen. Dreimal hatte Dennis Keani schon getroffen. Drei Begegnungen, die jedem Zufallsfaktor widersprachen. Wußte er von Anfang an, wo sie zu finden war? Oder legte ihm jemand eine Spur? Am Ende führte die Fährte zurück nach Manalei. Und wenn das Geschehen einen Ursprung hatte, verbarg er sich mit großer Wahrscheinlichkeit unter ihren Füßen in der verborgenen Grotte, wo sich der Kreis von Keanis rätselhaftem Leben schloß.

Jones nahm ihren Feldstecher und suchte sorgsam die Felsen ab, bis sie sich sicher fühlte, daß keine Nachhut des Gegners zurückgeblieben war. Dann kletterte sie vorsichtig hinter den Büschen hervor und überlegte, wie ihr nächster Schritt zu setzen war. Direkt unter ihren Füßen stürzten die Steilhänge fast senkrecht in die Tiefe, umrahmt von den Kaskaden des Wasserfalls, der mit aller Kraft hinunter in die Schlucht donnerte und jeden Abstieg in das unwegsame Tal verhinderte. Fliegen konnte sie nicht, und für die Möglichkeit eines bequemen Weges mit dem Boot entlang der Küste fehlte ihr, nach allem was geschehen war, sowohl die Zeit als auch die nötige Geduld. Einzig die Felsnadel bildete einem Sprungbrett gleich den Zugang zu dem See von Manalei.

Jones entschloß sich für eine weniger spektakuläre Alternative. Sie nahm zwei Seile aus ihrem Rucksack, trieb einige Haken in den Fels und seilte sich gekonnt an der Steilwand ab. Dreißig Meter unterhalb des Vorsprungs erreichte sie eine Felsterrasse, die seitlich der zentralen Kaskade ganz in der Nähe der Grotte lag, aus der Keani gekidnappt worden war. Der Boden war feucht und glitschig, und sie hatte trotz ihrer Freeclimb-Stiefel Mühe sich auf den Beinen zu halten, um nicht die letzten Meter hinunter in den See zu stürzen. Wenige Schritte weiter verengte sich die Terrasse zu einem schmalen, steil abfallenden Grat, der hinter den Schleiern des Wasserfalls aus ihrem Blickfeld verschwand. Wenn es überhaupt einen Weg zu dem versunkenen *heiau* gab, dann führte er direkt durch das Wasser – eine Vorstellung, die alles andere als ermutigend war. Nach mehr als zweihundert Metern freiem Fall hatten die Kaskaden die Gewalt einer Steinlawine.

Jones zog sich eine Regenjacke über ihren hautengen Kletteroverall und verstaute den Rest ihrer Ausrüstung in ihrem wasserfesten Rucksack. Dann zwängte sie sich an einem vorstehenden Felsen vorbei, der den Grat auf wenige Zentimeter verengte, und näherte sich mit vorsichtigen Schritten dem Durchgang unter den Fluten des Wasserfalls. Bereits auf den letzten Metern war der Druck so stark, daß sie nur noch auf allen vieren kriechend auf den glatten Felsen vorwärts kam. Sie fluchte, weil ihre Kleidung der Gischt der Wassermassen nichts entgegenzusetzen hatte, und noch ehe sie ihr Ziel erreichte, war sie bis auf die Haut durchnäßt. Auf ein Vollbad war sie nicht vorbereitet, obwohl das Prinzip, auf alles vorbereitet zu sein, eine Grundlage ihrer Ausbildung gewesen war. Zudem fröstelte sie, denn das Wasser, das aus der Quelle im Herzen des Berges in die Tiefe schoß, war unangenehm kalt, und die Lufttemperatur hatte im Schatten der Gipfel von Na Pali kräftig nachgelassen.

Jones kniete vor einer Wand aus Wasser und fühlte sich verrückt genug, um den nächsten Schritt zu tun. Sie zog sich ihre Kapuze weit über das Gesicht, holte tief Luft und stürzte sich in das donnernde Inferno. Wie ein Trommelfeuer klatschte das Wasser auf ihre Jacke und schlug sie gleich Faustschlägen erbarmungslos zu Boden. Dann erfaßte sie der Sog und schleuderte sie mehrere Meter tief in das Innere der Grotte, in der sich ein Mahlstrom aus tosendem Schaum gebildet hatte.

Jones konnte nur mit Mühe ihren Kopf über Wasser halten und scheiterte bei dem Versuch, sich mit Armen oder Beinen an den Felsen festzuklammern. Peitschenhieben gleich spritzte die Gischt bis unter die Kuppel der dämmrigen Höhle und wurde von dort mit unverminderter Kraft zurückgeschleudert. Der Wasserpegel in der Grotte war inzwischen kräftig angestiegen und hatte den *heiau* in ihrer Mitte fast vollständig überflutet. Nur mit letzter Anstrengung gelang es Jones, sich auf die oberste Stufe des Altars zu ziehen, der in den Strudeln ihre letzte Rettung war. Sie war völlig außer Atem und versuchte zu verdrängen, daß ihr die Tortur ein weiteres Mal bevorstand. Zugleich weigerte sich ihr Verstand zu begreifen, wie Keani in diesem Felsenloch überlebt hatte, in dem mehr Wasserdunst als Luft zum Atmen war, ganz zu schweigen von der Frage, was sie überhaupt an diesem alptraumhaften Ort verloren hatte.

Die Temperatur in der Grotte lag kaum über zehn Grad, und das eisige Wasser aus dem Berg spritzte unaufhörlich von allen Seiten auf den halb versunkenen *heiau*. Jones zitterte am ganzen Körper. Sie mußte sich zwingen, nicht zu vergessen, was das Ziel ihres Abenteuers war, selbst wenn sie kaum wußte, wonach sie letztlich Ausschau hielt.

»Suchen Sie nach Zeichen und Wundern!« hatte Moto ihr gesagt, und erstaunlicherweise war es genau das, was ihre Augen in den Wassernebeln sahen. Die Wände der Grotte waren mit den Symbolen einer ihr unbekannten Bilderschrift verziert, und es fiel Jones nicht schwer zu erkennen, daß das Foto, das Moto ihr in seiner Suite gezeigt hatte, genau an dieser Stelle aufgenommen worden war. Es waren Zeichen, die entfernt an die *rongo-rongo*-Schrift der Osterinsel erinnerten, aber nicht in Zeilen, sondern eher räumlich zueinander angeordnet waren. Die ganze Grotte war übersät von Wellen-, Spiral- und Schlangenmustern, die teilweise kunstvoll, aber an anderen Stellen derart unbeholfen wirkten, als hätten kleine Kinder sie beim Spielen in den Fels geritzt. Offenbar hatten sich hier Generationen von Pilgern in dem Versuch verewigt, die Piktoglyphen samt ihrer mit großer Wahrscheinlichkeit religiösen Bedeutung für die Nachwelt auf den Fels zu bannen, wobei der Sinn der Zeichen, wie es schien, im Lauf der Zeit verlorengegangen war.

Jones befand sich inmitten der Antworten auf ihre Fragen, und trotzdem mußte ihr Versuch, Keanis Geheimnis auf die Spur zu kommen, kläglich scheitern. Ihr beschränktes Wissen über die Osterinselschrift halfen ihr nicht weiter, die Bedeutung der Schriftzeichen zu enträtseln. Sie brauchte dringend Hilfe. Zudem hielt sie es keine Sekunde länger in der Grotte aus. Ohne Ausrüstung war sie den Elementen schutzlos ausgeliefert. Es blieb ihr nicht einmal die Chance, ihre Kamera aus der Tasche zu nehmen, um den sensationellen Fund zu dokumentieren, und wenige Atemzüge später gab sie ihr Unterfangen auf. Eher hilflos als gewollt ließ sie sich von dem Altarstein gleiten und übergab sich der Gewalt des Sogs, der das Wasser aus der Grotte in den einige Meter tieferliegenden Hauptpool des Bergsees zog. Erneut wurde sie von den Wirbeln erfaßt, prallte schmerzhaft gegen den *heiau,* bevor sie in rasender Fahrt über mehrere Terrassenstufen weiter in die Tiefe stürzte. Sie tauchte unter, verlor für Sekunden jede Orientierung, um schließlich in einer Wolke aus Schaum zurück zur Oberfläche des Sees aufzusteigen.

Jones schnappte gierig nach Luft und bekam ihre Bewegungen wieder unter Kontrolle. Sie ließ sich in der Strömung an den Rand des Sees treiben und zog sich erschöpft an den Luftwurzeln einer Kletterpflanze aus dem Wasser. Noch immer zitterte ihr Körper. Weniger vor Kälte als vor totaler Erschöpfung. Nur um Haaresbreite war sie mit dem Leben davongekommen, und ihr wurde bewußt, daß sie die Gewalt des Wassers auf sträflichste Weise unterschätzt hatte. Andererseits beruhigte sie der Gedanke, daß der Schatz von Manalei, falls er sich überhaupt in der Grotte befand, von einer fast unüberwindlichen Macht geschützt zu sein schien und von niemandem auf leichte Weise zu entdecken war.

Sie setzte sich auf die schwarzen, von der Sonne aufgeheizten Felsen, die den See umgaben, zog sich ihre nasse Kleidung aus und legte sie zum Trocknen auf den warmen Stein. Dann nahm sie ein rotes Strandtuch aus ihrem Rucksack, band es sich um ihren von zahllosen Prellungen und Schürfwunden gezeichneten Körper und begann sich darüber Gedanken zu machen, was sie in der Grotte gesehen hatte.

Die ältesten der Felsmalereien stammten offenbar von einer unbekannten, möglicherweise präpolynesischen Kultur, und unter den gegebenen Umständen war an ihrer Authentizität kaum zu zweifeln. Jones überlegte, was für einen Mann wie Alexander Moto wertvoller sein konnte als alles Gold der Welt, und kam zu dem Schluß, daß kein Schatz im klassischen Sinne dem Anspruch gerecht werden konnte. Moto strebte nach Macht, und Macht lag in der Zukunft in erster Linie in dem Besitz von Information. Der Schatz bestand demnach aus reinem Wissen. Ein Wissen, das sich offenbar hinter den seltsamen Mustern verbarg und mit Sicherheit weit über seine kulturhistorische Relevanz hinausgehen mußte, wenn es für Moto von Bedeutung war. Einer Bedeutung, die sogar groß genug zu sein schien, ein Schattenwesen wie Jon Bates aus seinen finsteren Kellern zu locken, um der pazifischen Inselwelt ein versunkenes Geheimnis zu entreißen.

Jones beschloß, vorerst nach Honolulu zurückzukehren. Wenn es einen Menschen gab, der ihr weiterhelfen konnte, dann war es Joshua Hopkins, der offenbar schon seit Jahren hinter der Fassade der Halewai-Stiftung auf der Suche nach der Lösung des Rätsels war. Sie leerte eine Dose eines aufbauenden Iso-Getränks und dachte mit wenig Begeisterung an den beschwerlichen Rückweg aus dem Tal. Vergeblich versuchte sie über ihr Handy einen Hubschrauberservice zu erreichen, aber der Felsendom schien jeden Kontakt zur Außenwelt zu verhindern. Offenbar blieb ihr nichts anderes übrig, als zurück durch den See zu den Felsterrassen unter dem Wasserfall zu schwimmen und über die Seile wieder hinauf zu der Aussichtplattform zu klettern, wo ihr Jeep gut versteckt in einem Waldstück stand.

Sie wartete, bis ihre Kleidung halbwegs getrocknet war, verstaute die Sachen in ihrem Rucksack und hielt nochmals Ausschau nach einem bequemeren und vor allem trockenen Rückweg entlang der moosüberwucherten Steilwände um den aufgewühlten See. In diesem Moment hörte sie eine Stimme. Einen Mann, der ihren Namen rief. Überrascht drehte sie sich um und erkannte David Pu'ukohala, der nur wenige Meter von ihr entfernt zwischen riesenhaften Farnen auf einem Felsen stand.

»Dave, dich schickt der Himmel«, rief sie mit unschuldiger Miene und wunderte sich über die unerwartete Begegnung, die ihr den komfortabelsten aller Wege aus dem Tal versprach. »Bist du mit dem Boot gekommen?«

David nickte mit einem mißtrauischen Blick.

»Was machst'de hier?«

»Wahrscheinlich das gleiche wie du, wenn dir der Lärm von Honolulu auf die Nerven geht. Ich genieße die Einsamkeit der Natur, aber ich glaube, heute habe ich mein Survival-Training etwas übertrieben.« Sie deutete auf die Seile, die auf der anderen Seite des Sees von den Felswänden hingen. »Willst du unter den Klippen surfen?«

»Nee«, entgegnete David und kletterte an einer Baumwurzel zu Jones an den Rand des Sees hinunter.

»Oder bist du gekommen, um deine tote Freundin zu besuchen. Mit dem hübschen Blumenkranz, den du da mitgebracht hast, und den *'ohelo*-Beeren als Gabe für die Ahnengeister.«

David schwieg und ließ seinen Blick durch das Tal wandern.

»Das arme Mädchen. Zweimal ist sie bereits ertrunken, und am Ende ist sie gar nicht tot. So ist es doch…, oder…? Dave, ich hab' dich was gefragt!«

»Tot, tot? Was weißt'de schon vom Tod?«

»Genug, um zu sagen, daß eine Leiche nicht ein paar tausend Meilen durch den Ozean nach Hause zu dem *heiau* ihrer Ahnen schwimmen kann.«

»Dann weist'de wirklich gar nichts.«

»Immerhin habe ich gesehen, wie drei Männer in einem Helikopter ein Mädchen entführt haben, das Keani zum Verwechseln ähnlich sah.«

»Entführt...?« wiederholte David und begann zu lachen. »Na, da werden'se ganz schöne Probleme kriegen.«

»Wieso?«

»Geister lassen sich nicht gern entführen.«

»Ach ja, ich vergaß. Keani ist ja ein Wassergeist. Eine verzauberte Nixe. Das hast du bereits damals vor Gericht ausgesagt.« Jones schüttelte mitleidig den Kopf. »Hör zu, Dave! Seit einiger Zeit geschehen seltsame Dinge auf den Inseln, aber ich werde herausfinden, was dahintersteckt.«

»Das solltest'de lieber lassen.«

»Warum? Kriege ich sonst auch Besuch von den *Boys for Pele* mit einer Ladung toter Fische für meinen Pool?«

»Nichts hast'de verstanden.«

»Dann erklär es mir.«

»Wozu? Bist'n *haole*. Das kapierst'de sowieso nicht.«

»Ich bin auf einer polynesischen Insel geboren, genau wie du. Und ich bin ein Mensch, der lernen kann...«

»Lernen willst'de? Was denn?«

»Zum Beispiel, wie ein verwester Riffhai in die verschlossenen Räume der *Tangaroa*-Ausstellung gelangt ist.«

»Wir nennen es *pono*«, erklärte David und zuckte mit den Schultern, weil er merkte, das Jones ihn nicht verstand. »Das ist so was, wie träumen.«

»Willst du mir erzählen, ich hätte diesen stinkenden Kadaver nur geträumt?«

»Menschen erschaffen Unheil, die Träume warnen uns davor. Mit Bildern, die uns was sagen, wenn wir mit'm inneren Auge schaun.«

»Das klingt ja spannend.« Jones schmunzelte und erinnerte sich an die wirre Story, die Hopkins erzählt hatte, nachdem man ihn vor einigen Wochen in einem schockartigen Zustand in seinem verwüsteten Büro aufgefunden hatte.

»Dann willst du mir sicher auch erzählen, daß Keani so ein Traumgeist ist, der uns vor etwas warnen will, oder?«

»Das ist, was Geister tun«, meinte David, als gäbe es nichts

Selbstverständlicheres. »Sie sind'n Spiegel für die Seelen, die sich verirrt haben. Wir rufen'se herbei. Ihre schwarze und ihre weiße Seite. Den bösen und den guten Zauber.«

»Die Anschläge auf die Halewai-Stiftung waren für meinen Geschmack ein reichlich böser Zauber«, meinte Jones und versuchte den Sinn hinter Davids Worten zu begreifen.

»Ihr sucht nach Dingen, die für Menschen *kapu* sind, und was ihr findet, ist allein das Unheil, das ihr sät.«

Jones überlegte und gab auf, Davids Orakel zu verstehen, hinter dem sich entweder eine ganz perfide Taktik versteckte oder – was wahrscheinlicher war – ein tiefsitzender Aberglaube, der bei den *kama'aina* noch sehr häufig anzutreffen war.

»Hör zu«, meinte sie ungeduldig. »Leider glaube ich weder an Geister noch an böse Omen, aber ich werde auch so herausfinden, was mit Keani geschehen ist und wieso sie nicht mit dem Wrack der *Tangaroa* auf dem Grund des Meeres liegt.«

»Siehst'de! Ich hab' ja gesagt, daß'de das nicht kapierst. Aber irgendwann wirst'de es schon noch lernen. Am Ende werden's alle lernen. So oder so.«

»Mag schon sein. Aber das muß ich dann wohl auf meine Weise tun.«

»Mit deiner Neugier wirst'de aber nicht weit kommen.«

»Schade, denn sie drängt mir momentan viele ungeklärte Fragen auf, beispielsweise was sich dort oben in der Grotte vor der Welt verbirgt.«

»N'alter *heiau*«. David zuckte mit den Schultern. »Das hast'de doch wohl schon gesehen.«

»Und was haben diese Felszeichnungen zu bedeuten?«

»Das sind heilige Symbole.«

»Wofür?«

»Feuer, Wasser, Stein…«

»Das nennst du heilig?«

»Sicher, was gibt's denn Heiligeres als die Wunder der Natur?«

»Also schön, Dave. Entweder du kannst mir nicht helfen, oder du willst es nicht.« Jones zog ihre Automatik aus dem Rucksack und richtete sie auf David. »Du bleibst jetzt ganz ruhig da sitzen und rührst dich nicht von der Stelle.«

»Schon gut, keine Panik…« David warf den *lei* und die *'ohelo*-Beeren in den See und stützte traurig seinen Kopf in seine Hände. »Ihr *haole* geht doch immer nur den Weg der Schmerzen und Gewalt.«

29

KINO MALAMA

DAS LICHT DES KÖRPERS

Felder von Licht und Schatten zogen an Dennis' Augen vorbei. Hell, dunkel, hell dunkel. Er spürte, wie sie sich bewegten. Nein, er war es, der sich bewegte. Von Licht zu Licht. Ohne, daß er sich rührte. Ohne, daß er sich rühren konnte, denn er spürte seinen Körper kaum. Er war weit fort. Zu weit, um die Muskeln zu kontrollieren. Zu weit, um die Schmerzen zu spüren, an die er sich erinnerte.

Nur die Gestalten waren geblieben, die schwarzen Dämonen, die ihm die Macht über seinen Körper genommen hatten. Dennis sah ihre Schatten, er hörte ihr dumpfes Atmen unter den Masken, die sie über ihren Mündern trugen. Sie zogen ihn, sie führten ihn, von Licht zu Licht, entführten ihn durch einen weißen Tunnel in ihre fremdartige Welt. Über seinem Kopf sah er ein gläsernes Gefäß mit einer blauen Flüssigkeit und einem Schlauch, der zu seinem betäubten Körper führte.

Die Lichter änderten sich, die Bewegung wurde langsamer, und der Tunnel endete. Dennis glitt durch ein stählernes Tor in einen gleißend hellen Raum. Er hörte undeutliche Stimmen, ein leises Murmeln, vermischt mit dem Summen von Maschinen, Ventilatoren und Pumpen. Er spürte Hände auf seiner Haut. Die Hände der Dämonen. Sie taten etwas, doch er konnte es nicht sehen, konnte sich nicht wehren, konnte nicht einmal schreien.

Die Farbe in dem Gefäß über Dennis' Kopf wechselte, von Blau nach Orange, und mit ihr verwandelten sich auch die Bilder seines Traums. Ein feines Kribbeln entstand in seinen Fingerspitzen, kroch die Arme hoch, durch die Schultern in seine Brust und entfachte darin ein loderndes Feuer. Er spürte seinen Schmerz nicht nur. Jetzt sah er ihn auch. Er sah ein rotes Licht, das sich von seiner Brust über seinen Körper ausbreitete und jede Faser seines Leibes entflammte. Erneut schrie er auf, aber niemand hörte ihn.

Die Schemen des Raumes, der ihn umgab, wurden langsam klarer. Es war ein großer Raum, ein kalter Raum, mit spiegelnd weißen Wänden und zahllosen Apparaturen. Er lag auf einer Bahre, auf der er in den Saal geschoben worden war. Neben seiner Bahre stand eine zweite, und darauf erkannte er einen zweiten Körper, Keanis Körper, der genau wie seiner übersät von Elektroden war. Auch er sendete ein Licht aus. Ein schmerzendes Licht. Ein Licht, das anders als seines wie ein kaltes, blaues Feuer brannte.

»Keani!« schrie Dennis, aber erneut kam kein Laut über seine Lippen. Er wollte sich losreißen, aber seine Muskeln gehorchten ihm nicht. Er spürte nicht einmal die Riemen, die seinen Körper an die Bahre fesselten.

Dann beugte sich einer der Dämonen über ihn. Er sah seine Augen, seine weiße Haut, seine weißen Hände, die etwas Silbernes in ihren weißen Fingern hielten, etwas Künstliches, das wie eine todbringende Waffe aus eiskaltem Stahl in sein Fleisch eindrang. Sein Schmerz färbte sich orange, dann rot, dann violett, und mit den Farben erwachten chaotische Bilder, die wie eine Flut über seinen wehrlosen Geist hereinbrachen. Es waren fremdartige Bilder, erschreckende Bilder, die keine Ordnung hatten, keinen Sinn und keine Gestalt. Es waren Bilder der Auflösung, Bilder der Zerstörung, die alles, was einmal Form gewesen war, in einem reißenden blauen Strudel verschlangen.

»Brillstein!«

Dennis erwachte mit dem Schrei aus seinem Traum. Das Licht war jetzt fahl, kalt und nüchtern wie der Raum, der ihn umgab. Nackte weiße Wände. Neonröhren an der Decke. Kein Fenster. Nur ein großer Spiegel. Ein Stuhl. Ein Tisch. Das eiserne Bettgestell mit der grauen Matratze, auf der er lag.

Dennis versuchte sich aufzurichten, und zu seinem Erstaunen gelang es ihm. Endlich spürte er seine Muskeln wieder, seinen Atem, seinen Herzschlag. Und mit der Gewißheit, wirklich erwacht zu sein, entstand zugleich der Zweifel, was von alldem real gewesen war, was er gesehen hatte und was mit ihm geschehen war. Seine letzte klare Erinnerung war das Rauschen des mächtigen Wasserfalls, den er über einen abenteuerlichen Bergpfad erreicht hatte. Alles andere war verschwommen. Der Schatten im Wasser, das Donnern der Brandung, die Welle, die unglaubliche Welle. Nein, die Welle gehörte nicht in seinen Traum. Nicht in diesen Traum!

»Verdammt! Führt denn kein Weg aus dieser Hölle hinaus?«

Dennis rieb sich die Augen. Schon wieder vermischten sich die Inhalte seiner Träume mit den Bildern der Realität. Jede Kontur, die er zu fassen versuchte, verschwamm, je näher er sie besah. Er faßte sich an seinen Hals und erinnerte sich an den Einschuß des Projektils, das ihn am Schulteransatz getroffen hatte, bevor er von dem Felsvorsprung ins Wasser gefallen war. Im Tal von Manalei, zu dem er am Morgen aufgebrochen war. Das zumindest schien real. So real wie das Pflaster, das die stechende Wunde bedeckte.

Dennis betrachtete seinen Körper. Er trug einen marineblauen Overall, aber er konnte sich nicht entsinnen, dieses Kleidungsstück angezogen zu haben. Ebensowenig wie die weißen Sneakers, die er anstelle seiner neuen Wanderschuhe an den Füßen hatte. All seine persönlichen Sachen hatte man ihm abgenommen. Sein Brieftasche, sein Handy, selbst die Uhr an seinem linken Arm. Statt dessen trug er einen Ring mit feinen Elektroden um sein Handgelenk, deren Spitzen in seine Haut eindrangen.

»Brillstein!« rief er erneut und fügte sich in die Wahrheit seiner paranoiden Theorie, der einzigen Variante, die dem Geschehen der letzten 36 Stunden einen nachvollziehbaren Sinn gab. Er hatte das Versuchskaninchen gespielt. Für Brillstein. Für die Pharmaindustrie. Für das Militär? Ja, vielleicht sogar für das Militär. Die Zelle, in der er lag, erinnerte ihn irgendwie an das Militär. An die fensterlose Kabine auf dem Schiff der Küstenwache, in die man ihn vor Jahren gesperrt hatte, als die Einwanderungsbehörden vergeblich versuchten, seine Identität zu überprüfen.

»Willkommen in der Wirklichkeit, Mr. Newton.«

Dennis fuhr herum und erkannte einen Mann in einem dunklen Anzug, der lautlos durch eine zuvor unsichtbare Tür in den Raum getreten war. Hinter ihm erschienen wie die Boten einer selbsterfüllten Prophezeiung zwei bewaffnete Soldaten.

»Ich heiße Newman, Dennis Newman. Und wer sind Sie?«

»Erkennen Sie mich nicht?«

»Nein!«

»Das ist bedauerlich, Mr. Newman. Und hilft uns wenig weiter.«

»Wo ist Brillstein?«

»Dr. Arnold Brillstein?«

»Ja! Verdammt!«

»Wieso fragen Sie nach ihm?«

»Sagen Sie ihm, daß ich ihn augenblicklich sprechen will.«

»Wieso glauben Sie, daß Brillstein hier wäre?«

»Hören Sie, Mr…«

»Bates, Jonathan Bates.«

»Also schön, Mr. Bates!« stöhnte Dennis und setzte sich auf den Stuhl. Er fühlte sich noch schwach auf den Beinen, und sein Herzschlag pochte wie ein Trommelfeuer in seinem Kopf. »Ich habe die Schnauze voll von diesen Spielchen…«

»Spielchen, Mr. Newton?«

»Newman, zum Teufel…« Dennis deutete auf die Uniformen der Wächter, die die Tür sicherten. »Was soll das? Wo bin ich?«

»Sie befinden sich auf einem Schiff vor der Westküste von Kaua'i.«

»Vielleicht ein Kreuzer der Küstenwache?«

»Ganz recht. Beunruhigt Sie das?«

»Nein, eigentlich nicht. Nicht mehr. Mich hätte nicht einmal gewundert, wenn man mich nach Atlantis verschleppt hätte.«

Dennis entschied spontan, daß der Mann, der ihm gegenüberstand, unsympathisch und mit Sicherheit nicht als Freund einzustufen war, und beschloß, äußerst wachsam zu sein.

»Warum hat man mich hierher gebracht?«

»Zu Ihrer eigenen Sicherheit.«

»Sicherheit?«

»Sie hatten sich in Manalei in eine lebensbedrohliche Lage gebracht.«

»Vielen Dank für die behutsame Rettung. Würden Sie mich dann bitte zurück an Land bringen.«

»Zuerst einmal gäbe es einige Fragen, die Sie mir beantworten sollten.«

»Ich habe gewußt, daß die Sache einen Haken hat. Aber Sie haben Glück, denn Ihre Neugierde beruht ganz auf Gegenseitigkeit. Beispielsweise würde mich interessieren, seit wann die Küstenwache arglose Touristen entführt.«

»Entführt, Mr. Newman?« Bates setzte sich auf die Ecke des Tisches. »Das ist ein häßliches Wort.«

»Ohne Ihren Betäubungspfeil würde ich wahrscheinlich jetzt noch auf dieser Felsnadel sitzen.«

»Wäre Ihnen das lieber gewesen?«

»Sie hätten mich zumindest fragen können.«

»Also schön. Fragen hätte ich tatsächlich eine ganze Menge. Beispielsweise würde ich gerne von Ihnen wissen, was Sie in Manalei zu suchen hatten.«

»Fotografieren. Ist das verboten?«

»Allerdings! Das Tal ist behördlich zur Sperrzone erklärt worden.«

»Tut mir leid, das habe ich nicht gewußt.«

»Was wollten Sie denn fotografieren, Mr. Newman?«

»Die Klippen und den Wasserfall...«

»Vielleicht auch den Geist, der angeblich darin wohnt?«

»Wie bitte?«

»In welcher Mission sind Sie unterwegs?«

»Mission? Ich verstehe nicht, was Sie meinen.«

Bates warf einen Blick auf das kleine Meßgerät in seiner Hand, das drahtlos mit den Elektroden in Dennis Körper verbunden war, und war alles andere als zufrieden mit den angezeigten Daten.

»Was wissen Sie über das Verschwinden der *Dateline?*«

»*Dateline?* Was ist das?«

»Sollten Sie das tatsächlich vergessen haben?«

»Ich wüßte nicht, daß ich je darüber informiert gewesen wäre.«

»Und warum suchen Sie dann nach Überlebenden des Bluestone-Zwischenfalls?«

»Bluestone? Ich habe keine Ahnung, wovon Sie reden.«

»Ich rede über Ihre Freundin von der *Tangaroa.*« Zum ersten Mal zeigte Bates' Gerät einen nennenswerten Ausschlag. »Das einheimische Mädchen, das nicht ertrinken kann.«

»Hören Sie, Mr. Bates«, sagte Dennis und wunderte sich über den Kenntnisstand seines Gegenüber. »Ich bin Fotojournalist. Alexander Moto hat mich engagiert, eine Reportage über seine neuen Hotelprojekte zu schreiben...«

»In Manalei?«

»Warum nicht? Das Tal wäre doch ein idealer Ort für ein neues Paradies-Ressort.«

Bates schüttelte den Kopf, veränderte die Parameter auf seinem Meßgerät und lief nachdenklich einige Schritte in der beengten Kabine auf und ab.

»Wie ist Ihr Dienstcode?«

»Wie bitte?«

»Ihr Code für den Zugang zu den *Dateline*-Akten? Haben Sie das etwa auch vergessen?«

»Ich verstehe wirklich nicht, was Sie von mir wollen.«

»Das hatte ich schon befürchtet...«

»Was soll diese ganze Fragerei?«

»Erzählen Sie mir etwas über *ma no umi!*«

»Ich kenne diesen Begriff nicht.«

»Aber über das Verschwinden der *Tangaroa* können Sie mir doch sicherlich etwas sagen?«

»Weniger, als darüber in den Zeitungen stand.«

»Und wie sind Sie vor fünf Jahren nach Kahoolawe gekommen?«

»Kahoolawe? Ach, jetzt klingelt der Wecker. Ich hätte es mir denken können. Darauf läuft das Ganze also hinaus.« Dennis wurde langsam wütend und glaubte den Sinn des Verhörs endlich zu begreifen. »Warum lesen Sie nicht den Bericht der Einwanderungsbehörden? Oder hält mich das CIA für einen russischen Agenten?«

»Mich würde Ihre Version von der Geschichte interessieren, Mr. Newman. Die wahre Geschichte.«

»Hören Sie, Mr. Bates. Ich weiß nicht, wer Sie sind und was für ein Spiel hier gespielt wird, aber wenn Sie von mir verlangen, daß ich mitspiele, wäre es angebracht, mich zumindest über meine Rolle zu informieren.«

»Genau diese Rolle ist es, die auch uns beschäftigt. Immerhin waren Sie es, der behauptet hat, ein Besatzungsmitglied der *Tangaroa* lebendig am Strand von Waikiki gesehen zu haben.«

»Woher wissen Sie das?«

»Interessanter ist für mich die Frage, was für eine Berechnung hinter dieser Story steht.«

»Das ist keine Story.«

»Ach nein?« Bates veränderte erneut die Parameter auf seinem

Kontrollgerät, das in keinster Weise brauchbarere Ergebnisse lieferte als die Hypnose, der er Dennis eine Stunde zuvor unter Einsatz wirksamer Drogen unterzogen hatte.

»Was hat Alexander Moto Ihnen für Ihre Mitarbeit geboten?«

»Freie Kost und Logis.«

»Oder waren Sie es, der an ihn herangetreten ist, um Ihr Wissen meistbietend zu verkaufen?«

»Arbeiten Sie etwa für die Steuerfahndung?«

»Nein, für den Fiskus hatte ich nie viel übrig.« Bates lachte beinahe resignierend. Er fragte sich ernsthaft, ob er Moto nicht Unrecht getan hatte und alles nur eine Serie von unglaublichen Zufällen war. »Ich erinnere mich allerdings an Zeiten, da nährten wir uns aus dem gleichen Topf.«

»Frühere Zeiten?« Dennis wurde hellhörig. »Sie wissen etwas über die Zeit vor Kahoolawe?«

»Weniger, als darüber in den Zeitungen stand.«

»Verstehe! Was wollen Sie von mir, Mr. Bates?«

»Kooperation.«

»Okay! Eine Hand wäscht die andere.«

»Und die Wahrheit!«

»Soll ich auf die Bibel schwören?«

»Ist die Bibel kompatibel mit der Newton-Theorie?«

»Womit?«

»Mit der geophysikalischen Theorie der Struktur von morphischen Feldern.«

»Klingt faszinierend, aber ich kenne keine solche Theorie.«

»Das nennen Sie Kooperation, Mr. Newman?«

»Dann stellen Sie mir Fragen, die ich beantworten kann.«

»Mir wäre lieber, Sie hätten Antworten auf die Fragen, die ich Ihnen stellen kann.«

Bates musterte seinen Apparat und akzeptierte die Sinnlosigkeit seines Experiments. In Dennis' Kopf existierte eine undurchdringliche Wand, und er wußte weder auf welche Weise sie entstanden noch wie sie zu durchbrechen war. Eine Wand aus dunklem Wasser, die den Blick auf alles, was dahinter lag, unmöglich machte und jedem Therapieversuch bislang standgehalten hatte. Das zumindest ging aus der Brillstein-Akte unzweifelhaft hervor.

Bates kannte Brillstein aus der Zeit seiner letzten offiziellen Operationen während des Golfkriegs. Arnold Brillstein war eine Kapazität, und wenn es eine Möglichkeit gegeben hätte, Dennis' Trauma zu durchbrechen, hätte er es längst vollbracht. Was also brachten seine Fragen? Den Mann, den er suchte, gab es nicht mehr. Er war nicht einmal mehr ein Schatten seiner selbst, und sein Geist war ausgelöscht wie seine Identität in den Verschlußakten des CIA.

»In welcher Beziehung stehen Sie zu dem Mädchen, das Sie in Manalei zu finden glaubten?« fragte Bates und gab seinem Detektor noch eine allerletzte Chance.

»Beziehung?« Dennis lachte. »Brillstein würde sie wahrscheinlich traumatisch nennen. Oder wie würden Sie die Begegnung mit dem Geist einer Toten nennen?«

»Einer Toten? Wieso behaupten Sie plötzlich, diese Hawaiianerin sei tot?«

»Ich würde mich sehr freuen, wenn Sie mir das Gegenteil beweisen könnten, denn so ganz sicher bin ich mir darüber nicht.«

»Also schön, Mr. Newman. Wenn es Ihrer Erinnerung auf die Sprünge hilft, zeige ich Ihnen den Geist, den Sie seit Tagen suchen.«

»Was ...?« rief Dennis überrascht. Die Bilder seiner Traumsequenz schossen ihm wieder durch den Kopf und verhalfen Bates' Meßgerät zu einem plötzlichen und ungewöhnlich kräftigen Ausschlag. »Keani ist tatsächlich hier?«

»Allerdings, aber ich fürchte, der Zustand, in dem sie sich befindet, wird Sie ebensowenig erfreuen wie uns.«

Bates gab den Soldaten ein Zeichen wegzutreten und führte Dennis durch einen langen, weißen Gang in eine größere Kabine, die wie ein Klinik-OP mit modernstem medizinischen Gerät ausgestattet war. In der Mitte des Lazaretts stand ein Sockel mit einem hellbeleuchteten Wasserbecken, in dem ein menschlicher Körper schwebte. Es war der Körper einer jungen *kama'aina,* die aussah, als wäre sie in Formaldehyd konserviert.

»Keani!« rief Dennis und erschauderte bei dem Anblick. »Was zum Teufel haben Sie mit ihr gemacht?«

»Es tut mir leid, Mr. Newman«, erklärte Bates und hielt Dennis davon ab, Keani zu berühren. »Wir konnten nichts mehr für das

Mädchen tun. Ihre Lungen waren bereits mit Wasser gefüllt, als wir sie in Manalei fanden.«

»Wollen Sie damit sagen, sie wäre in dieser Grotte ertrunken?«

»Nein, das ist nicht sehr wahrscheinlich.« Bates schüttelte den Kopf und hätte in diesem Moment alles für eine vernünftige Erklärung gegeben. »Die Kaskaden des Wasserfalls hätten sie hinunter in den See gespült. Noch erstaunlicher ist zudem der Umstand, daß ihre Lungen voller Salzwasser sind.«

»Also kann Sie nur im Meer ertrunken sein«, folgerte Dennis und begriff verstört, daß seine Suche an ihrem Ende angekommen war. An einem traurigen und in keinster Weise befriedigenden Ende.

»Im Meer, ja, so sieht es zumindest aus. Was die Frage erzwingt, wie das Mädchen in diesem Zustand auf den *heiau* gekommen ist?«

»Vielleicht ist sie gar nicht tot.«

»Wie bitte?« Bates fuhr herum und erkannte Marlin Sun, der hinter seinem Rücken in den Raum getreten war.

»Sun? Was in Gottes Namen machen Sie hier?«

»Sie rufen Gott in Ihrer Not, Agent Bates? Erstaunlich und so wenig hilfreich. Noch stehe ich nicht auf der Gehaltsliste des Himmels, trotzdem konnte ich Sie mit den Rätseln dieser Welt nicht alleine lassen.«

»Sie überschätzen sich, Sun. Es bedarf nicht zwingend Ihrer unzweifelhaften Kompetenz, um festzustellen, daß dieses Mädchen ertrunken ist.«

»Ertrunken mag sie vielleicht sein. Nur gestorben ist sie dabei nicht.«

»Eine tolle Theorie, Doktor! So etwas kann auch nur von Ihnen kommen. Wie würden Sie denn einen Menschen nennen, der nicht mehr atmet und seit Stunden keinen Puls aufweist. Das Mädchen ist definitiv tot!«

»Verstehen Sie derart viel vom Tod, Agent Bates?« Sun schüttelte den Kopf und deutete auf den Bildschirm des medizinischen Computers auf dem ein komplexes und sich ständig veränderndes, dreidimensionales Muster wellenartiger Strukturen zu sehen war. »Oder glauben Sie, daß Tote träumen?«

»Träumen?« rief Dennis verwirrt dazwischen. »Was soll das heißen?«

»Vielleicht, daß wir die Begriffe von Leben und Tod neu überdenken sollten, Mr. Newman.«

»Netter kleiner Versuch, Sun.« Bates lachte zynisch und betrachtete kopfschüttelnd die Bilder auf dem Monitor. »Ich fürchte nur, für Ihre Karriere wird dieser billige Trick nicht sehr förderlich sein. Ganz zu schweigen von Ihrer naiven Idee ohne Legitimation an Bord zu kommen und sich in eine laufende Ermittlung einzumischen, von der Sie längst abgezogen worden sind.«

»Das meinte Commander Caan anfangs auch, aber schließlich konnte Agent Kao ihn von der Rechtmäßigkeit unserer Piratenaktion überzeugen. Was im übrigen auch für die Crew der Küstenwache gilt, die Sie mit Ihrer zweifelhaften Befugnis für die Entführung von zwei unbescholtenen Bürgern rekrutiert haben.«

Für einen Moment war Bates verunsichert. Dann begriff er, daß Sun die Wahrheit sagte, da er unmöglich unbemerkt an den Wachen im Gang vorbeigekommen sein konnte.

Geistesgegenwärtig griff Bates nach der kleinen Druckluftwaffe, die er immer bei sich trug, und feuerte sie ohne Zögern ab. Sun taumelte und sackte hilflos zu Boden. Der zweite Schuß traf Dennis, dem nicht einmal die Zeit geblieben war, ein Erstaunen auf sein Gesicht zu schicken.

Bates wußte, daß er die Kontrolle über die Situation verloren hatte, und er kannte die Konsequenz, die sich aus dieser unerwarteten und äußerst mißlichen Situation ergab. Die Geheimhaltung der *Dateline*-Mission hatte oberste Priorität, und ihm blieb nur wenig Zeit, um sämtliche Spuren, die das Projekt verraten konnten, zu vernichten. Blitzschnell betätigte er einen roten Schalter, der neben der Tür angebracht war. Im selben Augenblick aktivierte sich eine Automatik, die den Zugang zum Schiffslazarett verriegelte und den Raum zu einer Festung machte, die den Gegner lange genug aufhalten konnte, bis das zerstörerische Werk seines Notfallplans vollendet war. Und dann programmierte Bates seine Bombe.

30

HALE MALU

HAUS DER GEHEIMNISSE

Die Treppe führte steil hinab in ein niedriges Gewölbe. Nur eine Reihe schwacher Neonlampen legte ihren fahlen Schein über die von mächtigen Säulen gestützten Kammern, die sich links und rechts des zentralen Ganges im Dämmerlicht verloren. Überall standen Regale und Glasvitrinen, bis unter die Decke bestückt mit exotischen Artefakten, Knochen und Steinen, die in den der Öffentlichkeit zugänglichen Schauräumen der Halewai-Stiftung keinen Platz gefunden hatten.

Cherry Jones fröstelte. Sie kam sich vor wie in der Gruft einer Kultur, deren entseelte Gebeine das Museum verwahrte wie die Trophäen von einem getöteten Feind. Was in den Kellergewölben lagerte, hatten Generationen von Naturforschern, Ethnologen und Abenteurern mit teilweise wenig ehrenhaften Methoden zusammengetragen. Oftmals unter dem Vorwand, die letzten materiellen Überreste einer ehemals blühenden Seefahrerkultur für die Nachwelt zu bewahren, über deren Geisteswelt heute allerdings kaum mehr bekannt war als über die Lebensweise von Aliens ferner Planeten.

Jones stieg langsam und leise die Stufen in den Keller hinunter und folgte in angemessenem Abstand dem Mann, der wenige Minuten zuvor in der kleinen Kammer am Ende des Ganges verschwunden war. Sie hatte von Moto erfahren, daß Joshua Hopkins den Raum bis zu dem Tag des Anschlags auf die Stiftung für seine Studien genutzt hatte, und es war zu erwarten gewesen, daß er nach seiner Entlassung aus dem Kamehamea-Hospital hierherkommen würde. Hopkins war mit seinen Nerven am Ende, und seine weiteren Handlungen waren nicht mehr berechenbar. Am Morgen hatte er ein Ticket nach San Francisco gebucht, und nach allem, was in der Ma'alaea Bay geschehen war, war zu befürchten, daß er einen Schlußstrich unter seine Forschungsarbeit setzen wollte.

Jones war nicht gekommen, um dies zu verhindern. Sie brauchte allein die Informationen, die Hopkins' Forschungen erbracht hatten. Das Wissen, das er seit Jahren vor den Augen der Welt verbarg und von dem nicht einmal Moto genau wußte, welche Details es besaß. Sie mußte in den Besitz dieses Materials kommen, und dazu war ihr jedes Mittel recht. Wenn nötig sogar die Anwendung von Gewalt. Andererseits mußte sie mit Vorsicht und Bedacht vorgehen, denn immerhin war es möglich, daß Hopkins bedeutende Teile seiner Erkenntnisse allein in seinem Kopf bewahrte.

Jones wartete im Schatten der Tür, um Hopkins die nötige Zeit zu geben, seine Aufzeichnungen aus ihrem Versteck zu holen. Dann trat sie entschlossen in den hellerleuchteten Raum und sondierte mit kurzen Blicken die Situation, von der ihr weiteres Vorgehen abhängig war. In der Mitte der fensterlosen Kammer stand eine Werkbank, auf der eine kleine *ki'i*-Statue des Kriegsgottes *Ku'kailimoku* für die Restauration bereitlag. Daneben gab es einen großen, mit alten Büchern überhäuften Schreibtisch, mehrere Bücherregale, zwei Aktenschränke voller Dokumentenmappen und einen großen, feuersicheren Panzerschrank, vor dessen geöffneter Tür Hopkins auf dem Boden kauerte.

»Ah, Professor, hier unten sind Sie«, rief sie mit betonter Freundlichkeit.

Hopkins erschrak und drehte sich mit dem Gesichtsausdruck eines Schuljungen um, der bei einem Streich erwischt worden war. »Cherry! Sie sind es.«

»Ich habe von Ihrem Unfall gehört. Das muß ein furchtbares Erlebnis gewesen sein.«

»Schon gut, mir ist ja nichts geschehen.«

Hopkins hatte gerötete Augen und sprach mit schwerer Zunge. Es war nicht schwer zu erkennen, daß er die Erinnerung an sein Erlebnis wie üblich in Scotch zu ertränken versucht hatte.

»Haben Sie sich inzwischen von dem Schock erholt?«

»Es geht, aber ich brauche etwas Ruhe und Abstand. Ich werde heute abend für ein paar Wochen aufs Festland fliegen.«

»Ein kleiner Urlaub wird Ihnen sicher guttun«, meinte Jones fürsorglich und warf einen Blick in den Safe, der neben den Originalmanuskripten von Hopkins zahllosen, in vielen Sprachen veröffentlichten Artikel, mit Sicherheit auch jene Arbeiten verbarg, die nie ein Mensch zu Gesicht bekommen hatte. »Misten Sie vorher noch ein wenig aus?«

»Sie glauben gar nicht, wieviel Papierkram und Gerümpel sich über die Zeit in den Archiven ansammelt.« Hopkins schob einen Stapel Blätter in den Schlund eines Aktenvernichters, der surrend sein zerstörerisches Werk vollbrachte. »Ordnung ist das halbe Leben.«

»Haben Sie überhaupt eine Ahnung, was hier unten alles vor sich hin modert?« fragte Jones und ärgerte sich, nicht sofort eingegriffen zu haben. Die Rekonstruierung von geschredderten Dokumenten war selbst mit Computerunterstützung eine zeitraubende Angelegenheit.

»Nicht bis zum letzten Kriegsbeil.« Hopkins stieß die Safetür zu und stand mühsam auf. Der unangemeldete Besuch brachte ihn völlig aus dem Konzept, obwohl er Cherry Jones sehr schätzte. Er hatte sie vom ersten Tag an gemocht, als sie sich vor einigen Wochen für die Assistentenstelle in der Halewai-Stiftung vorgestellt hatte. Sie erinnerte ihn an seine Universitätszeit, an seine Doktoranden, die oft zu ihm gekommen waren, um sich Ratschläge und Anregungen für ihre Forschungen bei ihm zu holen. Damals, als die Welt noch nicht aus den Fugen geraten war. Doch jetzt störte sie ihn und hinderte ihn daran, sein Lebenswerk zu vernichten, damit es ihn nicht vernichtete und vielleicht den Rest der ganzen Welt.

»Es gibt Listen, aber sie werden kaum vollständig sein«, meinte er angespannt und schob Jones auf die andere Seite des Raumes zu einem Regal voller alter Masken, um sie von den Spuren seines Abgangs abzulenken. »Moto hat in den vergangenen Jahren Dutzende private Sammlungen aufgekauft, um die letzten polynesischen Kulturschätze vor dem Verfall zu retten.«

»Und wer kümmert sich jetzt um das Magazin?«

»Ab und zu schicken wir Studenten in die Kammern. Zuweilen finden sie etwas, was bislang übersehen wurde, aber zumeist sind es nur Kleinigkeiten. Mit wenigen Ausnahmen sind die bedeutenden Stücke oben in den Schauräumen ausgestellt oder an andere Museen auf dem Festland und in Europa verliehen.«

»Und die Ausnahmen…?«

»Die Ausnahmen?« Die Frage zuckte wie ein Stich durch Hopkins' Herz. »Wieso fragen Sie nach den Ausnahmen?«

»Sind sie es nicht, die unser Fach erst interessant machen, weil sie der forschenden Wissenschaft ihre Daseinsberechtigung geben?« Jones ließ ihren Blick über den Schreibtisch wandern, auf dem neben dem Computer eine Fotomappe lag und ein etwa handtellergroßer, aquamarinblauer Kristall, der halb in einem Samttäschchen verborgen war. Es war ein ähnlicher Stein, wie sie ihn schon einmal gesehen hatte. In der Nacht des Anschlags auf Hopkins' Privathaus.

»Ihre Daseinsberechtigung ...?« Hopkins bemerkte den Blick und warf seine Jacke über den Tisch.

»Das bestehende Wissen ständig einer Verifikation zu unterziehen, Professor, und gegebenenfalls neue Wege zu beschreiten.«

Hopkins stöhnte. Im Grunde hatte er – wie die meisten seiner Kollegen – sein ganzes Berufsleben bewußt und kämpferisch gegen diesen Grundsatz verstoßen. In stillschweigender Übereinkunft war es zum Wesenszug der Geschichtsforschung geworden, einmal entwickelte und über die Zeit liebgewonnene Theoriengebäude zu hegen und zu pflegen und gegen jeden Angriff von außen zu verteidigen, um sich nicht eingestehen zu müssen, jahrelang einem Irrtum gefolgt zu sein. Selbst dann nicht, wenn man längst wußte, daß man ein höchst wackeliges Kartenhaus gebaut hatte, das bereits der leiseste Windstoß zum Einsturz brachte.

»Sicher gibt es Funde, die sich oberflächlich betrachtet in keine Theorie einpassen lassen und deren Herkunft und Authentizität nicht mit Sicherheit zu klären ist«, meinte er und räusperte sich fast verlegen. »Aber bevor eine bewährte Theorie in Frage gestellt wird, muß der Verdacht einer Fälschung völlig ausgeschlossen sein. Wie Sie während Ihrer Studienzeit sicherlich gelernt haben, sind die historischen Wissenschaften in dieser Hinsicht sehr konservativ. Es ist nicht schwer sich lächerlich zu machen.«

»Wer in das Unbekannte vorstößt, muß sich dieser Gefahr aussetzen. Ist es nicht so, Professor?«

»Letztlich ist es eine Frage von Gewissenhaftigkeit...«

»... und von der Bedeutung des Ziels, das man erreichen will«, ergänzte Jones provokant. »Wenn der Lohn hoch genug ist, rechtfertigt er das Risiko, auch einmal Fehler zu begehen.«

»Nur leider ist es ein Wesenszug des Unbekannten, daß man vorher weder das Ziel der Suche noch die Gefahren kennt, die unterwegs auf einen lauern. Es hat nicht wenige Wissenschaftler gegeben, die sich am Ende ihres Weges gewünscht hätten, ihn nie gegangen zu sein.«

»Sie meinen, weil sie mit ihren Erkenntnissen mehr Schaden hervorgerufen haben als nutzbringenden Fortschritt?«

»Nicht unbedingt sie selbst. Oft waren es andere, die unter Mißachtung jedweder Ethik und Verantwortung das Wissen für ihre Machtgier mißbraucht haben. Denken Sie an die Atomphysik. Vielleicht war die Vorstellung von kleinen, unzerstörbaren Atomkügelchen, aus denen sich durch bloße Zusammensetzung die Materie bildet, naiv, aber sie war praktisch und harmlos. Hätte man es dabei belassen, wäre möglicherweise so manche Katastrophe der Geschichte zu vermeiden gewesen.«

»Glauben Sie das wirklich?«

»Ehrlich gestanden, nein.«

»Und jetzt fürchten Sie sich davor, daß Ihre Forschungen in ähnlicher Weise mißbraucht werden könnten?«

»Meine Forschungen?« Hopkins lachte mit einem nervösen Zucken, das durch seine Gesichtsmuskeln fuhr. »Ich sprach von Physik und angewandter Wissenschaft. Wir dagegen sind Historiker, Cherry. Was kann die Erforschung des Vergangenen schon für Gefahren bergen?«

»Das frage ich Sie, Professor. Es klang beinahe, als quälte Sie die Angst, einen falschen Weg gegangen zu sein.«

»Nein, nein, da haben Sie mich falsch verstanden«, wehrte Hopkins ab. »Ich denke nur manchmal darüber nach, ob das Vergessen nicht mehr als eine zerebrale Schwäche darstellt und sogar einen tieferen, vielleicht evolutionären Sinn verbirgt. Ebenso wie ein Individuum dazu neigt, negative Erlebnisse der Vergangenheit zu vergessen, tendiert vielleicht auch die Geschichte zu solchen Strukturen, um die Nachwelt vor Schäden zu bewahren.«

»Ich habe eher den Eindruck, daß die Menschheitsgeschichte nur die Erinnerung an Krieg und Vernichtung und ihre Mechanismen bewahrt, während das großartige Geistesgut vergangener Zeiten vielfach aus den Geschichtsbüchern verbannt oder aus unbekannten Gründen ausgelöscht wurde. Denken Sie nur an die ägyptische Kultur mit ihrem astronomischen und physikalischen Wissen, von dem heute nur noch verfallene Bauwerke wie die Pyramiden zeugen, deren Sinn niemand mehr versteht. Oder sehen Sie sich an, was von der polynesischen Kultur übriggeblieben ist. Ein paar Statuen, ein paar Mythen und eine tief vergrabene Geisteswelt, zu der selbst die heutigen Nachfahren keinen Zugang mehr haben.«

»Vielleicht ist es gut, daß es so ist.«

»Wieso? Was wäre denn so schlimm, wenn diese Dinge wiederentdeckt würden? Ein geheimes Wissen, das seit Jahrhunderten vergessen ist.«

»Ein geheimes Wissen? Jetzt übertreiben Sie aber.« Hopkins lachte, beinahe künstlich. »Was soll es bei einer steinzeitlichen Kultur schon besonderes gegeben haben? Außerdem ist uns die Ethnographie der Polynesier weitestgehend bekannt.«

»Ist sie das wirklich, Professor? Letztlich wissen wir nicht einmal, woher diese Menschen gekommen sind.«

»Jetzt enttäuschen Sie mich aber, Cherry! Wie mir scheint, haben Sie die Hausaufgaben ihrer Studentenzeit nicht ordentlich gemacht. Es kann als bewiesen betrachtet werden, daß die Polynesier in mehreren Einwanderungswellen vom asiatischen Festland in den Pazifik gekommen sind.«

»Ach ja, die rührende Geschichte von kleinen Gruppen waghalsiger Seenomaden, die über Hunderte von Jahren von Südostasien aus die Inseln Ozeaniens besiedelt haben. Eine wissenschaftliche Legende, die man aufgrund einer kleinen Sammlung von Tonscherben und zweifelhafter Bauwerksvergleiche als historisch bewiesen erachtet, weil einem nichts Vernünftigeres eingefallen ist.«

»Es gibt stichhaltige ethnologische und linguistische Verifikationssysteme, die die Wanderbewegungen der ozeanischen Kulturen belegen.«

»Wanderungen von wo nach wo? Und zu welcher Zeit? Wir wissen beide, daß es letztlich nur widersprüchliche Puzzleteile gibt, die sich zu keinem sinnhaften Ganzen zusammenfügen lassen.«

»Gerade deshalb hält sich die Geschichtswissenschaft an die wahrscheinlichste Variante. Es ist eine Tatsache, daß es weitaus mehr Indizien für eine Einwanderung aus Asien gibt als Parallelen zu südamerikanischen Kulturen, obwohl ein paar Abenteurer und Hobbyarchäologen dies immer wieder zu beweisen versucht haben.«

»Was wäre, wenn keine der beiden Theorien der Wahrheit entspräche?«

»Schnickschnack! Wo sollen sie denn sonst hergekommen sein?«

»Wir beide wissen sehr gut, daß weder ein Hawaiianer, noch ein Tahitianer, Tonganer oder Samoaner behaupten würde, seine Vorfahren wären aus Asien gekommen. Da stimmen Sie mit mir doch überein, oder?«

»Den Polynesiern war die Geographie der Weltkugel nicht in gleichem Maße bekannt wie den europäischen Entdeckern. In ihren Mythen nannten die Polynesier ihre Urheimat *kahiki* oder *havaiki*, ein Ort, der im Westen gelegen haben soll, also in dem Teil der Welt, den wir heute Asien nennen.«

»Ist es nicht alleine unsere beschränkte, rationale Sichtweise, die uns zu diesem Schluß kommen läßt?«

»Wie meinen Sie das?«

»Westen war für die Polynesier nicht in erster Linie eine geographische Richtung, sondern das Äquivalent für den Sonnenuntergang, für die Trennlinie zwischen Licht und Dunkelheit, zwischen der Welt des Sichtbaren und des Unsichtbaren. *Kahiki* war kein bestimmter Ort, sondern die mystische Urheimat aller Wesen. Es ist die präexistente Welt der Ahnengeister, aus der alle Wesen hervorgehen und wieder dorthin zurückkehren, wenn die Zyklen des Lebens es verlangen.«

»Das ist ein religionsethnologisches Phänomen, das sich bei fast allen Kulturen auf bestimmten Entwicklungsstufen antreffen läßt. Es handelt sich dabei um einen vorwissenschaftlichen Versuch des primitiven Menschen, sich seine Entstehung und den Ursprung des Menschen und seiner Kultur zu erklären. Als moderne Wissenschaftler interessiert uns dagegen in erster Linie der realhistorische Prozeß...«

»... und der erzwingt von uns die Frage, woher die Polynesier gekommen sind.«

»Selbstredend.« Hopkins spürte ein aufkeimendes Mißtrauen. »Was wollen Sie eigentlich, Cherry? Sie sind doch nicht gekommen, um mit mir wie eine Erstsemesterstudentin über die polynesischen Migrationstheorien zu diskutieren.«

»Warum nicht? Ist es nicht genau das, was Sie zur Zeit derart beschäftigt, daß es Ihnen zunehmend den Schlaf raubt?«

»Ich weiß nicht, wovon Sie reden«, blockte Hopkins ab.

»Von Zeichen und Wundern, die alles in Frage stellen, was die Ethnologie über die polynesische Geschichte zu wissen glaubt.« Jones zog das Foto der Manalei-Grotte aus ihrer Tasche, das sie von Moto bekommen hatte.

»Wo haben Sie dieses Foto her?« Hopkins wurde weiß wie eine Wand.

»Ich nehme an, es wurde an dem Ort aufgenommen, den Sie seit Jahren vergeblich suchen. Ein Ort, der ein Geheimnis verbirgt, der meinen Erstsemesterfragen ein geradezu dramatisches Gewicht verleiht.«

»Wer hat Ihnen diesen Unsinn erzählt? Moto? Hat er Sie hergeschickt?«

»Ich habe diese Zeichen mit eigenen Augen gesehen, Professor. In einer Grotte mit einem uralten *heiau,* den ich heute morgen zufällig entdeckt habe, bei einer Kletterpartie im Tal von Manalei.«

»Das ist unmöglich!« murmelte Hopkins und rang nach Luft. »Der Tsunami hat damals die Grotte zerstört.«

»Zerstört wurde nur der Zugang.« Jones versuchte die Lage der Grotte auf einem Zettel zu skizzieren. »Der Wasserfall hat sich durch die Flut verlagert und verschließt jetzt die gesamte Grotte. Deswegen haben Sie den *heiau* nicht mehr gefunden. Und die Felswände ringsherum, die voll mit Schriftzeichen wie diesen sind, mit Spuren der Existenz einer bislang unbekannten, möglicherweise präpolynesischen Kultur.«

»Seien Sie vorsichtig mit Ihren Schlußfolgerungen«, warnte Hopkins und betrachtete erregt den Lageplan. »Niemand kann sagen, womit wir es in Manalei zu tun haben.«

»In jedem Fall sind diese Funde eine wissenschaftliche Sensation.«

»Sensation, Schnickschnack.« Hopkins blieb das Wort beinahe im Halse stecken, aber er versuchte sich zusammenzureißen. »Mit Sicherheit wird sich herausstellen, daß diese Schriftzeichen gerade einmal ein paar Jahre alt sind. Wie oft schon haben sich Leute mit solchen Dingen Scherze erlaubt. Studenten, die sich einen Spaß machen wollten.«

»Die *kama'aina* sehen das offensichtlich etwas anders«, tastete sich Jones vorsichtig voran. »Für sie liegt ein uraltes *kapu* über dem Tal. Ein mächtiger Schutzzauber, über dessen Zweck heute anscheinend niemand mehr etwas Konkretes weiß.«

»Ein *kapu?*« Hopkins lachte schräg, und sein ganzer Körper begann dabei zu zittern. Seine Hand glitt automatisch in seine Jackentasche, aber er wagte es nicht, vor Jones den Flachmann mit seinem geliebten Scotch hervorzuholen. »Ich hatte Sie für eine nüchterne Wissenschaftlerin gehalten, Cherry. Seit wann nehmen Sie solchen Aberglauben ernst?«

»Die Frage gebe ich gern an Sie zurück, Professor. Sie sind es, dem diese Dinge den Verstand rauben. Die Anschläge auf die Halewai-Stiftung, diese *kahuna,* die Ihnen in Ihren Alpträumen erscheint und Spuren hinterläßt wie ein maritimer Poltergeist. Und vergessen wir nicht Alexander Moto, der diesen Schriftzeichen eine immense Bedeutung zuschreibt und überall in Polynesien nach Spuren davon sucht. Selbst unter Wasser.«

»Was reden Sie denn da?«

»Moto glaubt, daß diese Schriftzeichen die Geschichte einer versunkenen Kultur dokumentieren...« Jones zog Hopkins' rekonstruiertes Hexagrammsystem aus der Tasche. »... und mit ihr ein vergessenes, archaisches Wissen.«

Hopkins lachte spöttisch. »Moto weiß gar nichts!«

»Aber Sie haben herausgefunden, was diese Muster bedeuten, nicht wahr? Und es ist etwas, das Ihnen derartige Furcht bereitet, daß Sie beschlossen haben, die Sache zu beenden und alle Spuren Ihrer bisherigen Forschungen zu beseitigen.« Jones ging hinüber zu dem Panzerschrank und deutete auf den Aktenschredderer. »So ist es doch, Professor! Sie wollen alles zerstören. Ihre ganze Arbeit. Ihr Lebenswerk.«

Hopkins antwortete nicht.

»Zwingen die *Boys for Pele* Sie dazu?«

»Schnickschnack. Jetzt fangen Sie nicht auch noch mit diesem Unsinn an. Die *Boys for Pele* existieren seit vielen Jahren nicht mehr.«

»Vor wem haben Sie dann solche Angst? Etwa vor den Geistern von Manalei?«

»Ja, ich habe Angst vor den Geistern«, gab Hopkins mit einem entschlossenen Funkeln in den Augen zu und fühlte sich durch sein Geständnis geradezu erleichtert. »Und ich bin froh darüber, weil sie mich vor einer großen Dummheit bewahren, die vielleicht schlimmere Folgen nach sich ziehen würde als Nagasaki und Hiroshima.«

Mit einer blitzschnellen Bewegung zog er ein kleines Sprühfläschchen aus seiner Jackentasche hervor und drückte auf das Ventil. Ein feiner weißer Strahl schoß Jones ins Gesicht und hinterließ ein teuflisches Brennen in ihren Augen. Mehr aus Verblüffung als vor Schmerzen ging sie zu Boden und versuchte vergeblich nach Hopkins zu greifen.

»Tut mir leid, Cherry«, meinte er und nahm das Foto der Grotte und die zusammengeklebten Papierschnipsel an sich. »Eigentlich sollte ich mich bei Ihnen bedanken, denn jetzt weiß ich endlich, wie ich meine Fehler wiedergutmachen kann.«

Er ging zurück zum Safe, schickte weitere Stapel von Blättern durch die Häckselmesser des Aktenvernichters, ließ Jones' Mitbringsel und mehrere Dia-Filme in einem Metallmülleimer in Flammen aufgehen und formatierte schließlich die Festplatte des Computers, der auf dem Schreibtisch stand. Dann nahm er das Samttäschchen mit dem blauen Kristall, den kleineren der beiden *lono-lono,* der schon seit Jahren in seinem Besitz war, lief zur Treppe, löschte das Licht und verschloß die stählerne Tür, die den Magazinkeller versperrte. Es würde bis zum Morgen dauern, bis der Hausmeister Jones' unfreiwillige Gefangenschaft entdecken würde. Das war ein Vorsprung, der reichen sollte, seinen Plan zu vollenden. Später einmal würde er sich bei ihr entschuldigen, denn sie war es schließlich, die den Ort wiedergefunden hatte, an dem vor so vielen Jahren alles begonnen hatte. Damals, vor der großen Flut.

31

MAKE 'ANU 'ANU

DER KALTE TOD

Keani schwebte regungslos in ihrem gläsernen Sarkophag. Sie sah aus, als würde sie schlafen. Ihre Haut war bläulich fahl, und ihr Leib schien wie zu Eis erstarrt. Allein die winzigen Sensoren, die Marlin Sun nach dem asiatischen Meridiansystem vom Scheitel bis zu den Fußsohlen über ihren Körper verteilt hatte, funkten fortlaufend einen Strom aus pulsierender Energie an den Computer, der auf den Monitoren komplexe Wellenformationen zeichnete. Es schien, als zeigten sie eine unbekannte Form bioneuraler Aktivität, die nicht allein im Gehirn ihren Ursprung hatte, sondern das gesamte Zellsystem des Körpers beherrschte und mit der medizinischen Theorie des Lebens keinesfalls zu vereinbaren war – es sei denn, man sympathisierte mit dem Postulat eines Lebens nach dem Tod.

Jonathan Bates glaubte weder an lebende Leichen noch an die Relevanz der Meßergebnisse, nur fehlte ihm die Zeit, das Phänomen eingehender zu analysieren. Das Mädchen war klinisch tot, und die fraktalen Grafiksequenzen hatten bestenfalls die Qualität eines Bildschirmschoners, einer geschickt lancierten Täuschung, die eindeutig die Handschrift eines Zynikers wie Marlin Sun erkennen ließ. Was im Augenblick entscheidend war, blieb die ungeklärte Existenz der Leiche und damit die Frage ihrer Herkunft, die eine neue gefährliche Welle von Spekulationen auslösen und die Geheimhaltung des *Dateline*-Projekts gefährden konnte. Keani mußte für die Augen der Welt verschwinden, und die Hintergründe ihres Todes waren eine Angelegenheit, die auch später noch zu klären war.

Bates mußte sich beeilen. Auf dem Gang hörte er bereits sich nähernde Schritte, laute Stimmen und Geräusche, die bedeuteten, daß Caans Leute mit dem Versuch begannen, die Tür zum Schiffslazarett von außen aufzubrechen. Die Situation ließ ihm keine Wahl, sein Auftrag, der allein dem Ziel diente, den Unwissenden nicht die Chance zu geben, sich in Wissende zu verwandeln. Viel zu brisant waren die Resultate der Forschungen, die er seit Jahren vor der Welt verbarg, und viel zu gefährlich, um sie leichtfertig in verantwortungslose Hände fallen zu lassen.

Bates hatte durch schmerzliche Erfahrungen gelernt, selbst in brenzlichen Situationen überlegen und gelassen zu handeln, und sein Notfallplan spulte sich wie ein Uhrwerk ab. Zuerst lud er die Daten, die die medizinische Analyse von Keanis Leichnam ergeben hatte, auf einen X-Ram-Chip und aktivierte ein gefräßiges Virus, das die völlige Vernichtung der Daten selbst in dem unwahrscheinlichen Fall eines Scheiterns seiner Mission sicherstellte. Dann öffnete er das Rettungsschott, das für den Brandfall in der Außenwand des Schiffes angebracht war, legte eine Schwimmweste für seinen Abgang bereit und plazierte für das feurige Finale der Aktion die miniaturisierte Plasmabombe am Sockel von Keanis Sarkophag, an einer Stelle, die die größte Entfaltung ihrer zerstörerischen Wirkung versprach.

Auf dem Gang war es still geworden. Bates wußte, daß dies kein gutes Zeichen war. Er aktivierte den digitalen Zünder, der bedingungslos begann, die Sekunden zu zählen, die ihm blieben, um die Niederlage in der Schlacht am Ende in einen Sieg zu verwandeln. Die Bombe gewährte ihm noch neunzig Sekunden. Zeit genug, um den Träger einer wertvollen Information zu bergen, die nicht nur ungeklärte Fragen beantworten konnte, sondern für den Fortgang des Projekts von elementarer Bedeutung war. Sollte Keani beim Untergang der *Tangaroa* tatsächlich an Bord gewesen sein, was zwar kaum zu glauben, aber aufgrund der radioaktiven Kontamination ihrer Haut nicht völlig auszuschließen war, entsprach ihr Körper einer Blackbox, mit der die Katastrophe möglicherweise zu rekonstruieren war.

Bates beugte sich über das gläserne Bassin und betrachtete Keanis Gesicht. Sie war noch so jung. Ein wenig erinnerte sie ihn an jene Zeit, als Gefühle noch eine Rolle in seinem Leben gespielt hatten. An die Monate, die er nach einem Betriebsunfall auf Tutuila verbracht hatte, um seine Schußwunden zu kurieren, die ein fast unvermeidbarer Tribut an die Risiken seiner Arbeit waren. Vielleicht hatte er sich damals wirklich verliebt, und vielleicht hätte sein Leben eine völlig andere Richtung eingeschlagen, wenn er seine Gefühle zugelassen und der hübschen Samoanerin, die jeden Morgen mit einer Schale frischem Obst und Blumen an sein Bett gekommen war, sein Herz geöffnet hätte. Aber all das war nun irrelevant. Er hatte sich damals für seinen Job entschieden und war längst in jene Welt zurückgekehrt, in der Einsamkeit und die Beherrschung jeder Emotion die Voraussetzung für Erfolg und Überleben war.

Bates nahm ein Skalpell aus einer Instrumentenschale und versuchte unter Wasser ein kleines Stück der Epidermis aus Keanis Arm zu trennen. Die Klinge war extrem scharf, trotzdem wunderte es ihn, wie wenig Widerstand die Haut dem Schnitt entgegenbrachte. Noch erstaunlicher war aber, daß sich die Wunde hinter dem Messer augenblicklich wieder schloß.

Verwirrt zog Bates das Skalpell zurück. Er hatte viele Materie-Anomalien gesehen, physikalische und biologische, aber ein menschlicher Körper, der seine organische Struktur in Sekundenschnelle regenerierte, zumal seine Vitalfunktionen längst erloschen waren, kam einem Wunder gleich, das in seine Erfahrung kaum sinnvoll einzuordnen war. Noch einmal versuchte er eine Probe zu entnehmen, aber sein Eingriff blieb gänzlich ohne Wirkung. Die Haut verhielt sich nicht wie organisches Gewebe. Sie reagierte vielmehr wie eine zähe Flüssigkeit, durch die das Skalpell ohne jede Wirkung schnitt.

Bates schreckte der Gedanke, was das war, das dort unter seinem Messer lag, und zugleich ertappte er sich dabei, wie sein Blick auf den Bio-Computer fiel, der unablässig fraktale Energiemuster auf den Bildschirm zeichnete, eingefangen von den Elektroden auf Keanis bleichem Körper, der plötzlich weder tot noch menschlich schien und kein einziges Symptom von Verwesung zeigte.

Bates glaubte nur an Dinge, die er sah, aber was er sah, konnte er nicht glauben. Für einen Moment vergaß er sogar, daß er nicht abergläubisch war und aus Prinzip die Existenz von Geistern leugnete. Was aber, wenn noch Leben in Keani war? Wenn sie in einem medizinisch bislang unbekannten, scheintotartigen Zustand verharrte, wie er bei religiösen Kulten wie dem karibischen Voodoo beobachtet worden war? Er kannte Berichte von lebenden Toten, von Zombies, die bei lebendigem Leibe begraben worden waren, weil der letale Zustand, in den sie gefallen waren, nur ein extremes Koma war. Es waren zweifelhafte Berichte, denen er nie Glauben geschenkt hatte, weil sie dem rationalen Verstand zu sehr Gewalt antaten. Nun aber schien er selbst Zeuge eines solchen Spukgeschehens. Und das war ein Umstand, der ihm mehr als ungelegen kam.

Bates atmete tief durch. Mit Sicherheit gab es eine logische Erklärung für Keanis Zustand, aber ein Blick auf den Zeitzünder signalisierte ihm, daß jetzt kaum die Zeit für Spekulationen war. Es blieben ihm noch fünfundvierzig Sekunden, und die Gewebeprobe war viel zu wertvoll, um den Versuch vorzeitig aufzugeben. Entschlossen tauchte er seine Hand in das kalte Wasser und berührte vorsichtig Keanis Haut. Seltsamerweise fühlte sie sich fest und seidig an und damit gänzlich anders, als nach dem gescheiterten Operationsversuch erwartet. Mit sanftem Druck schob er seine Hand über ihren Arm, die Schulter und den Hals entlang, hinauf in ihr Gesicht. Er spürte ihre Lippen, ihre Wangenknochen und sogar die feinen Wimpern an den geschlossenen Lidern ihrer Augen, die ganz normal und menschlich waren. Schließlich lenkte er seine Finger am Nasenbein hinauf und zog mit einer schnellen Bewegung ein Haar aus ihren Brauen.

»Bingo!« triumphierte Bates, als hätte er den Leichnam überlistet, öffnete eine winzige Kapsel, die er sich an einer Kette um den Hals gebunden hatte, und steckte das Haar hinein. Was immer auch mit dem Mädchen geschehen war und was immer auch den unerklärlichen Zustand ihres Leichnams verursacht hatte, eine einzige Zelle ihrer Augenbraue konnte die Geschichte ihres Schicksals im wahrsten Sinne haarklein wiedergeben, und damit vielleicht auch das Rätsel ihrer Existenz.

Bates wußte, daß es höchste Zeit war, das Schiff zu verlassen. Eine Sekunde dachte er darüber nach, was geschehen würde, wenn es Milton Caan noch vor der Explosion der Plasmabombe gelang, die feuerfeste Tür zum Lazarett aufzubrechen. Die Wahrscheinlichkeit, daß er das flammende Inferno lebend überstand, war minimal. Er wußte nicht, ob er dem dienstbeflissenen Commander den Tod wünschen sollte. Andererseits mochte er Caans Gehabe nicht, und sein Dahinscheiden war für die Nachwelt sicherlich ein zu verkraftender Verlust. Das gleiche galt für die anderen Soldaten im Gang und insbesondere für Dennis Newman, der bewußtlos in einer Ecke auf dem Boden lag und ohnehin schon längst gestorben war. Für Tekina Kao tat es ihm ein wenig leid, sollte sie mit Caan an Bord des Schiffes gekommen sein. Sie war nicht nur eine außergewöhnlich attraktive Frau, sondern auch eine gute Agentin, die ihm zum unpassenden Zeitpunkt im Wege stand.

Und Marlin Sun? Er sah hinüber zu dem Chinesen, der reglos neben der verriegelten Tür auf dem Boden lag. Sein Dahinscheiden bedeutete ohne Zweifel einen unwiederbringlichen Verlust für die Wissenschaft, aber sein rebellischer Charakter, der die Macht der Mächtigen zugunsten einer niemandem nützlichen Wahrheit in Frage stellte, entwickelte sich mehr und mehr zu einer potentiellen Gefahr. Immerhin bescherte er ihm einen schmerzlosen Tod, was für eine verseuchte Wühlmaus, die sich ihr Leben lang durch radioaktiven Müll gegraben hatte, durchaus als ein Segen anzusehen war.

Noch einmal überprüfte Bates den Zeitzünder der Bombe und zerstörte dann den Programmiermechanismus, um den ohnehin kaum möglichen Abbruch der Countdown-Sequenz noch zu erschweren. Schließlich nahm er die Schwimmweste und seinen flachen Alukoffer, der seine Aufzeichnungen enthielt, und wendete sich mit einem letzten Blick auf Keanis Sarkophag zu dem Notausstieg in der Bordwand.

In diesem Moment spürte er ein stechendes Kribbeln in seinen Fingerspitzen. Es war ein Schmerz wie von tausend feinen Nadeln, der mit zunehmender Intensität von seiner rechten Hand hinauf in den Arm und weiter in die Schulter kroch. Es war wie eine Welle aus eiskaltem Feuer, die plötzlich durch seine Adern flutete, durch den ganzen Körper, bis tief in sein Herz. Bates wurde kalt. Dann heiß und er fing fürchterlich an zu schwitzen, wie von einem tropischen Fieberschub gepackt. Ihm wurde schwindelig, und er mußte sich an Keanis Bassin festhalten, um nicht umzufallen. Das Fieber legte sich wie Blei über seine Lungen und schnürte zunehmend seine Atmung ein. Dann begann sein ganzer Körper zu zittern. Er brach von heftigem Schüttelfrost gepackt zusammen und scheiterte bei seinem verzweifelten Versuch, das Notschott auf allen vieren kriechend zu erreichen.

Bates war wie gelähmt. Sein Blick fiel auf seine Hand, mit der er

Keani berührt hatte. Sie war naß vor Schweiß und begann, sich bläulich zu verfärben. Sie wurde weiß, dann transparent. Und jetzt erkannte er, daß die Feuchtigkeit, die aus den Poren seiner Haut sickerte, kein Schwitzwasser war. Es waren seine Zellen, die sich vor seinen Augen aufzulösen begannen, wie schmelzender Schnee, der aus den schwindenden Stümpfen seiner Finger auf den Boden tropfte.

Bates erstarrte in völliger Hilflosigkeit und begriff nicht, was mit ihm geschah. Er spürte nur das kalte Feuer, das in jede Faser seines Leibes drang und seinen Lebensgeist verbrannte. Noch einmal sah er die Zahlen auf dem Display seiner Bombe. Er sah die Sekunden, die vor seinen Augen verrannen und seine Hoffnung auf Flucht endgültig zunichte machten. Es waren leuchtend rote Zahlen, unerbittliche Zahlen. Fünf, vier, drei... Sein Körper sank in sich zusammen und dann, nur eine Sekunde bevor sein Bewußtsein erlosch, durchzuckte ein gleißender Blitz Keanis Sarkophag und entzündete ein alles verschlingendes Inferno, das das Wasser in dem Becken mit unbändiger Macht in eine Wolke aus weißem Dampf verwandelte.

32

HANA MAKE

TODESZAUBER

Ein Schrei hallte durch den dunklen Raum. Ein Schrei ekstatischer Lust. Akiko lockerte die Umklammerung ihrer Schenkel, richtete sich langsam auf und löste sich aus der Vereinigung. Mit einem Griff schloß sie den Kimono über ihren Brüsten, ordnete ihre wildzerzausten Haare und kniete sich neben Moto auf den Futon. Dann zündete sie einige Kerzen und Räucherstäbchen an, drehte seinen muskulösen Körper auf den Bauch und zeichnete mit ihren Fingerkuppen die komplizierten Konturen der Tätowierungen nach, die seinen Rücken bis hinunter über die Hüften bedeckten. Eine ölige Flüssigkeit tropfte von ihren Händen und fand ihren Weg auf die farbenprächtig verzierte Haut.

Alexander Moto stöhnte, als sich Akikos Hände in seine Schultermuskeln gruben. Er liebte diese Hände. Sie waren kraftvoll und zärtlich zugleich. Es waren heilende Hände, die das *shiatsu* perfekt beherrschten. Er begehrte sie vielleicht mehr als Akikos volle Brüste, ihre zarten Lippen und ihre ebenmäßig weiße Haut.

Manchmal verwirrte Moto die Rolle, die Akiko in seinem Leben spielte. Er empfand keine Liebe für sie. Es war einfacher, elementarer. Er war ihr körperlich verfallen. Das Gehalt, das er ihr zahlte, war nur eine unbedeutende Größe in den Tabellen seiner Bilanzen. Sie konnte alles von ihm haben, aber Geld interessierte sie nicht. Sie war ihm hörig, wenngleich sie wußte, daß sie nur eine von den vielen Figuren in dem kompromißlosen Spiel darstellte, das Moto mit dem Leben spielte. Er suchte nicht die Frau in ihr, die Partnerin. Was sie ihm gab, war eine Art von physischer und psychischer Nahrung. Sie war sein Medium, und ihr genügte es, im Zentrum der Macht zu stehen, die Moto verkörperte. Sie war die Konkubine, die Vertraute des Herrschers. Und er? Er war auf dem Weg zur einem Ort, von dem sie nicht wußte, wo er war, nur daß sich dort die Pforte zu Himmel und Hölle verbarg, und diesen Weg ging er letztlich ganz allein.

Akiko massierte die restlichen Spuren des Öls in die Poren seiner Haut, beendete das Ritual mit einem Tanz ihrer Finger, und zog sich dann von ihm zurück. So, wie sie es immer tat, wenn er auf seine einsamen Reisen ging, auf seine Wallfahrten in das Innere seiner Visionen. Moto setzte sich auf, hockte sich im Lotossitz ihr gegenüber, verharrend, in sich gekehrt, in schweigender Meditation. Noch immer war sie ihm so nahe, daß sie seine Wärme spüren konnte, das Schlagen seines Herzens, den Klang seines Atems und das Beben seiner Haut. Allein sein Geist war nun eins mit sich selbst und in tiefer Konzentration mit dem blauen Kristall verbunden, den er vorsichtig wie einen unermeßlich wertvollen Diamanten durch seine Hände gleiten ließ. Sie spürte, wie der Stein sein Bewußtsein in sich aufsog und an einen Ort entführte, wohin sie ihm nicht folgen konnte. Sie wußte nicht, was für ein Ort das war, und wollte es auch gar nicht wissen, denn die kalte Aura des Steins, der aus dieser fremden Welt gekommen war, entflammte ihre Angst.

In dieser Nacht bereitete sich Moto auf eine lange Reise vor, auf eine ganz reale Reise, wenngleich das Ziel kaum Teil der Wirklichkeit zu sein schien. Auf Kazan Retto wartete ein neues Schiff, das mit modernster Technik für seine Fahrt nach *ma no umi* ausgestattet war. Ein Schiff, das ihn in den Schlund der Hölle bringen sollte. Hinunter zu dem Tor, hinter dem das Schicksal auf ihn wartete. Der Ursprung seiner Visionen, denen er gefolgt war, um das Buch der Geschichte des Ozeans mit seiner Handschrift neu zu schreiben.

Moto betrachtete die geometrischen Zeichen, die sich im Innern des durchscheinenden Steins im Licht der Kerzenflammen formten, und spürte die Macht, die sich hinter ihrer versteckten Bedeutung verbarg. Es war eine Macht, deren Ursprung Joshua Hopkins bereits vor Jahren entdeckt hatte, obwohl seine wissenschaftlich beschränkte Phantasie nicht annähernd ausreichte, sich das wahre Ausmaß und die daraus resultierenden Möglichkeiten der Entdeckung auszumalen. Moto wußte dagegen sehr wohl, was für einen Schatz er in den Händen hielt, und dieses Wissen machte ihn stark, machte ihn bereit, den letzten konsequenten Schritt zu gehen, vor dem andere zurückgeschreckt waren. Aus Aberglauben und aus Angst, die schwache Menschen an den Chancen der Welt scheitern ließ.

Plötzlich zuckten Motos Augen. Seine Sinne waren in seinem Zustand extrem sensibilisiert. Er spürte die veränderte Spannung der Energien, die den Raum erfüllten. Die fremden Schwingungen, die kraftvoll waren und bedrohlich zugleich. Sie waren nicht mehr allein. Etwas störte die Stille des Hauses, etwas, das feindselige Gedanken in sich trug. Auch Akiko wurde unruhig und öffnete die Augen. Beide sahen sich an und wußten, was geschehen war.

»Auf dem *lanai*...« flüsterte sie. *»makai...!«*

Moto zog sich seinen schwarzen Hauskimono über, steckte den *lono-lono* in die Tasche und erhob sich von den Tatamis, die den Boden des Schlafraumes bedeckten. Während Akiko durch die Gartentür verschwand, nahm er sich einen Revolver aus dem Waffenschrank und schlich barfuß und lautlos wie eine Katze durch die dunklen Flure in den Südflügel seines weitläufigen, in klassischem japanischen Stil erbauten Privathauses. Er bewegte sich vorsichtig und lauernd auf das Unbekannte, das irgendwo in der Dunkelheit auf ihn wartete. Die Alarmanlage hatte nicht angeschlagen, und auf den Videomonitoren, die jeden Winkel des Anwesens überwachten, konnte er nichts Verdächtiges erkennen. Er wußte, daß das nichts zu bedeuten hatte, denn der Eindringling, den er erwartete, hatte bereits mehrfach unter Beweis gestellt, daß technische Sicherungssysteme kein Hindernis für ihn waren.

Moto schlich durch die dunklen Flure und orientierte sich an den feindseligen Spannungen, die immer deutlicher zu spüren waren. Es war eine Mischung aus Angriffslust und purem Schmerz, wie er es zuvor nur einmal bei einem verletzten Raubtier erlebt hatte, einem weißen Hai, der von einer Harpune getroffen um sein Leben kämpfte. Moto wußte, daß ein Jäger sich keiner gefährlicheren Situation gegenübersehen konnte. Darüber hinaus war ihm weder die Gestalt noch das Versteck des Gegners bekannt.

Auf der Eingangsempore des gläsernen Wellnessbereichs endete die Suche. Der Raum schien auf den ersten Blick verlassen, aber Moto spürte, daß er seinem Gegner nun ganz nahe war. Er richtete seine Aufmerksamkeit auf die chromglänzenden Fitneßapparaturen, die im bleichen Licht des Mondes wie stählerne Skelette funkelten und bizarre Schatten auf den Boden warfen, aber er konnte darin kein Leben entdecken. Nichts rührte sich. Kein Laut war zu hören, außer einem feinen Geräusch, das seine sensibilisierten Sinne wahrnahmen. Ein Reiben von Wasser auf menschlicher Haut.

Moto lenkte seinen Blick auf den ovalen Swimmingpool, der sich aus dem Zentrum des Raumes hinaus auf den *lanai* und weiter in den Garten erstreckte. Er sah die feinen Wellen, die sich auf dem blauschimmernden Spiegel des Wassers kräuselten, und wußte endlich, wo sein Gegner auf ihn lauerte. Entschlossen stieg er die Empore hinunter und schaltete die Unterwasserscheinwerfer ein. Auf der Wasseroberfläche trieb eine menschliche Gestalt. Es war eine junge *kama'aina,* deren weißes *kapa* wie ein Leichentuch um ihre nackte Haut geschlungen war. Sie schwamm direkt unter dem roten Torii, das den Übergang zwischen Innen und Außen in der Architektur des Pools symbolisierte und nach japanischem Glauben die mystische Pforte zwischen Diesseits und Jenseits war.

»Was für eine unverhoffte Überraschung zu so später Stunde«, rief Moto barsch und blieb mit der Waffe in der Hand in der Deckung einer Säule stehen. Er zögerte nicht eine Sekunde, daran zu glauben, das dies eine neuerliche und zugegebenermaßen effektvolle Inszenierungen der *Boys for Pele* war, auch wenn sie in ihrer Schlichtheit ein wenig der makabren Dramaturgie des Fischfriedhofs entbehrte, der Joshua Hopkins zuvor beschert worden war.

»Was verschafft uns die Ehre der *kahuna nui*? Ist das ein Privatbesuch, oder warten deine Freunde draußen mit einer neuen Ladung toter Haie?«

Keani antwortete nicht. Sie schien nicht einmal zu atmen.

»Komm schon raus aus dem Wasser. Das Spiel ist vorbei.«

Moto schaltete weitere Lampen ein, und der Pool hüllte sich in strahlend helles Licht. Zugleich trat Akiko vom *lanai* in den Fitneßraum und signalisierte mit einer Handbewegung, daß die Infrarotsensoren des Sicherheitssystems nur zwei lebende Personen auf dem Anwesen registrierten.

»Hör zu«, rief Moto etwas verunsichert und zog sein Handy aus der Tasche. »Ich weiß nicht, was du mit dieser Wasserleichennummer bezwecken willst, aber ich lasse mich nicht von diesem Hokuspokus einschüchtern wie Hopkins.«

Er versuchte eine Nummer zu wählen, aber das Telefon fand keine Verbindung zum Netz. Zugleich spürte er eine Zunahme der feindseligen Schwingungen, aber sie schienen nicht von Keani auszugehen. Sie waren näher, in unmittelbarer nicht lokalisierbarer Nähe, als erfüllten sie den ganzen Raum.

»Akiko!« rief er mit befehlender Stimme, die seine Verwirrung überspielte, daß diese makabre Mitternachtsshow auf den ersten Blick keinerlei Sinn ergab. »Kümmere dich bitte um unseren ungebetenen Gast, während ich die Polizei verständige. Es wird Hawea kaum gefallen, aber ich glaube, heute ist uns ein kapitaler Fisch ins Netz gegangen.«

Akiko nickte gehorsam, sprang mit einem weiten Satz kopfüber in das Becken und versuchte mit einer gezielten Bewegung ihr Opfer zu überwältigen. Zu ihrer Verwunderung gelang ihr der Trick nicht, und der Griff ging ins Leere. Dabei war Keani ihrem Angriff nicht einfach ausgewichen. Es schien vielmehr, als hätte das Wasser ihren Körper verschluckt, von einer Sekunde zur anderen, was physikalisch vollkommen ausgeschlossen war. Akiko strich sich die nassen Haarsträhnen aus dem Gesicht und ließ ihren Blick über das Wasser gleiten, aber Keani war nicht mehr zu sehen. Akiko tauchte, um ihre Gegnerin unter Wasser auszumachen, aber der Pool schien nun gänzlich leer, bis auf das weiße Tuch, das als einzig sichtbarer Beweis ihrer Existenz zurückgeblieben war und wie ein geisterhaftes Wesen auf der Oberfläche trieb.

Akiko kannte Berichte über eine telepathische Kampfkunst, die bis ins neunzehnte Jahrhundert von hawaiianischen Kriegern benutzt worden war. Sie wirkte wie ein Zerrspiegel der optischen Täuschungen, bei der das Opfer dem Angreifer ein falsches Bild der Bewegungen im Raum suggerierte und sich damit unangreifbar machte. Wenn Keani diese Kunst beherrschte, konnte sie überall und nirgendwo sein, nur ganz gewiß nicht da, wo man sie zu sehen glaubte. Akiko wußte, daß es nur ein Mittel gegen diese Technik gab. Sie mußte ihren Geist mit einem Schutzwall umgeben. Sie mußte selbst zum Spiegel werden, um die feindselige Einflußnahme abzuwehren und zugleich die eigene Absicht dahinter zu verstecken. Ihre Pflicht als *ninja* ihrem *sama* gegenüber, der sich nach dem Tod des Gegners sehnte.

Akiko löste ihre Aufmerksamkeit von der Suche nach Keani und begann sich auf ein Mantra zu konzentrieren, das eine undurchdringliche Mauer um ihre Gedanken baute und zugleich ihr Opfer aus seinem wahren Versteck hervorzulocken versuchte. In diesem Augenblick fuhr ein eisiger Windstoß durch das Torii und das Licht fing wie Kerzen an zu flackern. Akiko spürte eine Welle konzentrierter Energie, die auf der Oberfläche des Wassers gegen das Mantra anstürmte und den Schutzwall durchbrach wie eine Wand aus Papier. Zugleich bemerkte sie, daß sie die Kontrolle über ihren Geist verlor, der sich hilflos und ohne Gegenwehr dem unsichtbaren Angreifer ergab.

Sekunden später zerbarsten die Spots im Gym in tausend Scherben und das Mondlicht legte sich wieder über den finster gefallenen Pool. Zugleich sah Akiko einen dichten, schwach leuchtenden Nebel, der aus dem Gartenbereich aufstieg und langsam über das Wasser in den inneren Teil des Beckens kroch wie eine Geistererscheinung aus dem Reich jenseits des mystischen Tors. Es war ein blaues Licht, ein kaltes Licht, das sich bewegte wie ein lauerndes Tier. Ein Raubtier, das sie zu seiner Beute machte. Das Leuchten erreichte ihre Arme, kletterte an ihren Schultern hoch und hüllte ihren Kopf wie eine Wolke ein.

Akiko fühlte, wie etwas Fremdes Besitz von ihr nahm. Es drang durch die Poren ihrer Haut in ihren Körper und durchströmte die feinen Bahnen ihrer Nervenfasern. Wie eine eiskalte Flut rollte die Energie durch ihre Meridiane und lenkte die Bewegungen ihrer Muskeln, die ihr nicht mehr gehorchten. Wie in Trance stieg sie aus dem Pool und blickte hinüber zu Moto, der noch immer mit seinem nutzlosen Handy in der Hand auf der Empore stand und hilflos Akikos geisterhafte Verwandlung verfolgte.

»Was ist mit dir?« stieß er hervor und spürte die dunkle Kraft, die seine Muse erfaßt hatte, und das Band, das ihn mit ihr verband, zerschnitt.

Akiko murmelte etwas in einer ihm unbekannten Sprache, und ein Lächeln zeigte sich auf ihren Wangen. Ein kaltes, überlegenes Lächeln, das in ihren Blicken funkelte, vor Angriffslust und wilder Freude. Sie riß sich den Kimono vom Körper, der triefend auf ihrer weißen Haut geklebt und ihre Bewegungen behindert hatte, und strich sich das Wasser aus dem langen schwarzen Haar, das offen und strähnig über ihre Schultern fiel. Sie sah aus wie ein Dämon aus dem *no*-Theater, ein böser Geist, der im Dienste des Unheils stand. Noch einmal verbeugte sie sich vor ihrem *sama,* dann ging sie in Stellung, holte blitzschnell mit dem Schlagbein aus, wirbelte durch die Luft und traf Moto mit dem Fuß an der Halsschlagader.

Moto taumelte. Ihm wurde schwarz vor Augen, und es dauerte wertvolle Sekunden, bis er sich wieder gefangen hatte. Lange genug für Akiko, um sich auf den nächsten Schlag vorzubereiten. Ihr Fuß traf ihn auf den Solarplexus. Es war wie ein Hammer, und diesmal ging er zu Boden.

»Verdammt, hör auf damit«, brüllte er und erkannte zugleich, daß sie ihn nicht hörte. Das Wesen, das mit funkelnden, rotglühenden Augen vor ihm stand, war nicht mehr Akiko. Allein ihr Körper bewegte sich mit unberechenbarer Schnelligkeit und entfesselte eine übermächtige Kraft, die sie zu einer tödlichen Waffe machte, der er nichts entgegenzusetzen hatte.

Moto rollte sich hilflos zur Seite. Nicht schnell genug, um dem nächsten Tritt auszuweichen, der ihn schmerzvoll in den Rücken traf. Erneut wurde ihm schwarz vor Augen, eine Dunkelheit, in der er nur noch ein Blitzen sah, ein Reflex des Mondlichts auf dem silbernen Lauf seiner Waffe, die ihm aus der Tasche gefallen war. Instinktiv griff er den Revolver und feuerte auf den heranstürmenden Schatten, der seinen letzten totbringenden Schlag vorbereitete.

Ein Schrei hallte durch den Raum. Ein Schrei von unbändigem Schmerz. Akiko zuckte zusammen, als ihr Geist zurück in ihren Körper fuhr. Im Angesicht des Todes riß sie entsetzt die Augen auf, verlor das Gleichgewicht, fiel rücklings zurück in den vom Mond beleuchteten Pool und versank in einer Wolke aus feuerrotem Blut.

»Akiko«, brüllte Moto und begriff zu spät, was er getan hatte. Eine überschäumende Wut stieg in ihm auf, eine Wut gegen den teuflischen Dämon, der ihn gezwungen hatte, zum Mörder zu werden. Seine Blicke suchten die *kahuna nui,* aber Keani blieb verschwunden, ohne jede Spur, als wäre sie nie in das stille Haus eingedrungen. Allein der eisige Hauch aus der Geisterwelt entschwand mit seinem blauen Licht durch das Torii und entführte Akikos Seele in die Dunkelheit der Nacht.

33
MAI WAI
WASSERVIREN

Dichter Qualm verhängte den Durchgang. Eine bläuliche Wolke aus versenktem Kunststoff und Gummi, die mit beißendem Gestank in die Nase zog und sicher alles andere als gesundheitsförderlich war. Dies war einer der Momente, in denen Milton Caan aufrichtig bedauerte, Soldat geworden zu sein. Hinter der schützenden Vorhut von Kimo Havili und zwei bewaffneten Marinesoldaten stieg er durch die mit Plastiksprengstoff aufgebrochene OP-Tür in den hellerleuchteten Raum, in dem etwas geschehen war, das in die gewohnten Kategorien von Freund und Feind nur schwer einzuordnen war.

Das Schiffslazarett glich einem Dampfbad. Es war sehr heiß, und von der Decke perlten dicke Wassertropfen, die wie ein zerstörerischer Bombenregen auf die medizinischen Computer fielen und ein vernichtendes Feuerwerk aus Funken und Kurzschlüssen auslösten.

»Grundgütiger! Was ist denn hier passiert?« murmelte Caan und blieb verunsichert an jener Stelle stehen, an der Marlin Sun stöhnend auf dem Boden lag. Dann erkannte er den Narkosepfeil in der Schulter des Chinesen und wußte, daß ihm die Antwort auf seine Frage nicht gefallen würde. Caan hatte in seiner Militärlaufbahn an unzähligen Übungen teilgenommen. Jetzt war die Gefahr zum ersten Mal real und mit ihr seine höllische Angst vor dem unsichtbaren Gegner. Um so schlimmer war es, daß er in der Waschküche kaum mehr als die Schemen der Einrichtung erkennen konnte, und die Waffe, die er verkrampft in der Hand hielt, belebte seinen Mut nur wenig.

»Bates!« brüllte er und ging neben Sun in Deckung, der nur langsam wieder zu sich kam. »Sind Sie jetzt völlig durchgeknallt?«

»Commander, sehen Sie!« Kimo deutete auf einen zweiten

menschlichen Körper, der nicht allein vor dem OP-Tisch zusammengesunken war, sondern dahinschmolz wie ein Schneemann in der Sonne. Aus den schwindenden Stümpfen seiner Gliedmaßen sickerte eine klare Flüssigkeit, die sich in die Pfützen auf dem Boden ergoß und den Mann, der einmal Specialagent Jonathan Bates gewesen war, in ein bleiches Schreckgespenst verwandelte, das dem Begriff der Wasserleiche eine völlig neue Dimension verlieh.

Kimo begann am ganzen Körper zu zittern. Er hatte dem Tod schon oft ins Auge geschaut. Er kannte seine grimmige Gestalt von den verbrannten Feldern der atomverseuchten Pazifikinseln, auf die Menschen für Jahrtausende keinen Fuß mehr setzen konnten. Er hatte die zerfressenen Körper von unschuldigen Opfer gesehen, die noch Jahrzehnte nach den Versuchen gegen den Krebs ankämpften, bevor sie sich der übermächtigen Zerstörungskraft des wuchernden Chaos ihrer verstrahlten Zellen ergaben. Noch grausamer empfand er aber das Leiden der Kinder, die mit fehlenden Gliedmaßen und verkrüppelten Knochen geboren wurden und einem qualvollen Tod geweiht waren, bevor ihr Leben überhaupt begonnen hatte.

Kimo hatte lange gebraucht, um diese schrecklichen Bilder zu verarbeiten, und noch länger hatte es gedauert, die Mechanismen des Wahnsinns zu verstehen, die dahinterstanden. Die wissenschaftlichen und die politischen. Er hatte gelernt, daß allein der Mensch Schuld an diesen Dingen trug und damit in gleicher Weise in der Lage war, so etwas nie wieder geschehen zu lassen. Einzig dieser Gedanke hatte ihm während der Monate, die er mit Marlin Sun durch die nuklearen Testgebiete des Pazifik gezogen war, Zuversicht gegeben, und mit dieser Erkenntnis hatte er sogar gehofft, den Schrecken zu besiegen, den die entfesselte Macht des Atoms in seiner Seele angerichtet hatte. Jetzt starrte er auf die schwindenden Überreste von Bates' aufgequollenem Körper und hatte einfach nur Angst.

Auch Caan wurde weiß wie eine Wand, als er Bates' verstümmelten Leichnam sah, und nur die Anwesenheit der untergebenen Soldaten verhinderte es, daß er auf der Stelle Reißaus nahm.

»Kann mir jemand in Gottes Namen eine Erklärung für diesen Horrortrip geben?« flehte er und sah bereits an den Gesichtern der Regierungsagenten, daß seine Bitte unerfüllt bleiben mußte.

Marlin Sun stand noch immer unter der Wirkung des Narkosemittels und schleppte sich gestützt von Tekina Kao mühsam durch den dampfverhüllten Raum. Dann kniete er sich vor Bates auf den Boden, betrachtete mit sorgenvoller Miene die wachsenden Wunden und tauchte schließlich seinen Finger in den Leichensaft.

»Verdammt, seien Sie vorsichtig«, warnte Caan und deutete auf die Scherben zahlloser Reagenzgläser und Phiolen, die aus einem umgestürzten Arzneischrank gefallen waren. »Wer weiß, womit Bates hier herumgespielt hat. Vielleicht war das Säure oder ein teuflischer Virus.«

»Interessanter Gedanke, Commander.« Sun hielt, offenbar wenig berührt von Bates' grausamem Tod, die Testsonde eines kleinen Meßgeräts in die Flüssigkeit. »Ein Virus, der menschliches Fleisch und Blut in Wasser verwandelt.«

»Wasser?« wiederholte Caan verwirrt. »Wollen Sie uns wieder eine Ihrer Märchengeschichten auftischen?«

»Bei allem Respekt, das war bislang Agent Bates' Domäne. Und was auch immer die Ursache für sein Ableben war, es hat das Bestattungsproblem auf sehr umweltfreundliche Weise gelöst. Diese Flüssigkeit ist chemisch reines H_2O, das Sie gefahrlos trinken könnten.«

»Ihre zweifelhafte Art von Humor ist abstoßend.« Caan wendete sich angewidert ab. Er hatte nie Blut sehen können, aber eine blutlose Leiche war fast noch schlimmer und mit Sicherheit mehr, als er sich zumuten wollte.

»Immerhin könnte Ihre Wasser-Virus-Theorie erklären, wo das Mädchen abgeblieben ist.« Kao deutete auf Keanis Sarkophag und wischte die beschlagene Vorderscheibe frei. Das Becken war leer, und nur noch ein kleiner Rest des Wassers bedeckte den Boden.

»Dann hat sie das Koma nur vorgetäuscht«, kombinierte Caan scharfsinnig. »Um Bates zu einem geeigneten Zeitpunkt aus dem Weg zu räumen.«

»Seit wann glauben Sie an *kahuna*-Magie, Commander?« stichelte Sun.

»Magie?«

»Nun ja, wie würden Sie es nennen, wenn ein nachweislich ertrunkenes und klinisch totes Mädchen von einem kampferprobten Spezialagenten nur einen Eimer Wasser übrigläßt?«

»Diese Definition überlasse ich lieber den Spezialisten von der Gerichtsmedizin.«

»Wer auch immer Bates getötet hat, uns hat er mit seinem Wasserzauber jedenfalls das Leben gerettet.« Kao begutachtete ein schwarzes Kästchen, das an der Seite des Bassins haftete und dessen elektronischer Countdown-Mechanismus in letzter Sekunde angehalten worden war. »Bevor unser geschätzter Kollege zu seinen Ahnen ging, hat er offenbar noch diese Plasmabombe aktiviert, die aufgrund ihrer Konstruktion das halbe Deck in Schutt und Asche gelegt hätte.«

»Woher wollen Sie wissen, daß das seine Bombe war?« zweifelte Caan und trat instinktiv einen Schritt zurück.

»CIA-Spezialequipment, Commander. Etwas Kleines, Feines, für ganz besondere Zwecke.«

»Aber damit hätte er sich doch selbst in die Luft gejagt.«

»Leute wie Bates haben immer eine Hintertür.« Sun hob eine Schwimmweste vom Boden auf und entdeckte in den Dunstschleiern das geöffnete Sicherheitsschott an der Außenwand des Lazaretts. »Offenbar hatte er seinen Abgang sorgfältig vorbereitet, nur erreichte er in flüssiger Form sein Ziel nicht mehr.«

»Damit wäre wohl geklärt, wie das Mädchen verschwunden ist«, kombinierte Caan und hätte sich am liebsten zu seinen detektivischen Fähigkeiten beglückwünscht. »Irgend jemand wollte offensichtlich verhindern, daß ihre Identität aufgedeckt wird, und hat sie nach dem Mord an Bates durch das Schott hinausgeschafft.«

»Das muß eine Person mit wirklich außergewöhnlichen Fähigkeiten gewesen sein.« Kao kniete sich nieder und öffnete vorsichtig das Gehäuse der Bombe. »Die Methode, mit der der Zeitzünder gestoppt wurde, ist ebenso seltsam wie Bates' Tod.«

»Lassen Sie bloß die Finger davon«, warnte Caan sichtlich nervös. »Sonst geht das Teufelsding am Ende doch noch hoch.«

»Keine Sorge, Commander, der Zünder ist auf gleiche Weise zerstört worden wie die gesamte Elektronik in diesem Raum. Es muß einen extremen elektrischen Impuls gegeben haben. Hier funktioniert kein Schaltkreis mehr, und wenn es nicht völlig aberwitzig wäre, würde ich sagen, diese Waschküchenatmosphäre ist das Resultat von einem Blitzeinschlag, gefolgt von einem heftigen, tropischen Gewitter, das für einige Minuten hier gewütet und alles unter Wasser gesetzt hat.«

»Ein Gewitter auf dem Unterdeck ...« spottete Caan und betrachtete die medizinischen Laborgeräte, aus deren Gehäusen noch immer dünne Rinnsale liefen. »Wahrscheinlich hat sich der Täter nur mit einem Wasserschlauch zu schaffen gemacht, und mit diesem Hang zur Dramaturgie hat er sich am Ende selbst verraten.«

»Na, da bin ich aber gespannt auf Ihre Theorie, Commander.«

»Sehen Sie sich doch um, Agent Kao«, forderte Caan und deutete mit einem kriminalistischen Funkeln in den Augen auf die Dampfschwaden, die sich langsam auflösend über den Boden krochen. »Was hier geschehen ist, erinnert sehr stark an die Anschläge, die in der letzten Zeit auf Bates' Geschäftsfreund Moto verübt worden sind.«

»Sie meinen, die *Boys for Pele* könnten hier am Werk gewesen sein?« zweifelte Kao.

»Warum nicht? Es ist die gleiche makabre Handschrift.«

»Der Raum war nicht einmal fünf Minuten verschlossen, Commander. Wie sollen die Täter denn unbemerkt hier hereingekommen sein?«

»Ganz einfach, durch die Außenluke.«

»Die kann man nur von innen öffnen.«

»Dann muß einer von diesen Fanatikern bereits hier gewesen sein.«

»Außer uns und der Besatzung war niemand an Bord, Commander.«

»O doch«, triumphierte Caan. »Dieser Journalist aus Honolulu.«

»Richtig, wo ist eigentlich Mr. Newman?«

»Das dürfte selbst Ihnen nun wohl klar sein, Doktor Sun.« Caan fand immer mehr Gefallen an der brillanten Lösung des Falls und fühlte sich bereits deutlich besser. »Wahrscheinlich steckte er von Anfang an mit den *Boys for Pele* unter einer Decke. Er tötete Bates mit einer teuflischen Chemikalie, polte die Klimaanlage um, setzte den Raum effektvoll unter Wasser und verschwand mit der Leiche des Mädchens durch die Luke, um mit dieser Geistervorstellung den wahren Grund für ihren Tod zu vertuschen.«

»Vertuschung war alleine Bates' Spezialgebiet, was seine Bombe eindrucksvoll beweist, und leider hat Ihre Theorie noch einen gewichtigeren Haken.« Sun schob einen umgestürzten Paravant zur Seite und legte zwei Beine frei, die aus dem Nebel ragten. »Mr. Newman können Sie Bates' Tod nur schwer anhängen. Es sei denn, er mordete aus dem Reich der Träume.«

»Aber…, ist er auch…« stammelte Caan und scheute sich, den Körper zu betrachten, der leblos vor ihm auf dem Boden lag.

»…von dem Wasservirus befallen?« Sun zog einen kleinen Pfeil aus Dennis' Schulter. »Nein, sein Körper fühlt sich noch recht warm und menschlich an. Wie es aussieht, hat Bates uns gemeinsam schlafen gelegt, bevor er den Kampf gegen seinen feuchten Feind verlor.«

»Dann müßte die Wirkung des Narkotikums bald nachlassen, und wenn wir Glück haben, kann er uns erzählen, was hier geschehen ist.« In Caans Stimme entwickelte sich eine neue Spur von Zuversicht, nachdem seine schöne Theorie wie ein Kartenhaus zusammengefallen war.

»Ich glaube kaum, daß das im Augenblick ein besonderes Glück für uns wäre«, meinte Kao ernst. »Erstens wird er nicht mehr von dem Geschehen mitbekommen haben als Dr. Sun. Und zweitens, wie wollen Sie Mr. Newman erklären, warum die Navy unbescholtene Zivilisten entführt und auf einem Schiff der Küstenwache gefangenhält, das zudem auch noch Schauplatz eines mysteriösen Todesfalls geworden ist? Das wäre für einen Journalisten ein gefundenes Fressen. Noch dazu, da er offenbar an der Klärung des Verschwindens der *Tangaroa* gearbeitet hat.«

»Und was wollen Sie mit Ihrem Schützling anstellen? Wollen Sie ihm etwa eine Gehirnwäsche verpassen?«

»Was täten wir ohne Ihren Ideenreichtum, Commander?« Kao lud einen winzigen Druckluftinjektor mit einem Serum, das zum Erste-Hilfe-Instrumentarium der CIA-Ausrüstung gehörte, und setzte die Nadel an Dennis' Arm. »Mr. Newman wird uns sicher dankbar sein, wenn wir ihm die Erinnerung an seine furchtbare Entführung ersparen. Vielleicht könnte er uns sogar am nützlichsten sein, wenn wir ihn einfach an den Punkt der Geschichte zurückschicken, an dem er sie verlassen hat.«

IV
KANALOA

34

HONOPU

DIE ZUFLUCHT

Gierig donnerte die Brandung gegen die Klippen von Na Pali, jenen steinernen Riesen, die den mächtigsten Stürmen trotzten und dennoch wehrlos waren gegen den alles verschlingenden Hunger des Meeres. Millimeter um Millimeter verwandelte das Wasser den Fels in Staub, fraß sich unaufhaltsam in den Leib der Insel und trug sie mit den Wellen fort. Während östlich von Hawai'i eine neue Insel in den Geburtswehen lag, nagte an Kaua'i bereits der Tod. In zwanzig Millionen Jahren würde die Insel in den Fluten des Ozeans verschwunden sein wie ungezählte andere, die zuvor den Archipel gebildet hatten.

Es war das Spiel von Geburt und Tod, das dem Leben seinen Sinn gab und zugleich seine Ewigkeit verlieh, denn die Seele von Hawai'i starb nie. Die Lava war ihre wandelnde Form, die Verkörperung ihres *mana,* ein Abbild *Peles,* deren göttliche Schöpferkraft nie versiegen und sich in immer neuer Schönheit in einem Gewand aus Feuer und Stein aus den Fluten des Meeres erheben würde. Bis ans Ende der Zeit, die für die Götter bedeutungslos war und in Wahrheit nur eine Illusion der Menschen.

Hopkins sprang aus dem schwankenden Motorboot, das sich nur mit Mühe in der starken Brandung am Strand halten konnte, und zerrte seinen Rucksack hinter sich her, wohl darauf bedacht, daß er nicht von einer Welle erfaßt und fortgespült wurde. Auf keinen Fall durfte er sein Gepäck verlieren, sollte nicht die ganze Aktion noch vor Erreichen des Ziels kläglich scheitern.

»Holen Sie mich vor Sonnenuntergang wieder ab!« rief Hopkins dem Skipper des Whale-Watch-Bootes zu, der ihn nach langen Verhandlungen gegen einen horrenden Aufpreis noch vor dem Morgengrauen nach Manalei gefahren hatte, und rettete seine kostbare Fracht auf den höher gelegenen, trockenen Teil des Strandes. Erschöpft ließ er sich in den Sand fallen und mußte erst einmal verschnaufen. Die ganze Nacht hatte er keine Ruhe gefunden. Die Beschaffung der nötigen Ausrüstung hatte ihm den letzten Nerv geraubt, und nun gab ihm die abenteuerliche Landung an der einsamen Küste den Rest.

Hopkins hatte keine Kraft mehr, und er fürchtete, den Aufstieg über die schroffen Felsterrassen nicht mehr zu schaffen. Zugleich verzweifelte er an seiner Erinnerung. Fünf Jahre war es her, daß er Manalei zum ersten Mal betreten und Dinge gesehen hatte, die jedem normalen Menschen den Verstand geraubt hätten. Fünf Jahre der Suche nach Erklärungen. Und fünf Jahre des Erkennens, daß allein das Verderben hinter diesen Dingen stand.

Hopkins zog seinen Flachmann aus dem Rucksack, nahm einen kräftigen Schluck Scotch zur Beruhigung und machte sich auf den Weg durch das mächtige Felsentor.

Manalei lag im Dämmerlicht. Die hoch aufragenden Bergflanken im Osten schirmten die Morgensonne ab und verhinderten, daß die Feuchtigkeit aus dem Tal aufsteigen konnte. Zu beiden Seiten der Klippen sprühten feine Wasserschleier von den steilen Hängen, und Hopkins mußte aufpassen, wohin er seinen Fuß setzte. Nach dem heftigen Gewitter in der Nacht hatte sich der Durchgang in einen schäumenden Wildbach verwandelt, dessen Wasser sich von den Pools unterhalb des Wasserfalls einen Weg über weitere Terrassen hinab zum Strand suchte. Links und rechts davon gab es nur meterdicke Gesteinsbrocken, die im Laufe von Jahrtausenden von den Fluten der Winterstürme aus den Klippen herausgerissen worden waren. Und zwischen dem Geröll hatte die Natur eine verschwenderische Dschungellandschaft gezaubert, die von Riesenfarnen, Hibiskusbäumen und haushohen Kletterorchideen beherrscht wurde.

Hopkins arbeitete sich Meter für Meter voran. Er hatte keine Ahnung, auf welche Weise sein Plan mit größter Wirkung durchzuführen war. Er wußte nur, daß er möglichst nahe an die zentrale Kaskade des Wasserfalls gelangen mußte, hinauf zu dem obersten der drei Pools, über dem sich nach Cherry Jones' Beschreibung die versteckte Grotte befinden sollte. Auf direktem Wege war dieses Ziel unmöglich zu erreichen. Die Wassermassen donnerten mit brachialer Gewalt über die Steilhänge und verwandelten die Felsen in eine tückische Rutschbahn. Der dritte Pool lag auf einem steinernen Balkon gut und gerne fünfzehn Meter oberhalb des Sees. Zu weit entfernt und zu hoch, um ihn ohne Seilzeug zu ersteigen. Die einzige Chance, sein Ziel zu erreichen, war eine zugewucherte Felsentreppe, die seitlich des Wasserfalls fast senkrecht in die Höhe zu einem Vorsprung oberhalb der verborgenen Grotte führte.

Hopkins nahm noch einen Schluck aus seiner Flasche und zurrte den Rucksack fester. Sein Herz pochte. Vor Anstrengung und vor Angst vor dem, was ihn dort oben erwartete. Erneut schossen die Bilder durch seinen Kopf. Bilder von seiner ersten Begegnung mit dem unheimlichen Wesen, von dem er nie jemandem etwas erzählt hatte, weil ihm ohnehin keiner seine Geschichte geglaubt hätte. Jetzt nach all den Jahren war er sich selbst nicht mehr sicher, was er damals vom Hubschrauber aus in den regenbogenschillernden Kaskaden gesehen hatte. Und immer wieder weigerte sich sein Verstand zu akzeptieren, daß es der Geist des Wasserfalls gewesen war, von dem die Legenden von Manalei sprachen. Ein Wesen, halb Hai, halb Mensch, für das es in der Realität keinen Platz geben konnte.

Hopkins versuchte die verwirrenden Gedanken zu vertreiben und mit ihnen die Gespenster, die ihn seit jenem unglückseligen Tag tyrannisierten. Alles was er wußte war, daß er die Grotte zerstören mußte, um den Spuk endlich zu beenden. Und wenn es mit dem letzten Atemzug geschah, den er in seinem Leben tat. Entschlossen kämpfte er sich Schritt für Schritt voran. Die Stufen der Treppe waren vom Wasser ausgewaschen und beinahe vollständig von einem schmierigen Moosteppich überwachsen. Es war unmöglich einen festen Halt darauf zu finden. Mühselig klammerte er sich an Sträucher, hangelte sich von Ast zu Ast und erreichte schließlich völlig erschöpft eine geschützte Nische in der Felswand seitlich des mittleren Pools.

Hier konnte er sich ausruhen. Wenigstens ein paar Minuten, um Kraft für den letzten Teil des Weges zu dem Vorsprung zu sammeln, der noch einige Meter höher lag. Er nahm seinen Rucksack ab und hockte sich auf einen trockenen Stein, der aus dem moosigen Boden ragte. Vergeblich versuchte er das dunkle Loch im Berg hinter den Wasserschleiern auszumachen, das er erreichen mußte. Dann spürte er ein flaues Gefühl im Magen, das sich zunehmend in Übelkeit verwandelte. Er hatte seit Tagen nichts Vernünftiges mehr gegessen. Zudem meldete sich sein Kreislauf, der auf die ungewohnte Anstrengung mit einem Schwindelgefühl antwortete.

Hopkins atmete tief durch, aber es nützte nichts. Die Bilder vor seinen Augen begannen zu tanzen, und die Welt fing an sich zu drehen. Er spürte, wie der Boden unter seinen Füßen zu wanken begann. Und dann verlor er den Halt. Er kippte auf die Seite und rutschte eine Stufe tiefer. Dann noch eine und noch eine. Er versuchte seinen Absturz aufzuhalten und griff nach allem, was seine Hände erreichen konnten. Zweige glitten durch seine Finger. Ein scharfkantiger Stein prallte gegen seinen Arm, riß seine Haut auf und zersplitterte, begleitet von einem schneidenden Schmerz, den Knochen.

Hopkins heulte auf und ruderte panisch mit den Armen. Endlich packte er etwas. Etwas Festes. Etwas Starkes, das ihm Halt gab und seinen Absturz stoppte. Zugleich packte es ihn, mit sicherem Griff. Dem Griff einer menschlichen Hand, einer rettenden, warmen Hand, die das letzte war, das er spürte, bevor ihm schwarz vor Augen wurde.

Minuten später wachte Hopkins wieder auf. Nur langsam beruhigte sich das Flattern seines Herzens, und die Lunge sog wieder gleichmäßig die Luft in ihre Flügel hinein. Er lag auf dem Rücken, einige Stufen unterhalb der Nische, aus der er abgestürzt war. Neben ihm hockte eine Gestalt, die fürsorglich seinen Arm verarztete. Eine junge Frau mit feuerroten Haaren.

»Cherry…?« forderte er sich auf zu sagen, auch wenn sich alles in ihm sträubte, sie als seine Retterin zu akzeptieren. »Sie sind…, Sie müßten doch…«

»Ganz ruhig, Professor, bewegen Sie sich nicht. Ich fürchte, Sie haben sich etwas wehgetan.«

»Aber wie konnten Sie sich so schnell befreien?«

»Ein kurzer Hilferuf aus dem Verlies genügte.« Jones deutete auf das kleine Handy an dem Schulterriemen ihres Freeclimbanzugs.

»Schnickschnack.« Hopkins verzog sein Gesicht und wußte nicht, ob er sich freuen oder ärgern sollte. Langsam spürte er auch den Schmerz, der aus seinem Arm über die Schulter in seinen Körper kroch. Ein höllischer Schmerz, der ihm jede Möglichkeit raubte, sich zu bewegen

»Was haben Sie jetzt vor?« fragte er, als würde er die Antwort bereits kennen.

»Ich möchte Ihnen helfen, Professor.«

»Helfen? Mir?«

»Wie es aussieht, haben Sie wieder einmal viel zu viel getrunken.« Jones zog ein Tuch aus ihrem Rucksack und begann einen Notverband um die offene Wunde an Hopkins gebrochenem Arm zu binden. »Außerdem möchte ich wissen, was Sie dazu treibt, Dinge zu tun, die Sie später einmal bereuen werden.«

»Was ich getan habe, habe ich schon längst bereut«, stöhnte er resignierend und gab seine Versuche auf, sich aus eigener Kraft aufzurichten. Der Schmerz nahm ihm jede Kontrolle über seinen Körper, und ihm wurde klar, daß sein Plan gescheitert war.

»Und jetzt wollen Sie Ihre Taten ungeschehen machen?«

»Hören Sie doch auf mit Ihrer Fragerei.«

»Ich fange doch gerade erst an.«

»Was ich Ihnen erzählen könnte, würden Sie mir ohnehin nicht glauben.«

»Das käme auf einen Versuch an.«

»Vergessen Sie es, Cherry! Und lassen Sie mich in Ruhe!«

»Also schön. Dann werde ich Ihnen eben eine Geschichte erzählen.« Jones nahm eine Wasserflasche aus ihrem Rucksack, füllte den Becher für Hopkins und löste zwei starke Schmerztabletten darin auf. »Es ist die Geschichte einer langen Suche, Professor. Einer abenteuerlichen Suche nach den Relikten eines unbekannten Volkes, das keinen Platz in unser Auffassung von Geschichte hat.«

»Ein unbekanntes Volk«, beschwerte sich Hopkins und spürte einen Kloß in seinem Hals. »Kommen Sie mir nicht schon wieder mit diesem hanebüchenen Unsinn.«

»Warum nicht? Es ist doch Ihre Lieblingsgeschichte. Eine Geschichte, die Sie hinter der Fassade des korrekten, konservativen Historikers verstecken. In Wahrheit suchen Sie seit Jahren nach Zeugnissen einer vergessenen präpolynesischen Kultur, deren Existenz jedes Geschichtsbuch in Altpapier verwandeln würde.«

»Machen Sie sich nicht lächerlich, Cherry.«

»Nehmen wir Manalei«, fuhr Jones unbeirrt fort. »Das Tal ist übersät mit archaischen Spuren, deren Herkunft und Alter kaum zu verifizieren sind. Es gibt Reste alter Besiedlung. Ruinen steinzeitlicher Grabstätten. Verfallene *heiaus* und Einfriedungen von sogenannten Kultplätzen, über deren wahren Zweck man ebensowenig weiß wie über die zahllosen Petroglyphen, die überall in Manalei zu finden sind und uns geheimnisvolle Hinweise auf die Geschichte der Inseln geben. Hinweise, die allerdings nur schwer zu verstehen sind, weil sie nicht in unsere Theorien passen. Relikte, die unsere Zeittafeln der Besiedlung Polynesiens ad absurdum führen, weil sie viel älter sind, als es unsere Planspiele von den großen Fahrten der Argonauten des Pazifiks zulassen. Manche dieser Relikte sind mehr als dreitausend Jahre alt. Andere vielleicht fünftausend oder zehntausend...«

»Zehntausend Jahre?« wiederholte Hopkins spottend. »Sie wissen gar nichts, Cherry.«

»Die Wissenschaft weiß gar nichts, Professor, dabei liegt die Lösung des Rätsels so nah. Im Grunde kann man es in jedem Reiseführer nachlesen. Eines der Täler an dieser Küste wird von den Einheimischen *honopu* genannt, die Zuflucht oder das Tal des verlorenen Stammes. Hier sollen die letzten Überlebenden eines geheimnisvollen Volkes gestrandet sein, das in der offiziellen Besiedlungsgeschichte Polynesiens keine Berücksichtigung gefunden hat, weil ihre Kultur durch eine Naturkatastrophe vollständig ausgelöscht worden ist. Es war ein Volk, das anders als die späteren Polynesier eine Schriftkultur kannte und vielleicht auf technologischem Gebiet weitaus fortgeschrittener war.«

»Das sind Hirngespinste«, warf Hopkins ein und schloß mit schmerzverzerrtem Gesicht die Augen. »Ein Mythos, der von Sensationsschriftstellern und religiösen Fanatikern in wildesten Farben ausgemalt und für ihre Ideologien instrumentalisiert wurde...«

»... Helena Blavatsky und die Theosophische Gesellschaft?«

»Churchword, Macmillan Brown. Die Liste dieser selbsternannten Pseudowissenschaftler und Esoteriker ist erschreckend lang. Für die Kulturhistorie Ozeaniens besitzt der pazifische Kontinent Mu eine genauso zweifelhafte Existenz wie Atlantis für das Abendland.«

»Für den konservativen Wissenschaftler vielleicht. Aber Sie wollten das nicht hinnehmen, Professor. Sie wollten neue Erklärungen suchen, weil Sie wußten, daß die Geschichte des Pazifiks mehr Rätsel als Erklärungen aufzuweisen hat. Und dann, vor etwa fünf Jahren, erhielten Sie einen Anruf, der im wahrsten Sinne des Wortes eine Welle losbrach, die alles überschwemmte. Eine Flutwelle des Unerklärlichen.«

»Woher wissen Sie das?« rief Hopkins überrascht.

»Sie hätten Ihre Aufzeichnungen lieber verbrennen als dem Aktenvernichter anvertrauen sollen. Was ein Gerät zerstören kann, setzt ein anderes wieder zusammen. Und gelöschte Festplatten sind nicht wirklich leer.« Jones zog Kopien rekonstruierter Computerdokumente aus ihrer Tasche. Es waren Schriftstücke, die eine seltsame Geschichte erzählten. Eine Geschichte, die sie auf eine noch seltsamere Idee gebracht hatte, weil sie den Ereignissen der letzten Tage auf unerklärliche Weise entsprach und zugleich ganz und gar unglaublich war.

»Der Anrufer behauptete, einen uralten *heiau* in Manalei entdeckt zu haben, in einer Grotte nahe einem Wasserfall, deren Wände mit wellenförmigen Mustern und Figuren bemalt waren, die weitaus komplexere Strukturen aufwiesen als die primitiven Petroglyphen, die man bislang aus dem polynesischen Raum kannte, und zudem eine gewisse Ähnlichkeit mit den Symbolen auf den *rongo-rongo* der Osterinsel besaßen, über deren Ursprung noch heute gerätselt wird.«

»Kein Wunder, weil sie nicht authentisch sind.«

»Tatsächlich hielten Sie die Sache zunächst für einen Studentenscherz, aber dann schickte Ihnen der Anrufer einen ungewöhnlichen Stein, den er angeblich im Innern der Grotte gefunden hatte. Einen aquamarinblauen, transparenten Kristall, der nicht nur seine Aussagen bezüglich der Wellenmuster bestätigte, sondern gleichzeitig vermuten ließ, daß der Schöpfer dieses geradezu kunstvollen Artefakts eine unserer Wissenschaft unbekannte holographische Technologie beherrschte.«

»Holographie? Schnickschnack! Die pazifischen Kulturen waren ausnahmslos auf dem technologischen Stand der Steinzeit.«

»Dann müssen wir den Begriff der Steinzeit wohl neu definieren.« Jones strich über Hopkins Jacke, zog den kleinen Samtbeutel aus der Innentasche und holte den blauschimmernden Kristall daraus hervor.

»Sie verabredeten sich mit dem Anrufer in Manalei, aber kurz bevor Sie hier eintrafen, zerstörte eine Springflut das Tal. Sie benachrichtigten umgehend die Küstenwache, aber alles, was die Retter fanden, war ein einheimisches Mädchen, dessen Zustand mit den Begriffen von Leben und Tod kaum sinnvoll zu beschreiben war.«

»Sie wissen ja nicht, wovon Sie reden, Cherry«, stieß Hopkins beinahe ärgerlich hervor. »Keani ist keine *kama'aina.* Im Grunde ist sie nicht einmal ein Mensch.«

»Natürlich nicht«, lachte Jones mit unverhohlenem Zynismus und betrachtete fasziniert das Wellenspiel unter der transparenten Oberfläche des Kristalls. »Sie ist eine Wassernixe. Auch die *kama'aina* hielten Keani damals für eine Art Gespenst. Man nannte sie *ke 'ani'ani o ke wai,* der blauschimmernde Geist, der aus dem Wasser kommt. Sie haben damals geglaubt, das Mädchen wäre direkt aus den Kaskaden des Wasserfalls entsprungen, und später soll sie dann vor den Augen des armen David wieder darin verschwunden sein. Seither wurde Keani für Sie zum Schreckgespenst, das Sie bis heute in Ihren Alpträumen verfolgt und Ihnen Visionen schickt, die offenbar so furchterregend sind, daß Sie sich nach dem Vorfall im *Ma'alaea Bay Ressort* dazu entschlossen haben, dem Spuk ein Ende zu bereiten. So ist es doch, Professor, oder?«

Hopkins schwieg.

»Verlangt Sie von Ihnen, den *lono-lono* zurückzubringen? Sind Sie deshalb nach Manalei gekommen?«

»Dieser verfluchte Stein hätte nie gefunden werden dürfen.«

»Warum nicht?«

»Sie haben es doch gestern selbst gesagt. Über Manalei liegt ein *kapu.*« Hopkins stöhnte und nahm Jones den Kristall wieder aus der Hand. »Verstehen Sie doch, Cherry. Diese Flut war kein gewöhnlicher Tsunami. Es war eine einzige riesige Welle, die wie eine göttliche Strafe über das Tal hereinbrach, weil dieser Anrufer damals etwas entdeckt hat, das aus gutem Grunde vor den Augen der Menschen versteckt wurde.«

»Von wem?«

»Was weiß ich? Vielleicht von den Meeresgeistern oder *Kanaloa* persönlich, der Keani mit der Welle geschickt hat, um uns zu warnen.«

»Wovor will uns *Kanaloa* denn warnen?« drängte Jones und wurde langsam unruhig. »Was wissen Sie über dieses *kapu*?«

»Gar nichts, und ich möchte es auch nicht wissen, denn das Wissen bringt am Ende nur den Tod.«

»Hat es etwas mit diesen holographischen Mustern zu tun? Mit dieser göttlichen Sprache, wie Sie sie Moto gegenüber genannt haben?«

»Bitte, Cherry, hören Sie endlich auf mit Ihren Fragen«, flehte Hopkins und öffnete seinen Rucksack, in dem ein Plastikbeutel mit einigen Spezialsprengsätzen verborgen war, die die Marine für Unterwassereinsätze benutzte. »Helfen Sie mir lieber, die Grotte zu sprengen.«

»Sprengen?«

»Wir müssen es tun. Wir müssen dem *kapu* Folge leisten und alle Spuren vernichten, um eine neuerliche Katastrophe abzuwenden, die diesmal vielleicht die ganze Insel zerstören wird.«

»Glauben Sie etwa, der Anrufer hätte damals eine archaische Superwaffe freigelegt, eine Wasserstoffbombe, deren Aktivierungscode in dem Kristall verschlüsselt ist?«

»Eine Bombe?« Hopkins lachte schräg und hielt Jones einen seiner Sprengsätze entgegen. »Sie haben ja keine Ahnung. Die Macht der Geister ist weitaus größer als alles, was wir uns vorstellen können. Und deshalb darf der Mensch nicht Hand daran legen, sonst wird er sich am Ende selbst vernichten, wie er es schon einmal getan hat. Vielleicht auch schon viele Male.«

»Also schön, Professor, ich kann Ihren Geisterglauben leider nicht teilen, aber mir gefällt Ihre Idee!« Jones zog einen kleinen Sender aus ihrer Tasche, zog die Antenne heraus und drückte auf einen roten Knopf.

In derselben Sekunde erzitterte das Tal von einer mächtigen Detonation. Mehrere hundert Meter oberhalb der Nische löste sich eine Lawine aus Schlamm und Geröll und donnerte unter ohrenbetäubendem Krachen abwärts in das Tal.

Jones zog Hopkins weiter in den Spalt, der Schutz vor dem Steinhagel bot, und drückte ihn eng an die Felsen.

»Mein Gott, was haben Sie getan?« rief er.

»Upps! Da hat sich wohl die Erde aufgetan.« Jones schaute zufrieden hinüber zu dem Wasserfall, der wie von Geisterhand begann, seine Kaskaden seitlich über den Felsbalkon zu verlagern.

»Aber nein, das war die falsche Stelle…, das ist nicht richtig.«

»Warum nicht, Professor? Wir drehen nur das Rad der Geschichte wieder zurück. Der Zugang zu der Grotte liegt bald wieder frei, genau wie damals vor der Flut, die nichts weiter war als ein faszinierendes, wenn auch zerstörerisches Naturschauspiel, das dummerweise, wenn auch zufällig, Ihre Verabredung zunichte machte.«

»Solche Zufälle gibt es nicht.«

»Ihre Geister gibt es nicht. Sie entstehen nur dann, wenn Ihr betrunkener Verstand vor Ihren Ängsten kapituliert.« Jones zog Hopkins Flasche aus seiner Jacke und leerte den Scotch über den Steinen aus. »Sie sind Wissenschaftler, und wenn Sie ehrlich sind, sind Sie auch heute noch genauso neugierig wie damals, zu ergründen, was sich dort oben seit Jahrtausenden vor der Welt versteckt. Nutzen Sie die Chance und beginnen Sie noch einmal dort, wo Sie vor Jahren aus Angst und kindischem Aberglauben gescheitert sind.«

»Nein…« Hopkins schüttelte trotzig den Kopf, und versuchte gegen die verhängnisvolle Gier in seinem Kopf anzukämpfen, die sich erneut und mächtiger als jede Furcht einen Weg an die Oberfläche kämpfte. »Ich kann das nicht.«

»Doch, Sie können es. Und ich werde Ihnen dabei helfen.«

Jones gab Hopkins eine weitere schmerzstillende Tablette und wartete einige Minuten, bis die nächste Phase ihres Plans vorbereitet war. Dann half sie ihm hoch und führte ihn die Stufen der Felsentreppe weiter hinauf zu dem Vorsprung, wo nun ein Pfad entlang der Steilwand hinüber zu der Grotte freigelegt war.

»Sehen Sie, Professor«, meinte sie mit dem strahlenden Lächeln eines Reiseleiters. »Wir sind schon fast am Ziel. Lassen Sie uns nun ein kleines Spiel beginnen, ein Bühnenstück in diesen atemberaubenden Amphitheater, dessen Vorhang sich für uns geöffnet hat. Tun wir so, als wären die letzten fünf Jahre noch gar nicht geschehen, und nehmen Sie das Angebot des Anrufers an.«

Die Sprengung hatte einen neuen, breiteren Spalt im Berg geschaffen, aus dem das Quellwasser nun deutlich sanfter in die Tiefe schoß. Was vorher verborgen war, lag nun offen. Seitlich des Wasserfalls öffnete sich ein Zugang zu dem tiefen Loch im Berg. Und auf dem verfallenen *heiau* im Zentrum der steinernen Bühne ruhte zu Hopkins' Entsetzen der Körper eines Mannes, der in tiefen Schlaf gefallen war.

35

MOANA

DER GROSSE OZEAN

Mit dumpfem Rauschen glitt das silberne Monstrum durch die Ausfahrt der Lagune, pflügte seinen tonnenschweren Leib durch die Wellen und entfernte sich mit behäbiger Beschleunigung aus dem Blickfeld des Towers von Pearl Harbour. Fauchend durchschnitt der Stahlkoloß die Gischt und erhob sich schwerfällig aus dem Wasser. Mehr Fisch als Vogel floh er über die Kämme der Wellen vor dem Licht der Morgensonne und zog westwärts Richtung *kahiki,* dorthin, wo nach den polynesischen Legenden die Geister wohnten.

»Gratuliere zu dem Stand Ihrer Technologie, Commander«, stichelte Tekina Kao und versuchte in den gartenstuhlartigen Sesseln der *Albatroz* eine halbwegs bequeme Sitzposition zu finden. »Ein ausgesprochen praktisches Gefährt.«

»Basiert zum größten Teil noch auf alter Sowjettechnologie«, verteidigte Milton Caan die Navy und verspürte doppelten Grund, sich sterbenselend zu fühlen. Nicht genug, daß Kaos Kapriolen ihn von einem Ort zum anderen hetzten und seine Luftkrankheit in ungeahnte Dimension stürzten. Jetzt saß er auch noch in jenem grotesk anmutenden Flugsaurier, den er bislang immer nur als krönendes Beispiel für die Minderwertigkeit der russischen Kriegstechnologie belächelt hatte, und verlor jeden Grund zur Zuversicht.

»Haben Ihre Jungs die Kiste im kalten Krieg geklaut, Commander?«

»Nein...«, bedauerte Caan genervt, »...vor ein paar Jahren mit harten Dollars bezahlt.«

Er hatte nie begriffen, wieso die Navy für einen solchen Schrotthaufen wertvolle Steuergelder zum Fenster rausgeschmissen hatte. Aber ihn hatte ja niemand gefragt.

»Die Zeiten haben sich geändert, Agent Kao«, erklärte Marlin Sun und schien im Gegensatz zu Caan den sanften Gleitflug über die Wellen zu genießen. »Seit der Perestroika kriegen Sie alles von unseren russischen Nachbarn. Menschen, Waffen, Plutonium.«

»Hauptsache, der Rubel rollt, nicht wahr?«

»Rubel?« Sun lachte. »Jenseits des rostig gewordenen Vorhangs dreht sich alles nur noch um harte Dollars. Besonders bei den Militärs, die Ihnen für ein paar Greenbacks mit Freuden ihre Orden verscherbeln würden. Die Stauflügeltechnologie war in den siebziger Jahren bei der Roten Armee ganz groß im Kommen. Einige der Maschinen waren größer als die Antonow, aber dann fehlte das Geld für die Weiterentwicklung.«

»Besonders weit scheinen unsere Ingenieure damit ja auch nicht gekommen zu sein«, bemerkte Kao und blickte sich in dem antiquiert wirkenden Flugschiff um, in dem offenbar mit Akribie darauf geachtet worden war, auf jeglichen Komfort zu verzichten.

»Das Projekt wurde während der letzten Ölkrise aufgegeben«, erklärte Caan, als hätte er es von Anfang an so kommen sehen. »Diese Maschinen sind die größten Spritfresser und durchbrechen spielend jede Abgasnorm. Die *Albatroz* ist das letzte flugfähige Modell, das manchmal noch für Testzwecke und Rettungsaktionen auf hoher See eingesetzt wird.«

»Hoffentlich sind wir es nicht, die am Ende aus Seenot gerettet werden müssen.«

»Diese Verfolgungsjagd war nicht meine Idee, Agent Kao. Es wäre sinnvoller gewesen, auf diesen Journalisten aufzupassen.«

»Mr. Newman ist in guten Händen, Commander, und die *Dateline* werden wir in Manalei kaum wiederfinden.«

»Glauben Sie etwa, Moto wird sie uns servieren? Gerade jetzt, wo er nach dem Mord an seiner Geliebten kalte Füße bekommen hat? Wir wissen nicht einmal, ob er wirklich zu den Bluestone Seamounts aufgebrochen ist. Und ich möchte Sie in Hinblick auf unser Flugziel nochmals darauf hinweisen, daß die *Albatroz* äußerst sensibel auf schlechtes Wetter reagiert.«

»Sie hatten ja nichts Besseres zu bieten. Und in der Not frißt der Agent eben Fliegen...«

»Wenn wir in stärkere Dünung kommen, wird Ihnen der Humor schon bald vergehen. Ich möchte Sie nicht sehen, wenn sich da draußen wieder ein Zyklon zusammenbraut.«

»Wenigstens wissen wir jetzt, warum Bates mit Moto ins Geschäft gekommen ist«, meinte Sun und blätterte eine Akte durch, die das CIA über Moto Enterprises zusammengestellt hatte. »Auf Kazan Retto liegt eine ganze Flotte serienreifer Prototypen von Amphibienbooten, die durch ein revolutionäres bionisches Konzept mit hoher Geschwindigkeit sowohl über als auch unter Wasser fliegen können. Davon können wir nur träumen.«

»Neue Technologien müssen sich erst bewähren, bevor die Navy für die militärische Weiterentwicklung Unsummen ausgibt«, entgegnete Caan beleidigt und strafte Sun mit einem verächtlichen Blick.

»Normalerweise prahlt das Verteidigungsministerium doch gern damit, auf technischem Gebiet führend zu sein.«

»Wenn die *Dateline* einer dieser Prototypen war, kann ich unsere konservative Haltung nur verteidigen. U-Boote, die bei dem kleinsten Seebeben sinken, kann die Navy sicher nicht gebrauchen.«

Wenn Caan vorher nur mieser Stimmung war, so fühlte er sich nun tief verärgert. Nicht nur, daß er in einer museumsreifen russischen Flugmaschine saß, die sich kaum einen Meter aus dem Wasser heben konnte und den Stürmen am Marianengraben sicher nicht gewachsen war. Zu allem Leid spielte er auch noch unfreiwillig Kindermädchen für zwei vorlaute Schlitzaugen, die sich aufspielten, als wären sie die Retter der Welt. Nicht, daß er etwas gegen Ausländer hatte. Schließlich war er Amerikaner und damit per Verfassung tolerant. Aber wenn dieses Playboy-Inselmädchen und ihr neunmalkluger Konfuziusverschnitt die Elitetruppe des Geheimdienstes waren, dann gute Nacht Mr. President. Offenbar zog das Hollywood-Syndrom schon weite Kreise um Pearl Harbour, und zum ersten Mal bedauerte er, daß Jonathan Bates gestorben war, der seiner Vorstellung von einem gewissenhaften Staatsdiener wenigstens äußerlich halbwegs entsprochen hatte.

»Seien Sie froh, daß das Pentagon Ihre Gangsterjagd überhaupt finanziert«, brummte er ungehalten. »Mit dem Geld, das Sie mit Ihren sinnlosen Aktionen bereits verbraten haben, hätte man leicht einen Satelliten für das nationale Raketen-Abwehr-Programm bezahlt.«

»Schon gut, Commander«, lachte Sun versöhnlich und legte die

Akte beiseite, die kaum mehr Informationen enthielt, als er ohnehin schon kannte. »Ich hab's ja nicht persönlich gemeint. Ich fürchte nur, daß wir mit der guten alten *Albatroz* Motos High-Tech-Schiff kaum folgen können.«

»Mit unseren Peilsensoren werden wir ihn schon finden. Oder glauben Sie, er hat vor, in den Marianengraben abzutauchen?«

»Ich hoffe nicht, denn dann würde uns der kleine *Blowfish* im Frachtraum wenig weiterhelfen.«

»Sie haben doch nicht vor, dieses rostige Ding zu benutzen.«

»Warum nicht, Commander? Es erfüllt doch seinen Zweck.«

»Zwei Tiefsee-Jagdboote der Redfin-Klasse sind bereits von Guam aus gestartet, um uns zu unterstützen. Und wenn es nach mir gegangen wäre...«

»... dann hätten Sie gleich die ganze Flotte losgeschickt.« Kao schüttelte mißfällig den Kopf. »Das Seegebiet südlich des Fleming Deep ist internationales Gewässer, Commander. Moto kann dort herumschippern, soviel er möchte. Nicht zuletzt aus diesem Grund haben wir die *Albatroz* genommen. So erregen wir kein Aufsehen.«

»Kein Aufsehen, Agent Kao?« schnaubte Caan. »Ganz Pearl Harbour stand am Middle Loch, um unseren Start zu verfolgen. Und das nennen Sie kein Aufsehen?«

»Statt uns zu streiten, sollten wir lieber die Zeit nutzen, um uns auf unseren Job vorzubereiten.«

»Wie wollen Sie sich vorbereiten, Agent Kao? Außer der Wahrscheinlichkeit, in ein Seebeben zu geraten, haben wir keinerlei Anhaltspunkte, was uns dort draußen erwartet.«

»Vielleicht doch, Commander!« meinte Sun und zog einen Alukoffer unter seinem Sitz hervor.

»Der Koffer gehörte doch Agent Bates.« Caan runzelte mißtrauisch die Stirn. »Ich glaube kaum...«

»... daß wir befugt sind, ihn zu öffnen?« Sun hob provokant die Augenbrauen. »Wollen Sie mich jetzt vor ein Kriegsgericht stellen?«

»Nun hören Sie schon auf mit diesen Sticheleien«, forderte Kao genervt. »Ich denke, Commander Caan wird in Anbetracht der Situation einsehen, daß wir nicht auf die Genehmigung des Pentagon warten können.«

Sun öffnete den Koffer und staunte nicht schlecht über den Inhalt, der sich ihm offenbarte. Der Innenraum glich einer miniaturisierten Kommandozentrale mit einer digitalen Sende- und Empfangseinheit, die eine direkte Kommunikation über Satelliten an jedem Punkt der Welt möglich machte. Gesteuert wurde das System von einem ultraflachen Rechner, dessen berührungsempfindlicher Plasmaschirm herausgenommen und als Webboard genutzt werden konnte. Daneben gab es eine gläserne Box mit durchsichtigen Phiolen, deren flüssiger Inhalt nicht zu identifizieren war, eine 45er Magnum, eine leere Halterung für eine Druckluftwaffe und eine Kassette mit einer kleinen Bibliothek von X-Ram-Datenträgern, die mit einem mathematischen Code beschriftet waren.

»CIA-First-Class-Ausstattung«, bemerkte Kao beinahe neidisch und nahm eine der Phiolen aus der Box. »Mit einem ganzen Arsenal psychopharmazeutischer Spielzeuge.«

»Hypnotische Drogen?«

Kao nickte. »Damit erfahren Sie von einem Menschen mehr, als er selbst zu wissen glaubt.«

»Leider können wir die an Bates nicht mehr ausprobieren«, bedauerte Sun aufrichtig. »Aber vielleicht hilft uns sein digitales Gedächtnis weiter.«

»Warten Sie«, rief Kao und hinderte Sun daran, den Rechner einzuschalten. »Der Koffer war viel zu leicht zu öffnen. Wenn er tatsächlich die Daten enthält, die wir darin vermuten, wird Bates ihn durch einen Selbstzerstörungsmechanismus geschützt haben.«

»Das habe ich bereits einkalkuliert.« Sun zog einen Codechip aus seiner Hemdtasche hervor. »Auch wenn Sie mich jetzt für einen Leichenfledderer halten, habe ich mir erlaubt, das Schlüsselset zu den Schatztruhen des *Dateline*-Projekts aus Bates' Nachlaß zu entwenden.«

Sun steckte den Chip in einen passenden Slot, bootete den Rechner und befriedigte die Eingabeaufforderung für das Codesystem mit den Daten, die auf dem Chip gespeichert waren. Dann nahm er einen der X-Ram-Chips, auf dem der Name *Dateline* stand, und öffnete die Datenbank. Sekunden später erschien auf dem Bildschirm das Pentagonlogo, und dahinter entwickelten sich die Konturen einer blauen Kugel, die ihren sphäroiden Körper auf der Fläche des Schirms entrollte. Es entstand eine abbildungsgetreue Karte der

Erdoberfläche. Der Pazifik im Zentrum. Links davon Asien, Afrika und Europa. Rechts davon Nord- und Südamerika, die Karibik und der Atlantik.

Es war eine computersimulierte Animation, die zuerst die gekrümmte Gitterstruktur der Längen- und Breitengrade über die Kontinente und Ozeane legte und danach ein Zeitdisplay einblendete, dessen laufende Skala vom Anfang der christlichen Zeitrechnung durch die Jahrhunderte der Weltgeschichte führte. Nach und nach entstanden dabei verschiedenfarbige Lichtpunkte, die sich zuerst wie zufällig über den Globus verteilten, dann aber Ballungsräume bildeten und sich schließlich zu einem deutlichen Muster zusammensetzten. Es waren zwei Gürtel nördlich und südlich des Äquators, einige Grade von den Wendekreisen des Krebses und des Steinbocks entfernt, auf denen je fünf Zentren in gleichmäßigen Abständen erkennbar waren. Daneben gab es noch zwei markierte Zonen am Nord- und Südpol, die allerdings keine besondere Häufung von Lichtpunkten zeigten.

»Das sieht aus wie ein Computerspiel«, meinte Kao spontan.

»Ich glaube kaum, daß sich Agent Bates seine Zeit mit Spielen vertrieben hat«, nörgelte Caan und fühlte sich in seiner Meinung über die *maori*-Agentin einmal mehr bestätigt. Was sie nicht im Kopf trug, hatte sie in ihren langen Beinen – und an anderen nicht weniger aufreizenden Stellen, über die er in diesem Augenblick lieber nicht nachdenken wollte.

»Als Offizier der strategischen Planungszentrale dürfte Ihnen diese Art der Betätigung doch nicht fremd sein, Commander«, stichelte Sun trocken. »Spielen Sie nicht ständig Weltkrieg auf Ihren Rechnern?«

»Wir entwerfen Szenarien für die Verteidigung unserer Nation vor jeder möglichen Art von Gegner. Es ist beschämend, wenn Sie das als Spiel auffassen.«

»Entschuldigen Sie meine Respektlosigkeit, Commander, aber Agent Bates arbeitete ebenfalls für das Wohlergehen unseres Landes.« Sun erkundete gespannt die Menüleiste, mit der die Animation zu steuern war. »Was Bates hier so farbenfroh zusammengestellt hat, ist offenbar die kartographierte Darstellung von Schiffen und Flugzeugen, die im Laufe von einigen Jahrhunderten auf mehr oder weniger unerklärliche Art und Weise auf unserem Globus verschwunden sind.«

»Die Ahnengalerie der *Dateline*«, kombinierte Kao. »Alles fein säuberlich dokumentiert, mit Jahreszahlen, Namen, Identität der Opfer und den vollständigen Untersuchungsberichten der zuständigen Behörden.«

»Offenbar hat er sich für diese bemerkenswerte Konzentration der Phänomene interessiert. Es sind zehn Hauptgebiete, wobei sich die beiden größten auf der nördlichen Halbkugel fast genau gegenüberstehen. Das Bermudadreieck in der Karibik und *ma no umi*, die japanische Drachensee.

»Na, da haben Sie ja eine tolle Show gefunden, Doktor«, stöhnte Caan.

»Ich denke, es könnte Bates durchaus Ernst mit diesen Phänomenen gewesen sein, Commander. Zum einen haben wir es hier mit einer realen Bedrohung für die Luft- und Schiffahrt zu tun. Kombiniert mit einem beträchtlichen finanziellen Schaden für Wirtschaft und Staat. Zum anderen offenbart sich hier das zerstörerische Wirken einer unbekannten und äußerst gefährlichen Kraftquelle. Soviel mir bekannt ist, sind allein im Bermudadreieck in den letzten fünfzig Jahren mehr als zweihundert zum Teil recht große Schiffe samt Besatzung und Fracht spurlos verschwunden.«

»Was soll der Unsinn?« entrüstete sich Caan und versuchte tunlichst zu verschweigen, daß er als Jugendlicher sämtliche Bücher über das Bermudadreieck verschlungen hatte. »Das ist höchstens Stoff für populäre Sensationsliteratur. Die dort zitierten Statistiken tragen wahllos Dinge zusammen, ohne daß je nachgeprüft wurde, ob die Daten wirklich stimmen. Der Glaube an das Wundersame ist meistens stärker als der Wille nach einer sachlichen Überprüfung und stellt zudem noch eine Garantie für hohe Auflagen dar. Nach den marineeigenen Untersuchungen sind viele der Schiffe, die angeblich im Bermudadreieck verschwanden, ganz woanders havariert oder sanken zumindest auf völlig befriedigend zu erklärende Weise durch Unwetter, Versicherungsbetrug oder schlichte Fahrlässigkeit der Besatzung.«

»Glauben Sie nie einer Statistik, die Sie nicht selbst gefälscht haben, Commander.«

»Nehmen wir beispielsweise die Waddington Hypothese, nach der Blasen radioaktiver und magnetischer Gase durch seismische Aktivitäten wie Bomben an die Oberfläche steigen und dabei selbst Flugzeuge mit geringer Flughöhe zum Absturz bringen können.«

»Bei derartigen Vorkommnissen hätten zumindest Wrackteile oder Ölflecken gefunden werden müssen, Commander«, bemerkte Sun zweifelnd. »Außerdem beweist uns der Fall der *Tangaroa,* daß wir es hier mit einem weitaus dramatischeren Phänomen zu tun haben, das einen radikalen und zudem noch völlig unerklärlichen Einfluß auf die Struktur der Materie besitzt.«

»Bei Wissenschaftlern wie Ihnen wundert mich der Erklärungsmangel wenig, Doktor. Ich habe das Gefühl, Sie legen es regelrecht darauf an, Mysterien zu erschaffen, anstatt erst einmal die naheliegenderen Lösungsmöglichkeiten auszuschöpfen.«

»Auf welche naheliegende Weise löst sich denn Materie rückstandslos in Wasser auf, Commander?«

»Was weiß ich? Ich bin kein Chemiker, aber ich denke, die Regierung wäre gut beraten, ein größeres Expertenteam mit dem Fall zu betrauen.«

»Könnten Sie sich vorstellen, daß das *Dateline*-Projekt genau dieser Forderung entsprach?« räumte Sun süßlich ein.

»Und warum wurde dann so ein Riesengeheimnis aus der Sache gemacht?«

»Vielleicht, weil man fürchtete, dabei etwas herauszufinden, was man nicht für die Öffentlichkeit bestimmt sah. Ein unbekanntes Energiephänomen mit einem sehr gefährlichen Potential. Besonders in den Händen von denkbaren Gegnern. Da müßten Ihnen als Stratege doch die Augen leuchten, nicht wahr, Commander?«

»Sie vergessen, daß es sich nicht um eine militärische Mission gehandelt hat.«

»Erst die wissenschaftliche Entdeckung und dann die militärische Nutzung«, meinte Kao bitter. »Das scheint in unserer Gesellschaft eine beinahe zwangsläufige Folge zu sein, und ich frage mich, wie weit Bates und Moto in dieser Entwicklung fortgeschritten waren.«

»Eine gute Frage!« Sun nickte und kratzte sich nachdenklich am Kinn. »Während Leute wie Bates die U-Boot-Expedition als ozeanographischen Forschungsauftrag der Regierung tarnten, wurde die *Dateline* auf Kosten des Pentagon in Motos High-Tech-Werft wahrscheinlich mit allem ausgerüstet, was uns heute zur experimentellen Analyse und Manipulation von Energiefeldern und deren Anomalien zur Verfügung steht.«

»Nur leider ist sie gleich bei ihrer ersten Testfahrt verschwunden«, erinnerte Caan unzufrieden. »Ein seltsamer, geradezu tragikomischer Zufall.«

»Wenn es ein Zufall gewesen wäre, hätte Bates nicht sterben müssen.«

»Da haben Sie vielleicht sogar einmal recht. Nur leider hilft uns sein mysteriöser Tod im Augenblick nicht weiter.«

»Warten Sie, Doktor.« Kao vergrößerte einen Ausschnitt der Weltkarte, der den Hawai'i-Archipel zeigte. »Hier ist ein Fall dokumentiert, der uns interessieren könnte. Vor fünf Jahren verschwand eine Jacht vor der Westküste von Kaua'i.«

»Tatsächlich!« Sun aktivierte den Eintrag in der Datenbank. »Die *Bluebird* war in Honolulu registriert, und zwar auf den Namen einer Werbeagentur namens Global Web.«

»Bingo! Global Web ist eine der zahlreichen Tarnfirmen des Pentagon, die mit der unauffälligen Organisation von Spezialequipment für verdeckte Aktionen der Sonderabteilungen beauftragt ist.«

»Na phantastisch.« Caan verdrehte die Augen und streifte Kao mit einem verächtlichen Blick. »Der Geheimdienst unterhält Luxusjachten, und in Pearl Harbour versuchen wir jeden Meter Tau zu sparen.«

»Jeder bekommt, was er braucht, Commander.«

»Das ist zwar bemerkenswert, allerdings weiß ich nicht, was uns diese Information in der *Dateline*-Sache bringt. Wie hier steht, wurde das Schiff Opfer eines Tsunamis.«

»Sehen Sie sich das Datum an. Gehen da bei Ihnen nicht sämtliche roten Lampen an?«

»Die leuchten schon seit Wochen und fingen regelrecht an zu glühen, als Sie und Bates in Pearl Harbour aus dem Shuttle stiegen.«

»Vor fünf Jahren zerstörte eine Flutwelle das Tal von Manalei«, erklärte Kao unbeeindruckt weiter. »Es war jener Tag, an dem die Küstenwache Bates' ertrunkene Freundin Keani halbtot aus dem

Wasser fischte und vergeblich nach einem unbekannten Mann suchte, der nach Aussage eines Augenzeugen mit seiner Jacht an der Na Pali Küste vor Anker gelegen haben soll. Leider konnten weder seine Leiche noch Überreste des Bootes gefunden werden, und weil niemand als vermißt gemeldet wurde, gab man die Suche schließlich auf.«

»Wahrscheinlich hatte das CIA kein Interesse daran, die Angelegenheit öffentlich werden zu lassen.«

»Natürlich nicht, Commander, wenn es sich um eine Geheimmission gehandelt hat.«

»Und wer war der mysteriöse Skipper dieser Jacht?« drängte Caan ungeduldig und einmal mehr verwirrt über die neuen Informationen.

»Sein Name war Newton. Ein Geophysiker und Ozeanologe, der inoffiziell für die Regierung gearbeitet hat. Für eine dem *Dateline*-Projekt unterstellte Sonderabteilung mit dem Codenamen *ma no umi.*«

36

KUPAPA'U

DIE GRABRÄUBER

Nebel hing über der Grotte. Ein Nebel, so kalt wie Schnee. Er senkte sich aus dem leuchtenden Regenbogen, der wie ein Gewölbe über den Felsen hing und das Blau des Himmels in ein Kaleidoskop schimmernder Farben verwandelte. Dennis blinzelte und mußte seine Augen gegen das blendende Licht der Morgensonne schützen, das sein Bewußtsein aus der Dunkelheit der Ohnmacht riß. Zugleich spürte er die feinen Wassertropfen auf seinem Gesicht und begann zu frösteln. Er bemerkte, daß sich die Feuchtigkeit wie ein eisiger Film über seine Haut gelegt hatte und ihm sämtliche Wärme aus seinem Körper saugte. Seine Kleidung war völlig durchnäßt, und er fühlte sich, als hätte er seit Stunden im Wasser gelegen.

Mit einiger Mühe versuchte Dennis sich aufzurichten und er erkannte, daß er auf einem halb verfallenen, aus groben Steinen errichteten Sockel im Zentrum einer Felsterrasse lag. Einige Meter unterhalb des Vorsprungs erkannte er einen tiefblauen See, und erst jetzt wurde ihm klar, wo er sich befand. Das Tal, der Wasserfall, die Grotte. Und mit der Erkenntnis entstand zugleich die Frage, wie er an diesen Ort geraten war, an den er zweifellos nicht ohne fremde Hilfe gelangt sein konnte.

Das letzte an das er sich erinnerte, war sein Sturz von der Felsnadel, gefolgt von einem Alptraum aus Lichtern, Stimmen und Gestalten, die ihn so verwirrten, daß keine klare Struktur darin zu erkennen war. Vielleicht hatte der Traum auch schon begonnen, als er Keani aus der Höhe unter den Schleiern des Wasserfalls gesehen hatte. Jetzt lag er an ihrer Stelle auf dem *heiau,* und erneut fehlte ihm jeder Hinweis, ob das Erlebte Teil der Realität oder nur das Trugbild seiner Phantasie gewesen war.

Langsam begann Dennis an allem zu zweifeln, was geschehen war. Dem Stand der Sonne nach zu urteilen, war es früher Morgen und damit mit Sicherheit nicht der gleiche Tag, an dem er Manalei betreten hatte. Aber so sehr er auch versuchte, sich zu erinnern, es war ihm nicht möglich, die verlorene Zeit zu rekonstruieren. Andererseits hatte er sich längst an dieses Gefühl gewöhnt. Es fehlten viele Jahre seines Lebens, was machten da schon ein paar Stunden mehr? Erneut stand er hilflos der Dunkelheit gegenüber, die sich in sein Gedächtnis eingegraben hatte wie die Grotte in den Leib des Berges. Mehr und mehr schien sich aber zu bewahrheiten, daß jemand ein perfides Spiel mit ihm trieb. Und für diesen Jemand fiel ihm nur ein Name ein, der seit Tagen wie ein Damoklesschwert über seinem Schicksal hing und ihn immer weiter in die Enge trieb.

Dennis stand in der Szenerie einer steinzeitlichen Urwelt. Riesige Farne und Wasserranken hingen von der Felsendecke, die die Höhle wie ein Gewölbe überspannte. Der Boden war mit einer dicken Schlammschicht überzogen, aus der einzig die Ruine des *heiau* herausragte. Es war der perfekte Drehort für einen Abenteuerfilm, und zugleich überkam ihn das unheimliche Gefühl, daß er den Film bereits kannte, weil er selbst darin der Hauptdarsteller war. Das integrale Zentrum, das Alexander Moto, die *Boys for Pele* und selbst Keani zu Statisten eines Dramas machte, das niemand anders als Arnold Brillstein für ihn entwickelt hatte wie ein Labyrinth für eine weiße Maus.

»Mr. Newman!«

Dennis erschrak und drehte sich um. Im Schatten der Felsen tauchte ein kleiner, älterer Mann auf, dessen Arm in eine Schlinge gebunden war.

»Professor Hopkins!« rief er enttäuscht, als hätte er jemand anders erwartet. »Was machen Sie denn hier?«

»Sie haben mich doch angerufen.«

»Angerufen? Nein! Sie müssen sich irren.«

»Vielleicht erinnern Sie sich nicht mehr daran. Immerhin ist es schon eine Weile her.« Hopkins fühlte sich in der Rolle, die er spielte, zwar nicht besonders wohl, aber Cherry Jones hatte recht. Seine Neugier war am Ende größer als seine Angst, und in dem Licht der Morgensonne sahen die Felsen von Manalei schon längst nicht mehr so furchterregend aus. Ganz im Gegenteil. Sie übertrafen seine kühnsten Erwartungen.

»Eine Weile?« wiederholte Dennis verwirrt und gleichermaßen neugierig auf das nächste Kapitel der Geschichte, die ihn unerbittlich weiterriß. Er stand auf und watete in seinen aufgeweichten Wanderstiefeln durch den Schlamm zu Hopkins hinüber. »Was verstehen Sie unter einer Weile?«

»Es war vor fünf Jahren, fast genau auf den heutigen Tag.«

»Vor fünf Jahren?« Dennis spürte, wie sich sein Hals zusammenschnürte. »Soll das ein Scherz sein?«

»Das habe ich mich anfangs auch gefragt.«

Hopkins bemühte sich, seine Rolle weiterzuspielen, obwohl er sich fast schuldig fühlte, Dennis mit einer Wahrheit zu konfrontieren, die am Ende vielleicht nur ein verrücktes Mißverständnis war. Zudem war er derart fasziniert von den Wellenmustern, die an den Grottenwänden prangten, daß er beinahe seine Mission vergaß. Manchmal hatte er es als eine Hoffnung angesehen, zu glauben, daß die Zeichen gar nicht existierten und der Manalei-Kristall eine Fälschung war. Dann, wenn er im Angesicht der Geister fürchtete, den Verstand zu verlieren. Jetzt sah er die Zeichen an der Wand und wußte, daß es für ihn nur einen Ausweg gab. Es war seine Bestimmung, das Rätsel zu lösen. Und selbst wenn er daran zugrunde gehen sollte, hatte sein Leben so wenigstens einen Sinn gehabt. Einen bedeutenden, geradezu historischen Sinn, der seinen Namen *posthum* in den Geschichtsbüchern verewigen würde.

»Hören Sie, Professor. Sagen Sie mir endlich, was Sie wollen.«

»Sie waren es, der mich hierher gebeten hat. Deshalb gebe ich die Frage gern an Sie zurück.«

»Ich suche nach Keani, aber das wissen Sie ja längst.« Dennis beschloß, Hopkins kein Wort zu glauben, obwohl die seltsame Wendung der Geschichte nach der Brillsteinvariante durchaus folgerichtig war. »Moto hat mich engagiert, um sie zu finden, weil er glaubt, daß sie zu den *Boys for Pele* gehört und für die Anschläge auf die Halewai-Stiftung verantwortlich ist.«

»Nein, Mr. Newman. Moto glaubt nicht an lebende Tote. Und Sie sind aus eigenen Motiven hierhergekommen. Weil Sie sie nicht mehr vergessen können, seit Sie vor fünf Jahren hier gewesen sind. Am Tag der großen Flut, die Sie damals mitgerissen hat und noch heute Nacht um Nacht ertrinken läßt.«

»Das ist eine ziemlich abgedrehte Geschichte, Professor«, entgegnete Dennis sichtlich verärgert und ertappte sich bei der Idee, Hopkins die Maske vom Gesicht zu reißen. Andererseits war er einen Kopf kleiner und deutlich weniger wohlgenährt als Brillstein und verdarb damit seinen schönen Plan. »Glauben Sie etwa, die Welle hätte mich damals von Kaua'i bis nach Kahoolawe gespült?«

»Was spielt es für eine Rolle, was ich glaube?«

»Kein Mensch kann eine solche Distanz bewußtlos im Wasser treibend überleben.«

»Vielleicht nicht. Vielleicht doch.« Hopkins zuckte mit den Achseln und wendete sich zu dem *heiau,* der sehr alt und stark verfallen war. »Ich habe inzwischen so viele Dinge erlebt, die meinen Verstand bei weitem übersteigen, daß ich aufgehört habe, für alles eine logische Erklärung finden zu wollen.«

»Was für Dinge haben Sie denn erlebt?«

»Unheimliche Dinge, Mr. Newman.«

»Etwa Wesen, die sich aus dem Wasser formen und wieder darin verschwinden?« Dennis deutete hinüber zu den Kaskaden des Wasserfalls, die vor der Grotte in die Tiefe rauschten.

»Sehen Sie. Sie wissen ganz genau, wovon ich rede.«

»Was ist damals hier in Manalei geschehen?« drängte Dennis, weil ihn der Gedanke an die Klärung seines Rätsels gierig nach jedem sich bietenden Strohhalm greifen ließ.

»Wie ich bereits sagte, Mr. Newman, Sie riefen mich von Ihrer Jacht aus an, die draußen vor der Küste ankerte, und baten mich um meine Hilfe. Sie sprachen von einem außergewöhnlichen Fund, der den Forscherdrang eines jeden Historikers wecken mußte.«

»Ein Fund? Was habe ich gefunden?«

»Sehen Sie sich um, Mr. Newman.« Hopkins drehte sich im Kreis, und seine Augen begannen zu leuchten wie die eines Kindes auf dem Jahrmarkt. »Schauen Sie sich diese urweltliche Grotte an. Und diese fremdartigen Zeichen an den Felswänden, die Sie mir detailgetreu beschrieben haben, weil Sie hofften, ich könnte Ihnen ihre Bedeutung erklären und alle Fragen, die sich mit ihrer rätselhaften Existenz ergeben.«

»Ich soll mich für diese Bilder interessiert haben?« zweifelte Dennis und versuchte gegen den Widerstand seiner Vernunft den

Abgrund in seinem Hirn für Hopkins' Geschichte aufzustoßen. »Ich weiß nicht einmal, was das ist.«

»Damals haben Sie mich geradezu gedrängt, hierher zu kommen, Mr. Newman. Und all die Jahre habe ich mich gefragt, wer Sie sind und aus welchen Motiven Sie nach Dingen suchen, die keinen Platz in dieser Welt zu haben scheinen.«

»Glauben Sie mir, Professor. Ich gäbe alles dafür, zu erfahren, wer ich bin. Aber alles, was mir von meinem Leben geblieben ist, sind diese furchtbaren Alpträume von dieser riesigen Welle, die meine Erinnerungen immer wieder überflutet und eine höllische Angst vor dem Meer in mir zurückgelassen hat.«

»Die Welle. O ja! Ich habe sie damals vom Hubschrauber aus gesehen, wie sie in das Tal rollte und alles unter sich begrub. Eine einzige große Welle, die sich wie in Zeitlupe bewegte, als würde sie das Unheil genießen, mit dem sie die Erde unter sich begrub. Wäre ich damals nur ein paar Minuten früher gekommen ...« Hopkins zögerte.

»Was wäre dann ...?«

»Nun ja, vielleicht wäre es mir wie Ihnen gegangen, Mr. Newman. Nur weiß ich nicht, wer letztlich das schlimmere Los von uns beiden gezogen hat.«

»Ich verstehe nicht, was Sie meinen.« Dennis wartete immer noch auf die Pointe der makabren Komödie, auf den Auftritt des großen Dirigenten, der im Hintergrund die Fäden zog.

»Ich denke, Sie sollten froh darüber sein, daß Ihre Erinnerung durch die Amnesie von einer schweren Last befreit wurde.« Hopkins stöhnte und lehnte sich neben Dennis an die Ruine des *heiau*, den die Hawaiianer ihren Naturgöttern errichtet hatten, jenen übermenschlichen Wesen, von denen nichts als Legenden zurückgeblieben waren – und ein rätselhafter Kristall, für den in der Menschenwelt kein Platz zu finden war. »Vielleicht sollten Sie einfach aufhören nach diesen Dingen zu suchen, nach diesen schrecklichen Erinnerungen, die Ihr Trauma aus Ihrem Gedächtnis gelöscht hat. Aus irgendeinem Grund hat der Tod Sie damals verschont. Seien Sie dankbar, Mr. Newman. Reisen Sie ab und versuchen Sie, das Beste aus Ihrem neuen Leben zu machen.«

»Das kann ich nicht, Professor. Glauben Sie mir, ich habe oft daran gedacht, aufzugeben, aber diese Träume werden um so schlimmer, je mehr ich mich dagegen wehre.«

»Wem sagen Sie das?« Hopkins nickte. Er wußte nur zu gut, wie sinnlos diese Hoffnung war.

»Und jetzt begegne ich ständig diesem *kahuna*-Mädchen, das mich wie eine Geistererscheinung heimsucht und mich immer weiter in diese verrückte Geschichte hineintreibt.«

»Die *kama'aina* nennen solche Erscheinungen *'ouli.* Es sind böse Omen, warnende Zeichen der Götter, die den Lauf des Schicksals anzeigen.«

»Und was soll ich jetzt tun?«

»Ich weiß es auch nicht«, gab Hopkins ehrlich zu und verwarf endgültig die Idee, zurück in den Besitz der Sprengsätze zu kommen, die Cherry Jones ihm abgenommen hatte. »Vielleicht können wir vor unserem Schicksal nicht davonlaufen. Vielleicht müssen wir es durchstehen, bis zum bitteren Ende, wohin es uns auch immer führt.«

»Dann lassen Sie uns gemeinsam nach einem Weg suchen, Professor.«

»Einen Weg?« Hopkins lachte schräg und zog den blauen *lono-lono* aus seiner Jacke. »Den suche ich schon seit Jahren. Und jetzt stehe ich wieder in diesem gottverlassenen Tal, als würde es mich magisch anziehen, damit ich ihm sein Geheimnis entreiße. Das Geheimnis, das Sie damals entdeckt haben.«

»Das ist doch dieser verfluchte Stein, der uns im *Ma'alaea Bay Ressort* beinahe das Leben gekostet hat«, erkannte Dennis überrascht.

»Sagen wir, es ist sein Zwilling, aber das tut jetzt nichts zur Sache. Sie haben mir diesen Stein vor fünf Jahren nach Honolulu geschickt, für eine Expertise und zur Bestimmung seines Alters. Mit ihm hat die Geschichte ihren Anfang genommen, und gleichzeitig verbirgt er die Antwort auf all die Fragen, die Sie und mich seit damals quälen.«

»Und was ist so besonderes an diesem Stein?«

»Es ist Ihr Fund, Mr. Newman. Sagen Sie es mir.«

»Ich habe keinen blassen Schimmer.« Dennis ließ den seltsam kalten Stein durch seine Hände gleiten.

»Halten Sie ihn gegen das Sonnenlicht, und beschreiben Sie mir, was Sie sehen.«

»Das sieht aus wie ein animiertes Hologramm«, wunderte sich Dennis. »Ich sehe Wellen und geschwungene Linien, ähnlich den Schriftzeichen hier an den Felswänden.«

»Es ist mehr als das, Mr. Newman. Die Muster in dem Kristall sind räumlich. Es ist eine einzigartige, dreidimensionale Form der Darstellung. Wenn es sich hierbei überhaupt um eine Schrift handelt, dann ist sie weitaus komplexer und fortgeschrittener als diese primitiven Felsmalereien, die wahrscheinlich erst viel später von Menschen auf die Grottenwände kopiert worden sind, die die eigentliche Bedeutung dieser Muster nicht mehr kannten.«

»Und was für einen Schluß ziehen Sie daraus?«

»Begreifen Sie denn nicht, Mr. Newman«, drängte Hopkins. »Dieser Stein ist wahrscheinlich viele tausend Jahre alt und paßt damit nicht in diese Welt. Jedenfalls nicht in die, die wir kennen.«

»Gibt es denn noch eine andere Welt?« Dennis bemerkte, daß es genau das war, wonach er seit Jahren suchte.

»Diese Frage könnte ich Ihnen vielleicht beantworten, wenn Sie sich daran erinnern, wo genau Sie den Stein gefunden haben.«

»Habe ich Ihnen das damals nicht erzählt?«

»Nein, Sie haben mir nicht einmal Ihren Namen verraten.«

»Tut mir leid, Professor«, bedauerte Dennis und rieb sich über eine brennende Wunde an seinem Oberarm, die an die Einstichstelle einer Injektion erinnerte. »Mein Gedächtnis reicht leider nur fünf Jahre zurück. Und selbst da bin ich mir nicht mehr so sicher.«

»Das hatte ich befürchtet.« Hopkins drehte sich um und ließ seinen Blick nachdenklich durch die Grotte wandern, deren Größe sich im Dämmerlicht des Gewölbes ebenso verlor wie seine Hoffnung, Dennis würde den Schlüssel zu ihrem Geheimnis kennen. »Beschreiben Sie mir wenigstens, was Sie in Ihren Alpträumen gesehen haben.«

»Das wissen Sie doch längst, Professor. Wasser, Wasser und immer wieder das verdammte Wasser.«

»Und davor? Was war, bevor das Wasser kam?«

»Ein dumpfes Grollen und ein Licht. Ein kaltes, blaues Licht, das durch den Tunnel kam.«

»Ein Tunnel?« Hopkins horchte auf und erinnerte sich an die Unterwasserfotos von Palo Uribe. »Was für ein Tunnel?«

»Was weiß ich«, wehrte Dennis ab, weil ihn im Augenblick mehr interessierte, wer ihm die Spritze verabreicht hatte. »Mein Analytiker hat mir gesagt, daß es sich dabei um einen archetypischen Tunnel handelt, um ein traumatisches Symbol des Geburtskanals, der mich von der Erinnerung an mein vorheriges Leben trennt.«

»Und wie sah dieser Tunnel aus?«

»Dunkel und unheimlich. Wie Tunnel in Träumen nun einmal sind.«

»Denken Sie nach, Mr. Newman«, drängte Hopkins und spürte seine wiederaufkeimende Gier, der er ebenso hilflos ausgeliefert war wie den Geistern, die ihn verfolgten. »Wo ist dieser Tunnel, und wie sind Sie da hineingekommen?«

»Hören Sie, Professor. Erstens haben sich die teuersten Analytiker der Staaten an mir bereits die Zähne ausgebissen, und zweitens kaufe ich Ihnen diese ganze Geschichte ohnehin nicht ab.«

»Das ist wirklich schade.« In Begleitung von Kimo Havili und zwei Rettungsschwimmern der Küstenwache kam Cherry Jones hinter einem Felsvorsprung hervor und hielt ein Ultraschallmeßgerät in ihrer Hand. »Ich hatte gehofft, daß Ihre Rückkehr nach Manalei ein wenig mehr bewirkt als fünf Jahre Psychotherapie.«

»Cherry ...?« Dennis war nun vollends verwirrt und scheiterte bei dem Versuch, Jones überraschendes Erscheinen sinnvoll in das Puzzle zu integrieren, das sein Verstand aus den Ereignissen zu bauen versuchte. Brillstein hatte verschiedene Assistentinnen in seiner Praxis. Aber eine rothaarige war nicht darunter.

»Der Tunnel, den Sie gesehen haben, war möglicherweise eine ausgewaschene Lavaröhre, ein geologisches Phänomen, das man auf vulkanischen Inseln häufiger findet.«

»Und Sie sind ein biologisches Phänomen, das in den merkwürdigsten Momenten aufzutauchen pflegt. Diesmal noch dazu in so netter Gesellschaft.«

»Bei Ihrer chronischen Neigung zum Ertrinken hatte ich mir ernsthafte Sorgen um Sie gemacht.«

»Wozu brauche ich die Coastguards? Ich habe doch einen Schutzengel«, erklärte Dennis mit unverhohlenem Zynismus und hoffte, wenigstens eines der vielen Rätsel aufzuklären, die sich schneller ausbreiteten als der Zeitpfeil der Realität. »Oder haben mich Ihre Bademeister aus dem See gezogen?«

»Viel spannender finde ich die Frage, warum Sie überhaupt dauernd ins Wasser fallen, aber wenn Sie wollen, können wir gemeinsam versuchen, die Geschichte zu ergründen.« Jones lächelte, gleichsam berechnend wie charmant. Beiläufig stellte sie Kimo als einen Mitarbeiter der Halewai-Stiftung vor und deutete schließlich auf den hinteren Teil der Grotte, wo sich die Felswände in der Dunkelheit verloren. »Ich glaube, der Weg in Ihre Vergangenheit führt direkt in diesen Berg.«

37

KINO LAU

GESTALTEN IN DER TIEFE

Der Ozean lag sanft und ruhig im Morgenlicht. Es war eine seltsame Ruhe, die auf offener See schon unheimlich war. Seit Wochen hatten südlich des Fleming Deep starke Stürme getobt, und nun war das Meer beinahe so glatt wie ein blankgeputzter Spiegel. Es war, als würde es seinen Atem anhalten und auf den silbernen Vogel warten, der gekommen war, um das Geheimnis in der Tiefe zu enträtseln, an einem Ort, der von Natur aus so gestaltet war, daß der Mensch dort nichts zu suchen hatte.

Die *Albatroz* verlangsamte ihren Flug und senkte ihren massigen Körper in die langlaufenden Wellen. Dann stoppten die mächtigen Motoren und übergaben den stählernen Koloß dem Spiel der trägen Dünung, die von einer meterdicken Dunstdecke eingehüllt war.

»Was ist los?« brummte Caan, als er nach einem Morgennickerchen verschlafen in das Cockpit des Flugbootes geklettert kam. »Hat die Kiste schlappgemacht?«

»Sehen Sie hinaus, Commander.« Marlin Sun saß hinter dem Copiloten auf dem Funkerplatz und deutete auf das schlafende Meer, das wie leuchtendes Milchglas wirkte und zugleich wie ein Spiegel des diesigen Himmels.

»Weißes Wasser...!« Caan zwickte sich, in der heimlichen Hoffnung, daß er nur träumte. »Solche Phänomene wurden bislang nur in der Saragossasee beobachtet.«

»Sagten Sie nicht, Sie glauben nicht an die Story vom Bermudadreieck?«

»Ich glaube nicht an Spukgeschichten. Diese weiße Färbung wird vermutlich von aufsteigendem Methangas hervorgerufen.«

»Sprechen Sie von dem heißen Atem eines Drachen?«

»Natürlich nicht, Doktor«, protestierte Caan energisch. »Es ist ein Eruptivprodukt von Tiefseevulkanen, und ich fürchte, es war keine besonders gute Idee von Ihnen, hier zu landen. Diese Gase könnten ein bevorstehendes Seebeben signalisieren, und einer solchen Gefahr sollten wir uns in dieser Kiste ganz gewiß nicht aussetzen.«

»Die seismischen Aktivitäten verlaufen seit Wochen in zyklischen Wellen und befinden sich momentan in einer Ruhephase. Außerdem ist das Risiko weiterzufliegen viel zu groß. Bei der Suppe da draußen würden wir ein Hindernis kaum rechtzeitig erkennen.«

»Fürchten Sie sich, ein Hochhaus zu rammen?«

»Bei unserer Flughöhe würde schon ein Fischkutter reichen, um uns in ernste Schwierigkeiten zu bringen.«

»Und wozu haben wir dann ein sündhaft teures Radar eingebaut?«

»Das nützt uns im Augenblick nicht viel. Die Werte, die wir bekommen, sind völlig unzuverlässig.«

»Die Werte oder Ihre Navigation?«

»Da draußen herrschen extreme elektromagnetische Turbulenzen«, erklärte Tekina Kao beschwichtigend. Sie hatte sich in die gläserne Aussichtskanzel über dem Cockpit gezwängt und beobachtete die Displays der hochsensiblen Langstreckenscanner, mit der der antiquierte Stauflügler nachgerüstet und zu einem effizienten Rettungsschiff umgebaut worden war. »Wenn es die Schwerkraft nicht gäbe, könnten wir nicht einmal mit Sicherheit feststellen, wo oben und unten ist.«

»Wollen Sie etwa hier warten, bis das Wetter wieder besser geworden ist?«

»Das wird nicht nötig sein, Commander. Wir sind schon fast am Ziel. Unsere Satelliten konnten Motos Schiff von Kazan Retto bis zu einem Punkt dreißig Seemeilen südlich des Fleming Deep verfolgen, wo er auf Tauchstation gegangen ist. Wir liegen jetzt exakt auf seinem Kurs, und in dem Wellenchaos da draußen läßt sich eine Energiesignatur isolieren, die zwar sehr verzerrt und schwach ist, aber zweifellos von einem U-Boot stammt.«

»Moto ist hier?«

»Sein Schiff liegt irgendwo da draußen. Zehn bis fünfzehn Seemeilen voraus und schätzungsweise zweihundert Meter unter der Wasseroberfläche.«

»Kriegen Sie das nicht genauer? Oder müssen wir uns auf eine Suche nach der Nadel im Heuhaufen einrichten.«

»Eine exakte Peilung ist unter den gegebenen Umständen äußerst problematisch, dafür fügt sich ein Puzzleteil an das andere. Wir befinden uns jetzt rund zwölf Seemeilen nordöstlich von den Bluestone Seamounts, über denen die *Tangaroa* von den Scannern verschwand. Und das ist mit Sicherheit kein Zufall.«

»Also hat dieser Bastard die ganze Zeit gewußt, wo wir hätten suchen müssen«, kombinierte Caan gereizt. »Wahrscheinlich weiß er sogar, was mit dem Schiff geschehen ist.«

»Wissen wir das nicht auch schon längst, Commander?«

»Hören Sie endlich mit dieser Drachenstory auf, Sun.«

»Nur weil die Navy keine Waffen gegen Fabelwesen hat?«

»Statt uns zu streiten, sollten wir uns lieber mit den Gegebenheiten vertraut machen«, forderte Kao entschlossen und kletterte hinunter in das Cockpit. »Wir haben in dieser Region eine sehr inhomogene Topographie. Es gibt tiefe Gräben und einige sehr ausgeprägte Guyots.«

»Guyots ...?« Caan wußte, daß er den Begriff schon einmal gehört hatte, nur die Zuordnung fiel ihm schwer.

»Die Bluestones sind submarine Tafelberge von gigantischer Größe.« Kao rollte eine Karte vom Meeresboden auf dem Funkertisch aus. »Da draußen gibt es Hunderte dieser erloschenen Vulkane, deren Spitzen im Laufe der Erdgeschichte von den Wellen abgetragen und schließlich unter den Meeresspiegel abgesunken sind.«

»Gesunken«, wiederholte Caan mit einem Ton in seiner Stimme, als würde ihm das Wort nicht sonderlich gefallen. »Und was haben Sie jetzt vor?«

»Tauchen, Commander! Oder haben Sie Ihre Badehose vergessen?«

Die *Blowfish* bestand aus zwei tonnenförmigen Druckkammern, die von tentakelartigen Greifarmen, Schläuchen, Rohren und Ballasttanks umrankt waren. Wie das Monster aus einem trashigen Horrorfilm senkte sich das schwerfällige Tauchboot aus dem Bauch der *Albatroz* hinunter in das tiefe Blau der See, mißtrauisch beäugt von einem Schwarm großer Tunas, die von der Natur mit einer unvergleichlich vollkommeneren Form und Funktionalität ausgestattet waren. Gleichermaßen unvergleichlich war auch das Innere der Kammern, die zwar mit modernster Computertechnologie nachgerüstet worden waren, ansonsten aber den spröden Charme von russischem Militärdesign der siebziger Jahre ausstrahlten.

Caan kam sich buchstäblich vor wie in einer Abfalltonne, gegen die die Dekontaminationskammer auf Wake Island wie ein Luxushotel ausgestattet war. Wenn man ihm nur einen Moment mehr Zeit gelassen hätte, darüber nachzudenken, worauf er sich einzulassen gedachte, wäre er mit einer überzeugenden Ausrede an Bord der *Albatroz* geblieben und hätte die Aktion von dort aus koordiniert. Das wäre wenigstens ein Job gewesen, der seiner strategischen Kompetenz entsprochen hätte. Jetzt ohrfeigte er sich in Gedanken für den heldenhaften Mut, den er besonders wegen Kaos provokanter Aufforderung an den Tag gelegt hatte, und wünschte sich nur noch, so schnell wie möglich wieder in seinem Büro in Pearl Harbour zu sitzen.

Leider rückten Caans Hoffnungen von Minuten zu Minute in weitere Ferne. Die *Blowfish* sank gemeinsam mit seiner Stimmung in steilem Winkel der Dunkelheit der Tiefsee entgegen, und ihm perlte der Angstschweiß von der Stirn. Wenigstens bot ihm die enorme Luftfeuchtigkeit in der Kugel eine unverdächtige Ausrede, um sich nicht bloßzustellen, aber selbst der aufreizende Anblick von Kaos enganliegendem Neoprenoutfit, das ihre unverschämt trainierte Lara-Croft-Figur wie eine zweite Haut umhüllte, konnte ihn nicht von seinem extremen Unwohlsein befreien.

»Geht es Ihnen nicht gut, Commander?«, fragte sie zu allem Überfluß und erntete dafür einen messerscharfen Blick, der für Caan die einzig angemessene Antwort war, um der Agentin die Unangemessenheit ihres Zynismus' mitzuteilen.

»Wir sind jetzt auf sechshundert Fuß.« Sun richtete seine Aufmerksamkeit auf die Steuerungsmanöver des Piloten der *Blowfish*, der den Landeanflug auf einen der abgeflachten Gipfel der Bluestone Seamounts einleitete. »Die Sonarsignale werden immer stärker, und mit ein wenig Glück müßten wir jeden Augenblick Sichtkontakt zu Motos Schiff haben.«

»Glück, Doktor?« brummte Caan und starrte mit einem mulmigen Gefühl in der Magengegend aus dem winzigen Bullauge neben seinem Platz. »Wenn wir ihn sehen, sieht er uns auch. Wir servieren uns hier praktisch auf dem Präsentierteller.«

»Moto ist mit Sicherheit nicht hier, um Krieg zu führen, Commander«, meinte Sun gelassen. »Außerdem besitzt er eine der Navy weitaus überlegene Unterwassertechnologie. Wenn er uns hätte loswerden wollen, hätte er längst die Gelegenheit dazu gehabt. Statt dessen liegt sein Schiff friedlich ein paar Meter unter uns vor Anker und scheint uns geradezu zu ignorieren.«

»Vielleicht liegt er auch nur auf der Lauer und weidet sich in seiner Überlegenheit. Mich würde nicht einmal überraschen, wenn sein Schiff den Namen *Dateline* trägt.«

»Daran habe ich auch schon gedacht.« Kao aktivierte einen Plasmaschirm, der von den gekoppelten Signalen einer Restlicht-Unterwasserkamera und eines Sonarscanners gespeist wurde und ein künstliches aber durchaus realistisches Bild der finsteren Tiefseewelt zeigte. Unter der *Blowfish* tauchte eine kahle, fast plane Hochebene aus der Dunkelheit auf, die von hellen Sedimenten wie mit einer Schneeschicht bedeckt war und alles andere als den Eindruck machte, die Spitze eines gewaltigen Bergmassivs zu sein.

»Sind Sie sicher, daß wir nicht bereits auf dem Meeresgrund gelandet sind«, rutschte Caan die unqualifizierte Frage heraus.

»Der Meeresgrund?« Sun lachte und lenkte die Steuerbordkamera über die Abbruchkante des abgestorbenen Saumriffs, an der die Steilwände des Guyots in eine bodenlose Tiefe stürzten. »Da müßten wir noch Stunden weitertauchen. Der Pazifik ist an dieser Stelle mehr als zehntausend Fuß tief, und in Anbetracht der Stabilität von unserem Kugelfisch hoffe ich, daß wir nicht noch allzuweit hinunter müssen.«

»Das hoffe ich auch«, gestand Caan sehnlicher, als ihm lieb war. »Und ich wäre schon froh, wenn wir wüßten, nach was wir eigentlich Ausschau halten.«

»Wie wäre es mit einem stählernen Fabelwesen?« Kao erhöhte den Zoomfaktor der Videokamera und deutete auf ein deltaförmiges Objekt, das auf einer Felsterrasse an der Abbruchkante des Berges im Licht der Scheinwerfer der *Blowfish* aufgetaucht war. Das

Schiff ähnelte einer Kreuzung zwischen einem Stealthbomber und einem Riesenmanta mit einem langen Antennenschwanz am Heck und zeigte alle Merkmale, die es als Juwel in Motos Aquagleiterflotte ausweisen konnte. Der stromlinienförmige Rumpf war mehr als zwanzig Meter lang und besaß eine ähnliche Spannweite. Die Konstruktion seiner Haut schien nicht starr zu sein, und die Spitzen der Flügel bewegten sich sanft in der Strömung.

»Grundgütiger!« murmelte Caan und versuchte den Schriftzug zu entziffern, der auf dem rechten Flügel zu sehen war. »*Maui Nui, Kazan Retto.* Was ist das für ein Ding?«

»Jedenfalls nicht die *Dateline,* Commander«, meinte Kao erleichtert. »Ich hatte schon befürchtet, daß sich unser Verschwörungsszenario erfüllt.«

»Freuen Sie sich nicht zu früh. Vielleicht besitzt er eine ganze Flotte dieser Tiefseegleiter, mit denen er hier unten sein Unwesen treibt.«

»Viel interessanter finde ich die Frage, was Moto hier ausgegraben hat.« Sun vergrößerte die Auflösung der Scanner und versuchte die Konturen des Bildes deutlicher hervorzuheben.

Die *Maui Nui* schwebte über einer flachen, beinahe kreisrunden Kuppe, die nur von einer dünnen Schicht weißem Staub bedeckt war. Die Wölbung hatte einen Durchmesser von mehr als fünfzig Metern und war von einem ringförmigen Wall aus groben Steinblöcken umgeben.

»Das sieht beinahe aus wie von Menschenhand erbaut. Ein ummauerter Platz wie ein polynesischer *heiau.*«

»Eine Ruine?« raunzte Caan. »Mehr als siebenhundert Fuß unter dem Meeresspiegel? Jetzt fangen Sie nicht auch noch mit einem solchen Unsinn an, Agent Kao.«

»Es ist nicht so unsinnig, wie es auf den ersten Blick erscheint, Commander. Es hat Zeiten gegeben, als dieser Berg noch über dem Meeresspiegel gelegen hat.«

»Und wie lange, bitte schön, soll das her sein?«

»Eindeutig länger, als es die gängigen Theorien über das Alter der menschlichen Besiedlung Ozeaniens zulassen«, erklärte Sun und versuchte, den Fund in das Bild zu integrieren, das er sich von den zunehmend rätselhaften Ereignissen machte. »Geologischen

Modellen zufolge muß die Absenkung des Meeresbodens in diesem Teil des Pazifiks bereits vor über siebzigtausend Jahren abgeschlossen gewesen sein.«

»Siebzigtausend ...?« Caan weigerte sich entschieden, seine Hoffnung zu verwerfen, daß die Geschichte am Ende doch noch eine rational nachvollziehbare Erklärung finden konnte. »Ich schätze, damit läuten Sie wieder Ihre Geisterstunde ein, nicht wahr, Doktor?«

»Es ist Motos Geisterstunde«, verbesserte Kao nachdrücklich. »Und dieser Fund könnte auch seine intensive Beschäftigung mit der pazifischen Kulturgeschichte erklären, in die er schon seit Jahren erstaunliche Mittel investiert.«

»Ich bezweifele sehr, daß sich ein Mann wie Alexander Moto für Unterwasserruinen interessiert.«

»Da haben Sie recht, Commander. Hinter seinem archäologischen Ehrgeiz steckt mit Sicherheit ein Kalkül.«

»Natürlich, Agent Kao! Die ganze Geschichte dient nur zur Tarnung für irgendeine Sauerei, die er hier unten veranstaltet.« Caan hätte am liebsten mit der Faust auf den Tisch gehauen, wenn es in der *Blowfish* einen gegeben hätte. »Wahrscheinlich sind diese Mauerreste ein ebenso großer Bluff wie die Computerdaten in Bates Koffer, und ich möchte Sie noch einmal davor warnen, mit Ihrer Pfadfindernaivität einem Feind ins Messer zu laufen, von dem wir weder die Gestalt noch seine wahre Absicht kennen.«

»Ich würde Ihnen gerne anbieten auszusteigen, aber leider sitzen Sie mit uns in einem Boot.«

»Und was haben Sie jetzt vor? Wollen Sie warten, bis uns Motos Tiefseedrache verschlingt wie die *Tangaroa?*«

»Ich hege eher die Befürchtung, daß der Drachenbändiger selbst zum Opfer des Ungeheuers geworden ist.« Sun hantierte an der Kommunikationsanlage und versuchte vergeblich eine Verbindung zur *Maui Nui* herzustellen. »Moto antwortet auf keiner Notfrequenz, dabei hätten wir so viele Fragen.«

»Glauben Sie etwa, er wäre zum Plaudern mit Ihnen aufgelegt, und lädt Sie zu einem Kaffeekränzchen auf sein Unterwasserraumschiff ein?«

»Vielleicht möchte er schon und kann nur nicht. Nicht einmal die Infrarotscanner zeigen eine Form von Aktivität, aber das können wir leicht ändern.«

»O nein, Doktor!« Caan spürte einen aufkeimenden Schüttelfrost. »Ich hoffe, Sie kommen jetzt nicht schon wieder mit einem Ihrer unausgegorenen Piratenpläne.«

»Das spontane Improvisieren ist eine der Fähigkeiten, die den Agenten vom Soldaten unterscheidet.« Kao warf Sun ein Lächeln zu und schnallte sich von ihrem unbequemen Plastiksessel los. »Das Schicksal hat uns in diese Blechdose gezwängt, also nutzen wir jetzt ihre Fähigkeiten.«

»Hören Sie, Agent Kao. Wenn unser Verdacht sich erhärtet, hätte ich gewiß nichts dagegen, Moto ordentlich den Hosenboden strammzuziehen, aber solange wir keine Beweise für seine Machenschaften haben, verstößt ein solches Entermanöver gegen internationales Seerecht.«

»Dann bleiben Sie doch hier, Commander, und stehen für uns Schmiere.«

Die *Blowfish* entpuppte sich als ein High-Tech-Rettungsgerät in nostalgischem Gewand. Durch eine Reihe von Modifikationen war sie mit speziellem Equipment zur Bergung der Crew aus havarierten U-Booten und Unterwasserstationen ausgerüstet. Der hintere Teil bestand aus einer geräumigen Notdruckkammer, die mit einer flexiblen Teleskopschleuse versehen war. Selbst in großer Tiefe und unter schwierigen Strömungsverhältnissen war es damit möglich, sicher an verunglückte Objekte anzudocken und die Mannschaft ohne den Einsatz von Tauchanzügen aufzunehmen.

Der Pilot parkte die *Blowfish* direkt über einer gekennzeichneten Noteinstiegsluke auf dem Rücken der *Maui Nui* und fuhr den Verbindungstunnel aus, der sich mit einem Unterdruckring an der Bordwand festsaugte. Dann stabilisierte er seine Position mit den Greifarmen an Bug und Heck und pumpte schließlich das Wasser aus der Röhre ab.

Sun und Kao stiegen in die Druckschleuse und kletterten hinüber zu Motos Schiff, das aus der Nähe wie ein lebendiges Wesen wirkte. Die Außenhülle der *Maui Nui* war leicht erwärmt und fühlte sich an wie die Haut eines Delphins. Sie war weich und flexibel, und die Feuchtigkeit perlte ohne jeden Widerstand von seiner silbergrauen Oberfläche.

»Nanopartikel!« folgerte Sun staunend und programmierte einen standardisierten Öffnungscode in das elektronische Schloß der Notluke. Wenige Augenblicke später zischten die Vakuumdichtungen der Notschleuse und öffneten den Einstieg in das der Natur nachempfundene, bionische Gefährt.

Auch das Innere der *Maui Nui* war in keinster Weise mit einem herkömmlichen U-Boot zu vergleichen. In sanftem Licht und angenehm frischer, wohltemperierter Luft öffnete sich hinter der Schleuse ein oval geschnittener Korridor, der anstelle des Rückgrats längs durch den Leib des Schiffes führte und seine flexible Konstruktion wie ein Skelett stabilisierte. Auf beiden Seiten des Ganges lagen die Versorgungs- und Maschinenräume, und an seinem Bugende öffnete sich ein großflächiger Kuppelraum, der an den Kommandostand eines futuristischen Raumschiffs erinnerte.

»Die Mannschaft scheint Landgang zu haben«, bemerkte Kao und sah sich auf der verlassenen Brücke um.

»Ich denke, die Crew entspricht nicht ganz der herkömmlichen Definition.« Sun ließ sich in den Sitz des Piloten sinken, der nicht nur ausgesprochen bequem war, sondern auch der einzige Platz in der *Maui Nui,* der für einen Menschen bestimmt erschien, und begutachtete die digitalen Instrumente, die den Status der Bordsysteme anzeigten.

»Dieses Schiff wird von einem neuronalen Computernetz gesteuert.«

»Ein Tiefseeroboter?«

»Vielleicht eher ein Einhandsegler. Sonst wäre dieser Stuhl nicht hier.«

Je weiter Sun die Bordsysteme studierte, desto erstaunter wirkte er und vergaß beinahe, daß er sich nicht in einem seiner geliebten Computerspiele befand.

»Die gesamte Energie für das Schiff wird mit Wasserstoff erzeugt, gekoppelt mit einer Anlage zur elektrochemischen Aufspaltung von Meerwasser durch Sonnenenergie und Bakterienkulturen.«

»Bakterien?«

»Die *Maui Nui* funktioniert wie ein lebendiger Organismus, der zu wesentlichen Teilen auf bionischer Technologie basiert. Es ist geradezu perfekt geeignet, um die Rätsel der Tiefsee zu erforschen. Und ebenso nützlich, wenn man seine Forschungen geheimhalten will. Keine Crew, keine Zeugen. Ein ideales Spielzeug für das *Dateline*-Projekt.«

»Ich weiß nicht, Doktor«, meinte Kao skeptisch. »Dieses Schiff macht auf mich den Eindruck, als hätte Moto es sich persönlich auf den Leib schneidern lassen. Wie eine postmoderne Version von Kapitän Nemos *Nautilus,* um ganz allein und ungestört seinen eigenen Forschungen nachzugehen, von denen möglicherweise nicht einmal Leute wie Bates etwas ahnen.«

»Sie denken, Moto arbeitet auf eigene Rechnung?«

»Das würde zumindest Bates' Nervosität erklären, und ich glaube langsam, in diesem Spiel weiß der eine nicht, was der andere tut.«

»Vielleicht ist es das beste, wenn wir erst einmal klären, wo unser scheuer Freund abgeblieben ist.« Sun erhob sich fast widerwillig aus dem Kommandostuhl. »Es wundert mich ein wenig, daß er uns noch nicht begrüßt hat.«

Während Sun den Maschinenraum suchte, folgte Kao dem zentralen Gang an das Heckende des Schiffes, an dem sich weitere Kabinen befanden. Neben einer vollautomatischen Kombüse und einem Waschraum entdeckte sie eine kleinere Kuppelkammer, die wie ein japanisches Zimmer mit *tatamis* ausgelegt war. Neben einem Videoschirm an seiner Rückwand gab es nur noch einen dünnen *futon,* der ausgerollt in der Mitte des Raumes auf dem Boden lag.

Seit Bates' unerklärlichem Tod verspürte Kao die beunruhigende Ahnung, daß in der Welt, die sie zu kennen glaubte, ein dunkler Riß entstanden war. Eine Pforte ins Reich des Chaos, das begonnen hatte, das Fundament, auf dem die ganze Existenz basierte, zu verschlingen. So sehr sie sich auch bemüht hatte, es war ihr nicht gelungen, eine vernünftige Antwort darauf zu finden, wer oder was Bates' getötet hatte, und der Anblick, der sie nun erwartete, trug nicht gerade dazu bei, ihre Befürchtungen aus der Welt zu schaffen.

Auf dem schwarzen Seidenstoff des *futon* lag der blau angelaufene und ballonartig aufgequollene Körper eines Mannes, der in einen weißen, großflächig mit Blut getränkten *kimono* gekleidet war. Alexander Moto hatte die Augen zu Tode erschrocken aufgerissen, und aus Mund und Nase tropfte eine wässerige, hellrot durchsetzte Flüssigkeit.

»Grundgütiger, was ist denn hier geschehen?« Caan stand mit fassungslosem Entsetzen hinter Kao und bereute es zutiefst, die *Blowfish* nach einem langen Kampf zwischen seiner Angst und seinem Pflichtgefühl verlassen zu haben.

»Etwa so muß es aussehen, wenn man in dieser Tiefe versucht, draußen eine Runde schwimmen zu gehen.«

»Sie meinen, Moto wäre ertrunken?«

»Wohl eher an seinem eigenen Blut erstickt.« Kao kniete sich neben der Leiche nieder, öffnete den Kimono und legte eine klaffende Wunde frei, die das Brustbein und die Rippen wie Pappmaché auseinandergerissen hatte. »Ich bin zwar kein Pathologe, aber wie mir scheint, ist Wasser unter großem Druck in seine Lungen geraten und hat das Gewebe buchstäblich explodieren lassen.«

»Vielleicht ein Unfall in der Dekompressionskammer?«

»Und wieso ist das ganze Blut dann hier?«

»Zudem stellt sich mit der Theorie die Frage, wer den Leichnam hier zur letzten Ruhe gebettet hat.« Sun trat mit skeptischer Miene aus dem Mittelgang in die Kabine. »Es ist niemand sonst an Bord, und nach dem Logbuch zu urteilen, wurde vor unserem Eindringen keine einzige der Außenschleusen aktiviert.«

»Dann wollen Sie uns wohl jetzt erklären, daß Moto auf eine ähnlich geisterhafte Weise ermordet worden ist wie Agent Bates.«

»Wer sagt Ihnen, daß Bates ermordet wurde, Commander?«

»Glauben Sie etwa, er hat sich selber umgebracht?« Caan entglitt ein schräges Lachen, und er begriff mit sichtlichem Entsetzen, daß seine Verschwörungstheorie endgültig wie ein Kartenhaus zusammengefallen war. Wenn weder Bates noch Moto die Drahtzieher all der seltsamen Ereignisse waren, blieben am Ende nur die *kahuna*-Zauberer der *Boys for Pele,* deren reale Existenz kaum wahrscheinlicher war, als die von schiffeverschlingenden Tiefseedrachen.

»Mord und Selbstmord sind am Ende gar nicht so verschieden«, erklärte Sun nachdenklich und entdeckte neben Motos Leichnam das blutbefleckte Kurzschwert eines Samurai und einen flachen, handtellergroßen Kristall, der in dem gedämpften Licht der Kabine in aquamarinblauer Farbe schimmerte. »Eine alte chinesische Weisheit besagt im übertragenen Sinn, daß die Frage, wer das Schwert zum Todesstoß geführt hat, letztlich nicht von entscheidender Bedeutung ist.«

»O bitte, Doktor. Kommen Sie uns jetzt nicht auch noch mit Konfuzius.«

»Dschuang Dsi, Commander, aber diesen Mißgriff sehe ich Ihnen großzügig nach.«

»Hören Sie, Sun«, raunzte Caan und starrte verwirrt auf das Schwert, das mit Sicherheit nicht Motos tödliche Verletzungen hervorgerufen hatte. »Ich habe keine Ahnung, was für eine Sauerei hier abgelaufen ist, aber für meinen Geschmack nehmen die Todesfälle langsam überhand. Wir haben es mit einem skrupellosen und völlig unberechenbaren Gegner zu tun. Und da es mein Job ist, für die Sicherheit dieser Untersuchung zu sorgen, werden wir jetzt augenblicklich zur *Albatroz* auftauchen und auf die Verstärkung durch die Redfins warten.«

»Bitte, tun Sie sich keinen Zwang an. Aber da es zu meinem Job gehört, nach Antworten zu suchen, werde ich den Spuren folgen und dorthin gehen, woher die *Maui Nui* gekommen ist.«

»Sie wollen nach Kazan Retto?«

»Nein, Commander.« Sun ließ das Navigationsprogramm auf dem Videoschirm erscheinen und deutete mit seinem Daumen nach unten. »Die Antwort auf die Frage, was Motos Tod verursacht hat, verbirgt sich zweitausend Fuß tiefer jenseits des Gipfels dieses Berges.«

38

PAO PELE

DER LAVATUNNEL

Ein Spalt durchschnitt den Stein, ein gewaltiger Riß im mächtigen Leib des Berges, der die Felswände an der Rückseite der Grotte in zwei steil aufragende Teile gesprengt hatte. Im Dämmerlicht hinter dem Wasserfall war der Spalt kaum zu sehen. Mächtige Farne hatten die Felsen überwuchert, und der Zugang war von meterdickem Geröll versperrt. Erst eine weitere Dynamitladung räumte den Weg durch den verschütteten Teil der Grotte in den Einschnitt frei und öffnete damit ein Tor, das seit langer Zeit verborgen gewesen war.

Cherry Jones schulterte ihren Rucksack mit einer Spezialausrüstung, die von einem Helikopter der Küstenwache abgeseilt worden war, verteilte weitere Stablampen an Dennis, Kimo und Hopkins und instruierte schließlich die Coastguards, das Expeditionsteam vor Sonnenuntergang wieder aus dem Tal abzuholen.

»Glauben Sie wirklich, da drin das Troja des Pazifiks auszugraben?« fragte Dennis, wenig berührt von der archäologischen Sensationsstory, die Jones ihm als Erklärung für das Interesse der Halewai-Stiftung an Manalei aufgetischt hatte.

»Es war Ihre Idee die Höhlen zu erforschen, Herr Kollege«, erklärte Jones und fragte sich, inwieweit die Anrede angemessen war.

Am Durchgang war der Riß kaum schulterbreit und öffnete sich erst einige Meter weiter zu einem Korridor, der tiefer in den Leib der Erde führte. Zu der Zeit, als die Vulkane auf Kaua'i noch Feuer spuckten, waren aus dem Herzen der Insel Ströme aus Lava entsprungen, deren rotglühendes Blut röhrenartige Tunnel hinterlassen hatte, als wären es die versteinerten Lebensadern des Berges. Im Licht der Lampen wirkte der Gang beinahe wie der Stollen eines Bergwerks. Er führte in einem Winkel von mehr als zwanzig Grad fast schnurgrade in die Höhe und war nicht besonders lang. Vielleicht fünfundzwanzig oder dreißig Meter. Von seinem ebenen Boden erhoben sich konkav gerundete Wände, deren glasartige, fast schwarze Oberfläche von ähnlichen Schriftzeichen übersät war wie die Kuppel der Grotte. Die Muster waren mit Kalk und Erdfarben auf die Lava gemalt worden und führten weit hinauf in die Verwerfung, die die Tunneldecke aufgerissen und den Berg in zwei Teile gespalten hatte. Der Gang besaß keinerlei Nischen oder Verzweigungen und endete an einer schmalen, steil aufragenden Wand aus glattgeschliffenem Fels, über die sich ein glitzernder Vorhang aus Wasser gelegt hatte. Wenn es jemals einen Durchgang in den Berg gegeben hatte, so war er jetzt durch die Verwerfung verschlossen, die die Tunnelwände mit unvorstellbarem Druck gegeneinander verschoben hatte.

Noch befremdlicher als die Lavaröhre war ein schwarzglänzender Steinblock, der kaum drei Meter von der Steilwand entfernt mitten im Tunnel lag und als einzigen Hinweis auf seine Bedeutung das stark verwitterte Zeichen einer stilisierten Brandungswelle trug.

»Das sieht aus wie ein Grabstein«, meinte Kimo und berührte respektvoll den rundgeschliffenen Stein, der offenbar über Jahrhunderte der Macht von fließendem Wasser ausgesetzt gewesen war.

»Das ist gewiß kein Grab.« Hopkins sah sich mit nervösen Blikken im Lichtschein seiner Lampe um, als fühle er sich von unsichtbaren Augen beobachtet. »Ich bin zwar kein Experte auf dem Gebiet der alten hawaiianischen Begräbnisrituale, aber einheimische Gräber sehen völlig anders aus.«

»Vielleicht war es kein gewöhnliches Grab«, überlegte Jones. »Vielleicht war es nicht einmal für menschliche Wesen bestimmt.«

»Ich dachte, Sie glauben nicht an Geister, Cherry«, erinnerte sie Hopkins.

»Das ist allein eine Frage der Definition.«

Jones kniete sich nieder, richtete ihre Lampe auf den Monolithen und suchte akribisch nach weiteren Schriftzeichen oder anderen Hinweisen auf den unbekannten Baumeister des steinernen Denkmals.

»Was finden Sie so besonderes an diesem Stein?« fragte Dennis zweifelnd. »Für mich sieht er aus wie Felsgeröll, das nur zufällig in diesem Tunnel liegt.«

»Wenn Sie den Kristall damals in diesem Tunnel gefunden haben, wird aus jedem Zufall eine Spur.« Jones nahm Hopkins den *lonolono* aus der Hand und legte ihn in eine kaum sichtbare aber paßgenaue Vertiefung, die sie auf der Kopfseite des Monolithen entdeckt hatte. »Außerdem erinnert mich dieser Ort an eine eigenartige Episode aus der hawaiianischen Geschichte, die noch immer einer Klärung harrt. Im Jahr 1893, also im Jahr des gewaltsamen Sturzes der Inselmonarchie durch einen von amerikanischen Geschäftsleuten angezettelten Aufstand, wurde die königliche Privatbibliothek im Iolani-Palast durch einen Brand zerstört, von dem viele annahmen, er wäre mutwillig gelegt worden. Angeblich befanden sich in der Bibliothek neben wichtigen Regierungsdokumenten auch Aufzeichnungen über das Wissen der damals noch praktizierenden *kahunas,* das bis dahin nur mündlich überliefert worden war, dessen Existenz der bis 1891 regierende König Kalakaua weitsichtig durch die ungewisse politische und kulturelle Zukunft der Inseln gefährdet gesehen und in der Bibliothek in schriftlich verfaßter Form zu sichern versucht hatte.«

»Das ist wieder eine dieser Stories, für die es keinerlei Beweise gibt«, murrte Hopkins, nicht weil er daran zweifelte, sondern weil er die Geschichte sehr gut kannte und ihrem Rätsel jahrelang vergeblich nachgegangen war.

»Mag sein, Professor. Interessant daran ist aber die Idee der Existenz einer Bibliothek für ein esoterisches Wissen, das direkt auf die alten Götter zurückgehen soll.«

»Das ist das Wesen von Mythologie und Religion, Cherry. Die Polynesier führten ihre gesamte Kultur auf das Wirken von *Kanaloa* und *Kane* zurück oder auf die Taten von Kulturheroen wie *Maui,* die im Dienste der *akua* als Schöpfer aller Dinge auftraten.«

»Wenn man nicht an Götter glaubt, verblaßt die Religion zu einem psychosozialen Phänomen, Professor. Außerdem hinterläßt es die spannende Frage, wer der ursprüngliche Schöpfer dieses Wissens war.«

»Damit versinken Sie in dem Dilemma zwischen Religion und Evolutionstheorie«, erklärte Hopkins unzufrieden, weil ihm der Zwiespalt seit Jahren wie ein Stein auf der Seele lag. »Am Ende bleibt allein die Frage, wer am Anfang aller Zeit das Universum aus dem Nichts gezaubert hat.«

»So weit wollte ich eigentlich nicht gehen«, lachte Jones und nahm den *lono-lono* wieder in die Hand. »Ich finde nur die Frage interessant, was aus den Aufzeichnungen über das *huna*-Wissen geworden ist.«

»Sagten Sie nicht, daß die gesamte Bibliothek zerstört worden sei?« erinnerte sich Dennis.

»Das war nur die offizielle Version. Viele *kama'aina* glaubten hingegen, daß die *kahunas* weitsichtiger waren als dieses einzigartige Wissen, das ihnen über Jahrhunderte eine blühende Kultur gesichert hatte, etwas so Vergänglichem anzuvertrauen wie Tinte und Papier. Es wurde sogar erzählt, daß es bereits vom Anbeginn der Zeit sogenannte Göttersteine gab, die als heilige Quelle für die *huna*-Lehre angesehen wurden und die an einem geschützten Ort verwahrt wurden, in einer nur den *kahunas* bekannten Höhle auf Kaua'i, die für ihre eigenen Grabstätten auserwählt worden war.«

»Sie glauben, hier ruhen die Gebeine dieser Hexenmeister?« folgerte Dennis und erschauderte bei dem Gedanken, daß darunter auch ein junges Mädchen war.

»Nein, ich denke, dieser Ort wurde zu einem Mausoleum gemacht, um das Vermächtnis der Götter für die Nachwelt zu bewahren und es gleichzeitig für uneingeweihte Augen zu verstecken. Beispielsweise für jene der neuen, nach Macht strebenden *haole*-Eroberer der Inseln, die in ihrer Gier nach Reichtum das *kahuna*-Wissen mißbrauchen konnten.«

»Das ist doch Unsinn, Cherry«, zischte Hopkins abweisend, obwohl er längst ahnte, worauf Jones hinauswollte. »Wenn das Wissen der *kahunas* wirklich so großartig war, wie die *kama'aina* so gerne behaupten, wie viele Steine wären wohl nötig gewesen, um es zu verewigen?«

»Quantität ist ein relativer Begriff, Professor, und hat zudem nichts mit der Qualität der Information zu tun, die ein Medium bewahrt.« Jones zog den X-Ram-Stick aus ihrem Handy. »So ein Chip ist kleiner als ein Finger, und das auch nur, damit wir ihn besser anfassen können. Wenn Sie wollten, könnten Sie darauf die Encyclopedia Britannica speichern.«

»Schnickschnack!« Hopkins fuhr ein kalter Schauer über den Rücken, als er daran scheiterte, sich den Schöpfer der *huna*-Lehre als

Computerprogrammierer vorzustellen. »Wollen Sie uns erzählen, die *kahunas* hätten eine holographische Technologie beherrscht und ihr Geheimwissen in diesem blauen Kristall versteckt?«

»Das habe ich nicht gemeint, denn dazu waren die *kahunas* sicher nicht in der Lage.«

»Mit einer solchen Idee hätten Sie sich auch reichlich lächerlich gemacht, Cherry. Noch zu Zeiten des ersten Kontakts mit den europäischen Seefahrern konnten die Hawaiianer weder lesen noch schreiben.«

»Das ist eine Frage der Definition, Professor«, meldete sich Kimo zu Wort. »Beim Lesen sind die Polynesier den *haole* in mancher Hinsicht bis heute überlegen.«

»Was reden Sie denn da, Dr. Havili?«

»Die *kama'aina* ziehen eine Unmenge an Informationen aus der Natur und beherrschen damit eine Sprache, die die Wissenschaft nur mühsam und mit deutlich umständlicheren, technischen Mittel wieder zu erlernen versucht. In Tahiti konnte man schon vor Jahrhunderten die Sprache der Natur lesen, die Formationen der Wolken, die Struktur der Wellen und die Muster des Windes, um die Informationen zu erhalten, die für ein Überleben notwendig waren. Ganz abgesehen von den telepathischen und psychosensorischen Fähigkeiten, die manchen Schamanen nachgesagt wurden und sozialen und medizinischen Zwecken dienten.«

»Die Beherrschung einer Schriftsprache ist etwas anderes«, konterte Hopkins gereizt. »Sie setzt einen intellektuell abstrahierenden Schöpfungsakt voraus, der ein geschichtlich sehr junges und fast ausnahmslos hochkulturelles Phänomen ist und bei Naturvölkern wie den Polynesiern unbekannt war.«

»Auch ich bezweifele, daß die *lono-lono*-Muster polynesischen Ursprungs sind«, stimmte Jones zu und zog mit dem Finger das Wellensymbol auf dem Monolithen nach. »Die *kahunas* tradierten nur ein Wissen, das aus einer grauen Vorzeit stammt, die dem Wirken der göttlichen Kulturheroen vorbehalten war. Sie versuchten das *huna*-Wissen und einhergehend damit eine Reihe von Fähigkeiten zu erhalten, die aber mit der Zeit verblaßten und wie die Zeichen an diesen Felswänden letztlich ihren Sinn verloren, weil man von der Quelle abgeschnitten war.«

»Von den alten Göttern?«

»Nein, Dennis. Es geht um das Vermächtnis einer untergegangen präpolynesischen Kultur, die ihr Wissen in einer hochkomplexen, dreidimensionalen Formensprache im Innern von Kristallen niederlegte, deren Bedeutung die Polynesier im Laufe der Geschichte nicht bewahren konnten wie die Ägypter oder die Maya in Mittelamerika. Auch dort blieben nur Reliquien eines vergessenen Wissens zurück, das so großartig war, daß spätere Generationen es nur noch den Göttern zuzuschreiben wußten.«

»Vielleicht wollten die *kahunas* dieses Wissen gar nicht bewahren«, widersprach Hopkins energisch, weil seine Angst ihn dazu zwang. »Vielleicht wußten sie, daß dieses Wissen für die Menschen sehr gefährlich war, und belegten es mit einem mächtigen *kapu*, einem Schutzzauber, der die *kama'aina* noch heute davon abhält, Orte wie Manalei zu betreten.«

»Ein *kapu* galt nur für die Unwissenden«, konterte Jones. »Wissen ist *a priori* weder gut noch schlecht. Erst der Wissenschaftler vollzieht durch seine Anwendung eine Wertung.«

»Und oft genug ist es, als wenn Kinder mit dem Feuer spielen. Begreifen Sie es doch, Cherry! Wir sprechen hier von einer göttlichen Macht, deren unheilvolles Potential die Menschen nicht beherrschen können. Und vielleicht ist das auch der Grund, aus dem dieses verlorene Volk, das diesem Tal seinen Namen gegeben hat, vom Antlitz der Welt verschwunden ist.«

»Wäre das nicht erst recht ein Grund, diese Geschichte zu ergründen, Professor? Ist es nicht sinnvoll eine solche Kraftquelle zu erforschen, um uns wenigstens vor ihren Gefahren zu schützen?«

»Ich weiß es nicht«, stöhnte Hopkins resignierend, weil er sich seiner fürsorglich gehüteten Theorie beraubt fühlte, auch wenn Cherry Jones' Interpretation zugegebenermaßen etwas sachlicher und nüchterner war als seine. »Doch was nützt uns schon unsere blühende Phantasie? Der Kristall spricht eine für uns unverständliche Sprache. Wollen Sie etwa einen der Hotel-*kahunas* fragen, die in den Feuershows in Waikiki auftreten?«

»Es ist eine geometrische Sprache, Professor, die uns, wie Sie selbst herausgefunden haben, durchaus eine Ahnung von der Art des Wissens gibt, das hier verewigt wurde. Der *lono-lono* zeigt die

Symbole für Feuer, Wasser, Luft und Erde und damit die mystischen Basiselemente der Schöpfung.«

»Das ist eine Erkenntnis mit einer ähnlichen Bedeutungstiefe wie Mr. Newmans Gedächtnis«, spottete Hopkins.

»Vielleicht kann uns der Kristall trotzdem weiterhelfen«, meinte Jones. »Dieser Stein verbirgt eine Holographie, die mit uns heute bekannten Fertigungsmethoden kaum zu erschaffen ist, und es könnte sein, daß er noch andere Fähigkeiten besitzt, von denen wir nichts wissen.«

Sie setzte den *lono-lono* zurück in die flache Mulde und wartete vergeblich darauf, daß etwas geschah. Mehrmals wendete sie den Stein, drehte ihn um seine Achse und versuchte jede nur denkbare Stellung, die möglich war und sinnvoll schien.

»So einfach machen es uns die Geister nicht«, meinte Hopkins mit gequältem Lächeln und bemerkte, daß diese Erkenntnis durchaus erleichternd für ihn war.

»Sagten Sie nicht, Sie hätten ein helles, blaues Licht gesehen, Mr. Newman?« erinnerte sich Kimo und versuchte Dennis' Erlebnis einem konkreten Geschehen zuzuordnen. »Könnte es vielleicht sein, daß dieses Licht aus dem Kristall gekommen ist?«

»Ich weiß nicht. Im Traum schien es mir, als ob es von den Wänden ausstrahlte.«

»Vielleicht war es eine Reflexion?« Jones schaute hinauf in den Spalt der Verwerfung, der über ihrem Kopf in der Dunkelheit verschwand und in seiner Höhe selbst mit der Stablampe nicht auszuleuchten war. »Möglicherweise war dieser Spalt vor dem Erdrutsch offen, und es gab eine Verbindung nach oben.«

»Nach oben?«

»Zum Sonnenlicht, Professor. Ein Kristall hat die Fähigkeit das Licht zu bündeln und zu brechen. Dabei entstehen Farben und Muster, die bei unserem Wunderstein vielleicht eine richtungsweisende Bedeutung haben.«

Jones öffnete ihren Rucksack und holte ein Teleskopstativ daraus hervor. Dann installierte sie einen Halogenspot mit einem Tageslichtbrenner auf dem Ständer und richtete den Scheinwerfer so aus, daß er senkrecht von oben auf den Kristall traf, gleich Sonnenstrahlen, die durch den Riß im Berg drangen. Im selben Moment begann die Welle im Innern des Steins zu schwingen und emittierte ein helles Licht, das den Tunnel in einen bläulichen Schein tauchte.

»Das ist ganz und gar… unglaublich«, staunte Hopkins und vergaß für einen Augenblick seine Angst.

»Das Licht ist der Schlüssel«, rief Kimo fasziniert und deutete auf eine ovale, intensiv leuchtende Stelle an der Steilwand, die am Ende des Tunnels den Weg versperrte. Es waren Wellenmuster aus blauem Licht, die mit dem Vorhang aus Wasser verschmolzen und dem Fels einen beinahe transparenten Glanz verliehen. Zugleich spürte er eine intensive Kälte, die plötzlich von der Wand ausstrahlte.

»Das sieht aus wie ein Tor«, staunte Dennis und fragte sich, warum er in seinem Traum nie auf eine solche Idee gekommen war.

»Oder wir haben es gerade dazu gemacht.«

Jones ging hinüber und streckte vorsichtig die Hand aus. Die Kältestrahlung war nicht unangenehm. Mutig berührte sie mit den Fingern den Fels und zog im selben Augenblick erschrocken die Hand zurück.

»Was ist?« fragte Dennis aufgeregt.

»Es ist unglaublich! Versuchen Sie es selbst.«

Dennis streckte seine Hand aus und legte sie auf die Wand. Dann verstärkte er den Druck und sah, wie seine Finger in das Gestein eindrangen.

»Es ist flüssig!«

»Und zugleich bewahrt es seine Form.«

»Flüssiger Stein? Bei kaum zwanzig Grad Celsius?« Hopkins schüttelte ungläubig den Kopf und traute sich nicht, die Felsen zu berühren. »So etwas ist unmöglich. Das widerspricht allem, was wir über die Materie wissen.«

»Dann ist die Realität wohl größer als unser Wissen, Professor.« Jones zog Hopkins' Aufzeichnungen aus der Tasche und verglich die Symbole mit den Wellenmustern, die wie tanzende Lichter über die Tunnelwände wanderten und die Quelle für die Felsmalereien verrieten. »Feuer, Wasser, Luft und Erde sind nicht nur mystische Symbole. Sie repräsentieren auch die Aggregatzustände der Materie. Vielleicht lag hierin die Macht, die die *kama'aina* den alten Göttern zugeschrieben haben. Es war die Fähigkeit die Materie zu beeinflussen. Und dieser Kristall verbirgt offenbar den Schlüssel zu dieser erstaunlichen Technologie.«

Jones streckte vorsichtig ihren Arm durch das steinerne Tor und spürte ein leichtes Kribbeln auf der Haut, als sie die Wand durchdrang. Die Lava fühlte sich wie Gelatine an und leistete ihrem Körper kaum mehr Widerstand, als ginge sie durch einen sanften Wasserfall.

»Grundgütiger, sie ist fort«, stammelte Hopkins. »Was sollen wir jetzt tun?«

»Ich schätze, wir sollten sie mit den Göttern nicht alleine lassen.« Dennis holte tief Luft, hielt den Atem an und verschwand gefolgt von Kimo durch das blauschillernde Tor, hinter dem wahrscheinlich die nächste Futterprämie für die Testmaus lag.

39

LU'U I PO

TAUCHFAHRT IN DEN ABGRUND

Auf dem Gipfel des Berges war die Welt eine Scheibe. Jenseits davon lag nichts als Dunkelheit. Die Steilflanken der Bluestone Seamounts fielen schroff hinab in düstere Tiefen, in eine unbekannte Welt jenseits der Wärme und des Sonnenlichts. Das Tauchboot glitt langsam über die Kante der Gipfeltafel und neigte sich hinab in eine Welt, in die bislang nur wenige Menschen vorgedrungen waren.

Während Milton Caan sich strickt geweigert hatte, an Bord der *Maui Nui* zu bleiben, und seine panische Angst vor den unsichtbaren Mördern in dem Totenschiff hinter einer Sturmwarnung von der *Albatroz* versteckt hatte – verbunden mit einem Schwall von Paragraphen aus den Sicherheitsvorschriften der Navy –, waren Tekina Kao und Marlin Sun den einzig verbliebenen Weg gegangen, um dem Rätsel von *ma no umi* auf die Spur zu kommen. Es war ein Weg in einen gähnenden Abgrund, in dem unvorstellbare Druckverhältnisse herrschten, die den *Blowfish* zusammengequetscht hätten wie eine Bierdose in einer Schrottpresse und die Wahl des Fahrzeugs zu einer Frage mit nur einer Antwort machten.

»Wie tief müssen wir hinab?« erkundigte sich Kao leise. Sie saß mit angezogenen Beinen auf dem Boden der Brücke und starrte mit ausdrucksloser Miene durch die Panoramakuppel im Bug des U-Bootes auf die grauen nach oben strebenden Steilwände des Guyots. Was sie sah, war ein künstliches Bild in einem künstlichen Fenster, das nichts weiter als ein riesiger, gewölbter Bildschirm aus unzähligen, bionischen Leuchtdioden war. Es war das computergenerierte Modell einer Wirklichkeit, die mit ihren Sinnen nicht mehr zu erfassen war, und erneut überkam sie das Gefühl, daß sich in der realen Welt an irgendeinem nicht mehr zu erkennenden Punkt der Geschichte ein Tor zu einer Alptraumwelt geöffnet hatte, in der die

Gesetze der Natur nicht mehr galten und der Schein das Sein beherrschte.

»Bis zum Fuß des Berges sind es beinahe zehntausend Fuß, aber der programmierte Kurs bringt uns nur auf etwa zweitausenddreihundert. Bei der jetzigen Sinkgeschwindigkeit sollten wir das Ziel in einer knappen halben Stunde erreichen.« Sun betrachtete Kaos Gesicht und bemerkte zum ersten Mal eine Unsicherheit, die in ihren Augen lag und eine Schwäche offenbarte, die sie von den unverletzbaren Kriegerinnen des Cyberspace deutlich unterschied.

»Ist alles in Ordnung mit Ihnen?«, fragte er besorgt und stand von dem Pilotensessel auf, der ihm die zweifelhafte Illusion vortäuschte, das Geschehen unter Kontrolle zu haben. In Wahrheit hatte er das Gefühl einer Demovorführung eines neuen Computerspiels beizuwohnen, dessen Funktionen er noch nicht einmal ansatzweise verstanden hatte. Anders als bei einem herkömmlichen U-Boot, dessen Brücke einem halbwegs verständlichen Chaos aus Schaltern, Hebeln und Ventilen glich, glänzte der Kommandostand der *Maui Nui* in schlichter Eleganz. Außer der videofähigen Panoramakuppel, die die Brücke wie ein Planetarium überspannte, gab es nur zwei berührungsempfindliche Monitore, die seitlich in die ausladenden Sitzlehnen des Sessels integriert waren und den Status der Systeme des Schiffs anzeigten.

»Was verstehen Sie unter Ordnung?« gab Kao die Frage zurück und vermied es, ihre böse Vorahnung auszusprechen, die sie beschäftigte, seit das Blau des Himmels über ihrem Kopf verschwunden war. Es war ein Gefühl, als wenn die Reise, die sie angetreten hatte, mit einem One-Way-Ticket gebucht worden war.

»Ordnung ist, die Geschichte zu verstehen, von der man ein Bestandteil ist.« Sun dachte an Motos Leichnam, der nur mit einem Tuch bedeckt in der hinteren Kabine der *Maui Nui* lag und das Spiel zu dem machte, das es in Wahrheit war. Ein in seiner Richtung um 180 Grad verkehrtes Himmelfahrtskommando, dessen Konsequenzen unabsehbar und am Ende möglicherweise tödlich waren.

»In diesem Sinne ist hier nicht mehr viel von Ordnung übrig, und ich frage mich, was einen Menschen dazu bringt, dreitausend Fuß tief in einen Abgrund hinabzutauchen, wo nur der Tod auf ihn gewartet hat.«

»Die Gier nach Macht ist oftmals stärker als die Angst vor dem Sterben, Agent Kao.«

»Die Gier nach einer Macht, die auf rätselhafte Weise Schiffe verschwinden läßt?«

»Ich glaube, sowohl Moto als auch die Flips hatten falsche Vorstellungen von dem, was sie zu finden hofften.« Sun deutete auf die Kontrollarmaturen des Neurocomputers, dessen kognitive und sensorische Werkzeuge ihn zunehmend faszinierten. »Diese Bioschiffe gleichen zwar Spürhunden für elektromagnetische Erscheinungen, die weit über die Grenzen unserer Erfahrung hinausgehen, und besitzen mit diesem künstlichen Gehirn zudem ein mächtiges Werkzeug für die Verifikation jeder Art von Analyse. Trotzdem standen unsere Pioniere am Ende hilflos einem Phänomen gegenüber, das sie nicht verstehen konnten, weil ihre Gedanken von irreführenden Voraussetzungen ausgegangen sind.«

»Weil Leute wie Bates nicht an die Existenz von Wassergeistern glauben?« Kao versuchte ein skeptisches Lächeln aufzulegen, was ihr gründlich mißlang. »An Wesen, wie Big Blue, die in der Lage sind, die Materie zu manipulieren und damit übermenschliche Fähigkeiten besitzen, die allein den Zustand erklären können, in dem wir Bates' und Motos Leichen vorgefunden haben?«

»Ich weiß nicht, ob der Glaube an die Geister hilft, wenn es am nötigen Respekt vor ihnen mangelt.«

»Komme ich jetzt wieder in den Genuß von einer Ihrer faszinierenden Theorien?«

»Jetzt klingen Sie beinahe wie Commander Caan.«

»Entschuldigen Sie, Doktor! Das wollte ich nicht.« Kao stand auf und ging zu Sun hinüber. »Ich meine es wirklich ernst. Wenn ich Sie für einen Spinner halten würde, wäre ich nicht mit Ihnen in diesen Abgrund abgetaucht. Und wenn wir zwei das Sonnenlicht wiedersehen wollen, müssen wir zusammenhalten und einander vertrauen.«

»Hört sich gut an«, meinte Sun versöhnlich. »Vor einer Woche wollte ich schon aus Vereinsamung meinen Dienst quittieren.«

»Was glauben Sie, wie froh ich bin, daß Sie es nicht getan haben?« Kao lachte und vergaß für einen Moment den Schatten ihrer bösen Ahnung, der wie eine Gewitterwolke über ihrer Seele lag. »Nun legen Sie schon los, bevor wir noch sentimental werden.«

»Ich bin mir nicht sicher, was sich tatsächlich hinter dem Geheimnis der *Dateline*-Mission verborgen hat, welche Rollen Bates und Moto dabei spielten und was letztlich dabei schiefgegangen ist. In letzter Konsequenz scheint es sich dabei aber um eine ziemlich abgedrehte Story zu handeln.«

»Bei Ihnen hätte ich auch nichts anderes erwartet, Doktor.«

»Seit Jahren hetzt mich die Regierung um den Globus, um Erklärungen für physikalische Anomalien der Materie zu finden, die mit unserem wissenschaftlichen Weltbild nicht zu vereinbaren sind. Um so mehr war ich erstaunt in Bates Datenbanken die Vita eines Mannes zu entdecken, der der Lösung des Rätsels möglicherweise ganz nahe war. Vielleicht sogar dem Geheimnis der universellen Schöpfung.«

»Sprechen Sie von Moses?«

»Die Bibel gehört sicher nicht zu der Lektüre von Leuten wie Bates.« Sun steckte einen der *Dateline*-Chips in den Bordcomputer und öffnete eine Datei mit dem Namen *Gaia*. »Es geht vielmehr um die Geschichte eines Gelehrten, der ein modernes Pendant von Moses sein könnte. Ein Mann, der die Worte Gottes vor sich sah und an der Größe ihrer Bedeutung scheiterte.«

Auf dem Schirm entrollte sich eine Karte des Globus, auf der verschiedenfarbige Zonen auf zwei deutlich erkennbaren Gürteln nördlich und südlich des Äquators abgebildet waren. Zusätzlich gab es ein symmetrisches Netzwerk schwächerer Linien, die sich von den Polen ausgehend über die Weltkugel spannten.

»Das ähnelt der Vermißtenstatistik des *Dateline*-Projekts«, erkannte Kao erstaunt.

»Ganz genau. Allerdings stammt diese Karte von einem unter tragischen Umständen verschollenen Wissenschaftler, der in bestimmten Regionen unseres Planeten auf der Suche nach Orten war, an denen anomale elektromagnetische Phänomene in besonders starker Form auftreten.«

»Ein Geophysiker und Ozeanograph, der im Dienste des Pentagon mit seiner Jacht vor der Küste von Kaua'i verschwand?«

Sun nickte. »Newtons Arbeiten erfreuten sich damals einer eher geringen Popularität. Nicht nur, weil seine Theorien für die etablierte Wissenschaft von inakzeptabler Bedeutungstiefe waren. Ich habe im Internet nur einen einzigen frei veröffentlichten Artikel von ihm entdeckt, der vor etwa sieben Jahren im Journal of Geographic Sciences abgedruckt wurde und kollektive Ablehnung bei seinen Kollegen fand. Der wahre Grund seiner Anonymität lag in seiner Rekrutierung durch Bates' Abteilung im Pentagon kurz nach der Veröffentlichung des Artikels.«

»Kannten Sie Newton?«

»Nicht persönlich, aber ich hegte bereits damals ein reges Mißtrauen gegen die Flips und vor allem gegen Leute wie Bates, deren einzige Aufgabe darin bestand, Dinge zu vertuschen, die man als so brisant einstufte, daß jedes Mittel für diesen Zweck geheiligt wurde.«

»Und dazu gehörten Newtons Theorien«, hakte Kao nach.

»Bates' Aufzeichnungen zufolge bildeten Newtons Theorien den Kern des *Dateline*-Projekts und setzten enorme Mittel frei, die Phänomene, die er entdeckt hatte, intensiver zu untersuchen.«

»Energiephänomene, wie man sie im Bermudadreieck oder in der Drachensee beobachtet hat.«

»Für die verschwundenen Schiffe interessierte sich Newton nur am Rande. Sein Anspruch ging sehr viel weiter. Er war davon überzeugt, daß die elektromagnetischen Anomalien, die man an vielen Orten der Welt in mehr oder weniger starker Form messen kann, eine gemeinsame Ursache haben. Er betrachtete sie als natürliche Erscheinungen in einer Art von globalem Feld, das für die Struktur jeder Art von Materie und Energie auf unserem Planeten verantwortlich ist.«

»Sie meinen ein morphisches Feld, gemäß der berühmten Atriumtheorie von Dr. Marlin Sun.«

»Vielen Dank, Agent Kao. Ich bin es ehrlich gesagt gar nicht gewöhnt, daß mir mal jemand zuhört.«

»Ich klebe förmlich an Ihren Lippen.«

»Tatsächlich?« Sun lachte und bemerkte, wie sehr ihm diese Idee gefiel. »Newton kannte natürlich Sheldrakes Arbeiten über die Theorie der morphischen Felder. Während Sheldrake seine Modelle im wesentlichen auf die Entwicklung biologischer Organismen bezog, konzentrierte sich Newtons Ansatz auf den Gedanken, daß auch unbelebte Strukturen wie Steinformationen, Wellen oder Wolken ihre Gestalt morphischen Feldern verdanken, die schließlich in ein die gesamte Erde umfassendes Superfeld integriert sind, das die Gestalt und jegliche Form der Dynamik unserer Welt bestimmt. Wie andere Wissenschaftler vor ihm spielte er sogar mit der altgriechischen *Gaia*-Hypothese, nach der die Erde ein lebendiges Wesen sei, dessen Verhalten man nur verstehen könne, wenn es gelinge, sein morphoenergetisches Organisationsprinzip und die Gesetze seiner Dynamik zu entschlüsseln. Eine universelle morphologische Sprache...«

»... oder die Formeln für Gottes Bauplan von unserem Planeten.« Kao schüttelte verwundert den Kopf und begann mit dem blauen Kristall zu spielen, den Sun in Motos Händen gefunden hatte.

»Newton sprach von den Mustern der Seele der Welt, und in letzter Konsequenz zog er dabei eine faszinierende Analogie. Er übertrug den Gedanken des feinstofflichen Energiekörpers auf den Globus und postulierte die Existenz einer Aura mit Meridianen und Chakren, wie sie in der asiatischen Medizin für den Menschen beschrieben wird. Die Realität dieser besonderen Energiebahnen und Zentren sah er nicht nur durch seine eigenen Forschungen bestätigt, sondern auch durch die zahllosen Hinweise auf heilige Orte, von denen in vielen Mythen rund um die Welt die Rede ist.«

»Kein Wunder, daß er von seinen etablierten Kollegen nicht für voll genommen wurde.«

»Die Flips nahmen seine Gedanken dafür mehr als ernst, denn hinter der mystischen *Gaia*-Hypothese lauerte die Idee der Erforschung der morphischen Felder und damit die Möglichkeit ihrer Manipulation und Nutzung. Und das war ein Gedanke, der Leute wie Bates unsagbar faszinierte. Nicht unbedingt in Hinblick auf die unumgängliche Idee der Entwicklung einer ultimativen Waffentechnologie, wie Commander Caan befürchtet hat. In erster Linie ging es dabei um strategische Szenarien, deren wichtigste Implikation die Erzeugung von nutzbarer Energie durch die morphische Veränderung von Materiestrukturen war. Eine Technologie, für die Newton in alten Schriften und Legenden zahllose Beispiele gefunden hat. Selbst in der Bibel.«

»Und wie wollte man diese Energien kontrollieren, wenn man nicht einmal wußte, aus was sie bestehen?«

»Unwissenheit war für die Menschen noch nie ein Hinderungsgrund, Agent Kao. Sehen Sie sich die Wissenschaft an. Wir testen Atomwaffen und bauen Fusionsreaktoren ohne letztlich verstanden zu haben, was Materie und Energie eigentlich ist…«

»… und ohne uns Gedanken darüber zu machen, was wir mit diesen Experimenten über ihre unmittelbar beobachtbare Wirkung hinaus anrichten können.«

»Frei nach der Devise, Übung macht den Meister…«

»… bis der Zauberlehrling sein Labor abfackelt.«

»Nach allem was ich in Bates' Aufzeichnungen über Newton gefunden habe, war er sich dieses Risikos durchaus bewußt. In Kenntnis der Maralinga-Phänomene entwarf er Szenarien über die Schäden, die der Mensch in den natürlichen Strukturen des morphischen Feldes der Erde anrichten könnte.«

»Beispielsweise durch die Tests von Atomwaffen?«

»Nicht nur durch Waffen, Agent Kao. Newton befürchtete eine wesentlich tiefgreifendere Schädigung durch schleichende Verstrahlung oder Verschmutzung des Planeten durch radioaktiven und chemischen Abfall unserer Zivilisation und glaubte, in den globalen Klimaveränderungen die ersten, größeren Auswirkungen der Destabilisierung des morphischen Feldes zu erkennen. Deshalb versuchte er die Flips davon zu überzeugen, sich auf die Grundlagenforschung zu beschränken, bevor man durch die Anwendung eines bis dato völlig unzulänglichen Wissens noch größere Schäden anrichten würde, deren Konsequenzen wahrscheinlich nicht zu kontrollieren wären.«

»Aber Leute wie Bates kannten diese Skrupel nicht.«

»Das ist, was ich die ganze Zeit befürchtet habe. Während Newton an seinen Modellen feilte und monatelang durch die Welt zog, um an den von ihm postulierten Orten der Kraft die natürliche Struktur des morphischen *Gaia*-Feldes zu erforschen, bereiteten die Flips offenbar ohne sein Wissen unter dem Decknamen *Dateline* praktische Versuche vor.«

»Und nachdem Newton auf tragische Weise ums Leben gekommen war, kannte ihre Gier nach dieser alles verändernden Macht keine Grenzen mehr«, folgerte Kao bestürzt. »Man beauftragte Moto Enterprises ein Schiff mit einer geeigneten Spezialausrüstung zu entwickeln und begann ein gefährliches Spiel mit dem unbekannten Feuer bei dem die Vernichtung der *Dateline* zum unbeabsichtigten und zugleich tragischen Höhepunkt des Projekts wurde, bevor es richtig angefangen hatte. Es war ein schiefgegangenes Testexperiment auf ihrer Jungfernfahrt, dem auch die *Tangaroa* bei ihrem Protest gegen die Aktionen der Flips zum Opfer gefallen ist, von denen die Crew offenbar durch eine undichte Stelle im *Dateline*-Projekt erfahren hatte.«

»Das klingt plausibel und zugleich auch wieder nicht«, meinte Sun kopfschüttelnd. »Erstens kann ich mir nicht vorstellen, daß Leute wie Bates Moto über die wahren Hintergründe des *Dateline*-Projekts informiert haben, und zweitens bleiben darüber hinaus noch eine ganze Reihe von wesentlich gewichtigeren Fragen offen, die mich am Ende an der Stimmigkeit dieser Theorie zweifeln lassen.«

»Ich schätze, Sie meinen die spektakuläre Vorstellung von Big Blue...«

»... oder die Existenz eines Mädchens, das ertrinken kann, ohne daran zu sterben...«

»... und nicht zuletzt das Rätsel, wer für Bates' und Motos Tod verantwortlich ist.«

»Verantwortlich...?« wiederholte Sun leise und kratzte sich ausgiebig an seinem Kinn. »Das ist vielleicht der interessanteste Punkt. Vielleicht liegt in der Frage nach der Schuld das zentrale Problem der ganzen Geschichte.«

»Wie meinen Sie das?«

»Das ist gar nicht so leicht zu erklären, Agent Kao, denn ich habe langsam das Gefühl, daß wir in den falschen Kategorien denken. In scheinbar kausalen Zusammenhängen, die unseren Blick in eine falsche Richtung lenken. Vielleicht ist das auch der Grund, warum bislang niemand verstanden hat, welche Gestalt der zornige Drache von *ma no umi* wirklich besitzt, der unsichtbare Feind, vor dem Commander Caan so zittert.«

»Vielleicht ist es am Ende Dr. Newtons Geist, der sich zürnend aus seinem kühlen Grab erhoben hat, um die Flips für den Mißbrauch seiner Theorien zu bestrafen.«

»Gratuliere, Agent Kao«, lachte Sun zustimmend. »Ich hatte

schon gedacht, ich stände ganz allein mit meiner blühenden Phantasie.«

Beinahe unmerklich stoppten die Wasserstoffturbinen der *Maui Nui* und ließen das Schiff vor einem gewaltigen Loch in der Steilwand des Guyots zum Stehen kommen. Dann drehte das Schiff seinen Bug in Richtung des Berges und zündete eine gleißende Phalanx von Scheinwerfern, die ihre leuchtenden Kegel wie die Arme eines Kraken in die ewige Dunkelheit der Tiefseehöhle schickten. Das Loch besaß einen Durchmesser von mehr als fünfzig Metern, und tief in seinem Innern leuchtete ein helles Licht, das ohne jeden Zweifel nicht natürlichen Ursprungs war.

40

MANA

DAS LICHT DES LEBENS

Es war ein kaltes Licht. Ein blaues Licht, das Dennis den unbehaglichen Eindruck suggerierte, tief unter Wasser zu sein. Das steinerne Tor am Ende des Lavatunnels hatte den Zugang zu einer verborgenen Höhle geöffnet, die dem Inneren einer sich steil nach oben verjüngenden Pyramide glich. An der Basis des Raumes trennten nicht einmal zehn Meter die schwarzen Felswände, die wie ein natürlicher Kamin fast hundert Meter in die Höhe der Verwerfung ragten. Und darüber lag wie ein blauleuchtendes Juwel der wolkenlose Himmel.

Die Mitte des Raumes war von gleißenden Sonnenstrahlen erhellt, die durch den Spalt im Berg auf einen engbegrenzten Bereich des Bodens fielen. Die Stelle wirkte in der diffusen Dämmerung wie eine Bühne im Scheinwerferlicht und war zugleich das Spiegelbild der Himmelsöffnung. Es war eine flache, kreisrunde Kuppe, die wie eine optische Linse aus einem glasartig-kristallinen und völlig plangeschliffenen Material zu bestehen schien. Sie besaß etwa fünf Meter im Durchmesser und trug die gleiche aquamarinblaue Färbung wie Uribes *lono-lono.* In ovaler Gestalt umgab der Raum die Bühne mit einem Grund aus feinem, weißem Korallensand, der sich wie ein weicher Teppich um das Zentrum legte.

Dennis bewegte sich nicht. Er stand nur da, mit offenem Mund, und staunte. Er merkte nicht einmal, daß Jones und Kimo neben ihm standen und in gleicher Weise fasziniert das Bildnis aus Stein und Licht betrachteten, das in seiner schlichten Schönheit keinem Platz in der natürlichen Welt vergleichbar war. Aus der Höhe mußte der Höhlenboden wie ein riesenhaftes Auge wirken, in dessen Pupille das Feuer des Himmels fiel. Zugleich strahlte das Licht von dem blauen Kristall zurück, der wie der Spiegel eines bodenlosen Sees erschien, wie eine Pforte zwischen dem Himmel und dem Innern der Welt.

»Cherry? Mr. Newman?«

Dennis vernahm eine angsterfüllte Stimme hinter seinem Rücken und erwachte aus seinem Staunen. Es war Hopkins, der sich offenbar entschlossen hatte, als Nachhut im Tunnel zurückzubleiben, oder – was wahrscheinlicher erschien – sich schlichtweg nicht getraut hatte, durch den flüssigen Stein zu treten. »Ist alles in Ordnung mit Ihnen?«

»Kommen Sie, Professor«, flüsterte Jones, obwohl es keinen nachvollziehbaren Grund dafür gab. »Das müssen Sie sich ansehen.«

Hopkins zögerte einen Moment. Als das Alleinsein im Tunnel ihm jedoch mehr Furcht bereitete als der Gedanke daran, was ihn hinter dem Tor erwartete, schlüpfte er mit einer eiligen Bewegung durch den Fels und strauchelte, als seine Füße in dem weichen Korallensand keinen Halt fanden. Hilflos ging er zu Boden und berührte dabei mit der Hand den blauen Kristall. In der gleichen Sekunde schrie er auf. Es war ein Schrei, der eine Mischung aus Furcht und Erstaunen repräsentierte. Ein prickelnder Strom durchfuhr seine Hand und floß wie eine Welle durch seinen Körper. Zugleich wuchs ein Schleier aus weißem Licht über seine Finger und umschloß alsbald die ganze Hand.

»Himmel, was ist das?« stöhnte er und zog instinktiv seinen Arm zurück. Die Hand war unverletzt und fühlte sich ein wenig warm an. Angenehm warm.

Jones hockte sich neben Hopkins, schob vorsichtig ihre Hand auf den Kristall und mußte unwillkürlich lachen.

»Das ist ja toll«, rief sie begeistert und legte ihre andere Hand daneben. »Das fühlt sich an wie eine Massage.«

»Seien Sie vorsichtig«, warnte Hopkins, weil er nicht verstand, was er sah. »Wir wissen nicht, womit wir es zu tun haben.«

»Es muß eine Art Energiefeld sein. Vielleicht durch die Brechung des Sonnenlichts in diesem Kristall.« Jones streckte langsam ihren Arm vor und begann dann auf allen vieren auf den blauen Spiegel zu kriechen. In gleichem Maß umschloß das helle Licht ihren Körper, bis er ganz davon eingehüllt war, wie von einem leuchtenden Nebel.

»Das ist wie auf einer Sonnenbank«, meinte sie und zog sich ihren

Freeclimb-Overall aus, der das Licht zu dämpfen schien. Dann legte sie sich mit dem Rücken auf den blauschimmernden Stein. Das Leuchten war nicht statisch. Es pulsierte und bildete ausgeprägte Ströme von unterschiedlicher Helligkeit auf ihrer Haut. Schon bald bildete sich vom Scheitel bis zum Beckenboden ein Band aus weißem Licht. Von dort zogen sich leuchtende Stränge in alle Teile ihres Körpers und verästelten sich in immer feinere Zweige.

»Das ist einfach unglaublich.« Hopkins verlor vor Erstaunen seine Angst. »Das sind Meridiane.«

»Meridiane?« fragte Dennis und kniete sich von Jones' Begeisterung angesteckt ebenfalls vor dem blauen Spiegel nieder.

»Die Bahnen der Lebensenergie, mit ihren Zentren, den Chakren.«

Hopkins deutete auf besonders helle Zonen der Lichter an Stellen, an denen sich die Energiebahnen kreuzten.

»Es ist die Aura, Professor«, lachte Jones wie betrunken und richtete sich wieder auf. »Mein Gott, ich sehe meine Aura.«

Sie spürte, wie das Licht ein Feuer in ihrem Körper entfachte. Es war eine Welle der Vitalität. Eine Welle der Euphorie. Noch nie hatte sie sich derart lebendig gefühlt. Sie bewegte ihre leuchtenden Hände vor ihren Augen, hob ihre Arme und beobachtete mit der Freude eines Kindes, wie das Licht ihren Bewegungen folgte. Zwischen den Meridianen verteilten sich dabei auch dunklere Zonen über ihren Körper, in denen sich das Licht mit verschiedenen Orange- und Rottönen färbte. Nur über ihrem Herz lag ein starrer, blauer Schatten, der hinter dem strahlenden Leuchten der Meridiane kaum zu erkennen war.

Plötzlich spürte Jones feine Stiche, die an der Oberfläche über ihre Haut wanderten. Sie zuckte zusammen und erschrak, als sie sah, was mit ihr geschah. Wie ein Heer von winzigen Blitzen entflammten gelbe Lichter auf ihren Händen, in deren Aura es eine Anzahl kleiner rötlicher Streifen gab. Sofort mischten sich die Blitze mit dem Rot, ließen es pulsieren und verwandelten es in Sekundenschnelle in leuchtendes Weiß.

»Meine Wunden…« flüsterte Jones und glaubte kaum, was geschah.

Bei der Rettungsaktion für Hopkins hatte sie sich an den Händen verletzt. Es waren einige Schürfwunden, die die Haut an den Ballen aufgerissen hatten. Nun verschlossen sich die blutig verkrusteten Stellen, und in Zeitraffertempo wuchs über den Wunden eine neue, makellose Haut.

»Haben Sie das gesehen?« Jones rollte ihren Körper aus dem Licht und hockte sich neben Hopkins, der noch immer wie erstarrt vor dem Spiegel auf dem Boden saß.

»Es ist ein Wunder...« stammelte er und betrachtete die auf unerklärliche Weise verheilte Haut.

»Ein Wunder, Professor?« wiederholte Jones und zog sich wieder an. »Das ist es nur solange wir es nicht verstehen. Den *kama'aina* war dieses Phänomen schon immer bekannt.«

»malama akua«, murmelte Kimo und hielt voller Respekt seine Hand über den blauen Kristall. »Das göttliche Licht des Lebens.«

Jones nickte und erinnerte sich an ihr Ethnologiestudium, das sie in der Gewißheit aufgegeben hatte, mit Aberglauben keine Karriere machen zu können. »Dieses Phänomen findet bereits in den Aufzeichnungen der ersten europäischen Seefahrer Erwähnung, genauso wie in den Tagebüchern der späteren Missionare, die ein solches Wunder natürlich als Teufelszeug verdammten und es als ihre Gottespflicht ansahen, den heidnischen Eingeborenen solchen frevlerischen Zauber schnellstens auszutreiben.«

»Sie meinen, wir haben es hier mit *kahuna*-Zauberei zu tun?« fragte Dennis und zögerte, sich mit seinen zahllosen Wunden der Geisterheilung hinzugeben.

»Der Zauber besteht nur in dem Wissen um die heilende Wirkung von einer besonderen Art von Kraftfeld oder Lichtenergie, mit der Verletzungen des Körpers behandelt werden können.«

»Schnickschnack«, wehrte sich Hopkins Vernunft, obwohl sie den Kampf gegen die Geister in seinem Kopf schon längst verloren hatte. »Was sollen das denn für Energien sein?«

»*mana,* Professor«, deutete Kimo. »Nach der hawaiianischen *huna*-Philosophie ist es die reine göttliche Schöpfungskraft.«

Jones bat Hopkins sich Jacke und Hemd auszuziehen und sich in der Mitte des Kristallspiegels auf den Boden zu setzen.

»Schauen Sie einfach hin. Schauen Sie auf Ihren Arm und fühlen Sie, was mit Ihnen geschieht. Wenn *huna* nicht nur die Legende von einem faulen Zauber ist, wird das Kamehamea-Hospital vielleicht schon bald zu einem Geisterhaus.«

Hopkins kniete in einer Säule aus schimmerndem Licht, das ihn wie eine Flut vitalisierender Energiewellen durchströmte. Er stöhnte, weniger vor Schmerz oder Erschöpfung, sondern weil sich ein Gefühl in seinem Körper entwickelte, das er nur mit dem Begriff erotischer Ekstase zu beschreiben wußte, einem seit mehr als zwanzig Jahren vergessenen Zustand, der in seiner Erinnerung nur einen blassen Schatten zurückgelassen hatte.

Dennis war sprachlos über das, was er sah. Deutlich entwickelten sich wieder die Meridiane mit den Chakren auf einer Linie zwischen Stirn und Unterleib, von denen sich ein feinverästeltes Muster lebendiger Energieströme entlang der Nervenbahnen in jeden Teil des Körpers verzweigte. Anders als bei Cherry Jones zeigten sich in Hopkins' Aura deutlich mehr dunkle Stellen, die nichts anderes waren als geschwächte oder bereits abgestorbene Zonen seiner Lebenskraft. Stark betroffen schienen die Gelenke und die inneren Organe, die offensichtlich den Tribut für ein langes ungesundes Leben zollten. Besonders die Nieren und die Leber waren von dunkelblauem Licht umgeben, das den Strom der Energie durchbrach und seinen Fluß blockierte. Die Krankheitsherde waren dabei so erstarrt, daß nicht einmal das Kraftfeld, das der Kristall emittierte, eine Veränderung darin aufzulösen vermochte.

Ganz anders entwickelte sich hingegen der Zustand von Hopkins' verletztem Arm. Bereits nach wenigen Sekunden bildete sich ein helles, pulsierendes Feld um die Bruchstelle, die in leuchtendem Rot entflammt war. Das Licht legte sich über den gesplitterten Knochen, und beinahe schien es, als bildete es seine Form in heilem Zustand nach.

»In Tahiti sagen wir, daß der Mensch wie jedes lebendige Wesen drei Körper besitzt«, erklärte Kimo und erinnerte sich an die Geschichten seiner Eltern, die er nie besonders ernst genommen hatte. Jetzt sah er, daß das ein Fehler gewesen war, und schämte sich beinahe. »Es sind drei Ebenen derselben Existenz. Materie, Geist und Seele, die mit einem Band aus Licht verbunden sind. Materie und Geist sind letztlich aber nur Schatten der Seele. Wenn Geist oder Körper verletzt sind, kann die Seele sie heilen. Sie wirkt dabei wie eine Vorlage, die den heilen Zustand des Körpers und des Geistes bewahrt. Wenn das Band allerdings zerreißt, stirbt der Mensch.«

»In vielen Kulturen wurde Schamanen die Fähigkeit nachgesagt, einen solchen Prozeß der inneren Heilung hervorrufen zu können«, ergänzte Jones. »Da es dafür bislang keine wissenschaftliche Erklärung gab und Phänomene dieser Art keinen sinnvollen Platz in unserem Weltbild fanden, wurden diese Geschichten zumeist leichtfertig in den Bereich des Aberglaubens verbannt. Eine Fehleinschätzung, die einmal mehr zeigt, wie begrenzt unser Wissen von der Welt tatsächlich ist.«

»Aber wir haben hier keinen Schamanen«, bemerkte Dennis verwirrt, obwohl er den Oberhexenmeister sehr gut zu kennen glaubte. »Es geschieht wie von selbst.«

»Die *kahuna*-Schamanen verstanden sich nur als Medien«, erklärte Kimo und holte aus seinem Rucksack ein spezielles Gerät zur Messung elektromagnetischer Felder heraus. »Sie waren Vermittler, die anstelle des Patienten die Verbindung mit den Göttern aufnahmen, um die blockierten Kanäle seiner Lebensenergie wieder zu öffnen. Vielleicht erfüllt dieser Kristallspiegel eine ähnliche Aufgabe. Vielleicht läßt er das *mana* zwischen Himmel und Erde fließen und aktiviert die Selbstheilungskräfte der Seele, die bei leichten oder akuten Verletzungen offenbar sehr schnell in der Lage sind, die Gesundheit von Körper und Geist zu regenerieren.«

»Glauben Sie, er kann auch Wasserneurosen heilen?«

»Ich weiß nicht, Dennis«, lachte Jones und bootete Kimos Notebook, das die Signale der Sensoren aufzeichnen sollte. »Ich fürchte, bei einem Patienten wie Ihnen ist eine tiefergehende Behandlung durch einen Meister-*kahuna* nötig.«

»Ich kann einfach nicht glauben, daß wir hier in einem prähistorischen Hospital gelandet sind«, zweifelte Dennis. Dabei fragte er sich insgeheim, ob die Höhle nicht eher die Bühne für das Finale von Brillsteins Drama war, und suchte unruhig nach der versteckten Kamera.

»Ich denke auch, hier geht es um weit mehr. Vielleicht verstecken sich hinter diesem wundervollen Nebeneffekt noch ganz andere Möglichkeiten.« Jones betrachtete die Energiemuster, die der Computer anzeigte, und begann zu ahnen, was den Schatz, den Alexander Moto suchte, wertvoller machte als alles Gold der Welt. »Wir haben gesehen, wie massiver Fels die Eigenschaften einer Flüssigkeit angenommen hat, möglicherweise unter dem Einfluß des kleinen *lono-lono* Kristalls, und nun sind wir Zeugen eines Prozesses, der aus einem Energiefeld, für das wir kaum mehr als den Namen Aura kennen, neue Haut und Knochen formt. Falls unser Hirn nicht von einem halluzinogenen Gas vernebelt ist, das in diesem Berg aus den Felsen strömt, dann haben wir hier ein Phänomen entdeckt, dessen Möglichkeiten der Manipulation von Materie und Energie schier unerschöpflich sind.«

»Vielleicht liegt darin auch das wahre Vermächtnis der Kalakaua-Bibliothek«, meinte Kimo zustimmend. »Wenn Feuer, Wasser, Luft und Erde die Basiselemente der Schöpfung sind, beschreiben die *lono-lono*-Muster vielleicht eine auf den Aggregatzuständen der Materie basierende Formel. Es ist keine Schrift, sondern eine Art multidimensionales, geometrisches System, das am ehesten noch den chemischen Modellen entspricht, die wir uns von Makromolekülen machen. Nur ist dieses System weitaus komplexer und noch dazu dynamisch. Es beschreibt Bewegung. Die Verwandlung unserer Welt.«

Plötzlich blitzte für den Bruchteil einer Sekunde ein sehr helles Licht auf, und Hopkins sah, wie sich um sein linkes Handgelenk ein strahlend blaues Feld gebildet hatte. Das Licht hob sich deutlich von der Aura ab und schien seine Quelle in dem alten Breitling-Chronographen zu haben, den er trug.

»Was ist denn nun los?« rief er erschrocken und spürte eine zunehmende Wärme, die im Gegensatz zu der vitalisierenden *mana*-Strahlung unangenehm und stechend war. Dann sah er, daß die Leuchtziffern der Uhr winzige Blitze aussandten und wie kleine Geschosse in alle Richtungen abfeuerten.

»Das Radium ...«, rief Kimo verwundert. »Die Radium-Strahlung der Ziffern dieser alten Uhr.«

»Verdammt!« schrie Hopkins und versuchte panisch den Verschluß des Armbandes aufzumachen. »Helfen Sie mir doch, mein Gott! Das brennt höllisch. Es brennt sich in meinen Arm.«

Kimo stürzte zu Hopkins auf den Spiegel des Kristalls, riß ihm die Uhr vom Handgelenk und warf sich mit dem alten Mann aus dem Geisterlicht hinaus in den weichen Sand. Sekunden später verglühte die Uhr in einem gleißend hellen Feuer, das nur Spuren von dem geschmolzenen Metall des Armbands übrigließ.

»Dieses Energiefeld muß einen zerstörerischen Einfluß auf radioaktive Substanzen haben«, überlegte Dennis erschrocken.

»Ich glaube nicht, daß der Kristall zerstörerisch wirkt«, zweifelte Jones und half Hopkins und Kimo wieder auf. »Offenbar verstärkt er nur vorhandene Strukturen. Leben hat Ordnung, der radioaktive Zerfall ist dagegen unkontrolliertes Chaos und wird durch den Kristall beschleunigt. Er verstärkt die Richtung der Wandlung von energetischen Strukturen. Er beschleunigt Organisation und Zerfall.«

»Vielleicht wurde dieser Tempel der Heilkunst deshalb verschlossen und mit einem *kapu* versehen?« stöhnte Hopkins und rieb sich die verbrannte Stelle an seinem Handgelenk. »Vielleicht hat dieses Phänomen verheerende Nebenwirkungen gezeigt...«

»... oder es wurde für etwas mißbraucht, für das es nicht geschaffen war.« Kimo dachte an die Mahnmale des menschlichen Größenwahns, die auf den verbrannten Feldern von Maralinga errichtet worden waren, und fragte sich, warum die Menschen offenbar immer wieder die gleichen Fehler begangen. »*mana* und *kapu* beschreiben die antagonistischen Prinzipen der polynesischen Philosophie, von denen die alten Mythen berichten. Es ist die göttliche Schöpferkraft und zugleich die Warnung vor dem Mißbrauch dieser unbändigen Energie, die Vernichtung und Tod über die Welt bringen kann.«

41
MAKA'U
ANGST

»*Blowfish* an *Albatroz*! *Blowfish* an *Albatroz*. Melden Sie sich, *Albatroz*!«

Milton Caan wünschte sich nur noch, woanders zu sein. Jeder verdammte Ort auf der Welt war besser, als in einer beengten Stahltonne siebenhundert Fuß unter dem Meeresspiegel zu sitzen und zur Untätigkeit verdammt zu warten. Er verfluchte Alexander Moto, der nach dem Mord an seiner Konkubine offensichtlich nichts Eiligeres zu tun gehabt hatte, als sein eigenes Grab in der Tiefsee zu schaufeln. Und er verfluchte Marlin Sun, dem keine Geschichte zu verrückt erschien, als ihr nicht blindlings nachzurennen, selbst wenn es ein Weg in die Hölle war. Insbesondere aber verfluchte er sich selbst, weil er seine Feigheit akribisch verborgen hatte. Seine Ängste vor dem Ungewissen und seine Klaustrophobie, deren Konsequenz ein Bürojob in der Verwaltung gewesen wäre.

Caan liebte das Meer – zumindest was lange Spaziergänge am Strand betraf. Und er liebte den Anblick großer, waffenstarrender Schiffe, die das Rückgrat des pazifischen Verteidigungssystems waren und damit die Lebensversicherung Amerikas gegen jeden unbekannten Feind, der sich dem glorreichen Beschützer des Weltfriedens gegenüberstellte. Jetzt saß er in der Falle seiner eigenen Angst und wußte nicht, was er gegen die Attacken seiner Panik machen sollte. Zudem bestand die Falle in einer russischen Sardinenbüchse, die für einen verdienten Offizier der Navy sicherlich der unangemessenste Ort zum Sterben war.

Zum ersten Mal in seinem Leben befand sich Caan in einer ausweglosen Situation. Vor mehr als einer halben Stunde war der Funkkontakt zur *Albatroz* abgebrochen. Nur wenige Minuten, nachdem sich die Verbindung zu Sun und Kao in der *Maui Nui* so massiv verschlechtert hatte, daß nur noch ein Knistern und Rauschen aus den Lautsprecher der Kommunikationsanlage gekrochen kam. Als weitaus schlimmer erschien ihm aber die Tatsache, daß es dem Piloten der *Blowfish* bislang nicht gelungen war, die streikenden Elektromotoren des Antriebs wieder in Gang zu bringen, um das Boot zurück an die Oberfläche zur *Albatroz* zu bringen.

Caan wußte nicht, ob es nur an der technischen Unfähigkeit des ehemaligen Rote-Armee-Offiziers lag oder an dem schlichten Versagen der russischen Maschinen, die – was er neidlos anerkennen mußte – lange Jahre zuverlässiger gearbeitet hatten, als so mancher hochpolierte amerikanische Apparat. Jetzt hing der Pilot irgendwo draußen im Tiefseewasser an der Schraubensteuerung und versuchte offenbar vergeblich den Fehler in der Elektronik zu entdecken.

»Verdammt, *Albatroz*, melden Sie sich endlich!«

Vor Caans Augen flackerten einige Monitore, auf denen der Status der Bordsysteme abzulesen war. Es war ein Anblick, der ihn ein wenig beruhigte, denn die Computer, mit denen die *Blowfish* nachgerüstet worden war, schienen nicht nur hochmodern, sondern trugen auch das Qualitätssymbol *Made in USA*. Weniger beruhigend war dagegen die russische Batterieanzeige, deren zitternder Zeiger sich langsam aber stetig südwärts bewegte. Die Analyseprogramme errechneten noch knapp drei Stunden, bis der Strom zur Neige ging und damit auch die Funktion der Lebenserhaltungssysteme, die Wärme und Sauerstoff in die Kabine pumpten. Drei Stunden. Im Grunde war das eine lange Zeit, nur erlangte dieser Faktor in der Gefangenschaft eine mehr als beunruhigende Relativität.

Die Situation war ernst. Daran gab es keinen Zweifel. Caan saß auf dem Gipfel eines dreitausend Meter hohen Berges in der Tiefsee fest, kaum zehn Meter von einer steinernen Ruine entfernt, die ihn plötzlich an ein megalithisches Grab erinnerte. Er hatte die Außenscheinwerfer heruntergefahren, um den kostbar knappen Strom der Bordbatterien zu sparen, und hockte nun verkrampft im Dämmerlicht des Tauchbootes, das plötzlich so unheimlich wie die Kammer einer Gruft erschien. Zudem fühlte er sich von Gott und der Welt verlassen – oder, was noch schlimmer schien, von dem schützenden Rückhalt der Navy, die nun in unerreichbarer Ferne war. Selbst bei voller Fahrt hatten die Jagd-U-Boote aus Guam noch fünf Stunden bis zur Position der *Blowfish* zurückzulegen – ein Zeitfenster, nach dessen Ablauf es wahrscheinlich nur noch seine erstickte und tiefgekühlte Leiche zu bergen gab.

»Sun, wenn das wieder einer Ihrer makabren Scherze sein soll, können Sie sich auf etwas gefaßt machen...«

Caan hatte keine Ahnung, warum der Kontakt zur Außenwelt abgebrochen war. Vielleicht lag es einfach nur an den elektromagnetischen Turbulenzen, die der Guyot ausstrahlte wie ein Leuchtturm. Vielleicht hatten Sun und Kao aber auch die Kontrolle über Motos Unterwassergleiter verloren und hingen jetzt genauso hilflos wie er an den Steilflanken des verfluchten Berges. Vielleicht war zugleich der Sturm auf See wieder ausgebrochen und hatte die *Albatroz* gezwungen, vorläufig das Gebiet zu verlassen. Am schlimmsten war jedoch die unsinnigste aller Möglichkeiten, die von Anfang an wie ein tödlicher Schatten über der ganzen Aktion schwebte, die Geschichte vom japanischen Drachenmeer, das aus unbekanntem Grunde seit Jahrzehnten zum Grab für Schiffe und Flugzeuge geworden war.

»Agent Kao, hören Sie mich! Antworten Sie, verdammt! Wir haben hier ernste Probleme...«

Caan blickte mit wachsender Unruhe in die hintere Kugelkammer, in der die Naßzelle mit der Ausstiegsschleuse lag. Die Druckröhre hinter der Innenluke war noch immer geflutet, und die Außenluke stand weit offen. Caan gefiel dieser Umstand nicht. Dabei war es weniger die Angst darum, daß dem Piloten in dem eisigen Tiefseewasser etwas zugestoßen war. Vielmehr quälte ihn der Gedanke, daß die Ausstiegsluke zugleich ein Einstiegstor zur *Blowfish* war, zu seinem trockenen Refugium, das zumindest momentan noch sein Leben schützte. Was wäre, wenn seine Phobie vor dem unsichtbaren Feind eine reale Basis hatte? Was wäre, wenn er dort draußen auf ihn lauerte, auf den geeigneten Moment, um ihn zu töten? Einmal mehr scheiterte Caan daran, sich die Gestalt des Feindes vorzustellen. Jenen unberechenbaren, zynischen Gegner, der bereits Bates und Moto auf bestialische Weise ermordet hatte, ohne jegliche Spur auf seine Identität zu hinterlassen.

Caans Blick fiel auf die Tiefseetauchanzüge, die neben der Naßzelle auf einer Stange hingen. Für eine Sekunde dachte er an die Möglichkeit, den Piloten zu suchen, der sich vielleicht verletzt hatte und seine Hilfe brauchte. Für einen noch kürzeren Moment erwog er sogar die Idee, in dem Druckanzug zurück zur Wasseroberfläche aufzusteigen. Doch im nächsten Augenblick kapitulierte der Mut vor seiner Angst, unterstützt von den Argumenten seines Verstandes, der nachdrücklich daran erinnerte, daß seine Ausbildung an der Marineakademie zu viele Jahre zurücklag. Ein Tauchgang unter diesen Umständen war sicherlich die unsinnigste aller Ideen und offenbarte zudem erst recht seine Feigheit vor dem Feind.

Caan etablierte die bequeme Vorstellung, in der *Blowfish* die letzte Bastion der Mission darzustellen, und beschloß, seinen Posten nicht kampflos aufzugeben. Nur von hier konnte er den Kontakt zur *Maui Nui* wiederherstellen. Und nur hier konnte er von den sehnlichst erwarteten Redfins entdeckt werden, insbesondere in dem Falle, daß die *Albatroz* nicht mehr an ihrer Position vor Anker lag. Er drehte sich hinüber zu der Kommandokonsole, in der die Bildschirme der Sonarscanner installiert waren, und bereute im selben Moment seine Neugier. In dem Chaos der elektromagnetischen Turbulenzen, die eine brauchbare Anzeige des Gerätes bislang verhindert hatten, formierte sich ein mächtiges Energiefeld, das in seinem Ausmaß wachsend aus der Tiefe zum Gipfel des Guyots aufzusteigen schien. Für die *Maui Nui* war das Feld zu groß. Vielmehr erinnerte es ihn auf unheimliche Weise an das Phänomen, das die *Tangaroa* verschlungen hatte.

Caan fing an zu zittern. Zugleich begann die *Blowfish* zu vibrieren. Es war eine Welle der Erschütterung. Eine Schockwelle, wie von einem Seebeben ausgelöst. Das Licht fiel nun völlig aus, Hydraulik- und Dampfleitungen zerbarsten, und in Caan erbebte die nackte Angst. In diesem Augenblick wußte er, daß dies die erste Angriffswelle jenes unsichtbaren Feindes war, der im Abgrund an den Hängen des Guyots lauerte, um jeden zu vernichten, der seiner Tarnung zu nahe kam. Ohne jeden Zweifel handelte es sich um einen feindseligen Akt mittels einer neuartigen Energiewaffe, die nicht nur die Elektronik des U-Bootes lahmlegte, sondern darüber hinaus einen zerstörerischen Einfluß auf die Struktur der Materie besaß.

Caan erinnerte sich an die Tests mit einer Schallkanone, die geeignet war, Häuser einstürzen zu lassen und den Rumpf von Schiffen derart zu verformen, daß sie nicht mehr manövrierfähig waren. Die Waffe, der er nun gegenüberstand, mußte weitaus gefährlicher sein und mächtig genug, Schiffe jeder Größe und jeder Bauart vollständig zu zerstören. Er ahnte, was dies in letzter Konsequenz bedeutete, obwohl Technik nie seine Stärke gewesen war. Ihn hatte nie interessiert, wie Waffen funktionierten, sondern nur, was mit ihnen anzurichten war. Und letzteres war es, das ihn in diesem Augenblick aus seiner Lethargie weckte, das ihn aufrüttelte und seine letzten Kräfte mobilisierte. Es war eine wütende Kraft, die sich in ihm aufbäumte und sich nichts mehr wünschte als des Feindes Tod.

»Also schön, Charlie, du feiges Arschgesicht, wenn du Ärger willst, kannst du ihn jetzt bekommen...«

In Caans Augen zeigte sich ein erbittertes Funkeln und eine Entschlossenheit, die unter keinen Umständen bereit war, sich kampflos dem Gegner zu ergeben. Zwar wußte er, daß er praktisch wehrlos war, aber eben doch nicht ganz. Die *Blowfish* besaß zwei Sprengtorpedos, die für Bergungszwecke vorgesehen und dazu geeignet waren, selbst größere Hindernisse unter Wasser zielgenau aus dem Weg zu räumen. Es waren sehr wirkungsvolle, mit abgereichertem Uran verstärkte Lenkgeschosse von immenser Durchschlagskraft.

Caan hatte keine Vorstellung von dem Monster, das auf ihn lauerte, nur der Ort, an dem es sich versteckte, erschien ihm nun mehr als klar. Die Basis des Feindes mußte an dem Endpunkt des Kurses liegen, den die *Maui Nui* in die Tiefe gefahren war, und lieferte damit die Koordinaten für den Zielcomputer. Ein letztes Mal rief er Sun und Kao. Sie antworteten nicht, genausowenig wie die *Albatroz*.

Caan hatte seine Pflicht erfüllt. Im Licht einer Taschenlampe schloß er die Programmierung der Daten ab und lehnte sich mit einem seltsamen Gefühl der Entspannung zurück. Dann legte er seine rechte Hand auf den Auslöser und wartete. Er wartete auf ein Lebenszeichen der verschollenen Agenten oder – was in dieser Situation wahrscheinlicher war – auf den finalen Angriff des Teufels, der nach der Maxime der nationalen Vergeltungsstrategie nicht ohne Antwort bleiben durfte. Wenn er schon sterben mußte, dann nahm er Charlie wenigstens mit in sein dunkles Grab.

42
AHI 'ANU 'ANU
DAS KALTE FEUER

Es war eine Fahrt wie durch eine Geisterbahn. Eine starke Strömung sog die *Maui Nui* durch das Loch in der Steilwand und zog sie in einen riesenhaften Tunnel, der wie der Stollen einer Mine tief in das Innere des Berges führte. Es war ein Weg in eine irreale Welt, in der die Gesetzte der Materie außer Kraft gesetzt zu sein schienen. Das Wasser in dem Tunnel perlte wie Champagner und war durchsetzt von herumschwirrenden blauen Lichtern, die wie gespenstische Nebelschwaden aus der Dunkelheit jenseits der Scheinwerfer auftauchten und wieder darin verschwanden. Es gab Strudel und Verwirbelungen, die das U-Boot umherrissen und drohten, es gegen die Felswände zu schleudern. Und über allem lag ein dumpfes Grollen, das tief aus dem Leib des Berges kam.

Marlin Sun versuchte vergeblich den Autopiloten zu deaktivieren, um das Schiff in der Strömung unter Kontrolle zu bringen, aber entweder lag es an seiner Unfähigkeit, die Steuerungsfunktionen des Bordcomputers zu verstehen, oder die Systeme waren durch die enormen elektromagnetischen Felder, die in der Höhle pulsierten, so massiv gestört, daß der Zugriff nicht mehr möglich war. Kaum eine der Statusanzeigen lieferte vernünftige Werte über den Zustand des Schiffs, und die Referenzparameter für die Computer verloren ihren Bezug zu Raum und Zeit.

Unter heftigem Fluchen, das für seinen Charakter völlig untypisch war, stieß Sun das bewegliche Inputterminal an seinem Sitz zur Seite und raufte sich die Haare. Er haßte das Gefühl der Hilflosigkeit, wenn seine Hände nicht ausführen konnten, was der Verstand ihnen sagte. Zudem stand er einer äußeren Macht gegenüber, die er nicht zu kontrollieren wußte. Vielleicht war dies einer der Hauptgründe, warum er der realen Welt mit ihren Widrigkeiten in den letzten Jahren mehr und mehr den Rücken gekehrt hatte.

Im Cyberspace, der Welt, die er liebte, weil er sie nach seinen Wünschen gestalten konnte, gab es keine Hilflosigkeit. Selbst wenn das Programm abstürzte, von feindlichen Hackern überfallen oder von Viren zerfressen wurde, gab es immer eine Hintertür, einen Resetknopf oder ein Systembackup, mit dem der Status quo wiederhergestellt und die virtuelle Gefahr bezwungen werden konnte. Jetzt gab es weder eine Userhotline noch einen Panicbutton. Der Kontakt zur Außenwelt war abgeschnitten, und die Gefahr bedrohte sein reales Leben, das ihm plötzlich wie ein Klotz aus nutzlosem Fleisch und Blut am Bein zu hängen schien.

Eigentlich war dies der geeignete Zeitpunkt um hoffnungslos in Panik zu verfallen, aber Sun tat sich diesen Gefallen nicht. Er war sogar erstaunlich gefaßt, denn irgend etwas sagte ihm, daß es eine Rettung gab, weil zwischen der realen und der virtuellen Welt kein prinzipieller Unterschied bestand. Seine Ohnmacht lag allein an seinem mangelhaften Verständnis für die Steuerungsmechanismen der Wirklichkeit, die mit Logik alleine nicht zu verstehen waren, sondern einen Zugang durch eine unsichtbare Hintertür verlangten. Einen Zugang jenseits der linearen Kausalität, die das Problem und zugleich der Schlüssel war, weil sie nach einer Erklärung für die unerklärlichen Rätsel der Geschichte schrie.

»Irre ich mich, oder halten Sie es auch für keine gute Idee, tiefer in diesen Berg hineinzufahren«, fragte Tekina Kao besorgt und legte ihre Hand auf Suns Schulter.

»Im Leben eines Cyberpiraten wäre dies der Moment, wo man den virtuellen Raum verläßt und sich eine Pizza holen geht, aber diese Kiste läßt sich einfach nicht abschalten. Bislang hat es der Computer zwar geschafft, einer Kollision mit den Felsen auszuweichen, aber ich habe keine Ahnung, wie lange die Navigationssysteme diesen massiven Magnetfeldern noch standhalten. Wenn das neuronale Netz zusammenbricht, sind wir genauso handlungsunfähig wie ein bewußtloser Fisch.«

»Leider nehmen auch die Beben wieder an Stärke zu. Viel früher, als es nach den zyklischen Wellenmustern der letzten Tage zu erwarten gewesen wäre. Da braut sich ein seismisches Unwetter zusammen, und ich kann nur hoffen, daß dieser Tunnel nicht über uns zusammenkracht.«

»Die Erdstöße sollten im Augenblick unsere geringere Sorge sein, Agent Kao. Dieser Tunnel ist so alt wie dieser Berg, nur leider birgt er ein viel tiefgreifenderes Problem, das mir echtes Kopfzerbrechen bereitet.« Mit deutlichem Widerwillen zog Sun das Terminal wieder zu sich heran und deutete auf die Meßskalen, die die elektromagnetischen Strahlungswerte wiedergaben. »Je weiter wir in diese Hexenküche eindringen, desto höher wird die Gamma-Strahlung und ein ganzes Kaleidoskop anderer Emissionen im radioaktiven Bereich. Ich möchte Ihnen ja nicht den Ausflug verderben, zumal die Außenhülle der *Maui Nui* diese Strahlung auf erstaunliche Weise abzuschirmen scheint, aber da draußen breitet sich in ein Höllenfeuer aus, und ich bin mir nicht mehr so sicher, ob ich den Mut habe herauszufinden, was seine Quelle ist.«

»Vielleicht hätten wir unsere Reise lieber bei einem seriösen Veranstalter buchen sollen«, meinte Kao hilflos.

»Glauben Sie mir, unter einer Kreuzfahrt hatte ich mir auch etwas Romantischeres vorgestellt, und ich frage mich, was für Überraschungen noch auf uns warten.«

»Ich fürchte, die Antwort bekommen wir gerade.«

In Fahrtrichtung verbreiterte sich der Tunnel wie ein Trichter und hüllte sich in blendend helles Licht. Zugleich verlangsamte die *Maui Nui* ihre vorprogrammierte Fahrt und schlingerte von der Strömung mitgerissen durch den Ausgang des Stollens in eine gewaltige Höhle, deren Ausmaße von den Scannern nicht zu erfassen waren. Sekunden später stoppten die Wasserstoffturbinen, und der Autopilot stabilisierte die Position des Schiffes in einer ruhigeren Zone abseits vom Sog des perlenden Wassers. Es war der Endpunkt der Reise, die Moto vor seinem Tod angetreten hatte.

Kao wendete sich von Sun ab und ließ ihren Blick mit fassungslosem Staunen über den Panoramamonitor wandern, der die Brücke mit einem Bild überspannte, das kein Teil der Wirklichkeit zu sein schien.

»Mein Gott…«, flüsterte sie mit aufgerissenen Augen und vergaß für einen Moment die Angst, die ihr seit Stunden den Atem zuschnürte. »Sun, bitte sagen Sie mir, daß ich träume.«

Die *Maui Nui* schwebte in einem Gemälde aus blauem Licht, das einzig und alleine einer computergenerierten Kollage aus dem

Cyberspace entsprungen sein konnte. Es war ein lebendiges und zugleich surreales Bild aus geisterhaft leuchtenden Schleiern, dessen Zentrum von einer rotierenden Säule aus gleißendem Licht beherrscht wurde. Sie entsprang einer flachen, beinahe kreisrunden Kuppe, die wie ein Spiegel aus der Sedimentschicht ragte, und stieg von dort Hunderte von Metern senkrecht hinauf in den Felsendom. Die Wölbung wirkte wie die Pupille von einem riesenhaften Auge aus leuchtendem Aquamarin.

»Was in aller Welt ist das?«

»Die Werte des Spektralscanners deuten auf ein kristallines Material hin. Die ganze Kuppe scheint daraus zu bestehen, wie eine riesige Blase aus vulkanischem Glas.«

»Das ist keine Blase, sondern eine Linse«, meinte Kao fasziniert und bemerkte die Ähnlichkeit des Kristalls mit Motos *lono-lono,* mit dem sie die ganze Zeit gespielt hatte. »Vielleicht bündelt dieses Ding Energie zu diesem enormen Lichtwirbel.«

»Oder es erzeugt sie erst.« Sun versuchte die Scanner für die Abtastung der Photonenemission zu programmieren. »Es ist eine Metamorphose von Materie in hochenergetisches Licht. Und die elektromagnetischen Anomalien sind nur ein Nebeneffekt dieser morphischen Verwandlung.«

»Natürlich, Sun!« rief Kao, als hätte sie es die ganze Zeit gewußt. »Dieser Kristall ist ein Reaktor zur Erzeugung von Energie auf der Basis einer Manipulation des geomorphischen Feldes. Offenbar sind die Flips in der Entwicklung von Newtons Theorien weitergekommen, als wir gedacht haben. Nur haben sie offenbar die Kontrolle darüber verloren.«

»Ich weiß nicht«, zweifelte Sun. Er ließ eine der Außenkameras langsam durch die Höhle wandern und suchte vergeblich nach Hinweisen, die Kaos These untermauern konnten. »Ich finde, dieses Ding sieht nicht aus, wie eine von Menschenhand erschaffene Technologie. Vielleicht ist es ein ganz natürliches Phänomen. Eine vulkanische Blase aus glasartig erstarrter Lava, die einen besonderen Einfluß auf das morphische Feld der Erde hat oder möglicherweise erst dadurch erschaffen wurde.«

»An einem solchen Ort? Einer riesigen Unterwasserhöhle, die selbst den Eindruck eines gewaltigen Bauwerks macht?«

»Der größte Baumeister ist die Erde, Agent Kao. Und wenn unser Planet einem Lebewesen gleicht, dann entspricht dieser Kristall vielleicht einer Art Organ, einem Nervenzentrum, wie dem Solarplexus an einem Kreuzpunkt der Meridiane in der Aura.«

»Ich glaube, der Kristall wurde ganz gezielt dazu erschaffen, die Energie zu nutzen, die das Chakra ausstrahlt.«

»Mir ist nicht einmal der Ansatz einer solchen auf Kristallen basierenden Technologie bekannt, Agent Kao«, zweifelte Sun.

»Möglicherweise haben Leute wie Bates diese Anlage nur reaktiviert, und sie wurde von Menschen errichtet, die außer ein paar Ruinen keinerlei sichtbare Spuren in der Welt zurückgelassen haben.«

»Atlantis?« Sun schmunzelte.

»Oder das pazifische Inselreich Mu, das vor etwa siebzigtausend Jahren mit samt seiner hochtechnisierten Zivilisation durch eine verheerende Katastrophe untergegangen sein soll, von der noch heute die Sintflutlegenden zeugen.«

»An dieser Geschichte hätte Commander Caan sicher seine helle Freude gehabt, Agent Kao. Nur scheint die Legende aktueller, als uns lieb sein kann.« Sun fokussierte die Außenkamera auf eine Zone in der Höhle, in der er einen intensiven Herd von pulsierenden Energiefeldern entdeckt hatte, und ließ das Bild in überdimensionaler Größe auf der Videokuppel erscheinen. »Was immer auch der Ursprung dieses Kristalls ist. Er ist auch heute noch aktiv, und ich fürchte, daß wir es diesmal sind, die eine Katastrophe heraufbeschwören.«

Auf dem Schirm wurden mehrere Haufen von kugelförmigen Behältern sichtbar, die etwas abseits des Kristalls eher wahllos als geordnet auf dem Boden lagen und in einem unheimlichen, dunkelblau lodernden Feuer strahlten. Es waren Kugeln aus schwerem Metall, die mit dem gelbleuchtenden Symbol für Radioaktivität gekennzeichnet waren.

»Shit…«, entfuhr es Kao, begleitet von einer Schreckensmaske, die sich über ihr Gesicht legte.

»Das sind Isobehälter mit radioaktiven Abfallprodukten.«

»Jetzt wissen wir wenigstens, woher diese schmutzige Strahlung kommt, und ich würde mich nicht wundern, wenn Leute wie Bates diesen Müll hier heruntergeschafft haben, um die morphische Verwandlung an radioaktiven Stoffen zu erforschen.«

»Auf mich macht das nicht gerade den Eindruck eines geordneten Experiments, Agent Kao. Es sieht aus, als hätte man das Zeug hier unten einfach abgeladen und wäre dann so schnell wie möglich getürmt.«

»Eine illegale Atommülldeponie?«

»An einem denkbar ungünstigen Ort.« Sun betrachtete entsetzt die Emissionswerte der Strahlung, die die Kugeln aussandten. »Das Zeug destabilisiert sich zunehmend, und wenn dieser Prozeß in diesem Tempo weitergeht, kommt es bald zu einem ähnlich explosiven Phänomen, wie wir es beim Mast der *Tangaroa* beobachtet haben. Nur in einem gigantisch größeren Ausmaß, von dem die Seebeben der letzten Wochen wohl nur ein kleiner Vorgeschmack waren.«

»Das würde erklären, was mit der *Dateline* geschehen ist. Vielleicht war sie in der Nähe, als einer dieser Behälter hochging.«

»Oder sie hatte selbst nukleares Material an Bord, das noch viel schneller und heftiger reagierte als dieser abgereicherte Müll und in einer gewaltigen Energieentladung das ganze Schiff verschlang, bevor auch nur ein einziger Notruf ausgesendet werden konnte.«

»Und wann werden wir verschlungen, Doktor Sun?« fragte Kao leise.

»Sie haben recht. Wir sollten unsere Geistesblitze lieber dafür aufsparen, einen Weg zu finden, um hier schleunigst rauszukommen.« Sun zog das Navigations-Terminal des Computers zu sich herüber und versuchte erneut die Steuerungsroutinen des U-Boots zu aktivieren. Der Autopilot hatte sich nach Erreichen seines Ziel abgeschaltet, und endlich reagierte die *Maui Nui* auf Suns Kommando. Die Wasserstoffturbinen starteten und gaben Schub auf die Antriebswellen. Dann drehte das Schiff seinen Bug zurück zum Ausgang der Höhle und setzte sich langsam in Bewegung.

In diesem Moment durchzuckte ein gleißender Blitz den Tunnel, gefolgt von einer Explosion, die die Decke des Stollens zum Einsturz brachte.

»Ein Beben …« schrie Kao und versuchte sich an der Rückenlehne des Pilotensessels festzuhalten.

»Das war keine seismische Welle. Verdammte …«

Sun hatte keine Zeit mehr, seinen Satz zu beenden. Die *Maui Nui* wurde von einer mächtigen Druckwelle erfaßt und schleuderte zurück in das blaue Feuer der Höhle. Er spürte nur noch, wie er von dem Pilotenstuhl gerissen wurde und schmerzhaft mit Tekina Kao kollidierte, die in ähnlicher Weise hilflos wie er zu Boden gegangen war.

Erst eine Weile später kam Sun wieder zu sich. Kao war bereits zum Computer gestürzt und überprüfte den Status der Bordsysteme. Das Schiff hatte sich mit dem Steuerbordflügel in den weichen Sedimentboden gegraben, schien aber unbeschädigt zu sein. Stark verändert zeigte sich dagegen das Videobild vom Ausgang der Höhle, der nun hinter einem Berg von Geröll und Schlamm begraben lag und jede Hoffnung auf Befreiung zunichte machte.

»Ich schätze, da hat uns jemand die Tür vor der Nase zugeschlagen, und ich möchte lieber nicht darüber spekulieren, wer dieser Jemand war.« Kao setzte sich resignierend auf den Boden und versuchte ihre Gedanken an den geisterhaften Tod von Bates und Moto zu vertreiben. »Wieviel Zeit bleibt uns, bis uns der Atommüll um die Ohren fliegt?«

»Keine Ahnung.« Sun zuckte hilflos mit den Schultern. »Vielleicht ein paar Stunden. Genausogut könnte es jeden Augenblick passieren.«

»Und was wird dann passieren? Ein neues Seebeben mit uns in seinem Epizentrum?«

»Die Bluestones sind schlafende Vulkane, Agent Kao. Außerdem befinden wir uns hier in der Nähe einer aktiven Bruchzone, die sich über den Marianengraben durch das ostjapanische Meer bis hinauf zu den Kurilen zieht und die pazifische Platte gegen die des asiatischen Kontinents drückt. Es ist ein seismischer Krisenherd, der den gefährlichsten Teil des Feuergürtels bildet, der sich um das gesamte pazifische Becken erstreckt. Niemand kann sagen, was geschieht, wenn dieser Ausbruch andere tektonische Ventile aktiviert.«

»Vielleicht wiederholt sich die Legende von Mu, bei der nicht nur ein paar armselige Agenten zum Teufel gingen, sondern eine ganze Zivilisation.«

Tekina Kao betrachtete das virtuelle Bild der Unterwasserwelt und wunderte sich, wie schön der Tod aussah. Dabei spielte sie mit

Motos Kristall, dessen leuchtende Muster in seinem Innern ein Abbild der Außenwelt waren.

»Haben Sie Angst vor dem Sterben, Sun?« fragte sie leise.

»Ich müßte lügen, wenn ich das verneinen würde.« Sun gab es auf, in den Systemen der *Maui Nui* eine Möglichkeit zu suchen, mit der man sich aus der Höhle befreien konnte, und setzte sich zu Kao auf den Boden. »Ich glaube aber, daß der Tod nichts Endgültiges ist. Er ist vielmehr eine Pforte in eine andere Welt oder besser eine Schwelle des Übergangs in einer unendlichen Welt, in der sich alles unaufhörlich verwandelt.«

»Und in was werden wir uns verwandeln? In eine leuchtende Welle wie Big Blue?«

»Das weiß ich nicht, aber vielleicht liegt das ganz bei uns.«

»Sie meinen, wir könnten uns aussuchen, was nach dem Tod mit uns geschieht?«

»Vielleicht ist unsere Vorstellung von Leben und Tod nur eine Illusion.«

Sun nahm sein Webboard aus der Tasche, verband den Videoausgang mit dem Schiffscomputer und startete eine Spielapplikation, in der sich ein katzenartiges Wesen der unwirtlichen Umwelt eines fremden Planeten aussetzen mußte.

»Wollen Sie die letzten Minuten ihres Lebens mit einem Videospiel verbringen?« fragte Kao enttäuscht.

»Wenn ich es mir aussuchen könnte, würde ich sie am liebsten mit Ihnen verbringen. Glauben Sie mir, Agent Kao, ich habe genau solche Angst vor dem Tod wie Sie, aber ich möchte Ihnen gerne etwas zeigen, das dem Tod vielleicht ein wenig seinen Schrecken nimmt.«

Sun ließ das Videobild auf einem Teil der Panoramakuppel erscheinen und deutete hinauf. »Stellen Sie sich vor, unsere Welt gleicht einer Art Cyberspace. Als intelligente Wesen dieser digitalen Welt können wir diese letztendlich nicht verstehen. Selbst wenn es uns gelänge, die Servercomputer, in deren Schaltkreisen wir existieren, bis in ihre atomaren Bestandteile zu zerlegen, würde uns am Ende verborgen bleiben, was die virtuellen Welten formt, in denen wir leben. Möglicherweise finden wir sogar die magnetischen oder energetischen Strukturen der Software, unsere programmierte DNS, aber es wird uns dennoch nicht möglich sein, den Ursprung der Cyberwelt zu entdecken, den Schöpfer der Software, der innerhalb des Systems nicht einmal als Summe seiner Bestandteile zu verstehen ist. Er ist eine Art übergeordneter Geist. Allein sein Wille kreiert und verändert die Welt, die uns umgibt und uns die Phänomene unserer Existenz in einer gewissen Variationsbreite aufzwingt. Ihre Form, ihre Dynamik und ihre Kausalität.«

»Und am Ende bleibt alleine Gott«, folgerte Kao und unterbrach die Verbindung des Videospiels zum Bordsystem. »Ein zürnender Gott, der am jüngsten Tag den Stecker zieht.«

»Kennen Sie die Geschichte von Schrödingers Katze?« Sun stellte den Computer beiseite und sah Kao mit nachdenklichen Blikken an.

»Ist das ein Wesen aus der Kategorie Big Blue?«

»Sie ist die Hauptfigur in einem Gedankenspiel, mit dem der Physiker Erwin Schrödinger in der Blütephase der Quantentheorie den Wahrheitsgehalt unserer Vorstellung von der Welt mit ihrer linearen Kausalität und den materiellen Strukturen in Frage stellte.«

»Das klingt, als wären Sie mit diesem Herrn verwandt.«

»Schrödingers Katze ging es ähnlich wie uns. Sie war gefangen in einer von der Welt isolierten Blackbox in der ein teuflischer Mechanismus gleich einer nuklearen Bombe tickte, die ausgelöst durch einen einzigen Quantensprung, ihrem Leben ein Ende bereiten konnte. Die entscheidende Frage bei dem Gedankenspiel ist, wer oder was das tödliche Quantum springen läßt. Es ist die Frage nach der Kausalität. Die Frage nach der Verantwortung für alles Geschehen in der Welt, die nach den Modellen der Quantenphysik nichts weiter ist als die Ansammlung einer unendlichen Folge von Quantensprüngen seit Anbeginn der Zeit.«

»Und welche Gestalt besitzt Schrödingers Quanten-Gott? Ist es vielleicht ein Inselmädchen, das mit ihrem *kahuna*-Zauber Hoteliers und Agenten dezimiert.«

»Für Schrödinger ist es der Wissenschaftler, der das Experiment entwickelt. Es ist der Spieler, der die Gestalt des Spiels formt. Denken Sie an unseren Cyberspace. Er gleicht in gewisser Weise Schrödingers Welt.«

»Wie meinen Sie das?«

»Um zu wissen, ob die Katze tot ist, muß der Spieler den Deckel der Blackbox öffnen. Wer sagt ihm aber, daß nicht gerade dieser Akt das entscheidende Quantum springen läßt? Solange die Box geschlossen bleibt, läßt sich für den Spieler die Frage nach dem Zustand der Katze nicht beantworten. Für ihn ist sie weder lebendig noch tot, sondern befindet sich in dem seltsamen quantenphysikalischen Zustand der Potentialität, in dem gemäß den Regeln des Spiels alles möglich ist.«

»Alles?«

»Schrödingers Spiel ist bewußt simpel konstruiert. Es besteht nur aus den beiden Zuständen lebendig und tot. In der Realität ist das Spiel natürlich viel komplexer. Unendlich komplexer sogar als der Cyberspace in unserem Computer, der letztlich nichts anderes ist als eine große Blackbox.« Sun nahm sein Webboard auf den Schoß, das wirklich wie ein kleiner schwarzer Kasten aussah. »Solange der Rechner ausgeschaltet ist, verweilt das Spiel in der virtuellen Potentialität seiner Möglichkeiten. Erst der Spieler erweckt es zum Leben, in dem er die Figuren in das Abenteuer schickt und über ihr Leben und ihren Tod entscheidet.«

»Wie ein liebender und zürnender Gott.«

»Könnten die Spielfiguren denken, müßte ihnen der Spieler tatsächlich wie ein Gott erscheinen, ein übermächtiges Wesen, das die Fähigkeit besitzt, mit einer geradezu universellen Macht die Gestalt der Welt in jeder Weise zu gestalten, einer Welt, die sie niemals gänzlich verstehen können...«

»...weil Sie sich immer wieder die unlösbare Frage stellen, wer der Schöpfer ihrer Welt ist. Der Spieler an den Hebeln.«

»Dies ist die Geburt der Religion. Die Quantenphysik hebt dagegen in letzter Konsequenz den Unterschied zwischen dem Spieler und der Spielfigur auf. Die Trennung zwischen Spiel und Spieler entspringt nur einer Illusion. Man kann sie genausowenig voneinander trennen wie das Spiegelbild vom Spiegel. Der Spieler ist der Schöpfer und zugleich ein integraler Teil des Spiels. Erst durch ihn entsteht die Geschichte. Spieler und Figur sind nur verschiedene Ebenen der Existenz von ein und demselben Wesen.«

»Dann müßte es unendlich viele Welten geben. Für jeden Spieler eine eigene«, zweifelte Kao.

»Glauben Sie mir, Agent Kao. An diesem Problem scheiterten

schon berufenere Geister. Bereits Schopenhauer versuchte diese unendliche Weltenvielzahl wieder zu einer einzigen zu vereinen, so daß jedes Wesen seine eigene Welt erschafft und gleichsam als Figurant in den Welten der anderen existiert.«

»Das wäre das Ende jeder Logik und Kausalität. Eine Theorie, die sich selbst ad absurdum führt.«

»Mit dem Ende der Logik stoßen wir nur an die Grenzen unserer auf den Intellekt beschränkten Weltsicht. Als denkende Wesen können wir das letzte Geheimnis der Natur nicht enträtseln, weil wir selbst Teil der Natur sind und daher Teil des Geheimnisses, das wir zu enträtseln versuchen. Wir betrachten uns als Individuen, weil unser Intellekt nur trennt und nicht vereint. Aber vielleicht gibt es den Unterschied zwischen dem Einzigartigen und dem Universum nicht. So wie zwei Spiegel, die sich gegenüberstehen. Und dazwischen bewegen wir uns wie Wesen in einem Traum. Wie die Spielfiguren in einem Cyberspace, von dem wir nicht erkennen, daß er unsere eigene Schöpfung ist.«

»Und was sollen wir tun, wenn die Welt dort draußen vor die Hunde geht?« Kao deutete hinaus auf die blauen Feuer, die mehr und mehr das Wasser entzündeten.

»Unsere Wahrnehmung ist auch nur ein energetisches Phänomen. Die Bilder, die wir dort draußen zu sehen glauben, sind nicht wirklich außerhalb von uns. Sie entstehen in uns, in unserem Kopf oder dem, was wir Bewußtsein nennen. Vielleicht müssen wir aus dem Spiel heraustreten, auf eine höhere Stufe des Bewußtseins, um die wahre Gestalt des Spiels zu erkennen. Wir müssen von der Spielfigur zum Spieler werden. Vielleicht ist es das, was man Erleuchtung nennt. Vielleicht erwachen wir dann in einem neuen Traum.«

Kao lehnte ihren Kopf gegen Suns Schulter, nahm seine Hände in ihre und blickte hinaus auf das Ende der Welt. Die Farben in der Höhle fingen an sich zu verwandeln. Die Lichter färbten sich von Blau zu Rot und begannen immer mehr zu strahlen. Der Wirbel drehte sich schneller und schneller und blähte sich auf zu einem Zyklon aus glühender Energie, der durch die Lebensadern des versunkenen Berges hinauf zum Meeresspiegel tobte.

43

WAI'ALE'ALE

ÜBERFLUTENDE WASSER

Ein Donnern wälzte sich durch den Berg. Ein Ton, zu tief, um ihn zu hören. Es war, als ob die Erde stöhnte. Ganz weit fort. Ganz tief im Innern. Dort, wo das Zentrum ihrer Seele lag. Dennis stand im Licht seiner Aura und spürte ein leichtes, aber beklemmendes Vibrieren. Er fragte sich, ob es nicht nur das Beben seiner Angst war, die ihn begleitet hatte, seit er in die Höhlen von Manalei eingedrungen war. Eine Angst, deren Quelle nicht allein in der Erinnerung an die Überschwemmung im *Ma'alaea Bay Ressort* wurzelte, sondern in einem sehr viel ferneren und Schrecken erregenderen Ereignis, das wie der Sintflutmythos in den Legenden der Völker unauslöschlich in seinem Unterbewußtsein zurückgeblieben war.

»Spüren Sie das auch?« fragte Hopkins mit sichtlicher Nervosität, und nun wußte Dennis, daß sein Unbehagen nicht nur einbildet war. Er zog sich sein T-Shirt über und stieg mit dem widersprüchlichen Gefühl der Erleichterung aus dem blauen Licht, das zwar begonnen hatte, seine Hautabschürfungen zu heilen, den Wunden in seinem Geist dagegen neue Nahrung gab. Es waren neue Fragen, die neue Antworten erzwangen, obwohl es am Ende immer nur die eine war.

»Keine Panik«, meinte Jones beruhigend und fuhr mit dem Aufbau der Sensoren fort, mit denen Kimo die elektromagnetischen Anomalien in der Höhle aufzeichnen wollte. »Hawai'i liegt auf einem aktiven Hotspot. Vor der Ostküste von Big Island entsteht gerade ein neues Inselbaby, und seine Geburtswehen ziehen oftmals weite Kreise.«

»Ich glaube nicht, daß das ein Erdbeben ist«, zweifelte Dennis, obwohl er keine rationalen Gründe für seinen Einspruch hatte. »Ich habe so etwas schon einmal erlebt...«

»Ja, ich kenne das auch.« Hopkins bemerkte, wie er selbst zu zittern begann, und verlor die letzte Farbe aus seinem Gesicht. »Wenn Sie mich fragen, dann sollten wir ganz schnell hier raus.«

»Warten Sie, Professor!« rief Jones, aber Hopkins hörte nicht mehr zu. Er nahm seine Jacke, streckte seinen auf wundersame Weise genesenen Arm durch das blaue Tor in den Lavatunnel und war in der nächsten Sekunde aus der Höhle verschwunden.

»Ich denke, der Professor hat recht«, stimmte Kimo zu und ließ seinen Blick mißtrauisch über die porösen Lavawände wandern, aus denen bereits vereinzelt knackende Geräusche kamen. »Wir sind auf ein Beben nicht vorbereitet, und bei einem Erdrutsch könnte diese Höhle für uns zu einer tödlichen Falle werden.«

»Dieses Heiligtum hat wahrscheinlich Jahrtausende unbeschadet überstanden.«

»Wir sollten uns zumindest vergewissern. Wenn die Küstenwache grünes Licht gibt, können wir jederzeit zurückkommen.«

Dennis erreichte nur wenige Schritte hinter Hopkins den Ausgang des Lavatunnels und kämpfte sich durch den wadentiefen Schlamm in der Grotte, die langsam wieder vom Wasser geflutet wurde. Es schien, als hätte der Wasserfall seine alte Kraft zurückgewonnen und sich wieder deutlicher vor den Spalt im Berg geschoben. Zudem verwandelten die Böen eines aufziehenden Sturms die Kaskaden in peitschende Fontänen, die in das Gewölbe der Grotte klatschten.

Dennis lenkte seinen Blick hinauf in den düsteren Himmel, an dem sich ein kräftiges Unwetter zusammenbraute. Blitze züngelten zwischen den Wolken, und der Donner hallte mit grollendem Echo durch den Felsendom. Ein Echo, das Dennis' idiotischen Gedanken in sich trug, daß nun auch noch die Wolken zu Brillsteins Verbündeten geworden waren. Andererseits spiegelte das Gewitter auf eine schon fast unheimliche Weise seine böse Vorahnung wieder, die sich mit dem beginnenden Regenschauer wie ein Omen über die Klippen senkte. Es waren die Vorboten einer ungleich gewaltigeren Menge von Wasser, die schon bald über das Tal hereinbrechen würde. Die Vorboten einer neuen, großen Flut.

»Grundgütiger...«, stammelte Hopkins, als hätte er Dennis' Gedanken gelesen, und sank kraftlos vor dem *heiau* auf die Knie. »Das Wasser..., das ist das Zeichen...«

»Reißen Sie sich zusammen, Professor!« rief Jones verärgert und holte ihr Funksprechgerät aus der Tasche. »Glauben Sie, Manalei könnte in einem Gewitterschauer versinken?«

»Sehen Sie es denn nicht?« Hopkins streckte seinen Arm aus und deutete auf das Felsentor zwischen den Klippen. »Das Meer...«

Jetzt sah Jones es auch. Langsam aber deutlich sichtbar zog sich die Brandung vom Strand zurück. An manchen Stellen ragten bereits die ersten Korallenbänke aus den Wellen. Zuerst bildeten sich kleinere Sandbänke und dazwischen größere Pools. Dann wurden die Becken kleiner und teilten sich in flache Mulden auf, die mit dem ablaufenden Wasser zu Fallen für die darin lebenden Fische wurden. In einem der größeren Becken kämpfte ein Riffhai um sein Leben, doch der Ausgang aus seinem Refugium war nun versperrt. Trokkengelegt, wie das ganze Riff, das sich zunehmend in einen Fischfriedhof verwandelte.

»Zuerst weicht es fort, und dann kommt es zurück.« Hopkins griff vergeblich nach seinem Flachmann in der Tasche und hätte in diesem Moment alles für einen Schluck von seinem geliebten Scotch gegeben. »Das Wasser nährt die Welle. Sie saugt es in sich hinein und wächst von Sekunde zu Sekunde.«

»Ein Tsunami?« fragte Kimo unruhig und verstaute sein Notebook, das er zusammen mit dem *lono-lono* aus der Höhle mitgenommen hatte, in einer wasserfesten Tasche. »Sie glauben, die Flut von damals wird sich wiederholen?«

»Nein, diesmal wird es eine Sintflut sein. Eine ungeheure, alles verschlingende Wasserwalze.«

»Dann lassen Sie uns endlich von hier verschwinden«, drängte Dennis und fragte sich, ob es ihm jemals wieder gelingen würde, wenigstens einen Tag lang nicht völlig durchnäßt durch die Gegend zu laufen.

»Das ist leichter gesagt als getan.« Jones versuchte die Notruffrequenz der Küstenwache auf ihrem Walkie-talkie einzustellen. »Der Empfang ist ziemlich schwach, und selbst wenn ich den Hubschrauber erreiche, wird er Probleme haben, bei dem Sturm hier im Tal zu landen.«

»Vielleicht sollten wir versuchen, etwas höher zu klettern«, schlug Kimo hilflos vor.

»Höher ...?« Hopkins lachte spitz, weil offenbar niemand das Ausmaß der nahenden Katastrophe begriff. »Sie haben ja keine Ahnung. Die Welle wird das ganze Tal unter sich begraben. Ich habe es damals miterlebt. Und diesmal wird es sehr viel schlimmer sein. Sie wird die ganze Küste verschlingen, die ganze Insel und die ganze verdammte Welt.«

»Hören Sie endlich auf, Professor«, forderte Jones und stellte sich an die äußerste Kante der Felsterrasse, um eine bessere Funkverbindung herzustellen. »Die Sintflut ist ein Mythos. Eine aufgebauschte Legende über ein regional begrenztes Seebeben im östlichen Mittelmeer.«

»Ich meine nicht Homers Sintflut, Cherry. Das war nur eine von vielen. Alle bedeutenden Kulturen der Welt berichten von ähnlichen Flutkatastrophen. Es ist ein Zeichen der Götter. Ein Zeichen ihres Zorns. Immer wieder waschen sie die Erde rein von dem Schmutz, der sich auf ihr angesammelt hat. Vom Schmutz der Menschen, deren Gier die Natur erstickt.«

»Wäre es Ihnen recht, wenn wir später darüber diskutieren«, flehte Jones zunehmend genervt von Hopkins' Predigt und suchte unruhig den Himmel ab.

Erst nach langen Minuten legte sich ein Schatten über den *heiau,* und der Wind peitschte das Wasser noch stärker in die Grotte. Mit donnerndem Getöse, das selbst das Rauschen der Kaskaden übertönte, senkte sich der weiße Rettungshubschrauber der Küstenwache die Steilwand hinunter in das Tal.

»Verdammt, wo waren Sie denn?« brüllte Jones gegen das Lärmen der Rotoren und preßte das Funkgerät an das Ohr.

»Der Sturm...«, krächzte die Stimme des Piloten von starken Interferenzen verzerrt aus dem Lautsprecher. »Wir... üssen schnellstens... hier... schwinden. Es gibt eine Flutwar... hat ei... Seebeben... m Maria... aben gegeben... Wake... land wu... vollstä... erstört...«

»Dann kommen Sie endlich runter und holen uns hier raus.«

»Zu... fährlich ... arke Böen... wir... iehen Sie hoch.«

Die Seitentür des Helikopter öffnete sich, und an der Seilwinde wurde ein Rettungsgürtel auf die Felsterrasse heruntergelassen. Kimo versuchte den Gürtel zu fassen, aber es mißlang ihm. Der

Helikopter tanzte in der Luft und hatte große Mühe, sich über der Grotte zu halten, um nicht zu dicht an den Wasserfall zu geraten. Erst beim dritten Versuch erreichte Kimos Hand das Seil.

»Kommen Sie, Professor!« brüllte er und versuchte sein Gesicht vergeblich gegen den einsetzenden Wolkenbruch zu schützen, der ihn bereits völlig durchnäßt hatte. »Sie zuerst!«

Hopkins ließ sich nicht zweimal bitten. Mit erstaunlicher Schnelligkeit stieg er in das lederne Geschirr und ließ sich in die Luft hochziehen.

»Jetzt Sie, Mr. Newman!«

»Ladies first«, rief Dennis, mutiger als ihm zumute war, und drehte sich zu Cherry Jones um. »Zur Abwechslung möchte ich Ihnen gerne einmal helfen.«

»Für gute Manieren haben wir jetzt keine Zeit.« Kimo zog Dennis an sich heran, schlang ihm den Gurt um seinen Körper und gab ihm die Computertasche mit auf den Weg, die neben dem *lono-lono* auch die Aufzeichnungen der wertvollen Meßergebnisse aus der Höhle enthielt. »Guten Flug, und passen Sie bitte auf unseren Schatz auf.«

In diesem Augenblick fauchte eine mächtige Sturmböe durch das Tal und ergriff den Helikopter. Wie von einer unsichtbaren Hand wurde die Flugmaschine mehrere Meter emporgerissen und drehte sich taumelnd durch die Luft. Dabei verfing sich das Rettungsseil im Heckrotor und wurde wie ein Bindfaden gekappt.

Dennis spürte, wie der Gurt seinen Halt verlor, und schleuderte hilflos durch die Luft. Dann traf ihn das Ende des Seils im Gesicht, und er stürzte benommen hinunter in den aufgewühlten See. Zugleich geriet der Helikopter außer Kontrolle. Es gelang dem Piloten nicht mehr, das Trudeln der Maschine abzufangen. Die Rotorblätter durchschnitten die Kaskaden des Wasserfalls, streiften den Fels und zerbarsten unter einem schneidenden Geräusch. Unmittelbar danach raste der Helikopter mit ohrenbetäubendem Krachen gegen den *heiau*. Seine Fetzen flogen wie Geschosse in einem Feuerball aus Kerosin über die Felsterrassen und rissen dabei Jones und Kimo in den Tod. Es war ein flammendes Inferno, das wie ein Atemzug aus der Hölle durch die Grotte fegte und alles Leben darin verbrannte – bis der Wasserfall das Feuer löschte und die Bühne des

Geschehens unter einem Leichentuch aus Asche und Schlamm begrub.

Dann, mit einem Mal, legte sich der Sturm, und die Wolken schlossen ihre Schleusen. Sie verharrten wie stumme Boten des jüngsten Gerichts am Himmel und blickten hinunter auf das neue Unheil, das vom Meer auf die Küste zusteuerte. Sie sahen die riesige Welle, die bereits auf ihrem Weg über den Ozean eine Spur der Verwüstung zurückgelassen hatte. Und sie sahen den Menschen, der sich einsam und alleine dem Urteil der Götter zu stellen hatte.

Mit schwindender Kraft kämpfte sich Dennis an das Ufer und blickte völlig verstört hinauf zu der eingestürzten Grotte. Er versuchte zu begreifen, was geschehen war, und erschauderte bei dem Gedanken, daß die *kahuna*-Höhle nun wirklich zu einer Grabstätte geworden war. Wie durch ein Wunder hatte er den schrecklichen Absturz als einziger überlebt. War es Zufall, daß gerade er an dem Rettungsseil gehangen hatte? Oder eine Fügung des Schicksals, das ihn noch immer nicht sterben ließ? War es einfach nur unverschämtes Glück? Oder hatte gar sein unsichtbarer Schutzengel wieder seine Hand im Spiel und läutete jetzt die makabre Fortsetzung der Geschichte ein?

In jedem Fall begann Dennis den Umstand seiner Rettung zu verfluchen. Wenn die Inszenierung je eine Inszenierung gewesen war und Brillstein kein Wesen mit göttlicher Macht, dann lag der große Regisseur jetzt mit seinen Helfershelfern zu Asche verbrannt zwischen den verkohlten Überresten des Hubschrauberwracks unter den Schleiern des Wasserfalls. Wenn die Geschichte dagegen nur seiner kranken Idee entsprungen war, entpuppte sich das Brillsteindrama am Ende als das, was es die ganze Zeit gewesen war. Das Produkt seines paranoiden Verfolgungswahns, der den faden Beigeschmack einer selbsterfüllenden Prophezeiung hinterließ.

Dennis lebte, und zugleich saß er in einer tödlichen Falle. In einem Gefängnis aus Felswänden, dessen einziger Ausgang der Weg ins Verderben war. Es war der Weg direkt in den Schlund des Tsunami, der sich unaufhaltsam vom Meer der Küste näherte. Wenn nicht noch ein weiteres Wunder geschah, dann hatte ihn sein Schicksal wieder eingeholt, und er mußte für das Finale der Geschichte doch noch jämmerlich ertrinken.

Dennis setzte sich erschöpft auf einen Felsen am Rand des Sees und vergrub seinen Kopf in die Hände. Er scheiterte bei dem Versuch, in den Ereignissen der letzten Tage einen alternativen Sinn zu entdecken, und ergab sich schließlich der ernüchternden Vorstellung, daß das Leben nichts weiter als eine sinnlose Verkettung von unsinnigen Umständen war, die zuweilen den Anschein erweckten, einen schwarzen und sogar hinterhältigen Humor zu entwickeln. Wobei dabei die Frage blieb, wer es war, der darüber lachte.

Ihm war jedenfalls nicht nach Lachen zumute. Zugleich wunderte er sich über die Gelassenheit, mit der er den nahenden Tod erwartete. Hatte er seine panische Angst vor dem Wasser am Ende besiegt? Ganz ohne Brillsteins Hilfe? Oder war der Zustand nur das Resultat seiner hilflosen Ausweglosigkeit? Vielleicht wurzelte seine Ruhe auch in dem versöhnlichen Gedanken, daß sein Leben, das nie viel mehr als die Suche nach einem anderen Leben gewesen war, endlich ein Ende gefunden hatte. Ein wenig befriedigendes aber dennoch erleichterndes Ende, das sogar den Anschein der Folgerichtigkeit erweckte, wenn in der unglaublichen Geschichte, die Hopkins und Jones ihm aufgetischt hatten, ein kleines Fünkchen Wahrheit war. Vielleicht hatte er die Flut vor fünf Jahren tatsächlich überstanden. Aus irgendeinem irrationalen Grund. Und nun holte sich der Tod, was ihm schon lange zugestanden hatte.

»Es sei denn...«, dachte Dennis und verfluchte zugleich die Flut seiner Gedanken, »...das Sterben ist nur eine Illusion, und die ganze verdammte Geschichte dreht sich immer nur im Kreis.«

Mühsam versuchte er das Chaos in seinem Kopf zu vertreiben und beschloß, wenigstens die letzten Minuten seines Daseins in friedvoller Kontemplation zu verbringen. Nicht mehr gehetzt von der Suche nach Erklärungen und nicht mehr auf der Suche nach sich selbst. Er kletterte durch die Klippen hinunter zum Strand und hockte sich mit beinahe sehnsüchtiger Erwartung an das Ende in den goldenen, vom Regen noch feuchten Sand. Am Horizont sah er die blaue Wand, die sich langsam, wie in Zeitlupe der Küste näherte und dabei vom Grund des Ozeans immer höher in den aufklarenden Himmel wuchs.

Dennis wunderte sich über die Langsamkeit, mit der die Woge heranrollte. Vielleicht lag es an ihrer gigantischen Größe, die über die tatsächliche Entfernung zur Küste hinwegtäuschte. Oder es lag an seiner Wahrnehmung, die sich von allen Ablenkungen und Ängsten befreit hatte und sich nur noch auf das Sterben fokussierte. Er kannte die Berichte von Ertrinkenden, deren Leben in rasendem Tempo noch einmal an ihnen vorüberzog, und fragte sich, warum er nie eine solche Erinnerung in seinem Kopf gefunden hatte. Mehr noch schien ihm das, was nun geschah, das genaue Gegenteil davon zu sein. Alles, was die letzten Jahre sein Leben ausgemacht hatte, verblaßte zusehends und machte Platz für eine einzige Wahrheit, für eine einzige Wahrnehmung, die nichts kannte, als die heranrollende Welle.

Dennis erlebte die letzten Sekunden seines Lebens, das nie sein wirkliches Leben gewesen war. Es waren endlose Sekunden, und je näher sie sich ihrem Ende neigten, desto langsamer verging die Zeit. Sie blähten sich geradezu übermächtig auf und verschlangen seine Gedanken, verschlangen seine Erinnerungen und verschlangen sogar den Raum, der ihn umgab. Die Felsen der Klippen, die Luft, die er atmete, und selbst das Licht der Sonne, das zwischen den Wolken hervorkam und sich mit dem Wasser, das über ihm in die Höhe wuchs, aquamarinblau verfärbte.

Dennis kniete vor einer glitzernden Wand aus Wasser und hielt fassungslos vor Ehrfurcht den Atem an. Was nun geschah, war so unwirklich, daß er glaubte, längst gestorben zu sein. Die Welle war wenige Zentimeter von ihm entfernt zum Stillstand gekommen, und es schien beinahe so, als würde sie warten. Als wartete sie auf ihn, daß er sich entschied den letzten Schritt zu tun, um sich mit seinem Schicksal zu vereinen. Mit dem Urgrund seines Alptraums, der ihn bis in die Realität verfolgt hatte. An das Ende der Geschichte, das zugleich ihr Anfang war.

Dennis blickte in das Spiegelbild seiner Ängste. Es war ein aquamarinblau glitzerndes, geradezu magisches Bild, hinter dem sich das Geheimnis seines Traumas versteckte. Er stand auf und streckte seine Hand aus. Im selben Augenblick begann ihn die Welle langsam zu umschließen. Wie eine von blauem Licht erfüllte Kugel, die die ganze Welt auf ihn beschränkte. Dann berührte er das Wasser, und es antwortete ihm. Wie das heilende Licht in der *kahuna*-Höhle kroch es langsam über seine Finger, über seine Hand, den Arm hinauf zu den Schultern und schloß nach und nach den ganzen Körper ein. Es war ein sanftes Gefühl. Ein wohliges Gefühl. Wie ein prikkelndes Streicheln auf seiner Haut. Es war so angenehm, daß er für einen Atemzug nicht bemerkte, wie das Wasser durch seinen Mund in seinen Körper drang.

Dann mußte er plötzlich husten und erkannte, daß er bereits vollständig unter Wasser war und es nirgendwo mehr Luft zum Atmen gab. Endlich schmeckte er auch das Salz auf seiner Zunge und spürte, wie es sich durch die Luftröhre einen Weg hinunter in das empfindliche Gewebe seiner Lunge fraß. Es war ein beklemmendes Gefühl, ein schmerzenden Gefühl der Schwere, gegen das sich seine Atmung heftig zur Wehr setzte. Die Muskeln in seiner Brust begannen gegen eine Flut von widersprüchlichen Nervenimpulsen zu kämpfen und kapitulierten schließlich vor der Panik, die sich unaufhaltsam in sein Bewußtsein drängte.

Dennis Atmung erstarrte für einen kurzen Augenblick, bis sich das Gefühl des Erstickens zu einer unerträglichen Qual entwickelte. Ihm wurde klar, daß er nun die Art von Tod erlebte, die seine Erinnerung ihm bislang nur in alptraumhaften Bildern vorgespielt hatte, und bemerkte, daß die Realität weitaus grausamer war. Sein Körper zitterte und zuckte. Erneut begann er zu husten und in wilder Panik um sich zu schlagen. Er versuchte das Wasser aus der Lunge zu pressen und sog es mit dem nächsten Atemzug wieder in sich hinein. Hinaus und hinein, hinaus und hinein. Er spürte, daß er erstickte. Zugleich begann er wieder zu atmen. Er atmete das Wasser des Ozeans und bemerkte erstaunt, daß es seinen Leib erfrischte und mit neuer Energie erfüllte. Mit neuen Empfindungen, die keine Ängste in sich trugen und keine Fragen, sondern ganz aus Wahrnehmung bestanden.

Dennis verstand nicht, was mit ihm geschah. Es gab nicht einmal mehr die Instanz, die verstehen wollte. Sein Körper hörte auf zu beben, und seine Bewegungen beruhigten sich wieder. Sie verwandelten sich zu fließender Form. Zu einem sanften Schwingen, das den Strömungen des Meeres folgte. Er fühlte sich leicht. Er ließ sich treiben und begann schwerelos in den Fluten des Wassers zu schweben, dem Element, das ihn getötet und zugleich zu neuem Leben erweckt hatte. Zu einem neuen Bewußtsein, das langsam erwachte und sich selbst erkannte. Seine neue Gestalt, die sich einzig aus den Wellen formte.

Eine Weile genoß Dennis dieses Gefühl der Körperlosigkeit. Dann merkte er, wie sich das Wasser konzentrierte, wie es sich mehr und mehr verdichtete und dabei eine neue Erfahrung produzierte, ein Erlebnis, wie es nur ein Wesen aus Fleisch und Blut empfinden konnte. Er spürte, wie sein Körper durch das Wasser glitt. Er spürte seine Schwere und die Kraft, die durch seine Adern strömte. Es war eine unbändige Kraft in einem unbändigen Leib, der in höchster Perfektion dazu erschaffen war, in den Fluten des Meeres zu leben. Ein Leben, das von Klarheit und Einfachheit bestimmt war. Vom Einssein mit der Welt, die ihn umgab. Er spürte seine Muskeln, seine Haut und seine Flossen, die sich ganz nach seinem Willen bewegten und ihn auf wundersame Weise dazu befähigten, mit rasender Geschwindigkeit durch den Ozean zu gleiten.

Dennis fühlte sich wie aus tiefem Schlaf erwacht und begann, voll übermütiger Freude seine neue Lebenssphäre zu erkunden. Stundenlang durchmaß er die endlose Weite der See und lernte fremdartige Wasserwesen kennen, die ihn in ihre Gemeinschaft aufnahmen, als wäre er schon immer einer von ihnen gewesen. Sie führten ihn hinab in ihre stille Welt, deren Farbenpracht und Schönheit alles übertraf, was er bislang gesehen hatte. Er tauchte durch die Spalten eines blühenden Riffs. Er glitt durch lichtdurchflutete Wälder mit riesigen Blättern aus blaugrünem Tang und folgte wimmelnden Schwärmen glitzernder Fische, deren silbrige Körper durch das sanfte Licht einer blauen Grotte strömten. Er schwamm mit ihnen, er tanzte mit ihnen, und bald verstand er sogar ihre Sprache, die auf eine elementare Weise das Phänomen des Lebens in seinen tausend Facetten kannte.

Dann begegnete er einem Wesen, das ihm noch viel näher war. Das seinesgleichen war. Von unvergleichlicher Eleganz und betörender Schönheit. Es war eine riesenhafte Erscheinung, mit einem dunkelblauen Leib voller weißer Punkte, der aussah wie ein Himmel voller Sterne. Sie näherte sich ihm. Sie umkreiste ihn und berührte ihn mit einer Sanftheit, wie er sie nie zuvor erlebt hatte. Gemeinsam schwammen sie durch die endlosen Weiten der See. Sie spielten miteinander. Sie tanzten miteinander. Und sie erzählte ihm eine Geschichte voller Bedeutung. Eine Geschichte vom Wunder des Lebens und von der Schöpfung der Welt aus einem winzigen Licht, bis Dennis erkannte, daß er die ganze Zeit auf der Suche nach diesem Licht gewesen war, auf der Suche nach dem Ort, an dem das Rätsel seines Ursprungs auf ihn wartete, der Ursprung seiner Träume und mit ihm die Antwort auf alle seine Fragen.

Dann führte ihn das Wesen tiefer hinab in den Schoß des Ozeans. Tiefer und tiefer. In einen bodenlosen Abgrund, in dem das Licht der Sonne seine Kraft verlor und von der Dunkelheit der See verschlungen wurde. Dennis vertraute nicht mehr seinen Sinnen, die ihn nur verwirrten und in der Finsternis nutzlos waren. Er folgte seinem *'aumaku'a,* und allein der Gedanke nach Vollendung seiner Reise trieb ihn voran und wies ihm wie ein leuchtendes Band den Weg. Hinab an einen Ort, an dem Raum und Zeit ihre Bedeutung verloren, ihre Dimensionen und ihre Gestalt.

Eine Endlosigkeit schwebte Dennis durch undurchdringliche Dunkelheit. In einem Universum aus reinem Nichts. Dann spürte er, daß er seinem Ziel näher kam, dem heiligsten aller Heiligtümer, das jetzt in seiner Nähe lag, ganz nah, irgendwo im Nirgendwo der Leere zwischen Raum und Zeit. Und plötzlich erschien ein winziges Licht, ein helles, blaues Licht, das aus dem Zentrum des Nichts aufblitzte. Es näherte sich. Es begann zu wachsen und sich zu formen, weil es das Abbild seines Wunschtraums war, seiner Sehnsucht nach Licht, Wärme und Gestalt. Es war eine formvollendete Gestalt, die sich wie eine Kugel um ihre Achse drehte. Eine Kugel aus schimmerndem Aquamarin.

Dennis verharrte in staunender Ehrfurcht über der wundersamen Erscheinung. Er sah ein Netzwerk leuchtender Wellen aus pulsierendem Licht und erkannte, daß es die Meridiane waren, die Ströme der Aura eines lebendigen Wesens, das aussah, als wenn es ein Himmelskörper war. Ein Planet, gleich der Erde, mit Ozeanen, Kontinenten und zahllosen Inseln, die im Schoß der Meere schwammen. Er spürte die Vitalität dieses kosmischen Wesens. Er spürte seine Lebensfreude und die unbändige Schöpferkraft, die in ihm wohnte. In diesem Moment wußte er, daß die Welt vor seinen Augen die Antwort auf seine Fragen in sich trug, und es lag alleine an ihm, den Sinn darin zu verstehen.

Dennis vertiefte sich in das Orakel der Erde und bemerkte plötzlich dunkle Schatten, die in den Lichtern der Aura lagen. Es waren erstarrende Zonen in dem strahlenden Netz der Lebenskraft, die mit wachsender Gier das lebendige Licht verschlangen. Sie breiteten sich aus wie eine Seuche, wie die Metastasen einer bösartigen Krebsgeschwulst, und es wurden immer mehr und mehr. Zuerst waren es nur Blitze, die aus dem Gestein der Inseln schossen. Dann bildeten sich Wolken aus strahlendem Staub, gleich wuchernden Pilzen, die sich wie tödliche Schatten über die Erde legten und alles Leben darunter erstickten.

Dennis erschauderte. Er sah in das grimmige Gesicht des dunkelsten aller Alpträume. Er sah in das Antlitz des Todes und wußte mit einem Mal, was dort vor seinen Augen geschah.

»Maralinga...!« flüsterte er und spürte die Gewalt des nuklearen Feuers, das mit dem Namen begann, eine tiefe Wunde in seiner Seele aufzureißen, »... Mururoa, Bikini, Hiroshima, Nagasaki...«, mit all den Namen, die als Synonyme für die Gewalt standen, die der Mensch dem Planeten angetan hatte.

In diesem Augenblick sah Dennis ein warmes Licht aus dem Zentrum der Welt aufsteigen. Es war ein Licht des Verstehens und der Hoffnung, das in der Tiefe seines Alptraums auf ihn gewartet hatte, um das Unheil zu besiegen. Sein Körper, der nur noch aus reinem Willen bestand, verschmolz mit dem Licht und entfachte ein rotglühendes Feuer. Ein heißes und zugleich heilendes Feuer, das mit unbändiger Kraft aus dem Urquell der Schöpfung entsprang. Und dann, gleich der Eruption eines gewaltigen Vulkans, brach das *mana* aus der Tiefe empor und nahm den Kampf gegen das kalte Feuer auf. Die Geister des Meeres öffneten die Adern der Erde und verwandelten das Unheil zu neuer Gestalt, zu einem hellen Licht, das die Quelle des Lebens war, die Quelle für die Inseln, die am Anfang einer neuen Zeit aus den Wellen des Ozeans geboren wurden.

EPILOG

KE 'ANI 'ANI O KA WAI

DER GEIST AUS DEM WASSER

Eine Welle wanderte über den Ozean und näherte sich einem einsamen Strand. Es war eine Hochseewelle, dunkler und kräftiger als jene anderen, die mit ihren fröhlichen, weißen Kronen wie spielende Kinder an die Steilküste der Insel rollten. Mit schwerer Dünung war sie von weit her gekommen und hatte nun zu dem Ort zurückgefunden, von dem sie einst zu ihrer langen Reise aufgebrochen war. Ein letztes Mal sammelte sie ihre Kraft, bäumte sich schäumend auf und trug ihre fließende Gestalt über das versunkene Riff, bis sie mit den Wirbeln der Brandung verschmolz und den träumenden Schatten weckte, der mit ihr durch das Meer von Raum und Zeit gezogen war.

Niemand gewahrte das Geschehen, das sich draußen in der Brandung abspielte. Allein der gelbe Kleidervogel, der von einer Felsnadel über den Wasserfällen von Manalei aufgestiegen war, entdeckte das blauglitzernde Wesen, das sich lautlos der Küste näherte. Verwundert drehte er einen Kreis, dann noch einen, stieß einen kehligen Laut aus und setzte schließlich seinen Flug hinauf in die fruchtbaren Bergwälder von Na Pali fort.

Der Schatten änderte seine Farbe, wurde türkis wie das Wasser und verwandelte sein Gesicht. Er schäumte tanzend in der Gischt, surfte hoch oben auf dem Kamm einer großen Woge, bis sich die Welle donnernd brach. Das Wasser spritzte hoch. Es wälzte sich durch das mächtige Felsentor in das enge Tal und vereinte sich mit den Fluten des Wasserfalls, der tief im Innern der Berge entsprang. Während sich sein Atem wie ein Schleier über die Steilhänge legte, erwachte ein Mann im warmen Licht der Abendsonne und hüllte sich in seine menschliche Gestalt, die er vor seiner Reise durch die Geisterwelt auf den Felsen zurückgelassen hatte.

Dennis blinzelte. Für einen Moment mußte er seine Augen vor

dem flammenden Licht der Abendsonne schützen, die begann, mit einem unhörbaren Zischen im Ozean zu versinken. Nur langsam begannen sich die Formen der Umgebung einen Weg in sein Bewußtsein zu bahnen. Das Tal, der See, der Wasserfall, in dem sich das Himmelsfeuer in warmen Farben spiegelte. Und mit dem Erwachen seiner Wahrnehmung kam auch die Erinnerung an das zurück, was mit ihm geschehen war. Es waren chaotische Schlaglichter von verwirrenden Erlebnissen, die jeglicher Vernunft widersprachen und zugleich eine unaussprechliche Ordnung in sich trugen.

Insbesondere ein Name hatte eine Spur in seiner Erinnerung zurückgelassen. Es war wie der Nachhall eines zutiefst beklemmenden Gefühls. Dabei war er Arnold Brillstein nur einmal begegnet, während eines Psychochecks bei seiner Rekrutierung für das Pentagon. Wahrscheinlich lag es in der Struktur des Unterbewußtseins, das Reich der Träume mit Elementen auszustatten, die in der Realität irgendwann aufgetaucht waren, und ihnen Bedeutungen zu verleihen, die ihnen überhaupt nicht zustanden. Andererseits erinnerte er sich auch an Orte und Gesichter, die er nie zuvor gesehen hatte und die in der Wirklichkeit kaum einen Platz finden konnten, obwohl sie ihm seltsam nah und vertraut erschienen. Noch einmal zogen die Bilder wie Schemen an seinem inneren Auge vorbei, begannen dann aber zunehmend zu verblassen. Die Höhle im Berg, die in ein tiefblaues Licht gehüllt war. Der riesige Hai, dessen tiefblaue Haut wie ein Himmel voller Sterne war, und die Welle, die gewaltige Welle, die all seine Gedanken ertränkte und die Welt, aus der diese Erlebnisse zu kommen schienen, mit ihrer tiefblauen Flut verschlang.

Dennis wunderte sich, was ein harmloser Sturz ins Wasser im Geist eines Menschen auszulösen vermochte, und fragte sich, was von den Geschichten zu halten war, die sich die *kama'aina* über Manalei erzählten. Für die Hawaiianer war das Tal *kapu*. Es war für sie ein Ort, an dem die Geister wohnten, die in der polynesischen Mythologie ein Pantheon bewohnten, das von ebenso großer Vielfalt war wie die Phänomene der Natur. Seit je her hatte er sich für solche Legenden interessiert. Für Geschichten von unerklärlichen Erscheinungen, die mit den geltenden Theorien der Wissenschaft nicht zu vereinbaren waren und – zumindest von abergläubischen Menschen – nur übernatürlichen Wesen zugeschrieben werden konnten. Nur aus diesem Grund war er nach Manalei gekommen, und nun fragte er sich, ob diese Erscheinungen auch dazu in der Lage waren, den Geist des Menschen zu beeinflussen. Sein Bewußtsein und seine Erlebnisse.

Dennis hatte sich bereits als Kind dafür entschieden nicht an Geister zu glauben und versuchte, sich ein realistischeres Bild von dem zu machen, was mit ihm geschehen war. Das letzte, an das er sich konkret erinnern konnte, waren die glatten Felsterrassen, auf denen er beim Abstieg aus der Grotte hinter dem Wasserfall ausgerutscht und hinunter in den See gefallen war. Vielleicht hatte er sich seinen Kopf angeschlagen und war beinahe ertrunken. Zum Glück nur beinahe!

»Ja, wieso eigentlich nur beinahe?«

Wieso war er nicht ertrunken, wie so oft in seinem Traum? Oder träumte er noch immer? Er lag im Licht der Abendsonne auf einem Fels am Rande des Sees und fragte sich vergeblich, was in den letzten Stunden mit ihm geschehen war. Ohne fremde Hilfe hatte er sich wohl kaum aus dem Wasser gezogen, und rothaarige Agentinnen, die auf wundersame Weise immer zur rechten Zeit zu seiner Rettung auftauchten, gehörten wohl ebenso in das Reich der Phantasie wie Wassernixen, die sich aus den Wellen formen.

»Aloha! Geht es wieder besser?«

Dennis erschrak und wendete sich zu der Stimme, die ihn aus seinen Grübeleien gerissen hatte. Unterhalb des Felsens, auf dem er lag, schwamm ein Mädchen in dem tiefblauen See, das zu ihm heraufblickte und mit ihrem Lächeln seinen Gedanken körperliche Gestalt verlieh. Es war eine junge *kama'aina,* die zwar außerordentlich bezaubernd wirkte, ansonsten aber gar nicht übermenschlich. Sie war vielleicht Anfang zwanzig, trug ein weißes *kapa* über ihrer goldenen Haut und machte nicht den Eindruck, als wäre sie eines der Bikinimädchen von Waikiki.

»Wer bist du?« fragte Dennis verwundert über die Begegnung.

»Ich heiße Keani.«

»Keani?« Er kannte diesen Namen. Natürlich kannte er ihn und hörte ihn zugleich zum ersten Mal.

»Und wer bist du?«

»Dennis Newton. Hast du mich aus dem See gezogen?«

Keani nickte. Mit einer kraftvollen Bewegung ihrer Arme schwang sie sich aus dem Wasser auf die Felsen und legte eine Tasche neben Dennis, die sie aus dem See geborgen hatte.

»Ist das deine?«

»Ja…, ich glaube ja.« Dennis erkannte seine wasserdichte Umhängetasche, in der er seinen Computer mit den wertvollen Aufzeichnungen verwahrte, die er in Manalei gesammelt hatte. Seine Forschungsergebnisse über die unerklärlichen Anomalien des elektromagnetischen Feldes, die seine Vermutung bestätigt hatten, daß das Tal zu den heiligen Orten gehörte, von denen Kulturen in aller Welt Erinnerungen besaßen. Von Plätzen, die nach seinen Berechnungen auf den Schnittpunkten bedeutender Meridiane lagen, die den Globus umspannten wie ein Netz aus unsichtbarer Lebensenergie.

»Vielen Dank, Keani!« Dennis setzte sich auf und nahm die Tasche erleichtert an sich. »Auch dafür, daß du mir das Leben gerettet hast.«

»Es war sehr leichtsinnig von dir, hier herumzuklettern.«

»Das habe ich gemerkt. Die Felsen sind hier teuflisch glatt.«

»Es sind nicht die Felsen, die gefährlich sind«, orakelte Keani und ließ ihre langen Haare in der Sonne trocknen.

»Was meinst du?«

»Ich meine deine Unachtsamkeit für die Zeichen der Natur.«

»Die Zeichen…?« Dennis wunderte sich, wie passend er den Ausdruck für das fand, was mit ihm geschehen war.

»Und was tust du hier?« fragte er und betrachtete etwas verstohlen Keanis langen Beine, die offenbar von intensivem Schwimmtraining sehr kraftvoll waren, aber ansonsten keinerlei Ähnlichkeit mit einem Fischschwanz aufzuweisen hatten. »Nach Manalei kommen nur sehr selten Menschen.«

»Ich liebe dieses Tal und seine Einsamkeit. Es ist einer der letzten Orte auf den Inseln, an denen man den *'aumaku'a* nahe sein kann.«

»Was sind *'aumaku'a?*«

»Es sind die Geister, mit denen du verbunden bist.« Keani setzte sich auf einen Stein, pflückte einige *maile*-Blätter und begann einen kunstvollen *lei* daraus zu flechten. »Hast du sie nicht gesehen?«

»Du glaubst, daß in Manalei Geister wohnen?«

»Natürlich. Überall in der Natur. In den Wellen. In den Wolken...«

»Auch in Steinen?« Dennis öffnete seine Tasche und zog einen handtellergroßen, aquamarinblauen Kristall daraus hervor, der als einzig sichtbares Relikt aus seinem Alptraum zurückgeblieben war. »Zum Beispiel in einem wie diesem hier?«

»Wo hast du ihn her?«

»Er lag dort oben in der Grotte hinter dem Wasserfall.«

»Und warum hast du ihn mitgenommen?«

»Ich glaube, in ihm steckt ein ganz besonderer Wert.«

»Ein Wert?« Keani lachte. »Laß ihn lieber hier.«

»Warum?«

»Du würdest ihn ohnehin bald zurückbringen.«

»Ach ja?«

»Steine wie dieser kommen immer wieder dorthin zurück, wo sie zu Hause sind.«

»Wegen dem Geist, der in ihm steckt?«

Keani nickte und pflückte noch einige Zweige mit *mokihana*-Beeren von einem Strauch.

»Was weißt du noch über diesen Stein?«

»Wir nennen ihn *moana ao,* das Licht des Meeres.«

»Ein solches Material habe ich noch nie gesehen. Er sieht ein wenig aus wie ein transparenter Aquamarin, aber er ist ungewöhnlich leicht und fühlt sich seltsam kalt an.«

»Man sagt, er besteht aus Ozeanwasser.«

»Ein Kristall aus Wasser?« Dennis lachte. »So etwas gibt es nicht.«

»Wie kann es etwas nicht geben, das du in den Händen hältst?«

»Ich bezog das eher auf seine chemische Zusammensetzung.«

»Ach so...« Keani zuckte mit den Schultern und begann die letzten Beeren in den *lei* einzuflechten. »Ich weiß nur, daß Steine wie dieser *moana ao* sehr alt sind. Es gibt sie schon seit Anbeginn der Welt, und für meine Vorfahren waren es heilige Steine, weil in ihnen *mana* wohnt.«

»Was ist *mana*?«

»Die Schöpferkraft der *akua.* Man sagt, sie kann das Bewußtsein in andere Welten versetzen.«

»Gibt es denn noch andere Welten?« fragte Dennis und bemerkte, daß seine Stimme gar nicht zweifelnd klang.

»O ja! Es sind die Welten, die man in Träumen sieht.«

»Träume sind nicht real, Keani.«

»Natürlich sind sie das! Sie zeigen uns Orte, an die man gelangt, wenn man im Leben andere Wege einschlägt.«

»Andere Wege?«

Dennis schaute hinaus auf das Meer. Draußen lag die *Bluebird,* seine Jacht, mit der er gekommen war, um eines der größten Rätsel der Natur zu lösen. Seltsamerweise hatte er das Gefühl, sein Ziel sogar erreicht zu haben, wenn auch auf eine Weise, für die es kaum einen Nobelpreis zu gewinnen gab.

»Vielleicht hast du recht«, meinte er nachdenklich. »Vielleicht sollten wir mehr auf die Zeichen der Geister achten.«

Dennis nahm den Kristall, ließ ihn für einen Moment durch seine Hände gleiten und hielt ihn dann gegen das Licht der letzten Sonnenstrahlen. Noch einmal betrachtete er die wundersamen Wellenmuster in seinem Innern und warf den Stein schließlich in hohem Bogen über den See in die Kaskaden des Wasserfalls.

»Der *moana ao* hätte sich in den Labors dieser Welt sicher sehr einsam gefühlt.«

»mahalo nui loa«, sagte Keani mit einem Klang in ihrer Stimme, als hätte Dennis gerade ihr Leben gerettet. »Vielleicht bist du doch nicht so leichtsinnig, wie es schien.«

Sie vollendete den *lei* aus roten Beeren und legte ihn Dennis um die Schultern.

»aloha'e«, sagte sie und gab ihm einen Kuß. »Vielleicht treffen wir uns einmal wieder.«

»Ja, das würde ich sehr gerne.«

»Dann weißt du ja jetzt, wo du mich finden kannst.«

Noch einmal lächelte sie. Dann stand sie auf, sprang mit einem weiten Satz zurück in den See, und alles, was Dennis von ihr sah, war das weiße *kapa,* das mit den schäumenden Fluten des Wasserfalls verschmolz und in einem Regenbogen flirrender Farben in der Abenddämmerung verschwand.

AUS DEM ABSCHLUSSBERICHT ZUM PROJEKT
MA NO UMI:

»Bestimmte Phänomene der Natur und gewisse Ansätze wissenschaftlicher Forschung müssen uns zu dem Schluß kommen lassen, daß die Realität, die wir gewohnt sind zu sehen, nicht der Wirklichkeit entspricht, ja, daß die Realität geradezu auf fundamentale Weise dem, was wir gesunden Menschenverstand nennen, widerspricht.

Es gibt nur zwei Wege, diesem Dilemma zu entgehen. Entweder wir fahren damit fort, die Welt auf gewohnte Weise zu betrachten, und vermeiden die Berührung mit den Phänomenen der Natur, oder wir müssen akzeptieren, daß unser Menschenverstand alles andere als gesund ist, und damit beginnen, an seiner Genesung zu arbeiten. Beides wird aber auf die eine oder andere Art und Weise zum Untergang dessen führen, was wir als vernunftorientierte zivilisierte Lebensweise gewohnt sind.«

Dennis Newton
Kaua'i, Hawai'i

Was wäre,
wenn die Erde ein lebendes Wesen ist?
Ein Wesen, das wir zu Tode quälen,
mit dem atomaren Feuer,
das wir in ihrem Leib entzündet haben.
Und was wäre, wenn die Erde anfangen würde,
sich zu wehren gegen ihre Peiniger?
Was wäre dann?

Glossar

'aumaku'a	Verwandte im Reich der Geister, Geistwesen
'awa	Rauschdroge aus dem Pfefferstrauch
akua	Gottheit, Götterwesen
ali'i	Adel, höchste Gesellschaftsklasse
aloha	vieldeutiger Begriff: Liebe, Willkommen, Zuneigung
haole	Fremde (zumeist für Weiße, Kaukasier)
hawai'i no ka oi	Hawai'i ist anders (besonders, größer, großartiger)
he'e nalu	surfen, wandeln auf dem Wasser
heiau	polynesischer Tempelplatz oder Grabstätte
hokule'a	Stern der Freude, hawaii. Hochseekatamaran
honopu	Zuflucht, Tal an der Na Pali Küste, Kaua'i
hula	traditioneller hawaiianischer Tanz
hula kahiko	klassischer Tanz mit zeremoniellem Hintergrund
huna	hawaiianische Naturphilosophie
kahiki	nichtgeographische Urheimat der Hawaiianer
kahuna	Meister (allg. Bezeichnung)
kahuna 'ana 'ana	Meister der Schwarzen Magie
kahuna kaula	Meister der Wahrsagerei
kahuna nui	großer Meister, Oberpriester
kalia	tonganischer Hochseekatamaran
kama'aina	Einheimische hawaiianischer Abstammung
kanaka	Menschen, Mann
Kanaloa	Gott des Meeres (Wasser)
Kane	Gott der Erde (Steine)
kapa	Stoff aus der Rinde des Maulbeerbaums
kapu	magisches Verbot, Taboo
ke 'ani 'ani o ka wai	spiegelnd schimmernder Wassergeist
ki'i	Statue einer Gottheit
kino lau	mystische Erscheinungsform

koa	hawaiianische Holzart
Ku	Gott des Feuers (Krieg)
Ku'kailimoku	Landräuber, Erscheinungsform des Gottes Ku
kupakapakanava	polynesisches Feuerzeremoniell (tonganisch)
Laka	Feuergöttin, Göttin des hula
lanai	Terrasse, Balkon
lei	traditioneller Blumenkranz
lei hala	Blumenkranz mit negativer Bedeutung
Lono	Gott der Luft (Wissen)
lono-lono	Sprache, sprechende Steine
lu'au	traditionelles Fest
mahalo	Danke!
mahalo nui loa	Vielen Dank!
maile	hawaiianische Pflanze
maitai	hawaiianischer Longdrink
makai	Seeseite, Richtung zum Ozean
malama akua	göttliches Licht
malihini	Fremder, Neuankömmling
mana	göttliche Schöpferkraft
maori	Mensch, Einheimische in Neuseeland
Maui	hawaiianischer Halbgott
moai	Statuen auf der Osterinsel
moana ao	Licht des Meeres
mokihana	hawaiianisches Beerengewächs
motu	kleine Riffinsel (polynesische Bezeichnung)
mu'umu'u	hawaiianisches Frauenkleid
ndrua	fidjianischer Hochseekatamaran
'ohana	Großfamilie
'ohelo	hawaiianische Beerenart, Opfergabe an die Götter
'olo	traditionelles Holz-Surfbrett
'ouli	Omen
pahu	hawaiianische Kürbistrommel
papa ha'olele	Hauch des Todes (böses Omen)
papalangi	Weißer, Europäer (samoanische Bezeichnung)
pau	aus, vorbei

pauka moe 'uhane	Staub der Träume, narkotische Droge
Pele	hawaiianische Vulkangöttin
po	Unterwelt, Wohnort der Götter
pono	Traumweben
pule, pupule	verrückt
Rapa Nui	Nabel der Welt, Osterinsel
rongo-rongo	sprechende Hölzer (Osterinsel)
Tangaroa	Gott des Meeres (polynesische Bezeichnung)
'unihipili	freischwebende Geistseele
wahine	Frau, Mädchen
(ka) wahine o ka lua	Frau aus der Hölle (Vulkangöttin Pele)
(ka) wahine o ka wai	Frau aus dem Wasser
wai	Wasser, heiliges Element

Anmerkung: die polynesischen Sprachen sind sich sehr ähnlich, unterscheiden sich jedoch häufig in der Wahl der Konsonanten. So spricht sich die tonganische Bezeichnung des polynesischen Wassergottes *Tangaroa* in Hawai'i *Kanaloa,* und das tonganische *tapu* wird in Hawai'i zu *kapu.*

Ismail Kadare
Der zerrissene April

Roman
Aus dem Albanischen
von Joachim Röhm
240 Seiten. Gebunden
ISBN 3-250-60040-7
MERIDIANE 40

Wir sind in der Mitte des vorigen Jahrhunderts, hoch oben in den albanischen Bergen. Zwei Familien sind miteinander im Blut, auf dem Friedhof sind je vierzig Opfer bestattet. Gjorg Berisha liegt auf der Lauer, dem Kanun folgend ist es an ihm zu töten. Er weiß: Nach der Tat bleiben ihm 30 Tage Frist, danach wird er getötet werden.

Kadare erzählt die Geschichte der albanischen Blutrache, die gemäß einem tausendjährigen Gesetz noch bis in die siebziger Jahre des 20. Jahrhunderts gültig war, und öffnet uns einen Kosmos von Legenden und Mythen, die sonst nirgends in der Welt mehr existieren. Das unter die Haut gehende Werk gibt Einblick in eine der eigensinnigsten und rebellischsten Gesellschaften Mitteleuropas.

»Hier ist ein Anwärter auf den Nobelpreis!«

Mareile Ahrndt, Financial Times

Ammann Verlag

Bernhard Kegel

Sexy Sons

Roman

464 Seiten. Gebunden
ISBN 3-250-10436-1

Eine neue Ära ist angebrochen, das Zeitalter der »Sexy Sons«, der schönsten und attraktivsten Nachkommen. Haarfarbe, Größe, Intelligenz – nichts wird mehr dem Zufall überlassen, Eltern stellen sich per Katalog das perfekte Kind zusammen.

»Kenntnisreich schildert Kegel Konkurrenz und Kumpanei in der Wissenschaft. Und ganz nebenbei macht er den Leser mit Träumereien, den Gedankenspielen wie den Grenzen der paläontologischen Forschung vertraut.« *Andreas Sentker, Die Zeit*

»Kegel ist ein Meister darin, komplizierte Sachverhalte in spannende Geschichten zu verwandeln.« *Martin Ebel, Die Welt*

»Selten verbindet sich fundierte Sachkenntnis so erfreulich mit erzählerischen Qualitäten.« *Diemut Klärner, FAZ*

Ammann Verlag

Margaret Wertheim

Die Himmelstür zum Cyberspace

Eine Geschichte des Raumes von Dante zum Internet
Aus dem Englischen von Ilse Strasmann
368 Seiten. Gebunden
Mit zahlreichen Abbildungen
ISBN 3-250-10417-5

»Das Zeitalter des Cyberspace begann im Jahr 1268.«

Unvoreingenommenen Auges und mit großer Neugier ist Margaret Wertheim der Geschichte der unterschiedlichen Vorstellungen vom Paradies nachgegangen. Auf ihrer faszinierenden Zeitreise durch die dritte Dimension durchmißt die Wissenschaftsjournalistin den »Seelen-Raum« des Mittelalters, den »himmlischen Raum« der newtonschen Kosmologie, Einsteins »relativistischen Raum«, um schließlich zum Cyberspace zu gelangen. Dabei macht sie »... überraschende Entdeckungen, recherchiert, kombiniert, und die Materie beginnt unter dem Feuer der Begeisterung zu glühen.« *Die Zeit*

»Ein Buch, das mich von der ersten bis zur letzten Seite gefesselt hat: eloquent, überraschend und originell!« *Oliver Sacks*

Ammann Verlag